Johan Theorin
Blutstein

PIPER

Zu diesem Buch

Rot wie Blut schimmert die Gesteinsschicht im Steinbruch von Stenvik. Jeder auf Öland kennt die Legenden von den Bluttaten, die diesen Stein gefärbt haben sollen. Auch Per Mörner kennt sie, aber er glaubt nicht an die uralten Geschichten von Elfen und Trollen und beschließt, mit seinen Kindern im Frühjahr nach Stenvik zu ziehen. Nach einem Brandanschlag auf seinen Vater Jerry sieht Per sich gezwungen, auch ihn auf die Insel zu holen. Doch er kann nicht verhindern, dass Jerry schon kurz darauf vor seinen Augen ermordet wird. Der Vater schien seinen Mörder gekannt zu haben – wer aber hatte ihn so gehasst, dass er sogar das Risiko einging, ihn vor den Augen der Öffentlichkeit zu töten? Per Mörner lässt die Frage keine Ruhe. Und was er herausfindet, erschüttert ihn zutiefst …

Johan Theorin, 1963 in Göteborg geboren, gelang mit seinem ersten Kriminalroman »Öland«, ausgezeichnet als bestes Krimidebüt des Jahres, ein internationaler Erfolg. Sein zweites Buch »Nebelsturm« erhielt von der Schwedischen Krimiakademie den Preis für den Besten Kriminalroman des Jahres. »Blutstein« ist der dritte Teil eines geplanten Jahreszeiten-Quartetts und spielt im öländischen Frühling. Weiteres zum Autor: www.johantheorin.com

Johan Theorin

Blutstein

Kriminalroman

Aus dem Schwedischen von
Kerstin Schöps

Piper München Zürich

Mehr über unsere Autoren und Bücher:
www.piper.de

Von Johan Theorin liegen bei Piper vor:
Öland
Nebelsturm
Blutstein

Ungekürzte Taschenbuchausgabe
Juni 2012
© 2010 Johan Theorin
Titel der schwedischen Originalausgabe:
»Blodläge«, Wahlström & Widstrand, Stockholm 2010
© der deutschsprachigen Ausgabe:
2011 Piper Verlag GmbH, München
Published by arrangement with Bonnier Group Agency,
Stockholm, Sweden
Umschlaggestaltung: Cornelia Niere, München
Umschlagfoto: Chris Strong/Getty Images
Satz: Satz für Satz. Barbara Reischmann, Leutkirch
Gesetzt aus der Swift
Papier: Pamo Super von Arctic Paper Mochenwangen GmbH Deutschland
Druck und Bindung: CPI – Clausen & Bosse, Leck
Printed in Germany   ISBN 978-3-492-27448-7

WALPURGISNACHT

Per Mörner hatte schwere Verbrennungen an seiner linken Hand, mehrere gebrochene Rippen und konnte nur noch verschwommene Umrisse erkennen. Aber er lebte noch. Er spürte, wie er mit Benzin übergossen wurde, registrierte dessen milde Temperatur. Im Vergleich zu der kalten Abendluft fühlte sich die Flüssigkeit beinahe warm an, und es brannte, als sie ihm über die Haare und in die Wunden im Gesicht rann.

Der Benzinkanister über seinem Kopf gab rhythmische, gluckernde Laute von sich. Dann hörte das Gluckern auf, und der leere Kanister wurde weggeschleudert.

Per kniete inmitten einer großen Pfütze und war vollkommen durchnässt. Er war von dem harten Schlag auf den Kopf ganz benommen, und die Benzindämpfe machten ihn schwindelig.

Er stützte sich auf seine Arme und versuchte sich aufzurichten. Aber er hatte Schwierigkeiten, mehr als Umrisse zu erkennen. Die Gestalt vor ihm war nur ein dunkler Schatten gegen den Abendhimmel.

Wie ein Troll, dachte Per. Die Person sah aus wie ein Bergtroll.

»Walpurgisnacht!«, sagte der Schatten. »Heute Nacht brennen überall Feuer!«

Dann holte die Gestalt etwas aus der Jackentasche, einen Gegenstand, der leise rasselte. Es war eine Streichholzschachtel.

Jetzt würde Per für die Sünden seines Vaters in Flammen aufgehen.

Er hob den Kopf. Da kam ihm in den Sinn, dass er noch eine

Sache versuchen konnte, obwohl es wahrscheinlich zu spät dafür war – er konnte um Gnade flehen.

Ihm rann Benzin in den Mund, als er ihn öffnete.

»Ich werde schweigen«, flüsterte er.

Obwohl das unmöglich war, er wusste bereits zu viel über die Machenschaften von Jerry, Bremer und Markus Lukas.

Aber er wusste auch, dass die vielen Namen, die er in den vergangenen Wochen zusammengetragen hatte, keine Bedeutung mehr hatten. Sie würden alle bald verschwunden sein.

Die Gestalt vor ihm schien nicht einmal zugehört zu haben. Sie öffnete die Schachtel und holte ein Streichholz heraus. Dann schob sie die Schachtel wieder zu, nahm das Streichholz zwischen die Finger und zündete es an.

Es knisterte leise, und dann loderte eine helle, gelbe Flamme auf.

Jerry, Bremer, Markus Lukas, Jessika, Regina und all die anderen ...

Per schloss die Augen und wartete auf das Feuer. Unaufhörlich flimmerten die Namen durch seinen Kopf.

1

Es war März, und im Norden von Öland schien die Sonne auf die letzten grauen Schneehäufchen, die auf dem Rasen vor dem Altersheim von Marnäs lagen und nur langsam schmolzen. Die beiden Flaggen auf dem Parkplatz – die schwedische mit gelbem Kreuz und die öländische mit einem goldenen Hirsch – flatterten im eiskalten Wind. Beide waren auf halbmast.

Eine lange schwarze Limousine rollte auf den Vorplatz des Altersheims und hielt vor dem Eingang. Zwei Männer in dicken Wintermänteln stiegen aus dem Wagen und öffneten die Kofferraumklappe. Sie zogen eine Bahre heraus, klappten die Räder aus und schoben sie die Rollstuhlrampe hinauf und durch die gläserne Eingangstür.

Die Männer waren Leichenbestatter.

Der pensionierte Kapitän zur See Gerlof Davidsson saß zusammen mit seinen Mitbewohnern im Speisesaal, als die Männer den Fahrstuhl verließen. Er beobachtete sie, wie sie die Bahre den Gang hinunterschoben. Auf der Bahre lagen gelbe Decken und breite Gurte, die den leblosen Körper festhalten sollten. Die Männer gingen schweigend am Speiseaal vorbei und steuerten den Warenaufzug an, der hinunter in den Kühlraum des Altersheims führte.

Das Gemurmel der Bewohner verstummte, als die Bahre vorbeirollte, setzte aber kurz darauf wieder ein.

Gerlof erinnerte sich, dass vor ein paar Jahren die Bewohner des Altersheims darüber abgestimmt hatten, ob der Wagen des Bestattungsinstituts künftig auf der Rückseite des Gebäudes halten und die Verstorbenen dezent durch eine Hintertür abtransportieren sollte. Die meisten hatten sich jedoch dagegen ausgesprochen, so auch Gerlof.

Die Alten wollten sehen, wie ihre verstorbenen Mitbewohner ihre letzte Reise antraten. Sie wollten Abschied nehmen können.

An diesem kalten Tag war Torsten Axelsson an der Reihe. Er war in seinem Bett gestorben, einsam und mitten in der Nacht, so, wie viele Menschen sterben. Die Frühschicht hatte ihn gefunden, einen Arzt gerufen, damit er den Tod bescheinigte, und ihm danach seinen schönsten schwarzen Anzug angezogen. An seinem rechten Handgelenk wurde ein Plastikband mit seinem Namen und seiner Versicherungsnummer befestigt, und zu guter Letzt hatten sie Torsten eine Mullbinde um den Kopf gebunden, damit der Kiefer geschlossen blieb, wenn die Leichenstarre einsetzte.

Torsten hatte genau gewusst, was mit ihm nach seinem Tod geschehen würde. Dessen war sich Gerlof sicher, schließlich hatte Torsten sein Leben lang als Friedhofswärter und Totengräber gearbeitet. In einem der vielen Särge, die er unter die Erde gebracht hatte, hatte sogar einmal ein Mörder namens Nils Kant gelegen. Aber in der Regel hatte er Gräber für normale Inselbewohner ausgehoben.

Tagein, tagaus hatte er diese Arbeit verrichtet, wenn nicht zu viel Schnee lag oder Minusgrade unter zehn herrschten. Besonders im Frühling war das Graben beschwerlich gewesen, hatte er Gerlof einmal erzählt, weil der Bodenfrost auf Öland so lange anhielt. Aber nicht etwa die physische Anstrengung hatte ihm am meisten zugesetzt: An den Tagen, an denen er das Grab für ein verstorbenes Kind ausheben musste, war es ihm furchtbar schwergefallen, aufzustehen und ans Werk zu gehen.

Schon bald würde er in sein eigenes Grab hinabgesenkt werden. In einer Urne – Torsten wollte eingeäschert werden.

»Ich lasse mich lieber verbrennen, als dass meine Knochen in der Erde bleiben und durch die Gegend fliegen«, hatte er gesagt.

Früher war das anders, dachte Gerlof. In seiner Jugend gab es weder Leichenbestatter noch Bestattungsinstitute, die sich um alles kümmerten, wenn ein Angehöriger gestorben war. Früher starb man in seinem eigenen Bett, und ein Familienmitglied zimmerte den Sarg.

Da fiel Gerlof eine alte Familiengeschichte ein. Anfang des 20. Jahrhunderts lebten seine frisch verheirateten Eltern in einem umgebauten Sommerhaus in Stenvik. Eines Nachts wurden sie von merkwürdigen Geräuschen auf dem Dachboden geweckt. Es klang, als würde jemand die übrig gebliebenen Bretter durch die Gegend schieben, die Gerlofs Vater dort gelagert hatte. Als er jedoch nachsehen ging, war der Dachboden verlassen und alles still.

Aber kaum war sein Vater wieder im Schlafzimmer angekommen, begann der Lärm von Neuem.

Gerlofs Eltern hatten regungslos in der Dunkelheit gelegen und angsterfüllt den unheimlichen Geräuschen gelauscht.

Als Gerlof seinen Kaffee ausgetrunken hatte, kamen die Leichenbestatter mit der Bahre zurück. Er konnte sehen, dass jetzt ein

Körper darauf lag, verborgen unter den Decken und festgehalten von den Ledergurten. Leise und zügig wurde er vorbeigefahren.

Adieu, Torsten, dachte Gerlof.

Kaum hatten die Leichenbestatter das Altersheim durch den Haupteingang verlassen, schob Gerlof seinen Stuhl nach hinten.

»Zeit zu gehen«, verkündete er seinen Tischnachbarn.

Dann erhob er sich langsam mithilfe seines Stockes. Er biss die Zähne zusammen, als die rheumatischen Schmerzen sich in den Beinen meldeten. Bedächtig lief er den Gang hinunter zum Büro der Heimleiterin.

Seit Wochen schon hatte Gerlof sich so seine Gedanken gemacht, genau genommen seit seinem letzten Geburtstag. Da war ihm bewusst geworden, dass es nicht mehr weit war bis zu seinem fünfundachtzigsten Geburtstag. Die Zeit verrann so schnell – ein Jahr in seinem Alter verging genauso rasch, wie früher eine Woche verstrichen war, als er noch ein junger Mann war. Und jetzt, nach Torstens Tod, hatte er endgültig den Entschluss gefasst.

Vorsichtig klopfte er gegen die Tür von Boels Büro und öffnete sie, als die Heimleiterin antwortete.

Boel saß am Computer und erledigte Papierkram. Gerlof blieb schweigend auf der Türschwelle stehen. Nach einer Weile hob sie den Kopf.

»Geht es Ihnen gut, Gerlof?«

»Ja.«

»Was gibt es denn? Haben Sie etwas auf dem Herzen?«

Er holte tief Luft.

»Ich muss hier weg.«

Boel schüttelte langsam den Kopf.

»Gerlof ...«

»Es ist bereits entschieden«, unterbrach er sie.

»Ach ja?«

»Ich möchte Ihnen eine Geschichte erzählen ...« Gerlof registrierte, dass Boel mit den Augen rollte, fuhr aber unbeirrt fort: »Meine Eltern heirateten 1910. Sie übernahmen einen kleinen umgebauten Hof, der seit vielen Jahren leer stand. In ihrer ersten Nacht hörten sie merkwürdige Geräusche auf dem Dachboden ... es klang, als würde jemand die Bretter hin und her bewegen, die mein Vater dort oben aufgestapelt hatte. Sie fanden keine Erklärung für den Lärm, aber am nächsten Morgen stand der Nachbar vor der Tür.«

Er machte eine Kunstpause und fuhr dann fort: »Der Nachbar erzählte, dass sein Bruder in der vergangenen Nacht gestorben sei. Und er bat meinen Vater um Bretter, um daraus einen Sarg zimmern zu können. Mein Vater ließ ihn auf den Dachboden gehen und die passenden Bretter auswählen. Als meine Eltern in der Küche saßen und das Geklapper vom Dachboden hörten, erkannten sie die Geräusche wieder ... Sie waren identisch mit denen der vergangenen Nacht.«

Es wurde still im Raum.

»Ja, und?«, fragte Boel schließlich.

»Das war eine Ankündigung. Die Ankündigung eines nahenden Todes.«

»Ja, Gerlof, das war eine schöne Geschichte ... Aber worauf wollen Sie hinaus?«

Er seufzte.

»Ich will darauf hinaus«, sagte er, »dass es mein Sarg sein wird, der als Nächstes gezimmert werden muss, wenn ich länger hierbleibe. Ich habe schon das klappernde Geräusch von Holzbrettern gehört. Und das Rattern des Leichenwagens.«

Boel schien aufzugeben.

»Und was haben Sie vor? Wo wollen Sie hin?«

»Nach Hause«, antwortete Gerlof. »In mein Haus nach Stenvik.«

2

Du stirbst? Wer hat gesagt, dass du stirbst, Papa?«

»Ich selbst!«

»Das ist doch lächerlich! Du hast noch viele Jahre vor dir ... viele Frühlinge«, widersprach Julia Davidsson und fügte hinzu: »Außerdem hast du es gerade geschafft, lebend ein Altersheim zu verlassen – wie vielen gelingt das wohl?«

Gerlof erwiderte nichts, musste aber unwillkürlich an die stählerne Bahre mit Torsten Axelssons Körper denken. Und er blieb schweigsam, während seine Tochter den Wagen hinunter zur Küste bis zur Ortseinfahrt von Stenvik steuerte.

Die Sonne schien durch die Windschutzscheibe und weckte seine Sehnsucht nach Schmetterlingen und Vögeln und allem anderen, was die Frühlingswärme mit sich bringt. Die Lebenslust in seiner Brust hob ihren schläfrigen Kopf und blinzelte überrascht. Er musste sich beinahe anstrengen, um mürrisch zu klingen, als er schließlich etwas sagte:

»Nur Gott allein weiß, wie viel Zeit mir noch bleibt, und er lässt sie viel zu schnell vergehen ... aber wenn ich schon sterben soll, dann hier in meinem Heimatort.«

Julia seufzte. Sie hielt den Wagen am Rand der menschenleeren Hauptstraße von Stenvik an und schaltete den Motor aus.

»Du liest zu viele Todesanzeigen.«

»Stimmt. Aber die Zeitungen leben davon.«

Gerlof hatte sich mit Letzterem einen Scherz erlauben wollen, aber Julia lachte nicht, sondern half ihm nur schweigend beim Aussteigen.

Langsam gingen sie auf das Gartentor des Sommerhauses der Familie Davidsson zu, das in einem kleinen Wäldchen in Stenvik lag, nur einige Hundert Meter vom Meer entfernt.

Zwar würde er die meiste Zeit allein sein, darüber war sich Gerlof vollkommen im Klaren, aber dafür bliebe er wenigstens vor den Krankheiten im Altersheim verschont. Die anderen Mitbewohner mit ihren zahllosen Tabletten, Sauerstoffschläuchen und dem ständigen Gerede über Gebrechen waren ihm langsam auf die Nerven gegangen. Und seiner ehemaligen Geliebten Maja Nyman ging es auch immer schlechter, die meiste Zeit lag sie im Bett.

Fast einen Monat hatte es gedauert, Boel und die anderen im Vorstand davon zu überzeugen, Gerlof zurück in sein Haus nach Stenvik ziehen zu lassen. Aber schließlich hatten sie aufgegeben und eingesehen, dass er dadurch den Platz für einen neuen Heimbewohner freigab, der *gerne* im Altersheim aufgenommen werden wollte. Gerlof würde zwar weiterhin Hilfe benötigen, eine Putzfrau, medizinische Versorgung und Essen auf Rädern, aber das würde sich ohne Weiteres mit Krankenschwestern und Haushaltshilfen bewerkstelligen lassen.

Gerlof war vollkommen klar im Kopf, obwohl er sich an manchen Tagen kaum bewegen konnte. Seinem Hirn und seinen Zähnen fehlte nichts – nur die Arme, Beine und der Rest des Körpers hätten eine Grundrestaurierung nötig.

Es war Ende März, und Gerlof betrat zum ersten Mal in diesem Jahr seinen Heimatort an der Küste, in dem er geboren und aufgewachsen war. Er war zurückgekehrt auf den Grund und Boden, der seit Jahrhunderten im Besitz der Familie Davidsson war und den seine Eltern noch bewirtschaftet hatten. Und er war zurück in seinem Häuschen, das er für sich und seine Frau Ella vor etwa fünfzig Jahren gebaut hatte. Stenvik war sein Hafen gewesen in den vielen Jahren auf See.

Der Schnee war fast überall geschmolzen und hatte eine weiche Grasfläche freigelegt, die dringend geharkt werden musste.

»Grün und Laub vom letzten Jahr«, sagte Gerlof. »Was im Winter verborgen war, kommt jetzt wieder zum Vorschein.«

Während sie über das verblichene Gras gingen, klammerte er sich fest an Julias Arm. Als sie aber die steinerne Treppe erreicht hatten, ließ er sie los und stieg auf seinen Gehstock aus Kastanienholz gestützt behutsam eine Stufe nach der anderen hinauf zur Eingangstür.

Gerlof konnte zwar noch selbst laufen, aber er war dankbar, dass seine Tochter ihn stützte. Und er war froh, dass Ella nicht mehr lebte. Er wäre ihr nur eine große Last gewesen.

Er holte den Schlüssel aus seiner Tasche und schloss auf.

Die stickige Luft verschlossener Räume schlug ihm entgegen, als er die Glastür öffnete. Abgestanden und ein bisschen feucht, aber es roch nicht nach Schimmel. Die Dachziegel schienen noch intakt zu sein. Zum Glück entdeckte er auch keine kleinen schwarzen Kügelchen, als er über die Schwelle trat. Die Mäuse überwinterten in der Regel im Fundament des Hauses und kamen nur selten in die Wohnräume.

Julia war übers Wochenende auf die Insel gekommen, um ihm beim Umzug zu helfen und klar Schiff zu machen. Frühjahrsputz nannte sie das. Natürlich war Gerlof der eigentliche Besitzer des Häuschens, aber seit vielen Jahren nutzten es seine beiden Töchter und deren Familien als Sommerhaus. Und im Sommer würden sie sich in den kleinen Zimmern arrangieren müssen.

Kommt Zeit, kommt Rat, dachte er.

Nachdem sie Gerlofs Gepäck ins Haus gebracht, den Strom eingeschaltet und die Fenster zum Lüften geöffnet hatten, gingen sie wieder hinaus in den Garten.

Abgesehen vom Geschrei der Sturmmöwen unten am Strand wirkte der Ort an diesem Samstagvormittag vollkommen menschenleer und verlassen. Doch plötzlich hörten sie von der anderen Seite der Hauptstraße harte Hammerschläge. Sie hallten weit über die Landschaft.

Julia sah sich irritiert um.

»Da ist jemand zugange.«

»Ja«, erläuterte Gerlof, »die bauen drüben am Steinbruch.«

Gerlof war nicht überrascht, im vergangenen Sommer hatte er einen Ausflug in die Stadt gemacht und beobachtet, dass auf zwei großen Grundstücken neben dem Steinbruch sämtliche Bäume und Büsche gefällt und entfernt worden waren und eine Walze den Erdboden bearbeitet hatte. Seine Vermutung war, dass dort zwei weitere Sommerhäuser entstünden, die wie so viele andere die meiste Zeit des Jahres unbewohnt bleiben würden.

»Willst du dir das ansehen?«, fragte Julia.

»Gerne, lass uns rübergehen.«

Er nahm den Arm seiner Tochter, und gemeinsam verließen sie das Grundstück durch das Gartentor.

Als Gerlof Anfang der Fünfzigerjahre sein Haus baute, hatte er noch ungehinderte Sicht auf das Meer im Westen und auf den Kirchturm von Marnäs im Osten. Damals gab es überall grasende Kühe und Schafe, die den Bewuchs in Schach hielten. Aber das Vieh war schon lange verschwunden, und die Bäume und Büsche hatten wieder die Herrschaft übernommen. Die Baumkronen bildeten nun ein dichtes Dach, und als sie die Hauptstraße überquerten, konnte Gerlof nur einen kurzen Blick auf den eisbedeckten Sund im Westen erhaschen.

Stenvik war ein altes Fischerdorf. Gerlof erinnerte sich gerne an die Zeit, als die Kähne in der sanften Bucht in langen Reihen am Strand nebeneinanderlagen und darauf warteten, zu den Fischernetzen gerudert zu werden, die weiter draußen im Sund ausgeworfen worden waren. Schon lange waren sie alle verschwunden und die Wohn- und Bootshäuser der Fischer waren zu Ferienhäuschen umgebaut worden.

Sie bogen in den Kiesweg, der zum Steinbruch führte. ERNSTS WEG stand in großen Lettern auf einem neuen weißen Schild.

Gerlof wusste, nach wem der Weg benannt worden war: Ernst war sein Freund gewesen und hatte als Steinhauer als einer der letzten Bewohner des Ortes bis zur Schließung Anfang der Sechzigerjahre im Steinbruch gearbeitet. Auch Ernst gab es nicht mehr – nur sein Weg war geblieben. Gerlof versuchte sich auszumalen, ob auch nach ihm eines Tages etwas benannt werden würde.

Als der Steinbruch vor ihnen auftauchte, sah Gerlof sofort,

dass Ernsts rotbraunes Backsteinhaus noch an Ort und Stelle stand, direkt an der Kante des Steinbruchs. Es war verriegelt und winterfest gemacht. Das Kind einer Cousine hatte es mit seiner Familie geerbt, als Ernst starb, aber sie hielten sich fast nie dort auf.

»Oha«, sagte Julia. »Jetzt fangen sie auch hier an zu bauen.«

Gerlof wandte seinen Blick von Ernsts Haus und entdeckte die beiden großen Villen, die Julia meinte. Sie standen, mit ein paar Hundert Metern Abstand zueinander, auf der östlichen Seite des Steinbruchs.

»Sie haben wohl schon letzten Sommer begonnen, die Grundstücke vorzubereiten«, sagte Julia erstaunt. »Und dann müssen sie den Herbst und Winter über gebaut haben.«

Gerlof schüttelte den Kopf.

»Mich hat niemand um Erlaubnis gefragt!«

Julia kicherte.

»Das stört dich doch gar nicht, die Bäume versperren dir doch die Sicht.«

»Stimmt, aber trotzdem. Der Anstand hätte es verlangt!«

Die Häuser waren aus Holz und Stein gebaut, mit großen, glänzenden Panoramafenstern, weißen Schornsteinen und schwarzen Schieferschindeln. Auf einem der Grundstücke standen noch Baugerüste herum, und ein paar Zimmerleute in dicken Wollpullovern waren damit beschäftigt, Holzbretter aneinanderzunageln. Vor der anderen Villa lag eine große, weiße, in Plastik verpackte Badewanne auf dem Rasen.

Ernsts Häuschen, das sich nördlich der beiden neuen Eigenheime befand, sah im Vergleich dazu aus wie ein kleiner Holzschuppen.

Luxushäuser, dachte Gerlof verächtlich. Das war mitnichten das, was der Ort am dringlichsten brauchte. Aber nun standen sie da, fast fertiggestellt.

Der stillgelegte Steinbruch lag wie eine große Wunde in der Landschaft. Er war fünfhundert Meter breit und der Boden übersät mit kleinen und großen Steinbrocken, teils zu Haufen aufgetürmt, die aus dem Berg gebrochen und dann beiseitegeworfen worden waren auf der Jagd nach den Steinen tiefer im Berg, die ohne Risse und Spalten waren.

»Willst du dir das aus der Nähe ansehen?«, fragte Julia. »Wir können hingehen und nachschauen, ob vielleicht einer der Besitzer da ist.«

Gerlof schüttelte energisch den Kopf.

»Ich kenne die schon. Das sind reiche und arrogante Großstädter.«

»Nicht alle, die hier ein Haus bauen oder kaufen, sind Großstädter«, widersprach seine Tochter.

»Nee, das stimmt ... Aber reich und arrogant sind sie auf jeden Fall.«

3

Soll ich das Fenster öffnen?«, fragte Per Mörner.

Seine Tochter Nilla hatte ihm den Rücken zugewandt, aber sie nickte.

»Sind da draußen Vögel?«, fragte sie.

»Ganz viele!«, antwortete Per.

Das entsprach nicht der Wahrheit, er sah keinen einzigen von dem Krankenhausfenster aus. Aber beim Parkplatz standen Bäume, unter Umständen saßen dort ein paar Singvögel auf den Ästen.

»Dann kannst du es aufmachen«, erwiderte Nilla und erklärte: »Ich habe in Biologie als Hausaufgabe, verschiedene Vogelarten aufzuzählen.«

Nilla ging in die siebte Klasse, und sie hatte alle Bücher auf dem Tisch neben ihrem Bett ausgebreitet. Ihre Glücksbringer und Kuscheltiere hatte sie neben das Kopfkissen gelegt und war

danach aufs Bett geklettert und hatte ein großes Stofftranspa-
rent mit der Aufschrift NIRVANA an die Wand gehängt.

Per öffnete das Fenster, und tatsächlich drang ein zartes Zwitschern ins Zimmer. Aber es wurde immer wieder vom Motoren-
lärm vieler fahrender Autos übertönt und würde wahrscheinlich bald verstummen. Schließlich war bereits Abend, und der
Parkplatz, auf dem die Krankenschwestern und Ärzte ihre glänzenden Wagen abstellten, leerte sich zusehends. Pers brauner
Saab stand ebenfalls dort unten, aber der war schon neun Jahre
alt und glänzte nicht mehr.

»Woran denkst du gerade?«, fragte Nilla.

Per wandte sich ihr zu.

»Rate mal.«

»Du denkst an den Frühling.«

»Stimmt genau!«, sagte Per, obwohl er lediglich über sein altes
Auto nachgedacht hatte. »Du wirst immer besser im Gedanken-
lesen.«

Denn das war das neueste Projekt seiner Tochter. Zuvor hatte
sie sich mehrere Monate damit beschäftigt, mit links so gut
schreiben zu können wie mit rechts. Aber in den Weihnachts-
ferien hatte sie eine Fernsehsendung über Telepathie gesehen,
und seitdem experimentierte sie mit ihrem Zwillingsbruder
Jesper und ihrem Vater. Dabei ging es darum, sowohl ihnen Gedanken zu schicken als auch ihre Gedanken zu lesen. Per hatte
den Auftrag erhalten, Nilla jeden Abend um acht Uhr einen besonderen Gedanken zu schicken.

Er blieb am Fenster stehen und sah zu, wie sich die untergehende Sonne in den Scheiben der Autos spiegelte.

Der Frühling war gekommen, trotz der anhaltenden Kälte,
aber Per hatte sich noch keine Zeit genommen, es wahrzuneh-
men. Die Zugvögel waren vom Mittelmeer zurückgekehrt, und
die Bauern hatten bereits begonnen, die Felder zu säen. Per
musste an seinen Vater denken, der sich immer nach dem Frühling gesehnt hatte, vor allem weil seine Arbeit dann so richtig
in die Gänge kam. Für die meisten Menschen war der Frühling

die Zeit der Jugend, oder etwa nicht? Die Zeit der Jugend und der Liebe.

Per hatte noch nie Frühlingsgefühle gehabt. Noch nicht einmal, als er Marika vor fünfzehn Jahren auf einem Marketingseminar kennengelernt und kurz darauf an einem sonnigen Tag im Mai geheiratet hatte. Als hätte er damals schon geahnt, dass sie ihn eines Tages verlassen würde, früher oder später.

»Hat Mama gesagt, wann sie kommen wollte?«, fragte er über die Schulter.

»Hm«, antwortete Nilla. »Zwischen sechs und sieben.«

Per warf einen Blick auf die Uhr. Es war kurz vor fünf.

»Möchtest du, dass Jesper und ich hier bei dir auf sie warten?«

Nilla schüttelte den Kopf.

»Ich komm schon klar.«

Die Antwort hatte Per sich erhofft. Er hatte nichts dagegen, Marika zu begegnen. Aber da sie extra nach Kalmar kam, nur um ihre Tochter zu besuchen, war es gut möglich, dass ihr neuer Mann sie begleiten würde. Georg, mit dem dicken Konto und den teuren Geschenken. Per war schon längst über die Trennung von Marika hinweg, aber er hatte Probleme, den Mann zu treffen, der sowohl sie als auch die Zwillinge vollkommen verhätschelte und verzog.

Nilla hatte ein Einzelzimmer zugewiesen bekommen und schien bestens versorgt zu sein. Ein junger Arzt war vor einer halben Stunde vorbeigekommen und hatte ihnen genauestens erklärt, welche Proben und Tests sie in den nächsten Tagen und in welcher Reihenfolge vornehmen wollten. Nilla hatte ihm mit gesenktem Kopf zugehört, ohne eine einzige Frage zu stellen. Zwischendurch hatte sie den Arzt angesehen, aber Per keines Blickes gewürdigt.

»Wir sehen uns später, Nilla«, hatte sich der Arzt verabschiedet.

Vor seiner Tochter lagen zwei anstrengende Tage mit langwierigen Untersuchungen, aber Per wollte einfach nichts Aufmunterndes einfallen.

Nilla packte unbeirrt ihre Sachen aus, und Per half ihr dabei. Es war unmöglich, ein Krankenhauszimmer gemütlich zu machen, der Raum war zu kalt und voller Schläuche und Alarmknöpfe, aber sie gaben ihr Bestes. Abgesehen von ihrem rosa Kopfkissen hatte Nilla ihren CD-Player, Nirvana-CDs, ein paar Bücher und mehr Hosen und Pullover mitgenommen, als sie eigentlich benötigen würde.

Sie trug Jeans und einen schwarzen Pullover, aber schon bald würde die Schwester die typische Krankenhauskleidung vorbeibringen: ein weißes Nachthemd, das sich bei den Untersuchungen leicht öffnen ließ.

»So«, sagte Per. »Dann fahren wir jetzt mal los, aber Mama kommt ja auch bald ... Soll ich Jesper holen?«

»Ja, mach das.«

Sein Sohn hockte auf dem Sofa im Wartezimmer. In einem Regal an der Wand lagen Comics und Bücher, aber Jesper saß über seinen Gameboy gebeugt, wie immer.

»Jesper?«, rief ihn Per mit lauter Stimme.

»Was is?«

»Nilla möchte sich von dir verabschieden.«

Jesper drückte auf die Pausetaste.

Er ging ohne seinen Vater in das Zimmer seiner Zwillingsschwester und schloss die Tür hinter sich. Per fragte sich, worüber die beiden wohl sprachen. Fiel es Jesper leichter, mit Nilla zu reden, als mit ihm? Ob sie über ihre Krankheit sprachen? Mit seinem Vater wechselte er selten ein Wort.

Als sie noch klein waren, nur wenige Jahre alt, hatten die Zwillinge eine Geheimsprache entwickelt, die nur sie verstanden. Es war ein Singsang, der hauptsächlich aus Vokalen zu bestehen schien. Besonders Nilla hatte sich schwergetan, Schwedisch zu lernen, sie zog lange die Geheimsprache vor. Bis Per und Marika eine Logopädin gefunden hatten, die ihnen wirklich helfen konnte, hatten sie sich mitunter wie Eltern von zwei Außerirdischen gefühlt.

Eine Tür am Ende des Gangs öffnete sich. Der junge Arzt von

vorhin kam mit großen Schritten heraus. Per ging auf ihn zu. Er hatte schon immer eine Schwäche für diese Berufsgruppe – weil ihm seine Mutter nie erzählen wollte, welchem Beruf sein Vater nachging, hatte sich Per ausgedacht, dass Jerry als Arzt in einem fremden Land arbeitete. Viele Jahre hatte er das dann geglaubt.

»Ich habe eine Frage«, sagte er. »Es geht um Nilla, meine Tochter.«

Der Arzt blieb stehen.

»Ja, was kann ich für Sie tun?«

»Sie sieht so verquollen aus«, sagte Per. »Ist das normal?«

»Verquollen, wo denn?«

»Im Gesicht, an den Wangen und um die Augen. Das wurde auf dem Weg ins Krankenhaus immer deutlicher. Hat das etwas zu bedeuten?«

»Unter Umständen«, erwiderte der Arzt. »Wir werden sie sehr sorgfältig untersuchen. EKG, Ultraschall, CT, Röntgen, großes Blutbild ... das ganze Programm.«

Per nickte, aber Nilla war schon so oft wegen ihrer sonderbaren Beschwerden untersucht worden. Die Testergebnisse schienen nur immer neue Untersuchungen nach sich zu ziehen. Und immer mussten sie abwarten.

Die Tür zu Nillas Zimmer öffnete sich, und Jesper kam heraus. Er wollte zurück ins Wartezimmer gehen, aber Per hielt ihn auf.

»Fang kein neues Spiel an, Jesper«, sagte er. »Wir fahren jetzt rüber zum Sommerhaus.«

Als sie etwa eine Viertelstunde später die Ölandbrücke verließen und nach Norden abbogen, empfing sie eine Landschaft in gelbbraunen Farben, die Natur im Übergang vom Winter zum Frühling. Die Abendsonne beschien die Straßengräben, in denen gelbe Windröschen und Huflattich blühten. Und direkt dahinter lagen noch glitzernde Schneewehen auf den Feldern. Der schmelzende Schnee hatte große Seen draußen in der Großen Alvar gebildet. Und von ihnen aus machten sich kleine Frühlingsbächlein auf den Weg zum Meer.

Eine Wasserwelt. Kein Mensch hielt sich dort auf, nur Schwärme von Kiebitzen und Buchfinken.

Per liebte diese Leere und die geraden Linien auf der Insel, und nachdem der Verkehr hinter Borgholm merklich nachließ, gab er Gas.

Der Saab dröhnte in Richtung Norden durch die weite, offene Landschaft, vorbei an Wäldchen und Windmühlen – es war, als würde man durch ein Ölgemälde fahren. Ein Frühlingsbild. Die grünen und braunen Flächen, die enorme Kristallkuppel des Himmels und der Sund im Westen. Der war nach wie vor mit dunkelblauem Eis bedeckt, aber es sah dünn aus, und weiter draußen waren Risse und Spalten zu sehen. Bald würden die Wellen die letzten Schollen davontragen.

»Ist das nicht wunderschön?«, sagte Per.

Jesper, der auf dem Beifahrersitz saß, sah kurz von seinem Gameboy auf.

»Wo denn?«

»Hier«, sagte Per. »Hier auf der Insel ... überall.«

Jesper warf einen Blick aus dem Fenster und nickte, aber Per entdeckte in den Augen seines Sohnes nicht dieselbe Freude, die er empfand. Er versuchte es sich mit Jespers Jugend zu erklären, dass man als Teenager eben keinen Blick für die Natur und deren Schönheit hat. Vielleicht erforderte es ein bestimmtes Lebensalter oder eine starke Wehmut und Trauer, um sich für die Seele einer Landschaft zu erwärmen.

Oder lag es an Jesper? Vielleicht war mit ihm etwas nicht in Ordnung. Wünschte er sich insgeheim, dass Nilla neben ihm säße, fröhlich und erwartungsvoll? Dass Jesper im Krankenhaus untersucht würde?

Er schob den Gedanken beiseite. Dachte stattdessen an den Frühling, Frühling auf der Insel.

Per war das erste Mal Ende der Fünfzigerjahre auf die Insel gekommen, zusammen mit seiner Mutter Anita. Es war im Sommer 1958 gewesen, zwei Jahre nach ihrer Scheidung, sie hatten zu wenig Geld, um große Reisen unternehmen zu können. Jerry hätte eigentlich Unterhalt zahlen sollen, war dieser Verpflichtung aber nur ab und zu nachgekommen. Anita hatte ihrem Sohn allerdings erzählt, dass Jerry einmal in seinem dicken Auto an ihrem Reihenhaus vorbeigefahren war, ein Geldbündel gegen die Eingangstür geworfen hatte und dann wieder abgezogen war.

Der ständige Geldmangel bedeutete für die beiden, dass sie nur kurze und günstige Urlaube machen konnten, am besten in der näheren Umgebung von Kalmar. Glücklicherweise lebte Anitas Cousin Ernst Adolfsson allein in einem kleinen Häuschen auf Öland, und Per und sie waren in den Ferien immer willkommen. Sie setzten mit der Fähre über und durften so lange bleiben, wie sie wollten.

Per hatte es geliebt, in dem stillgelegten Steinbruch unterhalb von Ernsts Haus zu spielen. Für einen neunjährigen Jungen war das ein Paradies voller Geschichten und Abenteuer.

Ernst hatte weder eigene Kinder noch Geschwister gehabt, und als er vor ein paar Jahren starb, hatte das Kind seiner Cousine das Häuschen geerbt. Im vergangenen Sommer hatte Per alles geputzt und instand gesetzt und hatte nun vor, den Sommer über dort zu wohnen. Vielleicht sogar das ganze Jahr. Weil das Geld auch bei ihm zu knapp war, um zwei Unterkünfte zu finanzieren, hatte er seine Wohnung in Kalmar bis Ende September untervermietet.

Seine beiden Kinder sollten ihn in den Sommerferien so oft besuchen kommen, wie sie wollten. So hatte Pers Plan zumindest ausgesehen. Aber Nilla hatte ihr Schuljahr in der siebten Klasse als müde und teilnahmslose Schülerin begonnen und war im Laufe des Herbstes immer erschöpfter geworden. Der Schularzt hatte den Zustand mit der Pubertät erklärt, mit Wachstumsschmerzen, aber nach Silvester hatte Nilla zusätzlich über Schmerzen in ihrer linken Seite geklagt. Und die Beschwerden hatten zugenommen, aber kein Arzt fand eine Erklärung.

Alle Pläne für den gemeinsamen Sommer waren auf einmal bedroht.

»Willst du Mama kurz anrufen, wenn wir da sind?«, fragte Per seinen Sohn.

Jesper hob nicht einmal den Kopf.

»Weiß nicht.«

»Hättest du Lust, runter zum Strand zu gehen?«

»Weiß nicht«, wiederholte Jesper.

Er war so weit entfernt wie ein Satellit auf seiner Umlaufbahn – aber wahrscheinlich war man heutzutage so mit dreizehn. Als Per in diesem Alter war, war sein größter Wunsch, dass ihn sein Vater einmal besuchen kommen würde.

Plötzlich tauchte am Straßenrand ein Schild mit einer Tanksäule auf, und Per bremste.

»Hast du Lust auf ein Eis? Oder ist das noch zu früh, jetzt im Frühling?«

Jesper sah das erste Mal von seinem Gameboy auf.

»Lieber Süßigkeiten.«

»Wir werden sehen, was sie dahaben«, erwiderte Per und bog auf den Parkplatz ein.

Sie stiegen aus. Trotz der Sonne war es eiskalt, dabei hatte Per gedacht, dass es um diese Jahreszeit schon wesentlich wärmer auf der Insel wäre. Aber offensichtlich schien das Eis draußen im Sund die Luft noch beträchtlich abzukühlen. Der Wind pfiff durch seine grüne Daunenjacke, und er bekam Sand in den Mund. Es knirschte zwischen den Zähnen.

Jesper blieb am Auto, während Per mit schnellen Schritten an den Tanksäulen vorbeilief und im Windschatten am Kiosk Schutz suchte. Das Fenster hinter der Scheibe war dunkel, dennoch klopfte er einige Male fest gegen das Glas, bis er einen sonnenverblichenen Zettel entdeckte, der an der Tür klebte:

Haben Sie vielen Dank für einen schönen Sommer –
Ab dem 1. Juni sind wir wieder für Sie da!

April war eindeutig noch zu früh – die Insel war noch nicht wieder aus ihrem Winterschlaf erwacht, und deshalb gab es für ganzjährig geöffnete Geschäfte wohl eine zu geringe Nachfrage. Er hatte sich fünfzehn Jahre lang mit Marktforschung beschäftigt und konnte das gut nachvollziehen.

Als er sich umdrehte, lehnte Jesper nicht mehr am Wagen, sondern hatte sich auf eine Holzkiste mit der Aufschrift STREU-SAND gesetzt. Er hatte ein neues Spiel begonnen. Per ging auf ihn zu. In der Ferne hörte er das dunkle Donnern von Motorengeräuschen. Ein weißer Fernlaster näherte sich mit hoher Geschwindigkeit von Norden.

Per zog die Autoschlüssel aus seiner Hosentasche und rief Jesper zu:

»Keine Süßigkeiten, es tut mir leid. Die haben noch geschlossen.«

Jesper antwortete nur mit einem Nicken, und Per fuhr fort:

»Es gibt ja noch mehrere Tankstellen auf dem Weg nach Norden. Lass uns weiterfahren, wir finden …«

Ein dumpfer Aufprall auf der Straße schnitt ihm das Wort ab, gefolgt von quietschenden Bremsen. Dann sah er gleißendes Sonnenlicht, das in einem Autofenster reflektiert wurde.

Es war ein Audi, dessen Fahrer die Kontrolle über den Wagen verloren hatte und quer über die Fahrbahn schlitterte, direkt auf den Fernlaster zu.

Per stand wie versteinert da und beobachtete die Szenerie. Der Wagen musste mit etwas zusammengeprallt sein, erkannte er, Motorhaube und Windschutzscheibe waren mit Blut verschmiert.

Wessen Blut war das?

Der Laster hupte anhaltend. Durch die verschmutzte Windschutzscheibe des Pkws war der Fahrer zu erkennen, der gekrümmt hinter dem Steuer saß und sich bemühte, den Wagen wieder unter Kontrolle zu bekommen.

Als die Hupgeräusche des Lasters verstummten, war Per wieder in der Lage, sich zu bewegen. Der Lkw war auf den Standstreifen ausgewichen. Per beobachtete, wie der Audi für einen kurzen Augenblick aus der Spur geriet und dann herumgerissen wurde.

Die Fahrzeuge rutschten haarscharf aneinander vorbei, denn der Audi war ins Schleudern geraten und rutschte auf den Tankstellenparkplatz. Die Reifen blockierten, und das Auto schlitterte mit großer Geschwindigkeit über den Asphalt. Direkt auf die Kiste mit dem Streusand zu.

»Jesper!«, schrie Per.

Sein Sohn saß regungslos auf der Box. Nur seine Daumen bewegten sich auf dem Gameboy.

Per fing an zu rennen, stolperte über den Asphalt.

»Jesper!«

Jetzt endlich hob er den Kopf. Und drehte sich mit geöffnetem Mund und fragendem Blick zu seinem Vater um.

Der Audi rutschte ungebremst auf ihn zu, die Reifen schleuderten Kies und Sand durch die Luft.

4

Vendela Larsson hatte auf dem Beifahrersitz neben Max gesessen und meditiert, als der Unfall geschah. Mit gesenktem Blick war sie in ihren Gedanken versunken und hatte die vorbeirauschenden Felder, Wiesen und Steinmauern nur wie in einem Film registriert, der außerhalb der Fensterscheibe gezeigt wurde. Eine vertraute und doch so fremde Landschaft. Max war während der Bauphase im Herbst und Winter hin und wieder auf der Insel gewesen, aber für sie war es seit vielen Jahren das erste Mal.

Wie viele Jahre war sie nun nicht mehr hier gewesen? Dreißig oder fünfunddreißig?

Während sie so dasaß und rechnete, spürte sie den harten Aufprall gegen den Kühlergrill.

»Verdammte Scheiße!«, schrie Max.

Vendela war sofort hellwach.

Ein kurzes, klatschendes Geräusch war zu hören, dann war die Windschutzscheibe in Rot getaucht.

Das Auto fuhr nicht mehr geradeaus. Es schlingerte und schleuderte hin und her, beschrieb Slalomkurven mit quietschenden Reifen – erst nach links, direkt auf einen riesigen Laster zu, der ihnen wütend entgegenbrüllte, dann plötzlich schlitterte es in eine breite Ausfahrt nach rechts. Dort stand eine Tankstelle mit einem kleinen Kiosk auf einem verwaisten Parkplatz.

Nein, nicht vollkommen verwaist. Ein einziger Wagen befand sich auf dem Parkplatz, und sie sah auch schemenhaft Leute. Ein großer Mann, der über den Asphalt rannte, und ein Junge auf einer Holzkiste.

»Verdammt!«, schrie Max erneut.

Vendela hörte ihren Hund Ally bellen. Sie öffnete den Mund, aber es kam kein Ton heraus. Sie war nur ein Körper, eine Hülle, die den Bewegungen des Autos folgte, ohne etwas anderes tun zu können.

Max riss das Steuer herum. Es knallte, splitterndes Holz war zu hören, dann endlich blieb der Wagen abrupt stehen. Vendela wurde nach vorne geschleudert, aber der Gurt hielt sie.

Der Motor blubberte noch ein paar Mal und erstarb dann.

»Zum Teufel ...!«, stöhnte Max. Regungslos starrte er aus der verschmierten Windschutzscheibe, seine Hände hielten noch immer mit weißen Knöcheln das Lenkrad fest umklammert.

Der Audi war frontal mit der Holzkiste mit Streusand kollidiert und hatte sie zerstört.

Der Junge, der auf der Kiste gesessen hatte, war nirgendwo zu sehen.

Wo war er?

Vendela löste ihren Sicherheitsgurt und beugte sich vor, drückte die Stirn gegen die Scheibe. Sie sah eine kleine Hand, die rechts unter dem Wagen hervorschaute.

Der Junge schien neben der Kiste zu liegen, die Beine unter dem Wagen. Der große Mann hatte ihn mit wenigen Schritten erreicht, stützte sich mit der Hand auf der Motorhaube des Audis ab und beugte sich zu dem Jungen.

Max fingerte mit der Hand am Türgriff und stieß die Fahrertür auf. Dunkelrot im Gesicht stürzte er hinaus.

»Fassen Sie meinen Wagen nicht an!«

Das muss der Schock sein, sagte sich Vendela. Max stand unter Stress und wusste nicht, was er tat. Mit erhobenen Händen sprang er auf den anderen Mann zu.

Zwei Sekunden später lag er wenige Meter vom Wagen entfernt mit dem Gesicht auf dem Boden. Der Mann hatte ihn niedergestreckt und gepackt.

»Beruhigen Sie sich«, zischte er mit zusammengebissenen Zähnen. Er beugte sich über Max und hatte die Faust erhoben, offenbar bereit, Max auf den Hinterkopf zu schlagen.

Sein Herz. Jetzt riss Vendela am Türgriff, stieg, so schnell sie konnte, aus und schrie das Erste, was ihr in den Sinn kam, in den eisigen Wind:

»Nicht! Er hat einen Herzfehler!«

Der Mann sah zu ihr hoch, sein Gesicht war wutverzerrt. Aber plötzlich erlosch der Zorn in seinem Blick. Er schnaufte, ließ die Schultern hängen und beugte sich zu Max hinunter.

»Haben Sie sich wieder unter Kontrolle?«, fragte er ihn mit leiser Stimme.

Max antwortete nicht. Er wehrte sich mit aller Kraft gegen den Griff, aber schließlich gab er auf und schien sich zu entspannen.

»Ja, alles okay«, sagte er nur.

Vendela war regungslos neben dem Wagen stehen geblieben. Sie sah, wie der Mann Max losließ und sich aufrichtete. Vorsichtig hob er den Jungen an und zog ihn vom Auto weg.

»Geht es dir gut, Jesper?«

Der Junge sagte etwas, aber er war zu leise, als dass Vendela ihn hätte verstehen können. Doch, Gott sei Dank schien er unverletzt zu sein.

»Kannst du deine Zehen bewegen?«, fragte der Mann.

»Ja.«

Der Junge rappelte sich langsam hoch und versuchte aufzustehen. Der Mann half ihm dabei und führte ihn zu dem geparkten Wagen. Sie sahen sich nicht um, und Vendela hatte das Gefühl, ausgeschlossen zu sein.

Max stützte sich am Kühlergrill des Audis ab und kam langsam auf die Füße. Er blinzelte ins Licht und sah Vendela am Wagen stehen.

»Setz dich wieder rein«, befahl er. »Ich kümmere mich um das hier.«

»Okay.«

Vendela holte tief Luft und setzte sich ins Auto. Sie beobachtete, wie das Blut die Windschutzscheibe herunterlief, und fand eigentlich, dass es ganz schön aussah. Nein, sie musste feststellen, dass es schön *war*. Das Blut war von den Scheibenwischern verteilt worden und hatte schwingende Linien auf das Glas gezeichnet. Es sah aus wie zwei Regenbogen in Hellrosa und Dunkelrot, die im Sonnenlicht leuchteten.

Eine leichte Brise ließ ein paar Vogelfedern hin und her tanzen und auf der Scheibe festkleben. Hellgrau und braun waren sie.

Vielleicht war ein Fasan gegen den Wagen geflogen oder eine Taube.

Was es auch gewesen sein mochte, es war vollkommen unerwartet mit flatternden Schwingen vor das Auto geflogen und bei der Kollision in Stücke gerissen worden. Der Körper war gegen den Kühler geprallt, dann in einer blutroten Explosion auf die Windschutzscheibe geschleudert worden und war schließlich übers Dach geflogen. Das Tier hatte deutliche Spuren hinterlassen.

Da ertönte ein leises Wimmern aus dem Fußraum vor ihrem Sitz.

»Halt's Maul, Ally!«, schrie Max.

Vendela musste schlucken. Es war anstrengend genug, dass Max sie anschnauzte, aber für sie war es schlimmer, wenn er den Hund anbrüllte.

»Es ist alles in Ordnung, Aloysius«, sagte sie mit warmer, leiser Stimme.

Sie öffnete die Tür.

»Max, geht es dir gut?«

Er nickte.

»Ich muss das nur sauber machen«, sagte er.

Er war außer Atem und ganz rot im Gesicht, aber das lag bestimmt an der Aufregung.

Letzten Sommer, in Göteborg, hatte Max während eines Vortrags über sein aktuelles Buch *Maximales Selbstvertrauen* plötzlich Schmerzen in der Brust gespürt. Er hatte abbrechen müssen, und Vendela hatte Panik in seiner Stimme gehört, als er sie anrief. Mit dem Taxi war er sofort in die Notaufnahme gefahren worden, hatte Sauerstoff bekommen und war gründlich untersucht worden.

Ein leichter Herzinfarkt, lautete die Diagnose, mit Betonung auf leicht. Es war keine Operation notwendig – nur ausgiebige Ruhe. Und Max hatte den Herbst genutzt, um sich zu erholen, so gut es ging, wenn er nicht gerade die Bauarbeiten auf Öland überwachte oder an seinem neuen Buchkonzept arbeitete. Es würde ein ganz anderes Buch werde als die bisherigen, weniger Psychologie und mehr über gesunden Lebenswandel und vernünftige Ernährung. Ein Kochbuch von Max Larsson. Vendela hatte ihm ihre Unterstützung zugesagt.

Im Handschuhfach lagen eine Packung Servietten und eine Flasche Mineralwasser. Sie nahm ein paar Schlucke, ehe sie das Fenster herunterkurbelte.

»Hier, Max.«

Er nahm ihr schweigend die Flasche aus der Hand, trank aber nicht, sondern goss den Inhalt der Flasche über die Scheibe, damit sich Blut und Federn lösten und in roten Bahnen hinunterliefen. Mit zusammengepressten Lippen beugte er sich über die Motorhaube und wischte.

Vendela wollte versuchen, den toten Vogel zu vergessen, und sah aus dem sauberen Seitenfenster hinaus auf die Große Alvar.

Eine flache Welt aus Gras, Büschen und Steinen. Sie sehnte sich so sehr danach. Wenn sich Max nach diesem Unfall wieder beruhigt haben würde, würde sie vielleicht schon heute Abend ihre erste Runde drehen können.

Vendelas Familie stammte von der Insel, sie war auf einem Bauernhof außerhalb von Stenvik aufgewachsen. Das war auch der Grund, warum sie Max überredet hatte, ausgerechnet dort ein freies Baugrundstück zu kaufen.

Ihr Mann hatte zwar ausdrücklich und mehrfach angemerkt, dass er eine Sommerresidenz in unmittelbarer Nähe zu Stockholm bevorzugen würde. Aber als Vendela ihm die Lage von Stenvik an der Küste gezeigt und ihm die Planungshoheit dafür übertragen hatte, welche Art Haus sie am Rand vom Steinbruch bauen wollten, da hatte er eingelenkt und schließlich zugestimmt.

Und nun hatten sie eine traumhafte Architektenvilla am Meer. Ein Märchenschloss aus Stein und Glas.

Aloysius drehte sich im Fußraum um die eigene Achse und versuchte, mit seinem steifen Bein eine komfortable Liegeposition zu finden. Seine Aufgeregtheit war irgendwie ansteckend und bereitete Vendela großes Unbehagen.

»Leg dich hin, Ally ... wir fahren ja gleich weiter.«

Der grauweiße Pudel hörte auf zu jaulen, wimmerte aber noch leise und drückte sich gegen ihr Bein. Seine großen Augen starrten sie an, milchig und undeutlich. Aloysius war dreizehn Jahre alt, mehr als hundert Hundejahre also. Sein rechtes Vorderbein war steif, und sein Sehvermögen hatte sich in den letzten Jahren erheblich verschlechtert. Ihr Tierarzt in Stockholm hatte ihnen schon offenbart, dass Ally bald nur noch hell und dunkel werde unterscheiden können und in weniger als einem Jahr wahrscheinlich vollkommen blind sein würde.

Vendela hatte ihn ungläubig angestarrt.

»Und es gibt nichts, was wir dagegen tun können?«

»Doch ... selbstverständlich, diese Option haben wir bei so alten Hunden natürlich immer. Und es ist vollkommen schmerzfrei.«

Als aber der Tierarzt erzählte, wie die Prozedur des Einschläferns vollzogen wurde, hatte Vendela Ally geschnappt und war aus der Praxis geflohen.

Über zwanzig Servietten benötigte Max, um das Auto einigermaßen sauber zu bekommen. Er goss das Wasser über die Motorhaube, trocknete es mit einer Serviette ab und warf diese dann hinter sich in den Straßengraben, eine nach der anderen.

Vendela beobachtete, wie die blutgetränkten Servietten durch die Luft flogen und im Graben landeten. Sie würden wahrscheinlich den ganzen Frühling und Sommer über wie trockenes Laub dort liegen bleiben, und die Inselbewohner würden zu Recht über die Touristen schimpfen, die überall Müll hinwarfen. Und auch die Bewohner der Großen Alvar würden den Müll sehen.

Max warf die letzte Serviette weg und bückte sich – er schien ganz sichergehen zu wollen, dass auch kein einziger Blutfleck auf seine Jeans und die mokkafarbene Jacke geraten war. Dann stieg er wieder ein, ohne Vendela anzusehen.

»Ist alles in Ordnung?«, fragte er nur, nachdem er sich angeschnallt hatte.

Sie nickte als Antwort und dachte: *Natürlich. Einige Tage sind nur verrückter als andere.*

Sie sah hinüber zu dem Wagen, in dem der Mann und der Junge saßen.

»Willst du nicht mit ihnen reden?«

»Warum sollte ich?«, erwiderte Max und startete den Motor. »Ist doch niemand zu Schaden gekommen.«

Außer dem Vogel, dachte Vendela.

Es knirschte, als Max rückwärts aus der Verkeilung mit der Holzkiste fuhr. Sie hatte einen großen Riss davongetragen, Vendela konnte einen dünnen Sandstrahl sehen, der auf den Asphalt quoll. Die Front des Audis hatte bestimmt auch etwas abbekommen.

Endlich hörte Aloysius auf zu wimmern und legte sich auf den Boden.

»Alles klar!«, sagte Max und schüttelte den Kopf, als wollte er das Geschehene verjagen. »Jetzt müssen wir aber Gummi geben.«

Er legte den ersten Gang ein und betätigte den Scheibenwischer. Dann drückte er das Gaspedal herunter und verließ den Parkplatz.

Vendela sah nach hinten, um nach dem zerfetzten Vogelkörper am Wegesrand Ausschau zu halten. Aber es war nichts zu entdecken, wahrscheinlich lag er im Graben.

»Ich würde gerne wissen, was es für ein Vogel war«, sagte sie. »Hast du es gesehen, Max? Ich habe keine Ahnung, ob es ein Fasan oder ein Birkhahn oder ...«

Er schüttelte erneut den Kopf.

»Vergiss es jetzt einfach.«

»Aber es war doch kein Kranich, oder, Max?«

»Ich sagte doch, du sollst diesen Vogel vergessen, Vendela. Konzentriere dich auf unser Haus.«

Die Straße war leer, und er gab Vollgas. Vendela wusste, dass er nun schnell ankommen wollte, um gleich an seinem Buch weiterarbeiten zu können. Anfang nächster Woche sollte ein Fotograf kommen und Aufnahmen von ihm in seiner neuen Küche machen. Das Essen würde selbstverständlich Vendela kochen und anrichten.

Der Audi gewann rasch an Geschwindigkeit. Bald fuhren sie wieder so schnell wie zuvor, als hätten weder der Unfall noch die Auseinandersetzung jemals stattgefunden. Nur Aloysius, der sich an Vendelas Bein presste, hörte nicht auf zu zittern. Genau genommen zitterte er immer, wenn Max in der Nähe war.

Wäre er jünger und gesünder, könnte ihn Vendela mit auf ihre Tour über die Große Alvar nehmen. Aber er musste zu Hause bleiben. Max hielt auch nicht viel von Spaziergängen oder Joggingtouren. Vendela würde ganz alleine in die Natur gehen dürfen.

Allerdings würde sie nicht völlig allein sein. Dort lebten ja die Elfen.

Geht es dir gut?«, fragte Per zum sechsten oder siebten Mal.

Jesper nickte.

»Nichts gebrochen?«

»Nee.«

Sie waren wieder in den Wagen gestiegen. Etwa zehn Meter von ihnen entfernt setzte der Audi von der zersplitterten Holzkiste zurück. Per konnte sehen, dass der Frontspoiler eingerissen und der rechte Scheinwerfer zerplatzt war.

Der Audi wendete und bog auf die Landstraße ein. Der Fahrer starrte stur geradeaus, aber die Frau auf dem Beifahrersitz sah zu Per hinüber. Ihre Blicke trafen sich für ein paar Sekunden, ehe sie sich abwandte. Sie hatte ein schmales, angestrengtes Gesicht und erinnerte ihn an jemanden. Regina?

Dann blickte er wieder seinen Sohn an, den er umarmt hielt. Jesper wirkte entspannt, aber seine Nackenmuskeln zitterten.

»Hast du irgendwo Schmerzen?«

»Nur blaue Flecken«, sagte Jesper und schenkte Per ein kleines Lächeln. »Ich habe versucht wegzuspringen, aber die Reifen sind ganz schön nah dran gewesen.«

»Allerdings, das war so was von *tierisch* nah ... Was für ein Glück, dass du so schnell reagiert hast.«

Pers Lächeln war ein wenig verkrampft, als er die Schultern seines Sohnes losließ.

Er legte die Hände ans Steuer und atmete tief ein und aus. Die Wut war verflogen, aber vor wenigen Minuten noch hatte er einen Mann niedergeschlagen und war bereit gewesen, ihn zu verprügeln. Er hätte auf jeden einschlagen können, wenn er ehrlich war. Als würde davon irgendetwas besser.

Ein anderer Gedanke aber ging ihm auch durch den Kopf. Jesper hatte ihn seit langer Zeit mal wieder angelächelt. Ein Frühlingszeichen?

Er verfolgte den Audi mit den Augen, wie dieser immer mehr an Geschwindigkeit zunahm und nach Norden verschwand.

Der große Wagen weckte in Per die Erinnerung an die unzählig vielen Superschlitten, die sein Vater aus den USA importiert hatte. Mitte der Siebzigerjahre hatte er sich einen Cadillac gekauft und fast jedes Jahr ein neues Modell erstanden. Die Leute hatten sich nach ihm umgedreht, und das hatte er geliebt.

»Wie hast du das vorhin gemacht mit dem Typen?«, fragte Jesper.

»Wie bitte?«

»Na, dieser Judowurf.«

Per schüttelte den Kopf und drehte den Zündschlüssel um. Er hatte weniger als zwei Jahre Judo trainiert und es auch nur bis zum orangefarbenen Gurt geschafft, dennoch schien Jesper beeindruckt zu sein.

»Das war gar kein Judo ... Ich habe ihn einfach umgehauen, ich habe ihm ein Bein gestellt«, erwiderte er. »Das hättest du auch gekonnt, wenn du weiter zum Training gegangen wärst.«

Jesper schwieg.

»Du gehst doch auch nicht mehr zum Training«, gab er nach einer Weile zurück.

»Ich habe keinen Partner zum Trainieren«, sagte Per und verließ den Parkplatz. »Ich habe mir überlegt, stattdessen joggen zu gehen.«

Sein Blick wanderte über die platte Landschaft rechts und links neben der Straße. Das Gelände sah unbelebt aus, aber oft war ja die meiste Bewegung unter der Oberfläche.

»Wo willst du denn hier joggen gehen?«, sagte Jesper.

»Egal, überall.«

Bitte verbrenne sie, Gerlof«, hatte Ella Davidsson gesagt, als sie bis aufs Skelett abgemagert im Krankenhausbett lag. *Versprich mir, dass du sie verbrennen wirst.*

Und er hatte genickt. Aber die Tagebücher seiner verstorbenen Frau existierten nach wie vor, und an diesem frühlingsmilden Freitag hatte er sie wiedergefunden.

Eine Woche vor Ostern war die Sonne nach Öland zurückgekehrt. Jetzt fehlte nur noch die Wärme, und Gerlof würde den ganzen Tag im Garten verbringen können: ausruhen, nachdenken und Buddelschiffe bauen. Dünne grüne Grashalme zeigten sich bereits zwischen dem braunen Laub. Aber der Rasen würde vor Mai nicht gemäht werden müssen.

Der Sonnenschein würde die Schmetterlinge herbeilocken.

Für Gerlof waren das die wichtigsten Frühlingszeichen. Schon als kleiner Junge hatte er ungeduldig auf das erste Exemplar des Jahres gewartet, war neugierig gewesen, welche Farbe er wohl hatte. Mit vierundachtzig war es zwar ungleich schwerer, von so starken Gefühlen erfüllt zu werden, wie als junger Mensch, aber dennoch erwartete Gerlof den ersten Schmetterling mit Vorfreude.

Nach dem Umzug hatte nun der Alltag Einzug gehalten. Er war allein und schlenderte durch die kleinen Räume des Sommerhauses, den Stock in der einen Hand, den Kaffeebecher in der anderen. Der Rollstuhl stand im Schlafzimmer und wartete schweigend darauf, dass Sjögren, sein rheumatisches Syndrom, wieder schlimmer wurde. Bis dahin konnte er die Steintreppe ohne Probleme meistern.

In der vergangenen Woche waren seine Möbel gekommen – die wenigen Stücke, die er aus seinem Zimmer im Altersheim mitnehmen wollte – und die vielen Erinnerungsstücke aus seiner Zeit zur See. Buddelschiffe, Seekarten, Namensschilder einiger Frachter, die er gesegelt war, und wunderschöne Knoten aus dunkelbraunem Tauwerk, das noch immer nach Teer duftete.

Gerlof war umgeben von Erinnerungen.

Und als er den Schrank neben dem Kühlschrank in der Küche öffnete, um dort seine alten Logbücher zu verstauen, da fielen ihm die Tagebücher in die Hände.

Zu einem Paket zusammengeschnürt lagen sie in dem Regal hinter Ellas kleiner Schmuckschatulle und ihren alten Jugendbüchern von Karl May und Lucy Maud Montgomery. Jedes der Tagebücher war vorne auf dem Umschlag mit einer Jahreszahl in schwarzer Tinte versehen, und als er die Schnur aufknotete und das erste aufschlug, fiel sein Blick auf die zierliche Handschrift seiner Frau in dicht beschriebenen Zeilen.

Das waren Ellas Tagebücher, insgesamt acht Stück.

Zuerst zögerte Gerlof ein paar Sekunden. Er musste an das Versprechen denken, das er ihr gegeben hatte. Dann griff er nach dem obersten Buch und ging hinaus in den Garten zu seinem Holzstuhl. Dabei hatte er das Gefühl, etwas Verbotenes zu tun. Er hatte sie nur manchmal darin schreiben sehen, und sie hatte ihm auch nie etwas davon gezeigt.

Verbrenne sie, Gerlof.

Er nahm auf seinem Stuhl Platz, wickelte sich eine Decke um die Beine und legte das Tagebuch auf den kleinen Gartentisch neben sich. Zweiundzwanzig Jahre war es her, dass seine Ella an Leberkrebs gestorben war, im Herbst 1976. Aber wenn er im Garten saß, hatte er sehr oft das Gefühl, dass sie keineswegs von ihm gegangen war, sondern in der Küche stand und Kaffee kochte.

Ella hatte zeit ihres Lebens deutlich Grenzen gesetzt. So hatte sie ihrem Mann zum Beispiel nie Zutritt zur Küche gewährt, und selbstverständlich hatte sich Gerlof darüber niemals beschwert. Als dann seine Töchter Anfang der Sechzigerjahre Teenager wurden, hatten sie unzählige Male versucht, ihn zur Mithilfe im Haushalt zu bringen. Aber Gerlof hatte sich immer zurückgehalten.

»Das ist jetzt zu spät für mich«, hatte er geantwortet.

In der Küche hatte er sich immer unsicher und unbeholfen gefühlt. Er hatte nie gelernt, Essen oder gar die Wäsche zu machen, und konnte nur Geschirr spülen. Heutzutage schienen die schwedischen Männer alles Mögliche im Haushalt zu übernehmen, neue Zeiten waren angebrochen.

Gerlof sah sich um. Er hatte ein Flattern zwischen den Wildgräsern vor seinem Grundstück entdeckt. Das war der erste Schmetterling des Jahres. Er kam auf ihn zugeflogen, mit diesen ruckhaften Bewegungen, die typisch waren für alle Frühlingsschmetterlinge, die er im Laufe seines Lebens gesehen hatte. Es wirkte unkoordiniert, ohne Ziel.

Es war ein leuchtend gelber Zitronenfalter. Ein schönes Frühlingszeichen.

Gerlof lächelte dem Zitronenfalter zu, der sich zaghaft zur Landung auf dem Rasen vor seinen Füßen bereit machte. Doch dann erlosch sein Lächeln, denn er hatte einen zweiten Schmetterling entdeckt. Dieser war dunkel, fast schwarz und hatte graue und weiße Streifen. Er konnte sich nicht genau erinnern, wie diese Sorte hieß. Kleiner Fuchs? Oder vielleicht Trauermantel? Er flog zielgerichteter und erreichte den Rastplatz auf dem Rasen nahezu zeitgleich mit dem Zitronenfalter. Dann umkreisten sie sich eine Weile, wie in einem frühlingshaften Tanz, ehe sie dicht an Gerlof vorbeiflatterten und hinter dem Haus verschwanden.

Ein gelber und ein grauschwarzer, was hatte das zu bedeuten? Er hatte den ersten Schmetterling des Jahres nie als ein Zeichen dafür genommen, wie das restliche Jahr wohl werden würde, hoffnungsvoll und hell oder düster und dunkel. Aber dieses Mal war er verunsichert. Es fühlte sich an, als hätte er eine Flagge hissen wollen, und die hätte sich auf halbmast verhakt, bevor sie sich ganz hochziehen ließ.

Er hatte gerade das Tagebuch aufgeschlagen, als er das Heulen eines Automotors hinter sich hörte. Ein großer, glänzender Wagen kam die Hauptstraße heruntergefahren und bog in den Kiesweg, der zum Steinbruch führte.

Gerlof erhaschte einen kurzen Bick auf den Fahrer und seine Begleitung, beide mittleren Alters.

Wahrscheinlich waren das die neuen Nachbarn, die eines der Häuser am Steinbruch gebaut hatten. Sie würden sich sowieso nur in den hellen und warmen Monaten hier aufhalten und waren nicht bereit, in den Wintermonaten zu frieren und die letzten Bäume entlang der Küste zu roden, so wie seine eigene Familie es hatte machen müssen.

Gerlof interessierte sich nicht weiter für sie. Er senkte den Kopf und begann, im Tagebuch zu lesen:

Heute ist der 7. Mai 1957.
Heute Nacht bricht Gerlof zu seiner ersten Reise des Jahres auf, um in Nynäshamn Öl zu laden. Davor war er in Kalmar mit dem Frachter, um sein Leergewicht zu ermitteln, nachdem er seine Deckluken erneuert hatte. Lena und Julia sind mit an Bord.

Am Tag schien die Sonne. Ich habe das Sommerhaus gegen sechs Uhr abends erreicht und erst einmal gelüftet. Hatte den Eindruck, es roch ein bisschen nach Schimmel. Aber es war nur ein Glas mit gezuckertem Wacholder, der begonnen hatte zu gären und das Glas in tausend Stücke gesprengt hat. Ich musste erst den Dreck und die blaurote Zuckerschicht abkratzen, die am Boden klebte, hab daher kaum geschafft, mir was zu essen zu kochen (Fleischklöße). Die Kinder und Gerlof kommen übermorgen nach Hause.

Gerlof begriff, dass Ella so eine Art Urlaubstagebuch geschrieben hatte. Er wusste, dass sie oft die Zeit mit den beiden Mädchen im Sommerhaus verbracht hatte, wenn er zur See gefahren war. Als die Kinder älter wurden und ihren Vater nach Stockholm begleiten oder lieber in Borgholm bleiben wollten, hatte sie viel Zeit allein im Sommerhaus verbracht. Darum hatte er sie auch kaum beim Schreiben beobachten können.

Er las weiter:

Heute ist der 15. Mai 1957.

Sonne, aber mit einer kühlen Brise aus Nordost. Die Mädchen haben am Nachmittag eine lange Fahrradtour die Küste hinunter unternommen.

Während sie fort waren, ist etwas Merkwürdiges passiert. Ich stand draußen auf der Veranda und habe die Geranien gegossen – und habe einen Troll aus dem Steinbruch gesehen.

Oder was soll es sonst gewesen sein?

Es war auf jeden Fall zweibeinig, bewegte sich aber so schnell, dass ich vollkommen entgeistert war. Wie ein Schatten. Ein Knacken draußen auf der Wiese, ein Rascheln im Gebüsch, dann war es wieder fort. Ich glaube, er hat mich ausgelacht.

Wiese hatten Ella und Gerlof den zugewucherten Teil des Gartens genannt, auf dem vor dem Krieg noch Kühe gegrast hatten.

Aber was meinte Ella mit »Troll«?

Da hörte Gerlof erneut Motorengeräusche hinter den Bäumen. Sie erstarben, und dann knirschte das Gartentor. Hastig versteckte er das Tagebuch unter seiner Decke. Er wusste nicht, warum er das tat. Wahrscheinlich quälte ihn doch das schlechte Gewissen.

Ein kleiner, kräftig gebauter Mann um die siebzig stapfte durch den Garten. Das war sein Freund John Hagman in seinem zerschlissenen blauen Overall und mit der hellgrauen Schiffermütze, die er tagein, tagaus trug, Winter wie Sommer. Er war als Steuermann mit Gerlof zur See gefahren; jetzt gehörte ihm der Campingplatz südlich von Stenvik.

Mit schweren Schritten kam er auf Gerlof zu und blieb vor ihm stehen. Gerlof winkte ihm lächelnd zu. John erwiderte das Lächeln nicht – fröhlich und zufrieden auszusehen war nicht seine Art.

»Alles klar«, hob er an. »Habe gehört, dass du wieder zurück bist.«

»Ja. Und du offenbar auch.«

John nickte. Er war im Laufe des Winters ein paarmal bei Gerlof im Altersheim gewesen, hatte aber ansonsten in der kleinen

Wohnung seines Sohnes in Borgholm gewohnt. Fast beschämt hatte er gestanden, dass es ihm im Winter zu kalt und zu einsam war, so ganz allein in Stenvik. Er würde das nicht mehr aushalten. Gerlof konnte ihn gut verstehen.

»Ist sonst noch jemand hier?«

John schüttelte den Kopf.

»Die Stadt ist seit Neujahr menschenleer. Seit Ende der Woche sind ein paar Gäste da.«

»Und Astrid Linder?«

»Sie hat schließlich auch aufgegeben und ihr Haus winterfest gemacht ... Ich glaube, sie ist im Januar an die Riviera geflogen.«

»Aha!«, sagte Gerlof. Er erinnerte sich, dass Astrid Linder vor ihrer Pensionierung als Ärztin gearbeitet hatte. »Na, sie hat wohl ein paar Kronen auf die hohe Kante gelegt.«

Sie schwiegen. Gerlof hielt Ausschau nach den Schmetterlingen, sah aber keine mehr. Er hörte nur das schwache Rauschen des Windes in den Bäumen. Dann sagte er:

»Ich glaube, ich bleibe hier nicht mehr so lange, John.«

»In Stenvik?«

»Nein, ich meine hier«, erwiderte Gerlof und zeigte auf seinen Brustkorb, weil er annahm, dass sich dort die Seele und somit das Leben befand.

Es klang gar nicht so dramatisch, wie er erwartet hatte. John nickte nur und fragte:

»Bist du krank?«

»Nicht mehr als sonst. Aber so müde. Ich müsste etwas Sinnvolles tun, tischlern, das Haus streichen, so wie früher ... stattdessen sitze ich hier nur rum.«

John wandte den Kopf ab, als würde ihn das Gespräch anstrengen.

»Fang mit etwas Kleinem an«, schlug er vor. »Geh runter ans Wasser und schleif dein Ruderboot.«

Gerlof seufzte.

»Das hat überall Löcher.«

»Das können wir doch reparieren«, widersprach John. »Und

in zwei Jahren fängt ein neues Jahrtausend an. Das willst du doch nicht verpassen, oder?«

»Ja, vielleicht ... wir werden sehen, was uns die neue Zeit so bringt.« Gerlof wollte das Thema wechseln und nickte zum Gartentor. »Was hältst du von unseren neuen Nachbarn? Auf der anderen Seite?«

John schwieg.

»Kennst du sie noch nicht?«

»Doch, ich habe sie schon mal gesehen. Aber sie waren bisher ja nicht da, ich weiß praktisch nichts über sie.«

»Ich auch nicht. Aber neugierig bin ich schon. Du nicht?«

»Sie sind reich«, sagte John abfällig. »Reiche Städter vom Festland.«

»Hundertprozentig!«, pflichtete ihm Gerlof bei. »Du solltest sie wissen lassen, dass es dich hier im Ort gibt.«

»Warum das denn?«

»Damit du ein paar Aufträge von ihnen bekommst, bevor die Campingsaison beginnt.«

»Stimmt, das wäre was.«

Gerlof nickte und lehnte sich ein bisschen vor.

»Und lass es dir gut bezahlen!«

»Klar doch!«, sagte John und sah dabei fast fröhlich aus.

7

Sie werden also die nächsten Wochen hierbleiben?«, fragte der junge Grundstücksmakler, als er Vendela Larsson die Hausschlüssel und die letzten Dokumente überreichte. »Und die Frühlingssonne genießen?«

»Na, das hoffen wir doch«, antwortete Vendela und lachte.

Sie lachte oft aus Nervosität, wenn sie sich mit Leuten unterhielt, die sie nicht kannte. Aber diese Angewohnheit würde jetzt verschwinden, hoffte sie zumindest. Einiges sollte sich hier auf der Insel verändern.

»Super, sehr gut«, freute sich der Grundstücksmakler. »Damit helfen Sie, die Touristensaison zu verlängern, wie richtige Pioniere ... Sie zeigen den Bewohnern auf dem Festland, dass man den Frieden hier auf Öland länger genießen kann als nur die paar Wochen im Sommer.«

Vendela nickte.

Den Frieden genießen? Das hing hauptsächlich davon ab, ob es ihr gelang, sich zu entspannen, und ob Max zufrieden war und sein Kochbuch fertigstellen würde.

Im Moment stand er in seiner beheizten Garage und brauste seinen Wagen ab. Jeder einzelne Tropfen Blut musste entfernt werden. Max hatte die ganze Zeit kein Wort über das Geschehene verloren, aber die Wut hing wie ein säuerlicher Gestank über ihm.

Vendela musste sich allein um den Grundstücksmakler kümmern, und sie musste sich sehr zusammenreißen, um in dem kalten Wind nicht unablässig zu zittern. Es war Abend, die Sonne war im Sund untergegangen und hatte die Wärme mitgenommen. Am liebsten wäre sie zurück ins Haus gegangen.

Aber der Makler ließ seinen Blick zu den benachbarten Häusern wandern, die in der Dämmerung noch zu sehen waren, die große Villa im Süden und das kleinere Häuschen wenige Hundert Meter nördlich von ihrem Anwesen.

»Das ist eine exzellente Gegend hier«, sagte er begeistert, »ganz exzellent. Man hat Nachbarn, aber in angemessenem Abstand, nicht zu nah und nicht zu weit entfernt. Und kein Grundstück zwischen ihrem und dem Strand ... Sie müssen nur um den Steinbruch herumlaufen, und schon können Sie Ihre morgendliche Schwimmrunde absolvieren.«

»Dafür muss erst das Eis schmelzen!«, entgegnete Vendela.

»Das ist bestimmt bald so weit«, versicherte der Makler. »Es ist ungewöhnlich, dass die Küste um diese Jahreszeit noch gefroren ist ... aber wir hatten einen harten Winter. In einigen Nächten bis minus fünfzehn Grad.«

Neben dem Makler stand ein Arbeiter im Blaumann, der etwa einen Kopf kleiner war. Es war der lokale Bauunternehmer, der Vendela zunickte.

»Rufen Sie mich an, wenn etwas nicht in Ordnung ist«, sagte er.

Das waren seine ersten und einzigen Worte an diesem Abend. Der Makler und er machten Anstalten zu gehen.

»Achten Sie auf gute Nachbarschaft«, lautete der letzte Rat, den ihr der Makler mit auf den Weg gab, als sie sich die Hände zum Abschied schüttelten. »Das ist die goldene Regel für Hausbesitzer.«

»Wir haben bisher noch keine Nachbarn kennengelernt«, erwiderte Vendela und lachte erneut ihr nervöses Lachen.

Als sie ins Haus zurückkehrte, erhob sich der arme Aloysius mühsam in seinem Korb und begann zu bellen. Er schien sie nicht erkennen zu können – vielleicht hatte auch sein Geruchssinn schon stark gelitten.

»Aber ich bin es doch nur, Ally«, beruhigte ihn Vendela und streichelte seinen Kopf.

Draußen auf dem windigen Grundstück fühlte sie sich ausgeliefert, aber im Haus konnte ihr niemand etwas anhaben. Sie liebte die glatten Oberflächen der Villa. Alles war so neu, es gab noch keinen Krimskrams und Dreck in den Schränken oder auf dem Dachboden. Kein Keller, der gesäubert und leer geräumt werden musste.

Sie erinnerte sich an die Worte des Maklers über gute Nachbarschaft, und plötzlich kam ihr eine Idee: Vielleicht sollten sie und Max ein Nachbarschaftsfest ausrichten, ein Fest für alle Bewohner des Ortes, nächste Woche oder so, damit sie sich kennenlernen konnten? Außerdem wäre das für sie eine gute Gelegenheit zu lernen, sich in größeren Gesellschaften zu bewegen und trotzdem entspannt zu bleiben.

Ein Nachbarschaftsfest war eine sehr gute Idee.

Obwohl sie eigentlich lieber die Elfen treffen wollte, als die Nachbarn kennenzulernen.

Es war einmal vor langer Zeit, da wanderte ein Jäger durch die Große Alvar, hatte ihr Vater ihr als Kind erzählt. *Der Jäger wollte Hasen und Fasane jagen, begegnete aber stattdessen der großen Liebe seines Lebens. Sein Leben veränderte sich, und auch er wurde nie wieder der Alte.*

Sie muss sechs oder sieben Jahre alt gewesen sein, als ihr Vater Henry begonnen hatte, ihr die Sage von den Elfen in der Alvar zu erzählen. Vendela hatte diese Geschichte bis heute nicht vergessen, und jetzt hatte sie sich endlich ein Notizheft gekauft, um sie aufzuschreiben – und alles andere auch, was sie im Laufe der Jahre über Elfen zusammengetragen hatte.

Warum sollte man so einen Text nicht auch veröffentlichen können, vielleicht würde er den Lesern sogar gefallen? Wenn die Bücher ihres Mannes über das Besiegen und Gewinnen so erfolgreich waren, konnte sie doch ein Buch über Elfen veröffentlichen und wie man mit ihnen in Kontakt kommt. Sie nahm ihr Notizheft und setzte sich in das lichtdurchflutete Wohnzimmer, das hinaus auf die Veranda oberhalb des Steinbruchs führte. Max war noch immer in der Garage beschäftigt.

Sie hatte schon im vergangenen Jahr den Wunsch verspürt, ein eigenes Buch zu schreiben, kurz nachdem sie das Grundstück gekauft hatten. Darum hatte sie sich das Notizheft angeschafft, aber Max nichts davon erzählt. Als er es zufällig entdeckte, hatte sie einfach behauptet, es sei ein Tagebuch. Das war gelogen, sie hatte nichts über sich zu erzählen, aber es hatte funktioniert. Max hatte sie nicht gebeten, es lesen zu dürfen, und sie hatte in aller Ruhe, Seite für Seite die Geschichte über die Elfen schreiben können.

Jetzt war die Geschichte von Henry an der Reihe, sie wollte sie niederschreiben, so wie sie in ihrer Erinnerung geblieben war:

Der Jäger ging weit hinaus in die Alvar, aber an diesem Tag bekam er weder Vögel noch Kleinwild zu Gesicht. Alles, was er am Horizont sah, war ein großer, schlanker Rothirsch. Das Tier schien zu warten, bis sich der Jäger näherte, um sich dann abzuwenden und davonzuspringen.

Der Jäger folgte ihm mit erhobenem Gewehr. Mehrere Stunden dauerte die Pirsch, aber der Jäger kam seiner Beute keinen Meter näher. Die Sonne ging unter, und die Abenddämmerung brach an. Vorsichtig näherte sich der Jäger dem Hirsch. Er legte sein Gewehr an.

Da stand der Jäger plötzlich in gleißendem Sonnenlicht mitten in der Alvar auf grünem Gras, und kleine Bäche plätscherten zu seinen Füßen. Der Hirsch war verschwunden, stattdessen kam eine wunderschöne große Frau in weißen Gewändern auf ihn zu.

Die Frau lächelte ihn an und erzählte ihm, dass sie die Königin der Elfen sei und ihn schon viele Male auf der Jagd beobachtet habe. Sie hätte sich in ihn verliebt und ihn daher in ihr Reich gelockt.

Vendela sah von ihrem Heft auf, ihr Blick wanderte aus dem Fenster hinunter zum breiten Sund. Im Dunkeln sah das Eis grau und schmutzig aus.

Wenn sie sich gegen die Fensterscheibe presste, konnte sie das Nachbarhäuschen sehen, und da fiel ihr der Gedanke mit dem Fest wieder ein. Ja, die Idee würde sie in die Tat umsetzen.

Sie lehnte sich wieder zurück und fuhr fort:

Als der Jäger die Königin der Elfen vor sich stehen sah, ließ er das Gewehr sinken und fiel vor ihr auf die Knie. Die Königin holte einen Silberbecher hervor, bückte sich und schöpfte Wasser aus einem der plätschernden Bächlein. Sie füllte den Becher bis zum Rand, erhob sich und bot dem Jäger zu trinken an. Es schmeckte nach süßem Weißwein. Der Jäger fühlte sich frei und glücklich und wollte nicht in die Welt der Menschen zurückkehren. Deshalb blieb er die ganze Nacht bei der Königin und schlief in ihren Armen ein.

Als die Sonne aufging, erwachte der Jäger, aber er war zurück in seinem Häuschen am Rand der Alvar und lag in seinem Bett. Die schöne Königin war verschwunden. Und obwohl er sein Leben lang auf der Alvar nach dem Eingang ins Reich der Elfen suchte, fand er ihn nicht.

Vendela hielt inne. Sie hatte ein dumpfes Brummen gehört und sah hinaus. Ein Auto fuhr langsam den Kiesweg entlang, Vendela erkannte es wieder.

Es war der Saab vom Parkplatz.

Das Auto rollte vorbei und hielt an dem alten Häuschen am nordöstlichen Teil des Steinbruchs. Hinter dem Steuer saß der blonde Mann, der Max niedergeschlagen hatte. Sein Sohn saß auf dem Beifahrersitz.

Als Vendela den Mann von der Seite sah, fiel ihr ein, an wen er sie im Profil erinnerte: an Martin, er sah tatsächlich ein bisschen aus wie ihr erster Mann.

Vielleicht war Max deshalb so wütend auf ihn geworden? Vendela hatte Martin vor fünf Jahren zufällig wiedergetroffen und war mit ihm mittagessen gegangen. Leider war sie dumm genug gewesen, Max davon zu erzählen. Noch heute ritt er auf diesem Ausrutscher herum.

Das hieß also, dass sie die neuen Nachbarn bereits kennengelernt hatte. Aber hatte sie wirklich Lust, diese Familie einzuladen? Sie würde mit Max darüber reden müssen.

Sie beugte sich über das Heft und fügte einen letzten Absatz hinzu, das Ende der Geschichte:

Der Jäger lebte noch viele Jahre in seinem Häuschen am Rande der Alvar, aber er verliebte sich nie wieder und fand auch keine Frau, die er heiraten wollte. Denn niemand konnte sich mit der Königin der Elfen messen. Er konnte sie nicht vergessen.

»Das war eine Sage über die Elfen«, hatte ihr Vater gesagt und sich dabei von der Bettkante erhoben. »Und jetzt schlaf schön, Vendela!«

Henry hatte ihr noch viele Geschichten über die Elfen erzählt. Seine verstorbene Frau erwähnte er nie, aber die Königin der Elfen schien es ihm sehr angetan zu haben. Und diese Sagen über die Elfen hatten sich in Vendelas Erinnerung eingebrannt. In ihr entstand der Wunsch, es dem Jäger gleichzutun und den Ort zu suchen, an dem sie ihnen begegnen könnte.

VENDELA UND DIE ELFEN

Es ist Frühling, als Henry Fors seiner Tochter Vendela kurz vor ihrer Einschulung die Spuren der Elfen und Trolle zeigt.

Zuerst gehen sie zu den Elfen. Henry nimmt Vendela mit auf die Wiese hinter ihrem kleinen Bauernhof, um die Kühe zum Melken zu holen.

Sie besitzen drei Kühe, aber Vendela spürt sehr genau, dass ihr Vater kein Bauer sein will. Nicht im Geringsten. Er bewirtschaftet den Hof nur, um zu überleben.

»Hier tanzen sie«, erzählt er, während sie auf der Wiese stehen und die Kühe mit ihren prall gefüllten Eutern schwankend auf sie zukommen.

Vendelas Blick wandert über die Wiese, die von einer hohen Steinmauer umgeben ist. Dahinter beginnt die Welt der Alvar aus Gras und Wacholdersträuchern. Nichts bewegt sich dort draußen.

»Wer tanzt?«, fragte sie.

»Die Elfen und ihre Königin. Erinnerst du dich?«

Vendela nickt eifrig, natürlich erinnert sie sich an die Geschichte.

»Sie hinterlassen Spuren, die kann man entdecken«, sagt Henry und zeigt mit seiner rechten Hand, die trocken und rissig ist von der vielen Arbeit im Steinbruch, auf den Boden. »Siehst du hier den Elfenreigen?«

Vendela sieht konzentriert über die Wiese und entdeckt einen Ring aus hellerem Gras. Es sieht aus, als hätte jemand das Gras heruntergetreten. Nur der innere Kreis ist frisch und grün.

Henry macht einen weiten Bogen um diesen Kreis, während er die Kühe zusammentreibt.

»Man darf den Tanzplatz der Elfen niemals betreten, das bringt Unglück«, sagt er.

Dann gibt er den Kühen mit der Hand einen Klaps auf die Flanken, damit sie schneller gehen.

Einige Tage später nimmt Henry seine Tochter mit hinunter an die Küste, um sich den Steinbruch anzusehen. Dort ist er am liebsten.

Eigentlich soll Vendela an diesem Tag die Kühe eintreiben, aber Henry meint, sie können ruhig eine Stunde länger draußen bleiben.

Auf dem Weg zum Meer singt er unablässig mit seinem tiefen Bariton. Er liebt die einheimischen Volkslieder von Öland:

> *Ich hole meine Kühe von den Rosen am Strand.*
> *Ich bin ein Leichtmatrose aus Öland, und das Meer ist mein Land.*

In seiner Stimme schwingen Trauer und Sehnsucht mit, und Vendela vermutet, dass ihm ihre Mutter Kristin fehlt.

Kristin war gestorben, sie war seit vielen Jahren tot. Als sie krank wurde, wurden die leisen Geräusche im Haus lauter, die Wände knackten, es raschelte und knisterte. Dann starb sie, und alle Laute verstummten.

»Die Schwindsucht hat sie mitgenommen«, hatte Henry seiner Tochter gesagt, als er das letzte Mal aus dem Krankenhaus nach Hause kam.

Das war ein alter, öländischer Ausdruck für eine Krankheit, bei der man immer weniger wurde und dann einfach verschwand. Der Kranke wurde von einer übermächtigen Müdigkeit erfasst und hatte keine Kraft mehr zu leben.

Schwindsucht. Jahrelang hatte sich Vendela gefragt, ob das erblich sei, bis sie von ihrer Tante Margit erfuhr, dass Kristin einem Blinddarmbruch erlegen war.

Als sie den Steinbruch erreichen, hört Henry auf zu singen. Er bleibt an der Kante stehen, vor ihm erstreckt sich die breite Senke. Trocken und kalt ist es hier.

»Hier haben die Menschen fünfhundert Jahre lang den Boden abgetragen und Steine aus dem Berg geschlagen. Steine für Schlösser und Burgen und Kirchen. Und für Gräber, natürlich.«

Vendela steht neben ihrem Vater und betrachtet die graue Landschaft, die zerstört und allen Lebens beraubt wurde.

»Was siehst du?«

»Steine und Kies«, antwortet Vendela.

Henry nickt.

»Sieht aus wie auf dem Mond, oder? Ich fühle mich immer wie ein Astronaut, wenn ich hier bin, es fehlt eigentlich nur noch eine Rakete ...«

Ihr Vater lacht, er hat sich schon immer für den Weltraum interessiert.

Aber sein Lachen verstummt, als sie unten im Steinbruch stehen.

»Hier haben vor gar nicht allzu langer Zeit noch viele Menschen gearbeitet«, erzählt er. »Aber sie haben alle aufgegeben, einer nach dem anderen ...«

Vendela sieht hinüber zu den Steinhauern. Fünf Männer stehen auf dem Gelände verstreut, mit müden Rücken und weiß gepuderter Kleidung. Henry winkt ihnen zu und ruft:

»Hallo und guten Tag!«

Keiner der Steinhauer erwidert den Gruß. Sie halten ihre Bohrer und Hammer in den Händen, haben sie aber gesenkt, um die unerwarteten Besucher zu betrachten.

»Warum arbeiten sie nicht?«, flüstert Vendela ihrem Vater zu.

Henry schüttelt den Kopf, als hätte er die Hoffnung für seine Kollegen aufgegeben.

»Sie stehen dort herum und sehnen sich fort von hier«, erklärt er mit gedämpfter Stimme. »Sie fragen sich, warum sie nie die Gelegenheit ergriffen haben, nach Amerika auszuwandern.«

Dann zeigt er ihr den Weg zu seinem Arbeitsplatz im südlichen Teil des Steinbruchs, wo er Bruchsteine aufeinandergetürmt und sich einen etwas wackeligen Windschutz oben auf der Felskante errichtet hat.

»Und hier lebt der Nöck, der Wassermann!«, verkündet er.

Er bittet Vendela herein, und sie setzen sich auf zwei Steinblöcke. Henry hat eine Thermoskanne mit Kaffee dabei und trinkt zwei Becher.

»Passt auf, ihr da unten!«, sagt er und gießt den Rest seines Kaffees über die Steine.

Vendela weiß, dass er so die Trolle warnen will, damit sie sich verstecken können.

Der Kalkstaub kitzelt in ihrer Nase. Sie lässt ihren Blick durch den Steinbruch wandern, hier liegen so viele Steinbrocken herum. Überall liegen sie zu Haufen aufgetürmt, und Vendela sieht genau hin, ob sich jemand dahinter versteckt.

»Wonach suchst du?«, fragt Henry sie. »Hältst du Ausschau nach den Trollen?«

Vendela nickt. Ihr Vater lacht laut auf.

»Da besteht keine Gefahr, die Trolle lassen sich tagsüber nicht blicken, sie mögen das Sonnenlicht nicht. Die zeigen sich erst, wenn die Sonne untergegangen ist.«

Er dreht sich geheimnisvoll um und fährt fort:

»Aber bevor die Menschen hier eindrangen, war es das Reich der Trolle. Sie wohnten genau hier am Meer. Und die Elfen, ihre größten Feinde, wohnten im Landesinneren. Einmal aber haben die Elfen das Reich der Trolle betreten. Sie trafen sich am Steinbruch, und an jenem Tag floss Blut. Der Boden war getränkt mit Blut.«

Er streckte den Arm aus und zeigte auf die Felsenkante im Osten.

»Das Blut kann man heute noch sehen ... Komm mal mit, ich zeig es dir.«

Er führt Vendela an die steile Felswand, die senkrecht in den Himmel steigt. Henry bückt sich und weist auf eine waagrechte, rötliche Schicht in dem hellen Gestein, unmittelbar über dem Boden.

Vendela geht näher heran und bemerkt, dass in dieser Steinschicht lauter dunkelrote Klumpen stecken.

»Blutstein nennt man das«, erklärt Henry und richtet sich wieder auf. »Das ist alles, was noch von dem Kampf zwischen den Trollen und den Elfen zeugt, versteinertes Blut.«

Vendela weiß, dass die Königin der Elfen diesen Kampf angeführt haben muss. Aber jetzt hat sie genug davon gesehen.

»Bekämpfen die sich noch immer, Papa?«

»Nein, sie haben so eine Art Waffenstillstand geschlossen«, sagt Henry. »Wahrscheinlich haben sie vereinbart, dass die Trolle unter dem Blutstein leben und die Elfen in der Großen Alvar. So können sie sich aus dem Weg gehen.«

Vendela hebt den Kopf und sieht hoch zur Felskante. Dort müsste man ein Märchenschloss bauen, mit hohen Fenstern und Wänden aus Stein. Da würde sie dann gerne wohnen, zwischen dem Reich der Trolle und dem der Elfen.

»Warum sind sie überhaupt Feinde geworden, die Trolle und die Elfen?«, fragt sie ihren Vater. »Warum haben sie sich bekämpft?«

Henry schüttelt nur den Kopf.

»Tja, woher soll ich das wissen? ... Sie waren sich vielleicht einfach zu fremd.«

8

Per und Jesper mussten mehrere Kilometer fahren, bis sie ein Geschäft fanden, das an diesem Freitagabend geöffnet hatte. Und als sie schließlich in Stenvik ankamen, durchquerten sie einen Ort voller dunkler, verlassener Sommerhäuser.

Per bog in Ernsts Väg am Steinbruch ein. Wenigstens in den Fenstern der beiden neuen Luxusvillen brannte Licht, und vor den Häusern standen große, glänzende Autos. Da erkannte er den Audi wieder, der seinen Sohn um ein Haar überfahren hatte. Die Schäden vom Aufprall waren noch zu sehen, aber die Karosserie blitzte, keine Spur mehr von Blut.

Das Paar vom Parkplatz hatte also hier sein neues Haus gebaut, sie waren die neuen Nachbarn.

»Ein neues Auto«, sagte er schwärmerisch. »Das wäre gut, für uns und die Umwelt.«

Jesper drehte sich zu ihm um.

»Willst du ein neues kaufen, Papa?«

»Jetzt noch nicht, später.«

Sein Saab hatte abgenutzte Stoßdämpfer, die bei jeder Bodenwelle und jedem Schlagloch quietschten und knackten. Aber der Motor war intakt, und Per sah keinen Grund, sich für seinen Wagen zu schämen.

Und auch nicht für Ernsts Häuschen – obwohl es jetzt gegen Abend mit dem niedrigen Dach und den kleinen, dunklen Fenstern eher aussah wie eine verlassene Baubaracke.

Das Haus hatte beinahe fünfzig Jahre lang der Sonne und dem Wind am Steinbruch getrotzt, und ihm würden einige Reparaturen und ein bisschen Farbe guttun. Aber das musste bis zum nächsten Sommer warten.

Per war Anfang März das letzte Mal auf der Insel gewesen, um nach dem Rechten zu sehen. Da war die Große Alvar noch vom Schnee bedeckt gewesen. Mittlerweile war er fast komplett geschmolzen, trotzdem war es noch nicht viel wärmer geworden – zumindest nicht nach Sonnenuntergang.

»Kannst du dich noch an unseren Verwandten Ernst erinnern?«, fragte er Jesper, als er vor dem Häuschen anhielt. »Weißt du noch, wie wir ihn hier mal besucht haben?«

»'n bisschen«, antwortete Jesper zögernd.

»Woran erinnerst du dich denn?«

»Er hat Steine gehauen ... und Skulpturen daraus gemacht.«

Per nickte und zeigte in die Dunkelheit, wo man die Umrisse eines kleinen Schuppens neben dem Haus erkennen konnte.

»Die stehen noch in seiner Werkstatt ... na ja, ein Teil davon. Wir können sie ja mal ansehen.«

Er vermisste Ernst, vielleicht weil er das genaue Gegenteil von Jerry gewesen war. Ernst war jeden Morgen früh aufgestanden, um, bestückt mit Vorschlaghammer und Stemmeisen, im Steinbruch zu arbeiten. Er hatte sein Leben lang hart geschuftet – das hallende, klirrende Geräusch, wenn Stahl auf Stein schlägt, war eine von Pers lebendigsten Kindheitserinnerungen. Wenn er mit seiner Mutter zu Besuch kam, hatte Ernst immer Zeit für ihn gehabt.

WILLKOMMEN stand auf seiner Fußmatte.

Als sie die Tür öffneten, schlug ihnen ein schwacher Duft von Schmierseife und Teer entgegen. Es waren die Gerüche aus der Zeit des ersten Besitzers, die sich noch nicht verflüchtigt hatten. Sie schalteten das Licht an, und alles sah genauso aus, wie Per es im Winter zurückgelassen hatte: Blumentapeten, alte Teppiche mit Kaffeeflecken und ein abgewetzter Holzfußboden.

Im Wohnzimmer stand eine alte Seemannskiste, die Ernst selbst gezimmert und mit Schnitzereien verziert hatte: Ein Ritter auf einem Pferd jagte einem höhnisch grinsenden Troll hinterher. Auf einem Felsen hinter dem Ritter saß eine Prinzessin und weinte.

Die Kiste würde er vorerst behalten, aber sollte er eines Tages zu Geld kommen, wollte Per sich neue Möbel kaufen.

»Lass uns mal ein bisschen lüften«, schlug er Jesper vor, »holen wir uns den Frühling ins Haus.«

Sie kippten die Fenster, und das Sausen des Winds zog durch die Räume.

Wunderbar. Per versuchte die Freude über dieses geerbte Häuschen bewusst zu empfinden. Darüber, wie es war, und darüber, wie es eines Tages werden könnte.

»Von hier sind es nur ein paar Hundert Meter an den Strand auf der anderen Seite des Steinbruchs«, erklärte er Jesper, während sie die Reisetaschen in den kleinen Flur trugen. »Im Sommer werden wir dort baden, du, Nilla und ich. Das wird super.«

»Aber ich habe hier keine Badehose dabei«, wandte Jesper ein.

»Dann kaufen wir dir eine.«

Die Zwillinge hatten je ihr eigenes kleines Zimmer links von der Küche. Und Jesper trug seinen Rucksack auch gleich in seins.

Per blieb einen Augenblick lang in dem kleinen Zimmer direkt hinter der Küche stehen. Von dort hatte man einen Blick auf den nördlichen Teil des Steinbruchs und den eisbedeckten Sund. Dieser Raum sollte in den Sommermonaten sein Arbeitszimmer werden.

Sollte er in zwanzig oder dreißig Jahren noch leben, würde dieses Häuschen noch immer ihm gehören, da war er sich ganz sicher. Und seine Kinder könnten, so oft sie wollten, ihre Ferien hier verbringen.

Während Per in seinem Schlafzimmer die Koffer auspackte, ertönte plötzlich ein Klingeln. Es kam von dem alten Telefon – sekundenlang konnte er sich nicht erinnern, wo es stand. Das Klingeln schien aus der Küche zu kommen.

Das Telefon stand auf der Küchenbank neben der Spüle und war ein Modell aus schwarzem Bakelit mit Wählscheibe. Per hob den Hörer ab.

»Mörner.«

Er erwartete Marika am anderen Ende der Leitung oder die kraftvolle Stimme eines Arztes, der Neuigkeiten über Nilla zu berichten hatte, aber er hörte gar nichts. Es rauschte nur in der Leitung, die Verbindung zum Festland war schlecht.

Dann hustete der Anrufer, und danach hörte Per eine leise und kraftlose Stimme – die eines alten Mannes:

»Pelle?«

»Ja?«

»Pelle ...«

Per zögerte mit seiner Antwort. Seit dem Tod seiner Mutter gab es nur noch einen einzigen Menschen, der ihn Pelle nannte. Außerdem hatte er die heisere Stimme seines Vaters sofort wiedererkannt. Tausende von Zigaretten und viele durchfeierte

Nächte hatten ihre Spuren hinterlassen. Im letzten Frühjahr hatte Jerry einen Schlaganfall erlitten, und seitdem klang seine Stimme sehr undeutlich, und er wirkte abwesend und verwirrt. Jerry konnte sich an Namen erinnern und zum Beispiel auch an Telefonnummern – er rief Per mindestens einmal pro Woche an –, aber sein Wortschatz hatte unter der Krankheit gelitten. Per hatte von seiner Wohnung in Kalmar eine Rufumleitung ins Sommerhaus veranlasst, trotz des Risikos, dass Jerry ihn auch dort erreichen würde.

»Wie geht es dir, Jerry?«, fragte er schließlich.

Sein Vater zögerte, Per hörte ihn an der Zigarette ziehen und inhalieren. Daraufhin musste er erneut husten, dann senkte er seine Stimme:

»Bremer«, er flüsterte fast.

Per kannte den Namen. Hans Bremer war Jerrys Assistent und Mädchen für alles gewesen. Per hatte ihn niemals persönlich kennengelernt, aber ganz offensichtlich hatten Jerry und dieser Bremer ein besseres Verhältnis, als er zu seinem Vater.

»Ich habe jetzt keine Zeit, mit dir zu reden«, sagte Per. »Meine Kinder sind zu Besuch.«

Sein Vater gab keine Antwort, er suchte nach Worten. Aber Per hatte keine Lust zu warten.

»Wir sprechen später, bis dann.«

Vorsichtig legte er den Hörer auf die Gabel und ging zurück in sein Schlafzimmer.

Zwei Minuten später klingelte es erneut.

Das überraschte ihn überhaupt nicht. Warum hatte er bloß diese Rufumleitung eingerichtet?

Als er den Hörer abnahm, war tatsächlich wieder dieselbe Stimme am anderen Ende:

»Pelle? Pelle?«

Per schloss genervt die Augen.

»Was gibt es denn, Jerry? Kannst du mir bitte sagen, warum du anrufst?«

»Markus Lukas.«

»Wer?«

Jerry räusperte sich und gab eine unverständliche Antwort. Per verstand nur »der Teufel«, war sich aber nicht sicher. Es klang, als hätte Jerry eine Zigarette im Mundwinkel.

»Wovon sprichst du, Jerry?«

Er bekam keine Antwort. Per drehte sich um und sah aus dem Küchenfenster hinunter in den Steinbruch, der menschenleer vor ihm lag.

»Muss Bremer helfen«, stieß sein Vater plötzlich hervor.

»Warum das denn?«

»Helfen gegen Markus Lukas.«

Dann wurde es wieder still in der Leitung. Per ließ den Blick zum Wasser wandern und weiter bis zu dem schwarzen Strich am Horizont, dem Festland. *Markus Lukas?* Er war der Meinung, dass er den Namen schon einmal gehört hatte, vor langer Zeit.

»Wo bist du, Jerry?«

»Kristianstad.«

Jerry hatte die letzten fünfzehn Jahre in Kristianstad gelebt, in einer verräucherten Dreizimmerwohnung an der Eisenbahntrasse.

»Sehr gut«, sagte Per. »Bleib, wo du bist.«

»Nein«, erwiderte Jerry gepresst.

»Warum?«

Sein Vater schwieg.

»Wo willst du denn hin?«, fragte Per.

»Nach Ryd.«

Per wusste, wo Ryd lag. Es war eine kleine Ortschaft in den småländischen Wäldern – Jerry besaß dort ein Haus, und Per hatte ihn vor einigen Jahren häufiger dorthin gebracht.

»Wie willst du denn da ohne Auto hinkommen?«

»Bus.«

Jerry hatte sich über fünfzehn Jahre lang auf Bremer verlassen. Vor dem Schlaganfall, als sein Vater noch in ganzen Sätzen sprechen konnte, hatte er vor Per immer mit Nachdruck seinen

Assistenten gelobt: *Bremer kümmert sich einfach um alles, er mag seinen Job. Bremer bringt das in Ordnung.*

»Sehr gut«, sagte Per. »Dann fahr doch für ein paar Tage dorthin. Du kannst dich ja melden, wenn du wieder zu Hause bist.«

»Ja.«

Jerry fing wieder an zu husten und beendete das Telefonat. Auch Per legte den Hörer zurück auf die Gabel, blieb aber nachdenklich am Fenster stehen.

Eltern sollten in ihren Kindern nicht das Gefühl von endloser Einsamkeit auslösen dürfen. Aber genau das tat Jerry. Per fühlte sich maßlos allein, ohne Verwandte und Freunde. Sein Vater hatte alle vergrault. Sogar Pers erste große Liebe, ein lachendes Mädchen namens Regina, hatte er verjagt.

Per holte tief Luft. Aber er blieb reglos in der Küche stehen. Am besten wäre es, jetzt unten am Strand eine Runde joggen zu gehen, doch es war schon zu dunkel.

Wenn Per zurückdachte, so hatte sich Jerry mit seinem Verfolgungswahn das Leben schwer gemacht. Auf der anderen Seite hatte er immer auch eine fast groteske Lebensfreude besessen. Die war allerdings mit dem Schlaganfall verloren gegangen. Früher war Per der Ansicht gewesen, dass Jerry diese tatsächlichen oder eingebildeten Konflikte benötigte, um seinem Leben Würze zu geben. Dass sie ihm in seiner Funktion als Unternehmer neue Energie verliehen. Aber die Stimme, die er heute am Apparat gehabt hatte, hatte in erster Linie nur verwirrt und erschöpft geklungen.

In Pers Erinnerung hatte sich sein Vater immerzu eingebildet, dass irgendwelche Leute hinter ihm her waren: meistens der schwedische Staat und dessen Steuersheriffs, aber auch die Banken, ein Konkurrent oder ehemalige Angestellte.

Per konnte im Moment nicht besonders viel für seinen Vater tun. Er benötigte professionelle Pflege und Unterstützung. Für Per war es viel wichtiger, ein guter Vater für Nilla zu sein, als der Sohn von Jerry.

Und natürlich auch für Jesper. Er durfte Jesper nicht vergessen.

Die Zimmertür seines Sohnes war geschlossen, aber Per war ein guter Vater. Er kümmerte sich um seine Kinder. Vorsichtig klopfte er an und steckte seinen Kopf durch den Spalt.

»Hallo.«

»Hallo, Papa«, erwiderte Jesper leise.

Er saß auf dem Bett, seinen Gameboy in den Händen, obwohl es eigentlich schon viel zu spät war, um noch zu spielen.

Per entschied sich, es nicht zu kommentieren. Stattdessen erzählte er von seiner Idee, die ihm gekommen war, als er aus dem Fenster auf den Steinbruch gesehen hatte; er wollte eine Abkürzung, eine Treppe hinunter zum Strand bauen.

»Wollen wir das morgen zusammen anpacken?«, fragte er seinen Sohn. »Ein paar Muckis bekommen und etwas Cooles bauen?«

Jesper überlegte einen Moment lang, dann nickte er.

Am nächsten Morgen schliefen sie beide bis neun Uhr. Nach dem Frühstück begannen sie mit dem Bau der Treppe.

Ernst hatte nur eine wackelige Holztreppe gehabt, die hinunter in den Steinbruch führte. Per wollte etwas Stabileres. Eine Treppe, die seine Kinder und er benutzen konnten, wenn sie an sonnigen Tagen hinunter zum Strand wollten.

Im südlichen Teil des steinigen Grundstücks senkte sich die Felsenkante ein paar Meter ab. Genau an dieser Stelle wollte Per die Treppe errichten.

Ein Werkzeug nach dem anderen warfen sie in den Kies auf dem Grund des Steinbruchs: Stemmeisen, Spaten und Hacken. Dann seilten sie die alte Schubkarre ab, zogen sich ihre Arbeitshandschuhe an und kletterten hinterher.

Unten am Fuß der Felskante war es wesentlich kühler und weit und breit kein Mensch zu sehen. Hier wuchs auch kaum etwas, bis auf Gräser und ein paar Sträucher, die sich in den Felsspalten und im Geröll festklammerten. Auf einigen der Steinhaufen saßen Möwen und schrien sich gegenseitig mit aufgerissenen Schnäbeln an.

Etwa auf Kniehöhe verlief durch den hellen Kalkstein eine

merkwürdige Steinader mit dunkelroten Klumpen. Per erinnerte sich, die hatte er schon in seiner Kindheit gesehen. *Blutstein* hatte Ernst sie genannt, allerdings ohne ihm eine Erklärung zu geben, warum sie so hieß. Das konnte ja wohl kaum richtiges Blut sein.

»Wo fangen wir an, Papa?«, fragte Jesper und sah sich ratlos im Steinbruch um.

»Na ja, als Erstes müssen wir uns ein bisschen Schutt und Kies besorgen.«

Per zeigte auf einen Haufen in einiger Entfernung.

»Aber dürfen wir das so einfach klauen?«

»Wir *stehlen* doch nicht«, widersprach Per, musste sich aber eingestehen, dass er keine Ahnung hatte, wem der Steinbruch eigentlich gehörte. »Wir *verwenden* das Material doch für etwas Sinnvolles. Es liegt hier sonst nur nutzlos herum.«

Und los ging es. Bloß nicht zu schnell und zu eifrig – er musste an seinen Rücken denken –, aber energisch genug, um eine Treppe zu errichten, die aus dem Steinbruch führte.

Über eine Stunde lang schoben sie die Schubkarre hin und her, von dem Geröllhaufen in der Mitte des Steinbruchs zurück zur Felsenkante unterhalb ihres Grundstücks. Langsam entstand eine steile Rampe.

Es war schon halb elf, und Per schwitzte. Aber er hatte in etwa fünfzig Metern Entfernung einen großen Haufen mit länglichen Steinblöcken entdeckt.

»Wollen wir damit anfangen?«, schlug er vor.

Sie begannen die Kalksteinblöcke auf die Schubkarre zu laden. Per vermied es, die größten zu nehmen, aber auch die mittelgroßen waren schwer.

Er packte an dem einen Ende an, und Jesper ging auf die andere Seite. Die Oberfläche des Steines war trocken und glatt.

»Immer in die Knie gehen, Jesper, nicht aus dem Rücken heben.«

Sie hoben gleichzeitig an und wuchteten so nacheinander drei längliche Blöcke auf die Schubkarre.

Nachdem sie die Blöcke an der Felsenkante abgeladen und die Steine als Stufen platziert hatten, keuchte Per – das war eine verdammt harte Arbeit. Wie hatte es Ernst nur geschafft, hier jeden Tag zu schuften, jahrein, jahraus?

Gegen zwölf Uhr hatten sie den unteren Teil der neuen Treppe fertiggestellt – und Pers Rücken, Nacken und Arme schmerzten. Die Haut an den Fingern war eingerissen, und die Hände hatten Schwielen und Blasen. Und dennoch reichte die Treppe noch nicht einmal auf halbe Höhe.

Er lachte müde.

»Na, jetzt haben wir nur noch den Rest vor uns.«

»Wir bräuchten einen Kran«, sagte Jesper.

Per schüttelte den Kopf.

»Das wäre geschummelt.«

Sie zogen sich an der Felskante hoch und kehrten in Ernsts Haus zurück.

Unser Haus, dachte Per und suchte nach einem passenden Namen. *Casa Grande?* Nein. *Casa Mörner*, das musste vorerst genügen.

Gegen Abend kam ein starker Wind auf und fegte über die Insel. Und als die Sonne untergegangen war, heulte ein Sturm über das Dach des Hauses.

Die Nummer von Nillas Abteilung im Krankenhaus war den ganzen Abend über besetzt gewesen, aber gegen acht Uhr hatte Per wenigstens dem Wunsch seiner Tochter entsprochen und ihr einen Gedanken geschickt.

Liebe, hatte er gewählt und dann diesen Gedanken zusammen mit dem Bild eines Sonnenuntergangs über dem Sund in Richtung Krankenhaus gesandt.

Leider kamen keine Gedanken seiner Tochter zu ihm zurück, er fühlte sich vollkommen leer. Er glaubte zwar nicht an Telepathie, aber es gab nichts zu verlieren.

Per ging ins Bett und schlief mit dem Heulen des Windes ein. Er träumte, dass er eine kleine, blonde Holzpuppe im Steinbruch gefangen hatte. Er hatte sie in einen Stoffbeutel gesteckt und sie aus irgendeinem Grund mit ins Haus genommen. Aber die Puppe war wütend, und weil der Beutel Risse hatte, holte Per Klebeband, um ihn zu verschließen, damit die Puppe ihre Finger nicht herausstrecken konnte. Die Puppe kämpfte und wehrte sich, und Per wickelte immer mehr Klebeband um den Beutel. Da hörte er das hämische Lachen seines Vaters.

Aber nein, das Donnern kam nicht von Jerrys heiserem Lachen, es war vielmehr ein dumpfes Grollen, das die Erde erschütterte.

Per hörte auf, mit dem Beutel zu kämpfen. Er blickte aus dem Fenster und sah Unglaubliches unten im Steinbruch vor sich gehen: Zwischen Insel und Festland stieg ein Vulkan aus dem Sund. Das Wasser kochte, die Luft war erfüllt von grauem Rauch, und ein etwa hundert Meter breiter Krater wuchs in den Himmel empor, höher und immer höher.

Aus dem Vulkan floss Lava in den Steinbruch und füllte ihn langsam auf.

Da wachte er endlich auf, verwirrt und zitternd, und tastete vergeblich in seinem Bett nach der Holzpuppe.

Der Sturm heulte noch immer um das Haus, aber das dumpfe Grollen war nicht mehr zu hören. Es kam auch nicht wieder, und irgendwann schlief Per wieder ein.

Der Sonntagmorgen war sonnig, der Wind brauste und rauschte in ungewöhnlichen Tonlagen. Gegen halb acht stand Per auf. Als er aus dem Fenster sah, bemerkte er, dass sich etwas verändert hatte. Der Sund war nicht mehr grau und von Eis bedeckt, er leuchtete dunkelblau.

Da wusste er, was letzte Nacht geschehen war. Das Grollen, das ihn geweckt hatte, war vom Eis verursacht worden. Der Sturm hatte die Eisschicht zerbersten lassen, und jetzt schwammen nur noch vereinzelte Schollen im Wasser. Am Strand hatte sich ein graues Feld aus Eismatsch gebildet. Das Rauschen kam von den Wellen, die endlich vom Eis befreit waren.

Das Eis hatte den Sund verlassen – hunderttausend Tonnen

gefrorenes Wasser waren freigesetzt worden, und Per hatte das Dröhnen dieser Befreiung gehört.

Beeindruckend!

Aber der nächtliche Traum war ziemlich merkwürdig und unheimlich gewesen. Er wollte am liebsten nicht mehr darüber nachdenken.

9

Während Max an seinem Schreibtisch saß und über sein Kochbuch nachdachte, lief Vendela durchs Haus und fasste den Entschluss, nichts mehr zu essen. Sie hatte sich für den Aufenthalt auf der Insel zwei Dinge vorgenommen: joggen und fasten. Nicht um abzunehmen – die Waage im Badezimmer zu Hause hatte zweiundfünfzig Kilo angezeigt –, sondern um den Körper zu reinigen und so der Natur näherzukommen. Daher bestand ihr erstes Frühstück in dem neuen Haus aus einem Glas Wasser, das sie nur in Gesellschaft von Aloysius in der Küche zu sich nahm.

Die Idee, die Nachbarn zu einem Fest einzuladen, spukte nach wie vor in ihrem Kopf herum. Sie hatte beschlossen, alle einzuladen, die ihr im Ort über den Weg laufen würden. Am Tag vor Gründonnerstag, am Mittwoch, sollte es stattfinden – da luden sich die Leute doch für gewöhnlich nicht selbst Gäste ins Haus?

Vorsichtshalber hatte sie aber an die Arbeitszimmertür ihres Mannes geklopft, um die Idee mit ihm abzusprechen.

Max hatte in einem seiner beiden Arbeitszimmer gesessen.

Eine Woche zuvor hatte er eigens einen Umzugswagen mit seinen Tischen auf die Insel gefahren. Denn Max benötigte *drei* Schreibtische, wenn er an einem Sachbuch arbeitete – einen Arbeitstisch, an dem er saß und nachdachte, einen Tisch, an dem er schrieb, und schließlich einen, an dem er den Text redigierte.

Und damit er dafür genug Platz hatte, bestand sein Arbeitsbereich aus zwei nebeneinanderliegenden Zimmern.

Zu seiner Ausrüstung gehörten auch eine Rudermaschine, ein paar Hanteln und ein Springseil. Allerdings kein Laufband.

Als Vendela anklopfte, saß er gerade an seinem Gedankentisch, der vollkommen leer geräumt war. Sie erzählte ihm von ihrer Idee mit dem Fest. Er hörte ihr zu und nickte schließlich mit dem Kopf zu dem kleinen Häuschen in unmittelbarer Nachbarschaft.

»Die da auch?«

Sie wusste genau, wen er meinte – den Vater und seinen Sohn, den Max beinahe überfahren hatte.

»Wir können sie ja übergehen«, schlug Vendela vor, aber ihr Mann schüttelte den Kopf.

»Ach was, lad sie auch ein. Brauchst du Hilfe?«

»Nein, danke, ich komme schon zurecht. Ich bereite das Essen vor, aber du könntest die Gäste willkommen heißen.«

Max seufzte.

»Ich bin gerne Gastgeber, aber ich habe keine Lust, den Ratgeber zu spielen.«

»Nein, das verstehe ich gut.«

»Die Leute fragen mich immerzu um Rat bei allen möglichen Problemen ... aber hier muss ich Ruhe haben.«

Max schloss die Augen, und Vendela zog sich leise zurück.

Sie wollte jetzt zu ihrem ersten Spaziergang aufbrechen, ging aber zuvor ins Badezimmer.

Den Kulturbeutel hatte sie noch nicht ausgeräumt. Sie stellte ihn auf den Toilettendeckel und begann, ihre Tabletten in den Medizinschrank zu räumen.

Die Allergietabletten mit dem lateinischen Namen fanden auf dem untersten Regal Platz. Davon besaß sie gleich mehrere Packungen, aber heute Morgen ging es ihrer Nase und den Augen ganz gut.

Daneben platzierte sie die Box mit den angstdämpfenden Tabletten, die eine ähnliche Wirkung hatten wie die kleinen Vistaril-Tabletten, die sie seit ein paar Jahren am frühen Abend und manchmal in den frühen Morgenstunden nahm.

Aber das war in Stockholm. Hier auf der Insel würde sie vorsichtiger mit den Tabletten sein, und heute würde sie nur zwei nehmen, eine neue Sorte. Sie hießen Folangir und waren letzte Woche aus Dänemark eingetroffen. Es waren eine Art Diättabletten, die den Hunger und die innere Unruhe dämpfen sollten – gleichzeitig versorgten sie den Körper aber mit Nährstoffen. Eine Mischung aus einem Ringelblumenextrakt und verschiedenen hoch dosierten Vitaminen, zumindest stand das auf der Verpackung.

Sie spülte sie mit einem Glas Wasser herunter.

So, das war erledigt. Zeit für einen Spaziergang.

Die neuen Tabletten waren ungewöhnlich stark, und sie fühlte sich ein bisschen schwindelig, als sie auf die Treppe hinaustrat. Die Sonne schien, und ein frischer Frühlingswind blies ums Haus, aber sie spürte weder Wärme noch Kälte. Sie fühlte sich ausgeglichen und zufrieden.

Der Himmel über Öland war gewaltig und endlos, kein einziger Berg hielt das Sonnenlicht von der Insel ab. Deshalb lebten die Elfen hier auch so gerne.

Alles war so still, als Vendela den kleinen Pfad entlangging. Keine Autos, keine Stimmen. Nur ab und zu fröhliches Vogelgezwitscher und ein friedliches Rauschen vom eisfreien Sund.

Auf der anderen Seite der Kieseinfahrt begann ein kleiner Feldweg, der ins Nichts führte. Zwei Reifenspuren mit einem Grasstreifen in der Mitte. Dort lief sie weiter, schloss für einen Moment die Augen und tappte so übers Feld.

Als sie ihre Augen wieder öffnete, stand sie vor einer Steinmauer mit einem Gittertor. Dahinter erstreckte sich ein kleiner Garten mit vergilbter Rasenfläche. In einem Gartenstuhl saß ein Mann.

Erst als Vendela näher herangeschlichen war, stellte sie fest, dass der Mann schon sehr alt war, faltig und fast kahl, nur ein dünner weißer Haarkranz schmückte seinen Kopf. Um den Hals trug er einen dicken Schal, um seine Beine war eine Decke gewickelt und auf seinem Schoß lag ein dünnes Buch. Die Augen waren geschlossen, das Kinn auf die Brust gesunken. Er wirkte unbeschwert, wie jemand, der sein Lebenswerk beendet hat und zufrieden darauf zurückblickt.

Das hätte ihr Vater sein können – allerdings war Henry sein Leben lang viel zu rastlos gewesen, um einfach so in einem Garten herumzusitzen.

Vendela war davon ausgegangen, dass der Mann schlief, als sie aber die Hand auf das Tor legte, hob er den Kopf und sah zu ihr herüber.

»Habe ich Sie gestört?«, rief sie ihm zu.

»Nicht mehr als andere«, erwiderte er und schob das Buch auf seinem Schoß unter die Decke.

Seine Stimme war zwar leise, aber kraftvoll, die Stimme eines Menschen, der es zeit seines Lebens gewohnt war, die Richtung vorzugeben. Ein bisschen so wie die von Max.

Die Tabletten machten Vendela mutiger, sie drückte die Türklinke herunter und trat in den Garten.

»Ich sitze hier nur herum und sehe den Schmetterlingen hinterher«, sagte er, als sie näherkam. »Und ich denke nach.«

Das war kein Scherz gewesen, Vendela kicherte trotzdem – und bereute es sofort.

»Ich heiße Vendela«, stellte sie sich vor. »Vendela Larsson.«

»Und ich heiße Davidsson. Gerlof mit Vornamen.«

Ein ungewöhnlicher Name, Vendela hatte ihn noch nie zuvor gehört.

»Gerlof ... ist das deutsch?«

»Ich glaube, es ist ursprünglich holländisch. Es ist ein alter Familienname.«

»Leben Sie hier das ganze Jahr über, Gerlof?«

»Jetzt schon. Ich werde vermutlich hierbleiben, bis sie mich wegtragen.«

Vendela kicherte erneut.

»Dann sind wir ja Nachbarn.« Sie zeigte mit ihrem Finger in die Richtung, wo sie ihr Haus vermutete, und bemühte sich, dass ihre Hand dabei nicht zitterte. »Wir sind gerade in unser Haus am Steinbruch eingezogen, mein Mann Max und ich. Wir wohnen jetzt dort.«

»Ach ja!«, entgegnete Gerlof. »Aber vermutlich nur in den warmen Monaten, nicht das ganze Jahr über.«

Das war nicht als Frage gemeint.

»Nein, nicht das ganze Jahr über ... Nur im Frühling und im Sommer.«

Sie hätte am liebsten noch ein *Gott sei Dank* hinzugefügt, aber sie hielt sich zurück. Es war unhöflich zu unterstreichen, wie kalt und einsam es auf der Insel im Winter war. Sie hatte das als kleines Mädchen erlebt, das genügte ihr vollkommen.

Sie verstummten. Kein Schmetterling zeigte sich mehr, dafür sangen die Vögel in den Büschen. Vendela schloss die Augen und überlegte, ob ihr nervöses Zwitschern Warnsignale waren.

»Gefällt es Ihnen hier?«, fragte Gerlof.

Vendela sah hoch und nickte energisch.

»Absolut, das ist ja so ...«, sie suchte nach dem richtigen Wort, »... so strandnah.«

Der alte Mann erwiderte nichts, deshalb fuhr sie fort:

»Wir wollen ein kleines Nachbarschaftsfest für alle Bewohner des Ortes ausrichten. Diesen Mittwoch gegen sieben Uhr, hatten wir uns gedacht ... Ich würde mich freuen, wenn Sie auch kommen könnten.«

Gerlof sah auf seine Beine.

»Ich komme gerne, wenn ich mich bewegen kann ... das hängt immer von meiner Tagesform ab.«

»Wunderbar, sehr schön.«

Vendela kicherte nervös und ging zurück zum Gartentor. Sie hatte Hunger, und die neuen Tabletten machten sie schläfrig. Aber es war angenehm, übers Gras zu laufen, wie eine Elfe zu schweben, dem Wind und der weißen Sonne entgegen.

»Hallo, Max?!«

Vendelas Stimme hallte über den Steinfußboden. Sie bekam keine Antwort, fühlte sich aber von der Begegnung mit Gerlof so beschwingt, dass sie ins Leere rief:

»Ich habe einen alten Mann kennengelernt. Einen Einheimischen … so nett! Er wohnt in einem kleinen Häuschen auf der anderen Straßenseite. Ich habe ihn zu unserem Fest eingeladen!«

Ein paar Sekunden lang herrschte Schweigen, dann öffnete sich die Tür zu Max' Arbeitsraum, und er streckte seinen Kopf heraus. Nachdenklich sah er seine Frau an und fragte dann:

»Was hast du genommen?«

Vendela erwiderte seinen Blick und straffte den Rücken.

»Nichts weiter … nur ein paar Fatburner.«

»Keine Aufputschmittelchen heute?«

»Nein! Ich habe Frühlingsgefühle, ist das falsch?«

Sie hätte am liebsten auf dem Absatz kehrtgemacht, blieb aber stehen und schüttelte unwillig den Kopf. Sie versuchte, aufrecht zu stehen, ohne zu schwanken, obwohl sich der Steinboden unter ihr bewegte.

»Vendela, als wir hier angekommen sind, wolltest du deine Dosis reduzieren. Das hast du versprochen!«

»Ich *weiß*. Ich will ja auch joggen gehen!«

»Tu das«, nickte Max. »Das ist besser, als Tabletten zu nehmen.«

»Ich bin gerade einfach nur froh«, hob sie erneut an und bemühte sich, so ernsthaft wie möglich zu klingen, »und das hat nichts mit irgendeiner Medizin zu tun. Ich freue mich, weil der Frühling in der Luft liegt und weil ich diesen wunderbaren, netten alten Mann kennengelernt habe …«

»Stimmt, du hattest schon immer ein Faible für ältere Herrschaften.« Max rieb sich die Augen und zog sich in sein Arbeitszimmer zurück. »So, ich muss jetzt wieder was tun.«

10

Der Geruch von Kalkstein und Tang, von Meer und Küste, der Wind, der über den Strand strich, das Glitzern der Sonne im Sund: Winter und Frühling trafen sich über der Insel.

Es war Sonntagvormittag, und Per stand mit einem Besen in der Hand auf der Steinterrasse und wünschte sich, dass die Frühlingssonne in alle dunklen Ecken seines Körpers und seiner Seele scheinen könnte. Ernst hatte sich zwei Terrassen ans Haus gebaut, die jeweils an den Längsseiten angebracht waren, eine zeigte nach Südosten, die andere nach Nordwesten. Das war raffiniert, denn so konnte man entweder dem Gang der Sonne von frühmorgens bis abends folgen oder den ganzen Tag im Schatten sitzen.

Per reckte sich und ließ seinen Blick die Steinküste entlangschweifen. Er wusste, dass er in dem Haus mit der Aussicht aufs Meer eigentlich glücklicher sein müsste, als er sich tatsächlich fühlte. Er würde so gerne diesen friedlichen und ruhigen Augenblick auskosten und genießen, aber seine Sorge um Nilla war zu groß. Die Angst, was die Ärzte entdecken könnten.

Doch dagegen konnte er nichts unternehmen, er konnte nur dagegen ankämpfen.

Die alte Terrasse bestand aus Kalkstein, sie war uneben, und zwischen den Ritzen wuchs Unkraut, aber sie war stabil gebaut. Nachdem Per das Laub zusammengefegt hatte, trat er an die äußere Kante der Terrasse und sah hinunter in den Steinbruch. Dort unten rührte sich nichts, nur die halb fertige Steintreppe reckte sich den Abhang hinauf.

Dann wanderte sein Blick zu den großen Villen auf der Südseite, und er musste unwillkürlich an die neuen, reichen Nachbarn denken.

Sie waren den einen oder anderen Gedanken wert. Er schätzte, dass die beiden Grundstücke mit den Häusern mindestens ein paar Millionen gekostet hatten. Vielleicht um die drei, inklusive aller Nebenkosten. Die Tatsache, dass seine neuen Nachbarn große Summen bewegen konnten, war allerdings das Einzige, was er von ihnen wusste.

Es wurde höchste Zeit, Ernsts Gartenmöbel hervorzuholen. Die waren aus Rattan und sahen aus, als stammten sie von irgendeiner Plantagenveranda aus dem Dschungel.

Das Telefon in der Küche klingelte, als er mit dem ersten Sessel in den Händen in der Terrassentür stand.

»Jesper?«, rief er ins Haus hinein. »Kannst du rangehen?«

Er wusste nicht, wo sein Sohn war, und Jesper antwortete auch nicht.

Das Telefon klingelte erneut, und nach dem vierten Klingelzeichen stellte Per den Stuhl ab und ging in die Küche.

»Mörner.«

»Hallo?«, rief eine schwer verständliche Stimme. »Pelle?«

Das war schon wieder sein Vater. Erschöpft schloss Per die Augen und musste daran denken, dass Jerry die Mittel gehabt hätte, um sich so eine Millionenvilla an den Steinbruch zu stellen. Zumindest vor zehn oder fünfzehn Jahren. Aber von diesem Geld hatte Per nie etwas gehabt, und seit Jerrys Schlaganfall war seine finanzielle Lage äußerst unsicher geworden. Er konnte schließlich nicht mehr arbeiten.

»Von wo rufst du an, Jerry? Wo bist du?«

Es rauschte in der Leitung, ehe er eine Antwort bekam.

»Ryd.«

»Okay, dann bist du also gut angekommen. Du wolltest doch zum Studio fahren.«

»Zu Bremer«, stieß Jerry hervor.

»Ich verstehe. Du bist jetzt also bei Bremer.«

Per hörte an Jerrys Reaktion, dass da etwas nicht stimmte, und versuchte es erneut:

»Gut, ich verstehe, du hast Hans Bremer also noch nicht getroffen? Wollte er dich nicht abholen?«

»Nicht hier.«

Per überlegte, ob Jerry betrunken und verwirrt oder nur verwirrt war.

»Dann fahr doch nach Hause, Jerry«, sagte er mit fester Stimme. »Geh zum Bahnhof und nimm den erstbesten Bus zurück nach Kristianstad.«

»Kann ich nicht.«

»Doch, Jerry. Mach das.«

Erneut wurde es still in der Leitung.

»Hol mich, Pelle!«

Per zögerte.

»Nein, das geht nicht.«

Schweigen.

»Pelle ... Pelle?«

Per drückte den Hörer fester ans Ohr.

»Ich habe keine Zeit, Jerry«, sagte er. »Ich habe Jesper bei mir, und Nilla kommt auch bald ... ich muss das erst mit ihnen besprechen.«

Aber sein Vater hatte bereits aufgelegt.

Per wusste, wo die Stadt Ryd lag. Zwei Stunden Autofahrt von Öland aus. Das war zu weit. Aber das Gespräch mit Jerry hatte ihn beunruhigt.

Pass auf ihn auf, hatte ihm seine Mutter vor langer Zeit gesagt.

Anita hatte ihren Exmann nie beim Namen genannt. Und es war Pers Aufgabe gewesen, den Kontakt zu ihm aufrechtzuerhalten und ihr die Neuigkeiten zukommen zu lassen, jahrein, jahraus. Die Reisen, die Jerry unternommen hatte, die Frauen, die er kennengelernt hatte. Per hatte diese Aufgabe übernommen, obwohl er nie darum gebeten hatte.

Er hatte Anita versprochen, auf Jerry aufzupassen. Allerdings nur unter bestimmten Voraussetzungen, und eine davon war: Er wollte seinem Vater nie allein gegenüberstehen.

Und dennoch fällte Per den Entschluss, nach Ryd zu fahren.

Jesper sollte solange zu Hause bleiben. Nilla und er hatten ihren Großvater nur einige wenige Male getroffen, und da auch nur kurz. Das war mehr als genug.

Seine Kinder vor dem Umgang mit Jerry zu schützen, war bislang seine beste Entscheidung gewesen.

11

Vendela begriff schnell, dass ihre Neugier auf die Nachbarn nicht auf Gegenseitigkeit beruhte.

Als sie am nächsten Tag aufbrach, um die Leute für das Nachbarschaftsfest am Mittwoch einzuladen, versuchte sie zunächst, die bewohnten Häuser im Ort ausfindig zu machen. Aber das war ein hoffnungsloses Unterfangen. Sie lief die Küstenstraße entlang, die sich an die tiefe Bucht bei Stenvik schmiegte. Aber ihr begegnete kein einziger Mensch. Sie traf nur auf verriegelte und mit Fensterläden winterfest gemachte Häuser – und bei den Häusern, die keine Fensterläden hatten, öffnete niemand, als sie klingelte. Ab und zu hatte sie zwar den Eindruck, dass jemand zu Hause war, aber keiner wollte sich zeigen.

Erst als sie den südlichen Teil der Ortschaft erreicht hatte und an der Tür des weißen Häuschens neben dem Kiosk anklopfte, wurde ihr geöffnet. Ein kleiner, weißhaariger Mann mit ölverschmierten Händen machte die Tür auf. Offenbar war er gerade mit einem Bootsmotor beschäftigt gewesen. Vendela vermied es, ihm die Hand zu geben.

»Hagman, John Hagman«, erwiderte er, nachdem sie sich vorgestellt hatte.

Ihre Einladung zum Fest kommentierte er mit einem Nicken.

»Das geht in Ordnung«, sagte er. »Sie wohnen also am Steinbruch?«

»Stimmt genau, wir sind gerade ...«

»Benötigen Sie Hilfe im Garten? Ich grabe, jäte und harke, alles, was notwendig ist.«

»Das hört sich aber gut an.« Vendela kicherte nervös. »Davon werden wir eventuell Gebrauch machen.«

Hagman nickte zum Abschied und schob die Tür zu.

Vendela sah sich genauer um, ihrer Meinung nach sollte sich John Hagman zuallererst um seinen eigenen Garten kümmern, der war ganz schön verwildert.

Sie kehrte zurück zum Steinbruch und spürte eine zaghafte Sehnsucht nach ihrem Medikamentenschrank. Aber heute würde sie ihn nicht öffnen.

Sie bog auf den Zufahrtsweg zu der benachbarten Villa ein, die ungefähr so groß war wie ihr Haus. Sie unterschied sich allerdings darin, dass die Außenwände aus hellem Holz und die Fenster schmal und hoch waren. Der Garten war in einem besseren Zustand, für den zukünftigen Rasen war frische Erde in Platten ausgelegt und festgeklopft worden, und jemand hatte bereits Grassamen gesät.

In der Villa war jemand zu Hause. Eine junge Frau in einem blauen Overall öffnete die Tür, als Vendela klingelte. Sie trug ihr blondes Haar kurz geschnitten und grüßte freundlich, schien aber genauso wie John Hagman nicht besonders froh über den Besuch zu sein.

Die Frau hieß Kurdin mit Familiennamen, erfuhr Vendela. Marie Kurdin.

»Habe ich Sie gestört?«, fragte Vendela und kicherte.

»Nein, aber ich bin gerade mit einer Wand zugange.«

»Tapezieren Sie?«, fragte Vendela.

»Ich streiche.«

Als Vendela von ihrem Vorhaben berichtete, schien Marie Kurdin mit ihren Gedanken ganz woanders zu sein. Möglicherweise dachte sie an die Farbe, die gerade trocknete, während sie sich unterhielt.

»Gut«, sagte sie leise, ihre Stimme klang weder warmherzig noch in irgendeiner Weise unfreundlich. »Christer, der kleine Paul und ich kommen gerne, wir bringen Wein mit.«

»Schön, dann sehen wir uns am Mittwoch.«

Vendela wandte sich zum Gehen. Für sie war das Projekt misslungen. Nicht, dass irgendetwas schiefgelaufen oder die Gespräche unangenehm gewesen wären, aber sie hatte sich insgeheim erhofft, mit offeneren Armen empfangen zu werden. In solchen Momenten sehnte sie sich mehr als je zuvor hinaus in die Große Alvar – sehnte sich danach, einfach wegzulaufen.

Zum Stein der Elfen, trotz der Dinge, die damals dort geschehen waren.

Aber sie zwang sich, dranzubleiben und auch dem letzten Haus am Steinbruch einen Besuch abzustatten. Der kleinen Hütte im Norden. Der Saab stand auf dem Wendeplatz vor dem Häuschen. Vendela zögerte und überlegte, ob sie wirklich auch dort anklopfen musste. Schließlich gab sie sich einen Ruck und tat es.

Es wurde sehr schnell geöffnet, der Mann, der Max zu Boden gestoßen hatte, stand in der Türöffnung. Er sah jetzt viel freundlicher aus.

»Guten Tag«, begrüßte ihn Vendela.

»Hallo«, erwiderte der Mann.

Sie streckte ihm die Hand entgegen und stellte sich vor, und sie erfuhr, dass der Mann Per hieß, Per Mörner. Sie kicherte nervös.

»Ich würde gerne etwas zu dem Vorfall auf dem Parkplatz sagen und Ihnen erklären, dass mein Mann ...«

»Vergessen wir das doch«, sagte Per Mörner. »Wir waren alle ein bisschen aufgeregt.«

Sie sahen sich schweigend an, dann fasste sich Vendela ein Herz:

»Ich laufe hier von Tür zu Tür und stelle mich vor.« Wieder lachte sie ihr nervöses Kichern. »Jemand muss ja damit anfangen.«

Per nickte.

»Und außerdem ist mir eine Idee gekommen«, fuhr Vendela fort. »Ich habe mir überlegt, ein Nachbarschaftsfest zu veranstalten.«

»Ein Nachbarschaftsfest? Okay? Wann denn?«

»Am Mittwoch«, sagte Vendela. »Würde Ihnen und Ihrer Frau das zeitlich passen?«

»Klar, aber ich habe keine Frau. Nur zwei Kinder.«

»Ach so ... Sind Sie denn am Mittwoch zu Hause?«

Per nickte erneut.

»Ich muss zwar jetzt gleich aufs Festland fahren und etwas

erledigen, aber nur tagsüber. Mein Sohn Jesper wird hierbleiben. Ist das mit Büfett, und jeder bringt was mit?«

Vendela schüttelte den Kopf.

»Wir möchten Sie alle zum Essen einladen. Aber Sie dürfen gerne etwas zu trinken mitbringen.«

Per Mörner nickte, schien sich aber auch nicht sonderlich auf das Fest zu freuen.

Vielleicht hatte er die Auseinandersetzung mit Max doch noch nicht verwunden, obwohl er es behauptet hatte. Oder aber er war in Gedanken mit etwas anderem beschäftigt.

Als Vendela ins Haus zurückkehrte, hatte es sich Aloysius schon wieder in seinem Korb bequem gemacht. Sie strich ihm liebevoll über den Rücken und ging ins Wohnzimmer, um an den Aufzeichnungen in ihrem Notizheft weiterzuschreiben.

Max war auf der Rückseite des Grundstücks und trug jetzt einen rustikalen Tweedanzug. Ein Fotograf war vormittags aus Kalmar eingetroffen, um ein paar Tage auf der Insel zu bleiben und Aufnahmen für das Kochbuch zu machen – das mittlerweile den Titel *Maximal gutes Essen* trug –, und Vendela hatte geholfen, ihren Mann herzurichten und zu schminken.

Doch ehe sie den Stift aufs Papier gesetzt hatte, wurde die Terrassentür plötzlich aufgerissen, und der junge Fotograf stürmte herein. Er wirkte aufgeräumt und fröhlich, ging zielsicher in Richtung Küche, wo seine Kameratasche stand. Vendela warf er nur einen kurzen Blick zu.

»Muss nur eben mein Weitwinkelobjektiv holen.«

»Wofür?«

»Max hat eine Schlange getötet!«

Er verschwand in der Küche, und Vendela blieb einen Moment lang reglos sitzen, bevor sie sich langsam erhob. Hinter ihr hatte sich auch Aloysius in seinem Korb aufgerappelt und jaulte, aber sie hatte jetzt keine Zeit für ihn.

Sie trat hinaus auf die Terrasse. Es war kühl, obwohl die Sonne auf die glatt gewalzte Erde des Grundstücks schien.

Max stand vor der alten Steinmauer, hatte einen Spaten in der Hand und betrachtete den Gegenstand, der auf der Spatenschaufel lag.

Vorsichtig näherte sich Vendela. Die Schlange hatte schwarze Zacken auf dem Rücken – eine Kreuzotter. Sie konnte den Kopf des Tieres nicht sehen, die Schlange hatte sich zu einem unförmigen Knoten zusammengerollt und wand sich, als würde sie sich noch enger einwickeln wollen.

»Die lag in der Sonne, als ich mich gerade mit dem Spaten in der Hand an die Steinmauer stellen sollte«, sagte Max, als er Vendela bemerkte. »Sie hat versucht, unter die Steine zu fliehen, als sie mich sah, aber ich habe sie trotzdem erwischt.«

»Max«, sagte Vendela leise, »du weißt schon, dass Kreuzottern unter Naturschutz stehen?«

»Ach ja?« Er lächelte sie an. »Nein, das wusste ich nicht. Aber die Schlange auch nicht ... oder was meinst du?«

Vendela schüttelte nur den Kopf.

»Sie lebt doch noch«, erwiderte sie. »Sie bewegt sich.«

»Muskelzucken«, grunzte Max. »Ich habe ihr den Schädel mit dem Spaten gespalten. Ihr Körper hat es nur noch nicht kapiert.«

Sie entgegnete nichts, erinnerte sich aber daran, wie ihr Vater sie als Kind immer davor gewarnt hatte, eine Kreuzotter zu töten. Damals standen die Tiere zwar noch nicht unter Naturschutz, aber sie galten als magische Wesen. Besonders die schwarzen – eine schwarze Kreuzotter zu töten bedeutete einen jähen Tod für den Täter.

Die Schlange, die Max auf dem Gewissen hatte, war immerhin grau gewesen.

»Wir müssen sie begraben«, sagte sie.

»So ein Quatsch«, widersprach Max energisch. »Die wird weggeworfen. Die Möwen sollen sich darum kümmern.«

Mit dem erhobenen Spaten trat er an die Kante zum Steinbruch.

»Nur ein Bild noch!«

Der Fotograf hielt seinen Apparat wieder im Anschlag. Er

schoss eine ganze Serie von Fotos, und Max posierte bereitwillig, grinste breit und hob den Spaten noch höher.

»Großartig!«, schrie der Fotograf.

Dann stapfte Max zur Vorderseite des Hauses, riss den Spaten in die Luft und schleuderte die Schlange im hohen Bogen in den Steinbruch. Ihr Körper flog wie ein kaputter Fahrradschlauch durch die Luft.

»So, erledigt!«

Die Schlange war unten auf dem Boden aufgeprallt, aber Vendela sah, wie sie sich noch immer im Kalkstaub wand und drehte. Erneut musste sie an ihren Vater denken, seine Kleidung und die Schirmmütze waren immer weiß gepudert gewesen, wenn er von der Arbeit aus dem Steinbruch nach Hause kam.

Der Fotograf trat an die Kante heran und machte ein paar letzte Aufnahmen von der Schlange. Vendela sah ihn an.

»Sollen die etwa auch ins Kochbuch?«

»Klar«, antwortete er. »Wenn sie gut geworden sind!«

»Das finde ich keine überzeugende Idee. Schlangen sind doch keine Speise.«

Vendela entschied in diesem Augenblick, keinen Fuß in den Steinbruch zu setzen. Nicht in diesem Frühling, ihre Welt war die Alvar.

Sie kehrte ins warme Wohnzimmer zurück. Das Notizheft lag unberührt auf dem Sessel. Sie griff danach und fing an zu schreiben:

Wir Menschen haben vor so vielen Dingen Angst, wir betrachten die Natur häufig als etwas Böses. Eine Schlange im Gras lässt kalten Angstschweiß ausbrechen und führt unsere Gedanken zur Schlange im Paradies, erinnert uns an die Verführung und daran, dass unsere Welt bedroht ist und so weiter.

Für die Elfen jedoch sind die Reptilien und alle anderen Lebewesen miteinander und mit der Natur verbunden, sie führen weder Böses noch Gutes im Schilde. Sie erinnern nur daran, dass wir alle Teil eines größeren Ganzen sind.

Habe keine Angst vor der Natur, du lebst in ihr.

12

Gerlof bekam jeden Tag zweimal Besuch von Mitarbeiterinnen des mobilen Pflegedienstes. Zwar kamen manchmal auch Aushilfen, aber meistens brachte ihm Agnes gegen halb zwölf das Mittagessen, und gegen acht Uhr abends stand Madeleine in der Tür, um seine Chancen darauf, die Nacht zu überleben, abzuschätzen. Zumindest ging Gerlof davon aus, dass das ihre Aufgabe war.

Eigentlich freute er sich auf diese Besuche, obwohl die Schwestern oft gestresst waren und ihn ab und zu auch mit falschem Namen ansprachen. Aber es war wahrscheinlich auch keine leichte Aufgabe, sich an alle alten Leute zu erinnern, die man den ganzen Tag über in den verschiedenen Ortschaften besuchte. Ihr Aufenthalt dauerte nie lange. Manchmal hatten sie Zeit für einen kurzen Plausch, manchmal hatten sie es so eilig, dass sie die Begrüßung ausließen. Sie stellten dann nur das Essen in die Küche und waren wieder verschwunden.

Eine dritte Besucherin, die allerdings unregelmäßiger kam, war Doktor Wahlberg, Carina Wahlberg. Sie schwebte mit ihrem langen schwarzen Mantel über dem Arztkittel durch den Garten. Wenn Gerlof nicht draußen saß, klopfte sie energisch und laut an die Haustür.

Manchmal kam sie donnerstags, manchmal dienstags und ab und zu sogar am Sonntag. Gerlof gelang es nicht, das Geheimnis ihres Terminkalenders zu ergründen, aber er freute sich, wenn sie kam. Sie überprüfte seinen Medizinvorrat, seinen Blutdruck und nahm ab und zu eine Urinprobe.

»Wie ist es, zu den Achtzigplus zu gehören, Gerlof?«

»Wie das ist?«, wiederholte er. »Es ist unbeweglich, ich sitze ja hier nur rum. Heute hätte ich eigentlich zur Kirche gehen sollen ... aber ich bin irgendwie nicht hochgekommen.«

»Aber wie fühlen Sie sich rein physisch?«

»Sie können es ja mal selbst ausprobieren«, sagte er und deutete sich auf den Kopf. »Stecken Sie sich ordentlich Watte in die Ohren, ziehen Sie sich ein Paar schlecht besohlte Schuhe an und ein Paar dicke Gummihandschuhe ... und schmieren Sie sich Vaseline auf die Brillengläser. So ist es, vierundachtzig zu sein.«

»Na, dann weiß ich Bescheid«, antwortete die Ärztin. »Apropos, erinnern Sie sich noch an Wilhelm Pettersson? Als ich ihm erzählte, dass ich heute zu Ihnen fahre, bat er mich, Sie von ihm zu grüßen.«

»Der Fischer?« Gerlof nickte, natürlich erinnerte er sich an Wille aus Tallerum. »Wilhelm wurde im Zweiten Weltkrieg von einer Mine erwischt. Er stand achtern in einem Fischkutter, als die Mine am Bug explodierte. Er wurde dreißig Meter ins Wasser geschleudert. Wille war der Einzige der Besatzung, der überlebte ... Wie geht es ihm?«

»Ganz gut, aber er wird langsam taub.«

»Das liegt bestimmt an seinem unfreiwilligen Flug von damals.«

Gerlof vermied es eigentlich, an die Minenfelder zu denken, die im Krieg vor Öland im Meer ausgelegt worden waren, aber jetzt wurde er unweigerlich daran erinnert. So viele Schiffe waren damals gesunken. Während des Krieges hatte er die Frachter an den Minen erfolgreich vorbeigelotst, aber immer wieder suchte ihn ein nächtlicher Albtraum heim, in dem er auf eine der Minen lief. Dort unten in der Tiefe gab es immer noch welche, verrostet und mit Algen bedeckt ...

Gerlof zuckte zusammen, die Ärztin hatte ihm eine Frage gestellt.

»Entschuldigen Sie bitte?«, sagte er.

»Ich habe gefragt, wie es mit Ihrem Hörvermögen ist?«

»Das ist ganz gut«, erwiderte Gerlof. »Ich kann das meiste hören. Manchmal habe ich so ein Rauschen im Ohr, aber das ist vermutlich der Wind.«

»Wir können das bei Gelegenheit mal überprüfen«, sagte Frau Doktor Wahlberg. »Sie meinten vorhin, dass es sich anfühlt, als hätten Sie Watte im Ohr ... vielleicht ist es Zeit für eine Hörhilfe?«

»Lieber nicht«, wehrte Gerlof ab, der nicht noch ein technisches Gerät haben wollte, auf das er achtgeben musste.

»Und wie geht es Ihnen sonst?«

»Alles ist gut.«

Das war die einzige Antwort, die Gerlof geben wollte – wenn er der Ärztin erzählen würde, dass er bezweifelte, noch besonders lange zu leben, würde er unter Umständen umgehend ins Altersheim zurückgebracht werden. Daher ergänzte er nur:

»Ich gebe allerdings zu, dass es ein merkwürdiges Gefühl ist, keine Zukunft zu haben.«

»Keine Zukunft?«

Gerlof nickte.

»Wäre ich jünger, würde ich mir ein Boot kaufen, aber in meinem Alter kann man keine Pläne mehr schmieden.«

Er bemerkte, dass Frau Doktor Wahlbergs Gesicht einen sorgenvollen Ausdruck annahm, und als sie den Mund öffnete, fuhr er schnell fort:

»Aber das macht nichts. Im Gegenteil, ich fühle mich sehr frei.«

»Sie haben ja auch so viele Erinnerungen«, antwortete sie und lächelte.

»Stimmt genau«, bestätigte Gerlof, ohne das Lächeln zu erwidern. »Und mit denen verbringe ich die meiste Zeit.«

Nachdem die Ärztin ihn wieder verlassen hatte, blieb Gerlof zunächst eine Weile in seinem Gartenstuhl sitzen. Dann erst erhob er sich, um aus der Küche eines von Ellas Tagebüchern zu holen.

Mit Erinnerungen Zeit verbringen, hatte er Frau Doktor Wahlberg gesagt – aber das war genau genommen nur ein beschönigender Ausdruck dafür, dass er heimlich die Tagebücher seiner Frau las.

Er schämte sich, wenn er es tat, aber er konnte nicht damit aufhören. Wenn Ella wirklich Sachen zu verbergen gehabt hatte, hätte sie die Bücher doch selbst verbrennen müssen, bevor der Krebs sie mit sich nahm. Man konnte sogar sagen, sie hatte Gerlof ihre Bücher vermacht.

Er schlug die erste Seite auf und las:

Heute ist der 3. Juni 1957.

Heute war in Marnäs Markttag, mit vielen Besuchern und wunderschönem Wetter. Leider gab es auch schon die ersten Wespen des Jahres.

Gerlof ist gestern Abend nach Borgholm gefahren, um dreißig Tonnen Kalkstein zu laden, die nach Stockholm verschifft werden sollen. Morgen wird er mit dem Frachter aufbrechen, und weil die Mädchen Sommerferien haben, werden sie ihn begleiten.

Es ist leer hier ohne Gerlof und die Mädchen. Als sie noch kleiner waren, sind wir jeden Sommer mit den Fahrrädern zum Markttag geradelt. Aber jetzt sind sie groß, und heute habe ich mich ein bisschen einsam gefühlt ohne sie. Ich traue mich nicht zu weinen, weil es mir sonst noch schlechter geht, aber wenn ich daran denke, dass Gerlof bis November auf der Ostsee unterwegs sein wird, bohrt sich die Einsamkeit wie ein Messer in meinen Körper.

Zum Glück bin ich nicht vollkommen allein, denn ich habe ja mein kleines Kerlchen, meinen kleinen Troll.

Er schleicht gebückt an der Steinmauer entlang und kriecht zwischen den Wacholdersträuchern herum, um ein bisschen Milch und Kekse zu stibitzen. Aber er kommt nur mitten am Tag, wenn ich allein bin und nicht so viele Menschen auf der Straße unterwegs sind.

Wahrscheinlich fühlt er sich dann am sichersten.

13

Die Sonne brach durch die Wolken, als Per an diesem Sonntag Öland verließ, um nach Ryd zu fahren und sich um seinen Vater zu kümmern. Er hatte am frühen Morgen mehrmals versucht, Jerry auf seinem Handy zu erreichen, aber ohne Erfolg. Die innere Unruhe wuchs mit jeder Minute.

Als Jesper und er beim Mittagessen zusammensaßen, hatte ihm Per die Umstände erläutert:

»Ich glaube, dass dein Opa meine Hilfe benötigt ... Er klang ziemlich verwirrt, als er anrief, und ich muss zu ihm fahren und nach dem Rechten sehen.«

»Wann kommst du denn zurück?«, fragte Jesper.

»Heute Abend. Es kann später werden. Aber ich komme heute zurück.«

Dann stellte er eine Rufumleitung von dem Festnetzanschluss auf sein Handy ein, damit Jesper nicht mit seinem Großvater reden musste, falls Jerry noch einmal anrufen sollte.

Als Per ging, saß sein Sohn vor einem Computerspiel im Wohnzimmer, aber er winkte ihm zu. Auch Per hob die Hand und winkte zurück.

Um Jesper musste er sich keine Sorgen machen, im Kühlschrank gab es Fleischbällchen. Per war kein verantwortungsloser Vater, und er war nicht beunruhigt, als er Stenvik verließ und nach Süden zur Brücke fuhr.

Die Sonne schien, der Frühling war gekommen. An diesem Tag war wenig Verkehr, und er konnte das Gaspedal voll durchdrücken.

Gegen ein Uhr hatte er Borgholm passiert, und etwa eine halbe Stunde später hatte er die Ölandbrücke zum Festland erreicht. Als er an Kalmar vorbeifuhr, sah er ein Krankenhausschild, und er versuchte, seine Sorgen um Nilla zu unterdrücken. Er würde auf dem Nachhauseweg bei ihr vorbeischauen.

Hinter Nybro war die Landstraße von dichtem Nadelwald umgeben, der nur vereinzelt von Feldern und Seen unterbrochen wurde. Die Nadelbäume wiederum erinnerten Per an Regina und an einen wunderschönen Ausflug in den Wald, den sie vor vielen Jahren an einem Frühlingstag unternommen hatten.

Auf die bevorstehende Begegnung mit seinem Vater freute er sich nicht. Zwei Stunden würde er noch etwa bis Ryd benötigen, dann zwei weitere Stunden, um ihn nach Kristianstad zurückzubringen. Vier bis fünf Stunden in Jerrys Gesellschaft zu verbringen war eigentlich nicht viel verlangt, aber es fühlte sich jetzt schon an wie eine Ewigkeit.

Nach zwei Stunden Fahrt durch die Wälder erreichte er Ryd. Mittlerweile hatte sich die Sonne hinter Wolken versteckt, und der Frühling fühlte sich plötzlich wie Herbst an.

Ryd war keine besonders große Ortschaft, die Bürgersteige waren menschenleer. Per hielt am Busbahnhof und suchte vergeblich nach Jerry. Entweder saß er bereits im richtigen Bus nach Hause, oder er hatte sich auf eigene Faust auf den Weg gemacht und irrte irgendwo herum.

Per zog sein Handy aus der Tasche und wählte die Nummer seines Vaters zum wiederholten Mal.

Nach drei Klingelzeichen nahm jemand das Gespräch entgegen.

Aber Per hörte keine Stimme, nur ein Rauschen, gefolgt von zwei dumpfen Schlägen.

Dann wurde die Verbindung unterbrochen.

Per sah verwundert auf sein Display. Nun machte er sich auf den Weg zum Zeitungskiosk, um sich dort nach Jerry zu erkundigen.

»Ein alter Mann?«, fragte die junge Frau hinter der Theke.

Per nickte.

»Dreiundsiebzig. Er ist eigentlich stattlich, hat breite Schultern, aber mittlerweile wirkt er angeschlagen und in sich zusammengesunken.«

»Vor einiger Zeit stand vor dem Laden ein älterer Herr und wartete ... er stand da eine ganze Weile.«

»Und wo ist er dann hingegangen? Haben Sie das gesehen?«

»Nee.«

»Ist er in einen Bus gestiegen?«

»Das weiß ich nicht.«

»Wurde er von jemandem abgeholt?«

»Vielleicht ... er war plötzlich einfach weg.«

Per gab es auf. Er ging zurück zum Wagen und beschloss, zu Jerrys Haus im Wald zu fahren.

Zu seinem Studio. Es lag ein paar Kilometer westlich von Ryd, in der Nähe der Ortschaft Strihult. Jerry hatte das Grundstück Mitte der Siebzigerjahre gekauft und bebaut, als das Geld in Strömen zu fließen begann. Solange Jerry noch selbst Autofahren konnte, war er jede Woche zwischen seiner Wohnung in Kristianstad und dem Haus in Ryd gependelt, um seine Filme zu produzieren. Am Anfang mit wechselnden Assistenten, später dann nur noch mit Hans Bremer.

Nur einmal hatte Per das Anwesen betreten, als er Jerry vor etwa drei oder vier Jahren dorthin gefahren hatte. Damals erfreute sich sein Vater noch bester Gesundheit und wollte in Ryd einen der letzten Filme schneiden, die er zusammen mit Hans Bremer gedreht hatte. Per war auf dem Weg nach Kalmar gewesen und hatte Jerry dort nur rasch abgesetzt. Er hatte sich geweigert, mit ins Haus zu kommen.

Strihult bestand aus einer kleinen Ansammlung von Häusern, einer kleinen Tankstelle und einem Lebensmittelladen. Per rollte durch die Ortschaft, ohne einen einzigen Menschen zu sehen.

Hinter dem Ortsausgang wurde die Straße enger, der Nadelwald dichter – nach ein paar Kilometern entdeckte er ein Schild in Form eines weißen Pfeils, der rechts in den Wald zeigte und auf dem MORNER ART AB stand. So hieß eine von Jerrys Firmen.

Er näherte sich seinem Ziel, und die Hände hielten das Steuer fester umklammert. Obwohl Jerry ihn mindestens einmal die Woche anrief, hatten sie sich zuletzt im Dezember gesehen, als Per ihn für ein paar Stunden in seiner Wohnung besucht hatte. Jerry hatte Weihnachten ganz allein und auch ohne Damenbegleitung verbracht.

Nach einem weiteren halben Kilometer durch Nadelwald tauchte plötzlich eine dichte Hecke aus Zypressen auf. Er war da.

Warnung vor dem Hund! stand auf einem roten Schild an der Einfahrt, obwohl Jerry in seinem ganzen Leben noch nie einen Hund gehabt hatte.

Per bog auf das Grundstück ein, folgte dem Weg, der um eine Garage herumführte, und blieb schließlich auf der großen, leeren Kiesauffahrt stehen. Er schaltete den Motor ab, öffnete die Tür und betrachtete das Gebäude vor ihm. Es war groß und breit, zweistöckig und geformt wie ein liegendes L. Jerry, Bremer und ihre Schauspieler hatten dort übernachtet, wenn sie drehten, darum ging Per davon aus, dass im kürzeren Gebäudetrakt die Wohnräume waren und Jerry im längeren die Studioräume eingerichtet hatte.

Per fühlte sich zwar nicht willkommen, aber er wollte auf jeden Fall klingeln. Selbst wenn sein Vater nicht da sein sollte, würde zumindest Hans Bremer im Haus sein.

Per war ihm bisher noch nie begegnet, aber sie beide mussten sich jetzt unbedingt unterhalten – über die Zukunft. Jerry war viel zu krank, um die Firma weiterzuführen. Es war an der Zeit, MORNER ART abzuwickeln und dieses Grundstück zu verkaufen. Bremer würde sich nach einem neuen Job umsehen müssen, aber das hatte er vermutlich schon längst getan.

Eine breite Zementtreppe führte zum Eingang, der gesäumt war von vielen glänzenden Fenstern, aber die Gardinen waren zugezogen.

Per stieg aus und warf einen Blick auf die Uhr. Zwanzig nach vier. Es blieben noch ein paar Stunden bis zum Sonnenuntergang, aber der Himmel war bedeckt, und die hohen Nadelbäume, die das Grundstück umgaben, verschluckten das Tageslicht.

Es knirschte unter seinen Schuhen, als er über den Kies auf die Treppe zuging.

Die Eingangstür war ebenfalls groß und breit, aus Eiche oder Mahagoni – erst als Per die erste Stufe betreten hatte, bemerkte er, dass sie einen Spalt offen stand. Dahinter war es pechschwarz.

Er zog die schwere Tür auf und sah hinein.

»Hallo?«

Vollkommene Stille. Er tastete mit der Hand an der Wand entlang und entdeckte einen Lichtschalter, aber als er ihn betätigte, passierte nichts.

Mit einem schnellen Blick vergewisserte er sich, dass die Auffahrt noch immer leer war, dann betrat er das Haus.

Zwei Gestalten warteten auf ihn im Inneren. Per erstarrte – bis er realisierte, dass es zwei dunkle Regenmäntel waren, die an einer Garderobe mit Hutablage hingen.

Darunter standen ein paar Hausschuhe und Gummistiefel sowie ein Regenschirm. In einer dunklen Ecke lauerte eine Skulptur aus Ebenholz, ein beinahe lebensgroßer Tiger, bereit zum Sprung.

Per tat ein paar Schritte in die Eingangshalle. Vier Türen gingen von ihr ab, aber sie waren alle verschlossen.

Aus irgendeinem Grund hatte er erwartet, dass es muffig und säuerlich riechen würde, aber er registrierte nur den schwachen Geruch von Zigarettenrauch und Alkohol. Hatte hier eine Party stattgefunden?

Auf dem Teppich in der Mitte der Eingangshalle lag ein Gegenstand – ein schwarzes Handy. Per hob es auf und sah, dass es ausgeschaltet war.

War das Jerrys? Zumindest ähnelte es dem seines Vaters, mit großen Knöpfen, die man mit zittrigen Fingern einfacher bedienen konnte. Er steckte es ein und rief:

»Hallo? Jerry?«

Keine Antwort. Dennoch hatte er das Gefühl, dass jemand im Haus war. Jemand, der sich leise bewegte, damit man ihn nicht hörte.

Er ging auf die linke Tür zu und drückte vorsichtig die Türklinke herunter.

Dahinter befand sich die große Küche des Hauses. Ein länglicher Raum mit vielen Fenstern, durch die graues Licht auf einen massiven Esstisch, zwei Waschbecken und zwei breite Herde fiel. Es erinnerte ihn an eine Restaurantküche. An einer der Spülen standen mehrere leere Weinflaschen und ein Stapel mit dreckigem Geschirr.

Per drehte sich um, er meinte ein Geräusch gehört zu haben. War das ein Schrei aus dem Inneren des Hauses?

Er blieb vor der Türschwelle stehen und zuckte zusammen, als plötzlich ein Klingelzeichen ertönte. Ein Telefon. Das Klingeln kam sowohl von einem Wandtelefon am anderen Ende der Küche als auch von einem zweiten Gerät irgendwo im Haus.

Kann da bitte jemand rangehen?, wollte Per rufen, aber er beherrschte sich.

Das Telefon klingelte drei-, vier-, fünfmal.

Niemand nahm ab. Als er schließlich mit ausgestreckter Hand auf das Wandtelefon zuging, verstummte es.

Leise schlich er rückwärts aus der Küche. In der Halle drehte er sich um. Der Geruch von Alkohol hing in der Luft, jetzt empfand er ihn sogar als noch aufdringlicher als zuvor. Und auch der schwarze Tiger schien nach wie vor im Schatten auf ihn zu lauern. Er ging an ihm vorbei zu der Tür am anderen Ende der Halle.

Dahinter war es pechschwarz. Per erkannte, dass die Fenster mit Tape verklebt und abgedunkelt worden waren, konnte aber dennoch einen langen Raum ausmachen, mit synthetischen Teppichen, Paravents und Scheinwerfern an der Decke. Das war eines der Studios von Jerry und Bremer.

Er sah einen Lichtschalter neben der Tür, aber auch der funktionierte nicht. Der Strom schien im gesamten Haus ausgefallen zu sein. Oder er war abgeschaltet worden.

Per hatte nicht vor, blind durch den Raum zu stolpern. Aber als er sich zum Gehen wenden wollte, hörte er einen schwachen Laut aus der Tiefe des Raumes.

Ein Seufzen, oder war es ein Stöhnen? Ja, dort hinten stöhnte jemand, und es klang wie die Stimme eines Mannes.

Per tastete sich durch die Dunkelheit. Er stieß gegen etwas Großes und Hartes, das vor ihm auf dem Boden stand, ein breites Ledersofa. Vorsichtig umrundete er das Hindernis.

Der Geruch von Alkohol war in diesem Raum noch intensiver – aber war das wirklich Alkohol?

Jetzt sah er etwas auf der anderen Seite des Sofas am Boden liegen, eine Schattengestalt mit Armen und erhobenem Kopf.

»Pelle?«, flüsterte eine Stimme.

Sie war leise und heiser, Per erkannte sie sofort.

»Jerry«, sagte er. »Was ist passiert?«

Die Gestalt bewegte sich nicht. Sie lag reglos am Boden und versuchte nur, den Kopf zu heben. Allerdings sehr langsam, als würde es ihr große Schwierigkeiten bereiten, sich zu bewegen. Per bückte sich hinunter zu seinem Vater mit der blassen Haut, den grauen Haarsträhnen. Sein Körper war mit einem zerknitterten Mantel bedeckt.

»Es war schwer, dich zu finden, Jerry? Wie geht es dir?«

Per sah in die glänzenden Augen seines Vaters, er schien kein bisschen überrascht darüber, seinen Sohn zu sehen.

»Bremer?«, antwortete er nur und hustete.

Per schüttelte den Kopf. Er sprach mit gedämpfter Stimme, als würde sie jemand belauschen.

»Ich weiß nicht, wo Bremer ist ... Ist er hier im Haus?«

Er erahnte mehr das Nicken seines Vaters, als dass er es sehen konnte.

»Kannst du aufstehen?«

Er streckte ihm seine Hände entgegen und berührte dabei etwas Kaltes und Schweres auf Jerrys Brust. Eine Art Lampenstativ oder Stahlgestell war auf ihn gefallen. Per hob es an – in diesem Augenblick hörten sie einen dumpfen Schlag. Er fuhr hoch.

Jemand befand sich im ersten Stock.

»Steh auf«, flüsterte er Jerry zu und schob das Stativ beiseite. »Na los, komm schon.«

Er hievte seinen Vater zuerst auf die Knie, dann auf die Füße. Jerry stöhnte und streckte sich nach einem Gegenstand, der auf dem Boden lag.

Es war seine alte lederne Aktentasche. Per ließ ihn sie aufheben.

»Jetzt komm endlich«, sagte er.

Sein Vater war breit und schwer, gezeichnet von zu vielen ausgedehnten Festmahlen und zu viel Wein. Gestützt auf den Arm seines Sohnes, schlurfte Jerry langsam aus dem Zimmer.

»Pelle«, krächzte Jerry erneut.

Per roch Schweiß, Nikotin und ungewaschene Kleidung. Es war ein merkwürdiges Gefühl, seinem Vater körperlich so nah zu sein. Als kleiner Junge war ihm das nie vergönnt gewesen. Von Jerry hatte es nie einen freundlichen Klaps oder gar Umarmungen gegeben.

Als sie die Hälfte der Strecke zur Tür geschafft hatten, war ein kurzes, klickendes Geräusch zu hören, dann folgte ein Zischen.

Per drehte sich um. Über seine Schulter sah er weiter hinten im Raum einen hellen Lichtschein, eine kleine Flamme, die aufflackerte.

Sie war zunächst dünn und zart, wuchs aber schnell an, das Feuer breitete sich aus und erleuchtete eine merkwürdige Installation. Eine mit vielen Kabeln umwickelte Autobatterie stand neben einem Plastikkanister.

Per begriff, dass er nicht Alkohol gerochen hatte, sondern Benzin.

Der Kanister war groß und grün, jemand hatte Löcher hineingebohrt, aus denen das Benzin auslief und bereits eine Pfütze auf dem Boden gebildet hatte.

Per starrte ins Feuer, sah, wie es an Größe gewann und sich seinen Weg zu der Installation bahnte. Da wusste er, in welcher Gefahr sie waren.

»Wir müssen hier raus.«

Er zog Jerry mit sich aus dem Zimmer.

Dann schloss er die Tür hinter sich. Kaum hatte er das getan, hörten sie einen dumpfen Knall hinter sich, der Benzinkanister war explodiert. Die Tür ächzte.

Jerry hob den Kopf, und da erst sah Per, dass er eine dicke rote Beule auf der Stirn hatte.

»Pelle?«

»Komm jetzt, Jerry.«

Den Arm um Jerrys Körper gelegt, stolperte er mit ihm durch die Eingangshalle. Hinter der Tür, wo sich das Feuer schnell ausbreitete, hörten sie ein gedämpftes Knirschen.

Per blinzelte ins Licht, als sie das Haus verließen, die Treppe hinunter- und zum Saab taumelten.

Als sie den Wagen erreicht hatten, ließ er Jerry los, zog sein Handy aus der Tasche und wählte die Nummer der Notrufzentrale.

»Notrufzentrale.«

Per räusperte sich.

»Ich möchte einen Brand melden.«

»Wo denn?«

Per sah sich um.

»In einer Ortschaft außerhalb von Ryd, es war Brandstiftung ... es brennt im Erdgeschoss.«

»Wie lautet die Adresse?«

Die Frau in der Notrufzentrale klang sehr entspannt. Per versuchte, sich auch zu beruhigen und seine Gedanken zu sortieren.

»Ich weiß nicht, wie die Straße hier heißt. Der Ort Strihult liegt westlich von Ryd, und hinter Strihult zeigt ein Schild nach rechts zu MORNER ART ...«

»Haben alle das Haus verlassen?«, fragte die Frau.

»Was?«

»Ob alle Bewohner das Haus verlassen haben?«

»Ich weiß es nicht ... ich bin eben erst angekommen.«

»Und wie heißen Sie?«

Per zögerte. Was sollte er antworten? Sich einen Namen ausdenken?

»Hallo?«, rief die Frau. »Sind Sie noch dran?«

Er hatte nichts zu verbergen. Jerry vielleicht, aber er nicht.

»Ich heiße Per Mörner«, gab er an und nannte seine Adresse und die Festnetznummer auf Öland.

Dann beendete er das Gespräch.

Jerry lehnte am Wagen. In dem diesigen Tageslicht sah Per, dass sein Vater denselben zerknitterten braunen Mantel trug, den er seit Jahren von Frühling bis Winter anhatte. Der Saum löste sich auf, und mehrere Knöpfe fehlten.

Jerry seufzte und biss die Zähne aufeinander.

»Schmerz«, sagte er.

Per drehte sich zu ihm.

»Hast du Schmerzen?«

Jerry nickte. Er öffnete seinen Mantel, und da sah Per, dass das Hemd seines Vaters unterhalb der Brust zerrissen und feucht war.

»Was ist passiert, bist du verletzt ...?«

Per verstummte, als er das Hemd hochhob.

Quer über Jerrys kugelrunden Bauch verlief eine blutige Wunde. Das Blut war bereits getrocknet und sah in dem dämmrigen Licht auf dem Hof beinahe schwarz aus.

Per ließ das Hemd wieder sinken.

»Wer hat das getan, Jerry?«

Jerry sah auf seinen Bauch hinunter, als hätte auch er erst jetzt die Verletzung entdeckt.

»Bremer«, entgegnete er.

»Bremer?«, fragte Per. »Hast du dich mit Bremer geprügelt? Warum das denn?«

Zu viele und zu schnelle Fragen hintereinander führten dazu, dass Jerrys Gehirn sich ausschaltete. Deshalb starrte er seinen Sohn fragend an und blinzelte, ohne zu antworten.

Per sah hinüber zum Haus. Die Eingangstür hatten sie offen gelassen, er meinte eine kleine Rauchwolke zu sehen.

»Wo ist Bremer jetzt? Ist er noch im Haus?«

Jerry schwieg nach wie vor, er schob sich mühsam auf den Beifahrersitz.

»Warte hier!«, befahl Per und warf die Autotür zu.

Dann rannte er über die Kiesauffahrt zurück ins Haus. Das war nicht ganz ohne Risiko, er hörte das Feuer hinter der Studiotür donnern und dröhnen. Die Luft im Haus war auch viel wärmer geworden, er hatte nicht viel Zeit.

Und er benötigte eine Waffe, falls jemand mit einem Messer im Haus herumlaufen sollte. Er griff nach dem zusammengefalteten Regenschirm.

Die Spitze des Regenschirms wie einen Speer vor sich haltend, öffnete er die mittlere Tür und sah eine steile Treppe, die nach unten führte.

Der Keller. Es war pechschwarz, und Per hatte nicht vor, dort-hinunter zu gehen.

Hinter der vierten Tür befand sich eine Treppe, die nach oben in den ersten Stock führte.

Vorsichtig ging Per die Treppe hoch, deren Stufen mit einem weißen Teppich ausgelegt waren, der seine Schritte dämpfte.

Die Treppe führte in einen Flur, der das obere Stockwerk durchquerte. Rechts und links davon waren mehrere verschlossene Türen wie in einem Hotel.

Den Regenschirm wie ein Schwert im Anschlag betrat er den Flur.

»Bremer?«, rief er. »Ich bin es, Per Mörner.«

Der Gestank von Benzin oder Brandbeschleuniger war so stark wie im Erdgeschoss, und plötzlich hörte er auch ein leises Knistern. Er sah zwar keine Flammen, wusste aber, dass es auch hier oben brannte. Grauer Qualm, der schnell dichter wurde, hing im Flur und kratzte Per im Hals.

Aber wo war der Brandherd?

Vorsichtig öffnete Per die erste Tür: Dahinter befand sich eine Besenkammer. Dann nahm er die nächste und stand in einem kleinen Schlafzimmer mit kahlen Wänden und einem gemachten Bett.

Die dritte Tür auf der linken Seite war abgeschlossen, aber unter dem Türspalt drang Rauch heraus.

»Bremer? Hallo? Hans Bremer?«

Er bekam keine Antwort. Oder hatte er doch einen Laut gehört? Ein Wimmern?

Per hatte noch nie zuvor in seinem Leben eine Tür eingetreten, er hatte so etwas bisher nur im Film gesehen. War das so einfach, wie es aussah? Er ging ein paar Schritte zurück, mehr war nicht zu machen, da sein Rücken schon gegen die gegenüberliegende Wand stieß. Dann nahm er Anlauf und trat zu.

Die Tür wackelte, aber sie war aus massivem Kiefernholz und sprang nicht auf.

Er sah sich um. Im Schloss einer anderen Tür den Korridor hinunter steckte ein Schlüssel. Per lief hin und holte ihn. Er passte auch auf diese Tür und ließ sich umdrehen.

Als die Tür geschmeidig aufglitt, quoll Per eine Wolke aus beißendem Qualm entgegen.

Er musste blinzeln und spürte, wie seine Augen sofort anfingen zu tränen. Der Rauch war fast undurchdringlich, wie ein Herbstnebel. Trotzdem tastete er sich langsam hinein und bemerkte, dass es hier noch nach etwas anderem roch: nach verbranntem Fleisch.

Das Zimmer, das Per aufgeschlossen hatte, war klein und dunkel. Er kniff die Augen zusammen und tastete mit der Hand an der Wand entlang, fand aber keinen Lichtschalter. Schließlich musste er sich kurz auf den Boden hocken, um freier atmen zu können.

Dann richtete er sich wieder auf. Er sah, wie die Flammen an der rechten Wand emporkletterten. Davor stand ein Bett mit einem Haufen aufeinandergestapelter Decken, die ebenfalls Feuer gefangen hatten. Er ging darauf zu, aber die Hitze drückte ihn zurück.

Per blinzelte in den Rauch und versuchte, Details zu erkennen. Lag da ein brennender Körper unter den Decken? Er meinte, ausgestreckte Arme zu sehen, Hosenbeine und einen verkohlten Kopf ...

Seine Augen tränten, die Lunge brannte. In diesem Augenblick hörte er den Schrei.

Das war kein Wort, nur ein lang gezogener, gellender Schrei. Es klang wie eine Frauenstimme und war grauenerregend.

Per ließ den Regenschirm fallen und rannte halb blind zurück in den Flur. Der Schrei war aus diesem Stockwerk gekommen – aber er hatte gedämpft geklungen, wie durch eine Wand hindurch.

Alle übrigen Türen waren verschlossen, aber am Ende des Ganges bemerkte Per eine Veränderung. Auf dem Teppichboden hatte sich ein helles, flackerndes Flammenfeld gebildet, mittler-

weile brannte der gesamte erste Stock. Er war vom Feuer eingeschlossen.

»Hallo! Ist da jemand?«, schrie er.

Als Antwort hörte er einen weiteren Schrei der Frauenstimme,
noch gedämpfter als zuvor.

Für einen Moment blieb er reglos stehen, unentschlossen, ehe
er zur nächsten Tür lief. Sie war abgeschlossen, und er hämmerte
gegen das Holz.

Zahllose Türen, aber keine Antwort.

»Hallo? Wo sind Sie?«

Er wollte die Tür aufbrechen, die Frau finden, ihr helfen. Aber
der Qualm wurde immer dichter, und er sah die Hand nicht mehr
vor Augen. Das Feuer näherte sich von zwei Seiten, es knisterte und
prasselte, die Luft war beißend. Per wusste, dass der Weg über die
Treppe versperrt war, auch das Erdgeschoss stand in Flammen.

Die Wände schienen ihn zwischen sich zerdrücken zu wollen.
Er bekam keine Luft mehr.

Ihm blieb keine Zeit, er musste zurück.

Vorsichtig tastete er sich durch den undurchdringlichen
Rauch und stand plötzlich wieder in dem Zimmer mit dem brennenden Bett. Er spürte einen leichten Luftzug und entdeckte,
dass das einzige Fenster in dem abgedunkelten Raum angelehnt
war, und durch den Spalt drang Tageslicht herein. Unter dem
Fenster stand ein Stuhl.

Er würde es bis zum Fenster schaffen, wenn er sich links
an der Wand hielte, wo der Qualm nicht so dicht war. Denn die
Flammen hatten bereits begonnen, vom Bett hinunter und über
den Boden zu kriechen, der Rauch wurde unerträglich.

Er bekam keine Luft mehr, er musste hier raus, sofort.

Mit drei Schritten war Per am Fenster, stieg auf den Stuhl und
sah hinaus. Vor ihm lagen Felder und dichter Nadelwald.

Etwa zwei oder drei Meter unter dem Fenstersims lag die
Garage mit einem Dach aus Teerpappe.

Die frische Luft strich ihm übers Gesicht, während die Hitze
des Feuers ihn förmlich aus dem Fenster schob.

Als würde er mit dem Rücken am Ofen eines Krematoriums stehen. Er zögerte keine Sekunde, stieg auf das Fensterbrett, machte einen Schritt in die Luft und sprang.

Mit einem harten Aufprall landete er auf dem Garagendach, die Holzbalken schwankten unter ihm, aber sie hielten seinem Gewicht stand.

Von dort sprang er hinunter auf den Kiesweg. Noch einmal drei Meter – ein kurzer, schwindelerregender Fall, der Kies sauste ihm entgegen –, dann prallte er auf, seine Knie gaben nach.

Per hustete, erhob sich mühsam und sog gierig die frische, kühle Luft in die Lunge. Er war auf der Rückseite der Villa gelandet. Vor ihm stand ein Zaun, dahinter erstreckte sich eine Wiese mit gelbem Gras, die in einen dichten Nadelwald überging.

Auf dem Weg, der in den Wald hineinführte, in etwa zweihundert Metern Entfernung, stand eine Gestalt und sah zum Haus herüber. Per meinte einen Mann in dunkler Kleidung zu erkennen – aber mehr konnte er nicht ausmachen, denn da drehte sich die Gestalt um und verschwand zwischen den Bäumen.

Das Feuer dröhnte und prasselte laut hinter ihm, dennoch hatte Per den Eindruck, einen Motor zu hören. Das Geräusch eines Automotors, der angelassen wurde, beschleunigte und dann im Wald verschwand.

14

Als die Fensterscheiben von Jerrys Anwesen zerbarsten und wie Eissplitter herunterregneten, wurde Per von einer plötzlichen Übelkeit befallen, obwohl er, weit genug entfernt, auf der anderen Seite des Kiesweges stand. Er atmete unablässig die frische Luft in seine schmerzende Lunge ein, rieb sich die brennenden Augen und versuchte breitbeinig und stabil zu stehen.

Schwarzer Rauch quoll aus den glaslosen, gähnenden Fenstern und umhüllte das Haus. Niemand konnte dieses Inferno überlebt haben.

Ein Schleier hatte sich zwischen ihn und den Rest der Welt gelegt, in weiter Ferne hörte er die gedämpften Geräusche der Feuerwehrsirenen. Was hatten seine tränenden und brennenden Augen dort oben tatsächlich gesehen? Hatte er wirklich einen Körper im Bett liegen und eine Gestalt in den Wald flüchten sehen? Je mehr er versuchte, sich zu erinnern, umso undeutlicher wurden die Bilder.

Die Sirenen kamen näher. Zwei blinkende Löschzüge bogen in die Auffahrt und kamen vor dem Haus zum Stehen. Die Feuerwehrmänner sprangen in schwarzer Brandschutzkleidung aus dem Wagen.

Per lief rückwärts, gebannt vom Feuer, und stieß schließlich gegen einen harten Gegenstand, sah sich um und stellte fest, dass es sein Saab war. Graue Ascheflocken hatten sich auf das Dach des Autos gelegt.

Ein brennendes Bett, ein Körper darin. Und der ängstliche Schrei einer Frau.

Er sah sich suchend um.

Jerry? Wo war Jerry?

Ach so, er saß ja auf dem Beifahrersitz.

Wieder zog das brennende Haus seinen Blick magisch an. Die Flammen schlugen in beiden Stockwerken aus den Fenstern.

Die Feuerwehrmänner bewegten sich konzentriert und schnell, zogen dicke Schläuche von den Rollen und verbanden sie miteinander. Einer der Männer trug eine rote Jacke, und er kam mit langen Schritten auf Per zu und schrie gegen den Lärm des dröhnenden Feuers:

»Wie heißen Sie?«

»Per Mörner.«

»Gehört Ihnen dieses Anwesen, Herr Mörner?«

Per schüttelte den Kopf. Er holte tief Luft, um alles zu erklären, aber stattdessen bekam er einen Hustenanfall.

»Geht es Ihnen gut?«

»Schon, aber ...«

»Der Notarztwagen wird gleich eintreffen!«, rief der Feuer-wehrmann. »Wissen Sie, wo das Feuer ausgebrochen ist?«

Per schluckte.

»Überall«, flüsterte er. Dann atmete er erneut tief ein, um eine ordentliche Antwort zu geben: »Es hat gleichzeitig oben und unten gebrannt ... Ich glaube, dass noch jemand im Haus ist. Viel-leicht auch mehrere.«

»Was?«

»Ich bin der Meinung, dass ich eine Person gesehen habe. Und ich habe einen Schrei gehört.«

Er hatte seine Stimme erhoben, so fiel das Sprechen leichter. Der Feuerwehrmann sah ihn aufmerksam an.

»Wo denn, Herr Mörner?«

»Im oberen Stockwerk, in einem der Räume. Darin hat es ge-brannt, das habe ich gesehen ...«

»Okay, wir gehen rein und sehen uns um. Gibt es Gasflaschen im Haus?«

Per schüttelte erneut den Kopf.

»Glaube ich nicht«, erwiderte er. »Das war ein ... Filmstudio.«

»Wurde dort mit gefährlichen Flüssigkeiten hantiert?«

»Nein«, antwortete Per, »soweit ich weiß, nicht.«

Der Feuerwehrmann nickte ihm zu und ging zu seinen Kolle-gen zurück. Per beobachtete, wie drei der Männer sich für den Einsatz bereit machten, indem sie Atemschutzmasken aufsetz-ten und Pressluftflaschen umschnallten.

Zwei andere stellten das Wasser an den Tankwagen an und richteten die Schläuche auf die Fenster mit den zerborstenen Scheiben.

Die Feuerwehrleute mit den Atemschutzgeräten machten sich langsam auf den Weg zur Eingangstür. Gleichzeitig hielt ein roter Pkw mit der Aufschrift EINSATZLEITUNG auf der Auffahrt. Ein Mann in gelber Jacke stieg aus, in den Händen ein Sprech-funkgerät. Er sprach über Funk mit jemandem.

Per musste husten, und das Atmen schmerzte. Er öffnete die Wagentür. Sein Vater saß zusammengesunken auf dem Beifahrersitz, mit seiner Aktentasche auf dem Schoß.

Per zeigte ihm das Handy, das er in der Eingangshalle gefunden hatte.

»Ist das deins?«

Jerry sah hoch und nickte.

»Wie geht es dir?«, fragte Per und reichte ihm das Handy.

Jerry hustete als Antwort. Nun sah Per ihn zum ersten Mal an diesem Tag richtig an und stellte fest, dass er elend aussah. Müde und grau wirkte er in seinem zerknitterten Mantel. Als Per ein kleiner Junge war und sein Vater zu ihm und Anita zu Besuch kam, trug er sein schwarzes Haar nach hinten gekämmt. Im Winter hatte er exklusive Pelzmäntel an und im Sommer italienische Anzüge. Jerry hatte viel Geld verdient und es genossen, das auch allen zu zeigen.

Als Per fünfzehn war, hatte sein Vater überraschend seinen Namen von Gerhard Mörner in Jerry Morner ändern lassen. Wahrscheinlich, um internationaler zu klingen.

»Du stinkst«, sagte Jerry plötzlich. »Pelle stinkt.«

»Du auch, Jerry ... wir riechen nach Rauch.«

Per wandte seinen Blick wieder dem Haus zu, die Einsatzgruppe hatte die Tür erreicht, der erste Feuerwehrmann öffnete sie und verschwand in den dichten Rauchschwaden, die herausquollen.

Die anderen beiden blieben auf der Steintreppe stehen und warteten.

Es verging etwa eine halbe Minute – dann tauchte der erste Feuerwehrmann wieder im Türrahmen auf und schüttelte den Kopf. Er hob die Hand. *Rückzug!* Sie stiegen die Treppe wieder hinab.

Da wusste Per, dass für jene, die sich noch im Haus befanden, alle Hoffnung verloren war.

»Fahren, Pelle?«, sagte Jerry.

Das war ein verlockender Vorschlag, einfach den Motor zu

starten und nach Öland zu fahren – aber das war natürlich nicht möglich.

»Nein«, entgegnete Per also. »Wir müssen hier warten.«

In der Ferne ertönten erneut Sirenen. Ein Rettungswagen bog auf die Auffahrt und hielt zwischen Pers Saab und den Löschfahrzeugen. Die Sirenen verstummten, und zwei Rettungssanitäter stiegen aus.

»Komm mit«, forderte Per seinen Vater auf und half ihm aus dem Wagen.

Sie gingen auf den Rettungswagen zu, Per zeigte auf Jerry.

»Mein Vater hat eine Verletzung am Bauch und am Kopf ... Könnten Sie sich um ihn kümmern?«

Die Sanitäter nickten, ohne weitere Fragen zu stellen. Sie öffneten die hinteren Türen des Wagens, sodass Jerry auf der Liege Platz nehmen konnte.

Per ging es allmählich besser, er brauchte vor allem viel frische Luft. Er ließ Jerry bei den Sanitätern und ging zu dem Zaun hinterm Haus.

Eine Weile stand er nachdenklich davor und starrte auf den Nadelwald. Dann kletterte er über die Holzpfähle.

Er hatte die ganze Zeit so sehr auf das brennende Haus geachtet, dass er nicht bemerkt hatte, dass die Sonne untergegangen war. Es war schon ziemlich dunkel, ein Blick auf die Uhr sagte ihm, dass es zehn vor sieben war.

Da fiel ihm ein, dass sein Vater immer zwei Armbanduhren getragen hatte, eine aus rostfreiem Stahl und eine goldene.

Der Nadelwald türmte sich vor ihm auf. Per suchte zwischen den Bäumen nach dem kleinen Pfad und fand ihn nach kurzer Zeit. Es war ein Waldweg, menschenleer, aber nicht zugewuchert. Er sah ganz deutlich zwei Spurrillen mit einem Grasstreifen in der Mitte.

Er bückte sich, der Boden war hart und mit Schottersteinen bedeckt, aber an einigen Stellen sah er feuchte Lehmflecken, und trotz des schwachen Dämmerlichts meinte er sogar frische Reifenspuren zu erkennen.

Per richtete sich wieder auf und folgte dem Waldweg mit den Augen, der sich zwischen den Bäumen hindurchschlängelte und hinter einer Kurve verschwand. Wo endete er? Unter Umständen stieß er auf eine Landstraße nördlich von Ryd.

Ein perfekter Fluchtweg.

Zehn Minuten später war er zurück auf der Kiesauffahrt. Er lief an den Löschfahrzeugen vorbei zum Rettungswagen.

Die Sanitäter hatten Jerrys Wunde versorgt und von getrocknetem Blut gereinigt. Man konnte deutlich die lange Schnittwunde auf seinem weißen Bauch sehen.

»Es sieht aus wie Messerstich«, sagte der eine Sanitäter, während er den Verband anlegte. »Aber nur oberflächlich, ich vermute, dass das Messer abgerutscht ist.«

»Abgerutscht?«, wiederholte Per.

»Ja, abgerutscht ... Ihr Vater hat Glück gehabt, die Wunde wird in etwa einer Woche verheilt sein«, sagte der Sanitäter. »Dann gehen Sie zu Ihrem Hausarzt und bitten ihn, den Verband abzunehmen. Oder Sie machen das einfach selbst.«

Per begleitete Jerry zurück zu seinem Wagen.

Schweigend saßen sie nebeneinander im Auto und starrten auf das brennende Haus.

Schließlich brach Per das Schweigen.

»Ich habe in einem Bett oben im ersten Stock einen Körper liegen sehen«, sagte er und fügte hinzu: »Zumindest glaube ich, dass es ein menschlicher Körper war, allerdings konnte ich kaum etwas sehen in all dem Rauch ... aber ich habe auch einen Schrei gehört.«

Er seufzte und lehnte sich zurück. Er musste an das geöffnete Fenster denken. Wer hatte es geöffnet?

Sein Vater murmelte etwas, aber seine Worte waren unverständlich.

»Was?«, fragte Per. »Was hast du gesagt?«

»Markus Lukas«, wiederholte Jerry.

Per kannte den Namen.

»Markus Lukas? War der im Haus?«

Das Gehirn seines Vaters schien sich wieder auszuschalten.

Per probierte es erneut.

»Worüber hast du mit Bremer gesprochen?«, fragte er. »Was hat er gesagt, als er anrief und dich hier treffen wollte?«

»Weiß nicht mehr«, entgegnete Jerry.

»Aber warum habt ihr gekämpft?«

Jerrys Antwort war ein neuerliches Husten, dann lehnte er sich in den Sitz zurück. Per seufzte, legte die Hände aufs Lenkrad und sah hinauf in den dunkelgrauen Himmel.

»Ich muss bald nach Hause fahren«, sagte er. »Meine Tochter Nilla liegt im ...«

Er verstummte, weil ein weißer Volvo auf den Hof einbog. Er umfuhr die Löschfahrzeuge und blieb direkt vor Pers Wagen stehen. Kühler an Kühler standen die beiden Pkws nun, dann stiegen ein Mann und eine Frau aus. Sie trugen Zivil, aber Per wusste sofort, wer sie waren.

Der Mann ging zum Rettungswagen, die Frau kam auf Pers Wagen zu. Er öffnete die Tür.

»Guten Tag.«

»Guten Tag, hallo«, erwiderte die Frau und zeigte ihren Ausweis. Sie kam von der Kriminalpolizei von Växjö. »Haben Sie die Notrufzentrale angerufen?«

»Ja, das war ich«, antwortete Per.

Die Polizistin bat ihn um seine Papiere.

»Und Sie, wer sind Sie?«, fragte sie Jerry, der ihr einen mürrischen Blick zuwarf.

Per wusste genau, wie wenig Jerry von Polizisten hielt: Sie waren seine Hassobjekte.

»Das ist mein Vater ... Jerry Morner«, gab Per an. »Ihm gehört das Grundstück.«

»Ach, so ist das!«, sagte die Polizistin und warf einen Blick über ihre Schulter. »Dann wollen wir mal hoffen, dass Sie gut versichert sind. Sind Sie das, Jerry?«

Sie bekam keine Antwort.

»Mein Vater hat einen Schlaganfall gehabt«, erklärte Per. »Ihm fällt das Sprechen seither schwer.«

Die Polizistin nickte, notierte sich aber Jerrys Namen.

»Sie beide waren also hier, bevor der Brand ausbrach?«

»Na ja, in etwa«, sagte Per. »Jerry war schon da ... ich bin kurz nach ihm gekommen.«

»Können Sie mir erzählen, was Sie gesehen haben?«

Ich hab nichts zu verbergen, sagte sich Per. Dann berichtete er, dass er das Haus betreten, Jerry gefunden, den Benzinkanister entdeckt und seinen Vater ins Auto gebracht hatte und dann wieder ins Haus zurückgekehrt war.

Die Beamtin schlug ihr Notizheft erneut auf und begann, Pers Angaben zu Papier zu bringen.

»Sie haben also jemanden dort oben gesehen? Und Hilfeschreie gehört?«

»Ich glaube es.«

»Haben sie sonst noch jemanden im oder am Haus gesehen?«

Per schwieg einen Moment und überprüfte seine Erinnerung. Was hatte er gesehen? Eine Gestalt, die in den Wald geflohen war? Und möglicherweise frische Reifenspuren?

»Ich habe niemanden deutlich gesehen ... Aber irgendjemand muss meinen Vater zu Boden geschlagen und ihn mit einem Messer verletzt haben.«

»Aha.«

»Bremer«, sagte eine Stimme hinter Per.

»Bremer?«, wiederholte die Polizistin. »Wer ist das?«

»Hans Bremer ist der Assistent meines Vaters«, erläuterte Per. »Das ist die Person, die sich eventuell noch im Haus befindet.«

Alle drei warfen einen langen Blick auf den lodernden Brand, der noch immer dem Löschwasser trotzte. Funken sprühten in den Himmel, die Hitze des Feuers erfüllte die gesamte Kiesauffahrt.

»Okay«, sagte die Beamtin dann. »Mein Kollege und ich werden hier jetzt absperren.«

»Dann ist das für Sie ein Tatort?«, fragte Per.

»Zumindest besteht die Möglichkeit.«

Sie wandte sich zum Gehen.

»Können wir dann jetzt fahren?«, fragte Per. »Hier braucht uns doch im Moment sowieso keiner, nicht wahr?«

Die Polizistin schüttelte den Kopf.

»Wir sind bald fertig«, sagte sie über die Schulter, »und dann möchte ich, dass Sie mit uns aufs Präsidium nach Växjö fahren.«

»Aber warum das denn?«

»Wir müssen eine richtige Zeugenbefragung durchführen. Das dauert auch nicht lange.«

Per seufzte. Er sah in den Himmel und dann auf seine Uhr. Es war schon Viertel vor acht.

Auf einmal spürte er eine große Müdigkeit. Sein ursprünglicher Plan war es gewesen, Jerry in seine Wohnung nach Kristianstad zu fahren. Aber nun würde er danach nicht mehr bis nach Öland fahren können, und Jesper wäre gezwungen, alleine im Sommerhaus zu übernachten.

Er drehte sich zu seinem Vater.

»Jerry, ich schaffe es nicht, dich heute Abend noch nach Hause zu fahren«, sagte er. »Du musst mit mir nach Öland kommen.«

Sein Vater sah ihn verständnislos an.

»Öland?«

Jerry wirkte verunsichert, und auch Per zögerte plötzlich. Er hatte sich ja geschworen, dass Jerry keinen Kontakt mit Nilla und Jesper haben sollte.

»Na ja ... du bist schließlich mein Vater, oder? Gehörst zur Familie!«

»Familie?«

Jerry schien mit dem Wort nichts anfangen zu können.

»Meine Familie«, betonte Per. »Du wirst also mit mir kommen und zusammen mit Nilla, Jesper und mir in unserem Sommerhaus Ostern feiern. Aber nur unter einer Bedingung.«

Jerry wartete, und Per fuhr fort:

»Du schweigst.«

»Schweigst?«

Per nickte. Natürlich entbehrte es nicht einer unfreiwilligen Komik, einem Menschen, der kaum einen Satz sagen konnte, das Schweigen aufzuerlegen. Aber Per war nicht zum Lachen zumute.

»Du wirst deinen Enkelkindern gegenüber schweigen, Jerry ... Und du wirst ihnen kein Sterbenswörtchen davon erzählen, welche Geschäfte du mit Bremer hier getrieben hast.«

15

Vendela trug eine weiße Baseballkappe und eine rote, winddichte Trainingsjacke, als sie sich im Flur zum Hundekorb hinunterbeugte und Aloysius hinter den Ohren kraulte. Dann ging sie zur Eingangstür.

»Ich gehe jetzt joggen!«, rief sie. »Bis später!«

Sie erhielt keine Antwort von Max, nur Aloysius jaulte auf. Er war unruhig, vielleicht ahnte er bereits, dass ein Fest bevorstand. Seit er kaum noch etwas sehen konnte, stressten ihn fremde Geräusche.

Sie würden auf dem Nachbarschaftsfest am Mittwoch rund zehn Personen sein: Max und sie, das Ehepaar Kurdin mit Baby, Per Mörner und seine beiden Kinder und dann der alte Mann von der anderen Straßenseite, Gerlof Davidsson, sowie sein Freund John Hagman. Sie würde gar nicht so viel für das Büfett vorbereiten müssen. Morgen würde sie nach Borgholm fahren und die Lebensmittel einkaufen, inklusive Hundefutter.

Aber heute wollte sie joggen gehen. Vendela joggte schon seit zehn Jahren. Sie hatte damit direkt nach der Heirat mit Max angefangen, obwohl der es weder selbst ausprobieren wollte noch verstand, was sie daran fand. Letzten Winter hatte sie ihre Kondition auf dem Laufband trainiert, aber die Bewegung in der Natur hatte ihr gefehlt.

Draußen auf der Treppe beugte sie sich nach vorn und dehnte ihre Beine, bevor sie loslief, in einem weiten Bogen um den Steinbruch herum.

Im Norden des Steinbruchs entdeckte sie eine sonderbare Pforte – zwei dicke Haselnusssträucher wuchsen in ein paar Metern Abstand zueinander. Sie sprang in der Mitte hindurch. Der Haselnussstrauch hatte von jeher eine besondere Bedeutung, die Äste wurden sowohl für magische Stöcke als auch für Wünschelruten verwendet.

Jetzt war sie wie in einer neuen Welt, fand sie. Ihr Ziel war es, nach über vierzig Jahren zu dem Ort ihrer Kindheit und ihrer Familiengeschichte zurückzukehren – wenn es ihr gelang, ihn wiederzufinden. Vieles hatte sich seit dieser Zeit verändert. Häuser waren gebaut, Straßen asphaltiert worden, und Wiesen und Felder waren zum Teil völlig zugewachsen.

Sie beschleunigte ihr Tempo und lief auf der Küstenstraße entlang des Strands. Es war später Nachmittag, und die Sonne stand so tief wie im Oktober – aber ihr Licht zeichnete jetzt im Frühling die Natur um sie herum wesentlich kontrastreicher und schärfer. Und bald würde sie die schmalen Streifen aus Schnee geschmolzen haben, die sich nach wie vor an manchen Stellen im Gras und in den Gräben hielten.

Die steinerne Landschaft, durch die Vendela lief, lag still und reglos vor ihr. Nur sie allein bewegte sich, ihre Arme und Beine pendelten vor und zurück. Langsam fand sie ihren Laufrhythmus und konnte sich entspannen. Als die Küstenstraße sich teilte, bog sie nach rechts ins Landesinnere ab.

Die Luft, die sie einsog, war frisch und kühl. Ihre Allergie hatte sich bisher nicht gemeldet.

Es dauerte etwa zwanzig Minuten, um den Ort zu erreichen, an dem ihre Kindheit gleichsam begann und endete. Sie hatte ihn ohne weitere Schwierigkeiten gefunden, war kein einziges Mal vom Weg abgekommen. Das erste Stück lief sie einen breiten Asphaltweg entlang, dann bog sie in einen schmaleren Kiesweg, den sie wiederzuerkennen meinte, dann vorbei an einem kleinen Eschenwald, der in den Jahren, seit sie die Insel verlassen hatte, zu einer dichten und hoch aufragenden Baumgruppe gewachsen war.

Durch diesen Wald führte ein schmaler, kurzer Kiesweg, in den sie einbog. Ihr war warm, sie schwitzte in ihrem Trainingsanzug und war voll gespannter Erwartung.

Nach etwa fünfzig Metern endete der Weg, und sie hatte den Hof erreicht. Nach einer kurzen Pause hatte sich ihr Atem beruhigt und sie sich gesammelt.

Der Hof lag ziemlich einsam, am Rand der Großen Alvar, ein paar Kilometer nordöstlich von Stenvik. Das Gartentor vor dem Steinplattenweg hatte zwei neue, weiß gestrichene Türen bekommen. Sie sah niemanden auf dem Grundstück, deshalb drückte sie das Tor auf.

Die Sonne stand schon so tief, dass der Hof vor ihr im Schatten lag. Aber die Sonnenstrahlen erreichten noch das Wohnhaus, und die Fenster im ersten Stock leuchteten im Licht.

Vendela hatte befürchtet, der Hof könnte verlassen und verfallen sein, mit zerborstenen Scheiben und lose hängenden Türen, aber das Haus war sehr gepflegt und vor Kurzem erst mit gelber Ölfarbe gestrichen worden. Jemand mit Zeit und Geld schien den Hof gekauft zu haben.

Vor dem Haus erstreckte sich ein großes Rasenstück. Darauf konnte man eine rechteckige Erhebung im Gras erkennen. Vor vierzig Jahren hatte dort ein kleiner Kuhstall gestanden, aber den gab es nicht mehr. Gras und Moos hatten das Fundament bedeckt.

Zum Schein ging sie zum Haus und klopfte an, aber niemand kam und öffnete die Tür. Der Bauernhof war wie so viele andere zu einem Sommerhaus umgebaut worden, mit wucherndem Rasen und zugezogenen Gardinen. Vermutlich stand auch dieses Haus von Herbst bis Frühling leer.

Sie stellte sich die Familie vor, die bald anreisen und sich gleich daranmachen würde, die Spuren des Winters zu beseitigen. Schon am ersten Abend würden alle im Garten stehen und

Laub harken und den Rasen mähen. Junge und sorgenfreie Menschen, vielleicht hatten sie sogar Kinder. Aber: Spürten sie auch das Echo des Unglücks, das einst in diesem Haus geschah?

Am hinteren Ende des Gartens entdeckte sie einen kleinen Schuppen. Er stand im Schatten der Bäume und passte so gar nicht zum Rest der gepflegten Freizeitidylle. Er war heruntergekommen und schief, als würde er bald im Boden versinken.

Sie lief quer durch den Garten, dort gab es noch einzelne Schneeflecken, der Boden war feucht wie in der Marsch.

Der Verschlag lag versteckt zwischen den Bäumen und sah aus, als wäre er von der Welt vergessen worden. Vendela fiel wieder ein, dass ihr Vater ihn als Geräteschuppen verwendet hatte. Die Werkzeuge, die er nicht abends im Steinbruch zurückließ, nahm er mit und schloss sie darin ein.

Vendela zog an der klapprigen Tür, die sich in ihren müden Scharnieren knarrend öffnen ließ. Anders als erwartet, schlug ihr kein modriger Gestank entgegen, nur ein schwacher Geruch von Erde.

Es war dunkel im Schuppen, dunkel und eng. Alte Werkzeuge und Taschen standen übereinandergestapelt. In der Ecke neben der Tür lehnte ein schmaler, entrindeter Kastanienstock. Vendela erkannte ihn sofort wieder. Sie zögerte zunächst, griff aber dann danach.

Der Kuhstock.

Das war ihrer. Sie hatte ihn von ihrem Vater Henry bekommen, um damit die Kühe auf die Weide zu treiben.

Der Stock war blank poliert und schien häufig in Gebrauch zu sein.

VENDELA UND DIE ELFEN

Die Fliegen surren faul und schläfrig über den Pfad, die Frühlingssonne hat sie geweckt. Der Wind rauscht durch die Laubbäume, und Vendela hebt den Kuhstock und schlägt auf die drei Tiere vor ihr ein, immer und immer wieder.

»Geh! Los, bewegt euch!«

Sie ist barfuß, trägt ein weißes Kleid und drischt auf die Kühe ein, so hart sie kann. Jede bekommt drei Schläge. Sie zielt, holt aus und trifft mit dem Stock oberhalb der Hüfte. An dieser Stelle klingt es wie *smack!*. Weiter vorne am Bauch ist das Geräusch dumpfer, da klingt es nach *smock!*.

Die Schläge ertönen in rhythmischen Abständen auf der Strecke zwischen der Wiese und dem Hof, wo sie zusammen mit Henry und dem Invaliden wohnt.

»Geh! Los! Geh!«

Die Glocke an dem Band um den Hals der Leitkuh läutet ebenfalls rhythmisch. Es ist warm und ziemlich anstrengend, die ganze Zeit zu schlagen, Vendela ist auch erst neun, und der Stock wird immer schwerer. Sie schwitzt. Der Stoff ihres Kleides klebt unter ihren Armen, die Haare hängen ihr ins Gesicht, und die dicken Schmeißfliegen surren um sie und die Kühe herum. Sie spuckt in das frische Gras und hebt den Stock wieder hoch.

»Los, geh!«

Mit ihrem achten Geburtstag bekam Vendela die Aufgabe übertragen, die Kühe von der Weide zurück zum Hof zu treiben. Das war eine richtige Arbeit, allerdings war nie die Rede davon, dass sie dafür Geld bekommen sollte – ihr Vater hat noch nicht einmal genug Geld für Strom, obwohl die Kabel vor Jahren schon bis zum Hof verlegt worden waren.

Ihre Bezahlung für die Arbeit bestand darin, dass sie den Kühen Namen geben durfte. Und sie nannte sie Rosa, Rosa und Rosa.

Diese Entscheidung brachte ihren Vater zum Lachen.

»Wir können genauso gut jeder von ihnen eine Nummer geben«, hatte er vorgeschlagen.

Für Vendelas Vater hatten die Namen der Kühe keine Bedeutung – er hatte alle drei mit einem deutlich sichtbaren Schnitt im Ohr markiert, sodass jeder, der ihnen in der Alvar begegnete, sofort sehen konnte, dass die Tiere ihm gehörten. Aber er schien dennoch Gefallen an dieser Namensgebung gefunden zu haben, denn er behielt die Namen bei.

Rosa, Rosa und Rosa.

Vendela fand das überhaupt nicht komisch. Für sie spielte es keine Rolle, wie die Kühe hießen, weil sie die drei nicht voneinander unterscheiden konnte. Für sie waren das drei braune Gegenstände, die zwischen Hof und Weide hin und her getrieben werden mussten. Es war eine alltägliche Pflicht, die mit der Frühjahrsarbeit auf den Äckern und der Rückkehr der Sonne im April begann. Dann gab Henry, getreu der Tradition der schwedischen Bauern, jeder Kuh als erste Mahlzeit außerhalb der Stallfütterung einen in Teer getunkten Hering. Danach schickte er die Tiere hinaus auf die Weide und überließ seiner Tochter ihre Betreuung.

Der Kuhstock war weich und glatt, schmal und geschmeidig. Henry hatte die Rinde vollständig abgeschält, bevor sie ihn bekommen hatte.

Damit kannst du die Kühe lenken und führen, hatte er ihr erklärt. *Lauf hinter ihnen her, und stoße sie ab und zu in die Seite, damit sie in die richtige Richtung gehen.*

Die Kühe waren so groß wie Felsblöcke, und Vendela schubste sie auf ihrer ersten Tour von der Weide zurück zum Hof ganz vorsichtig. In den ersten Tagen hatte sie große Angst, die Tiere könnten sie angreifen. Aber die Kühe reagierten überhaupt nicht auf sie. Sie verhielten sich, als existierte Vendela gar nicht. Dann begann sie fester zu drücken, und nach nur einem Monat stieß sie mit dem Stock in die Flanken.

Danach lernte sie das Schlagen.

Der Kuh, die unmittelbar neben ihr lief, die härtesten Schläge zu verpassen wurde zu einer Gewohnheit. Rosa, Rosa und auch Rosa hatten so dicke, braun-weiße Haut, hart wie Leder. Gern wollte sie durch diese Haut hindurchstoßen und Blut sehen, aber am meisten wünschte sie sich, dass die Kühe Angst vor ihr hätten. Aber die drei Rosas trotteten bedächtig mit hin und her pendelnden Köpfen an Vendelas fauchendem Stock vorbei. Die Schläge brachten sie höchstens dazu, ab und zu ein paar Sprünge über den Kiesweg zu machen. Die Kuhglocken kamen kurz aus dem Takt, dann fielen sie wieder zurück in ihr altes Tempo.

Dieses ruhige Pendeln, die hängenden Köpfe, die gleichgültigen Augen – für Vendela waren das Details des täglichen Kampfes. Rosa, Rosa und Rosa versuchten ihr deutlich zu machen, dass sie vollkommen unwichtig war, aber sie irrten sich.

Letzten Sommer hatte Henry ihr auch die Verantwortung für die Hühner übertragen. Natürlich hatte sie auch die geschlagen oder zumindest nach ihnen getreten, wenn sie ihr in die Quere gekommen waren.

»Haut ab! Weg mit euch!«

Aber da wurde der Hahn wütend. Er krähte lauthals, flatterte drohend mit seinen Flügeln, hieb mit seinem Schnabel nach Vendela und jagte sie aus dem Hühnerhaus und einmal quer über den Hofplatz.

Sie heulte und schrie um Hilfe, aber sie musste allein damit fertig werden. Henry war unten im Steinbruch, der Invalide saß oben in seinem Zimmer, und ihre Mutter Kristin gab es nicht mehr.

Henry sprach nicht mehr von seiner verstorbenen Frau, und Vendela konnte sich kaum noch an sie erinnern, nicht an ihr Gesicht, ihren Geruch.

Die einzigen Erinnerungsstücke waren ein Stein auf dem Friedhof von Marnäs, eine ovale Fotografie, die in der Küche hing, und ein kleines Schmuckkästchen, das in Henrys Schlafzimmer stand.

Vendela spürte auch einen tiefen Schmerz in ihrem Körper, aber der kam sicher nur daher, dass sie den Kuhstock so oft schwang.

Seit dem Tod der Mutter wirkt Henry, als wäre er die ganze Zeit auf der Flucht, in seinen Gedanken und auch körperlich. Morgens auf dem Weg zur Arbeit in den Steinbruch singt er auf der Treppe, abends sitzt er oft auf der Veranda und starrt in die Sterne.

Die meiste Arbeit, die auf dem Hof anfällt, überlässt er Vendela. Sie muss putzen und ihre eigene Wäsche waschen, damit sie nicht nach Kuhstall riecht, wenn sie in die Schule geht. Sie trägt die Lebensmittel aus dem Keller in die Küche hinauf, denn einen Kühlschrank können sie sich nicht leisten. Sie kümmert sich auch um die Felder mit den Kartoffeln, den Brechbohnen und den Zuckerrüben. Und sie muss melken und die Rosas über den Weg zur Koppel und wieder in den Stall begleiten.

Diesen Weg geht sie jeden Tag mit ihrem Stock in der Hand, hin und zurück. Vor und nach dem Unterricht in der Grundschule von Stenvik. Aber zuallererst muss sie eine andere Sache erledigen: Sie geht in den ersten Stock und gibt dem Invaliden sein Essen.

Diese Aufgabe ist die schlimmste von allen.

Vendela erinnert sich nicht mehr, wann der Invalide zu ihnen gezogen ist, aber es war ein später Herbstabend, vielleicht war sie sechs oder sieben Jahre alt gewesen. Zumindest konnte sich Henry damals noch ein Auto leisten. Er war den ganzen Nachmittag unruhig in der Küche auf und ab gegangen, dann hatte er plötzlich das Haus verlassen und war mit dem Wagen weggefahren. Vendela war zu Bett gegangen, in ihrem kleinen Zimmer hinter der Küche.

Viele Stunden später hörte sie das Auto zurückkommen. Es fuhr bis an die Eingangstreppe, die Fahrertür öffnete sich, dann die Beifahrertür. Vendela lag reglos im Bett und hörte, wie ihr Vater jemandem aus dem Wagen half, jemanden aus dem Wagen *hob* und mit lauten Schritten und schwer beladen die Treppe in den ersten Stock hochstampfte.

Er hielt sich eine ganze Weile dort oben auf, Vendela hörte ihn leise sprechen – und noch eine andere Stimme, die kicherte.

Dann kam Henry wieder herunter und ging zum Kofferraum. Dort kämpfte er mit einem großen Gegenstand, schließlich gelang es ihm, ihn hochzuwuchten und in die Küche zu tragen. Es gab ein quietschendes Geräusch von sich, wie eine schwere Maschine.

Vendela kletterte aus dem Bett, öffnete ihre Tür und spähte hinaus.

Sie sah, wie ihr Vater einen Rollstuhl über den Küchenfußboden schob. Über seinem rechten Arm hing eine Decke und auf dem Sitz des Rollstuhls stand ein Radio.

Henry ging rückwärts die Treppe hoch und zog den Stuhl mit dem Radio die Stufen hoch. Nach ein paar Schritten hielt er inne, um zu verschnaufen, und bemerkte Vendela.

Er sah aus, als hätte sie ihn bei etwas ertappt, oder vielleicht war er verlegen? Und er murmelte Unverständliches. Vendela kam näher.

»Was hast du gesagt, Papa?«

Ihr Vater sah sie an und seufzte.

»Das war nicht mehr auszuhalten in der Anstalt«, sagte er. »Sie haben ihn da mit Ledergurten festgebunden.«

Und das war die einzige Erklärung, die sie je bekommen hat. Wer der Verwandte ist, der jetzt bei ihnen auf dem Hof wohnt, erfährt sie nicht.

Aber Vendela wagt auch nicht zu fragen. Es spielt ohnehin keine Rolle, denn Henry nennt ihn nur den Invaliden. Oft sagt er noch nicht einmal das, sondern nickt nur hoch zur Decke oder verdreht die Augen. Als Vendela am ersten Abend ein dumpfes

Lachen aus dem ersten Stock hört und ängstlich nach oben sieht, fragt ihr Vater sie:

»Wollen wir hochgehen und ihm Hallo sagen?«

Aber Vendela schüttelt nur stumm den Kopf.

Die neuen Aufgaben werden schnell zur Routine, die nicht mehr extra benannt werden muss. Vendela ist für den Invaliden zuständig, so wie sie auch für die Kühe verantwortlich ist. Der Unterschied ist nur, dass sie den Invaliden nie zu Gesicht bekommt. Die Tür zu seinem Zimmer ist immer geschlossen, aber die Musik und die Radionachrichten sind von morgens bis abends zu hören. Manchmal fragt sie sich, ob der Invalide seine Tür auch abgeschlossen hat, aber sie wagt es nie, die Hand auszustrecken und die Klinke herunterzudrücken.

Ihre Aufgabe besteht darin, morgens vor der Schule die dunkle Treppe mit dem Tablett hochzugehen und es auf den kleinen Beistelltisch neben seiner Tür zu platzieren.

Klopf immer an, wenn du das Essen hingestellt hast, hatte ihr Henry gesagt.

Vendela klopft an, wartet aber nie auf eine Antwort. Sie läuft, so schnell sie kann, die Treppe hinunter.

Es dauert lange, bis die Tür oben geöffnet wird. Meistens hat Vendela es geschafft, sich bereits ihre Schuhe anzuziehen, wenn oben die Türangel anfängt zu quietschen. Dann bleibt sie manchmal wie versteinert stehen und hält den Atem an; sie hört, wie die Tür aufgeht, und dann vernimmt sie den schweren Atem des Invaliden, der sein Zimmer verlässt. Das Geschirr klirrt ein bisschen, wenn er das Tablett hochhebt.

In diesen Augenblicken hat Vendela die größte Angst davor, dass oben etwas schiefgehen könnte, dass sie das Scheppern des Geschirrs hört, weil das Tablett zu Boden gefallen ist. Dann wäre sie nämlich gezwungen, hinaufzugehen und ihm zu helfen.

Zum Glück geht nie auch nur ein einziges Stück Geschirr zu Bruch. Allerdings wächst mit jedem Tag, der vergeht, Vendelas Angst, dass die Tür oben offen stehen könnte, wenn sie von der Weide nach Hause kommt. Sperrangelweit offen.

Aber auch das geschieht nicht. Jeden Nachmittag, wenn die Kühe wieder im Stall stehen, geht sie hoch und findet lediglich das leere Geschirr vor. Ab und zu steht ein Nachttopf daneben, den sie dann leeren muss.

Aus dem Raum hinter der verschlossenen Tür ist ein leises Lachen zu hören.

Henry hat wenig Freunde, und nur einmal im Jahr kommt Besuch: Zwei Tage vor Weihnachten reisen Tante Margit und Onkel Sven aus Kalmar an. Sie fahren mit ihrem großen Auto vor, dessen Kofferraum bis obenhin voller Lebensmittel und Geschenke ist. Vendela und Henry haben für diesen Anlass die Küche gescheuert und eine neue Decke auf den Esstisch gelegt.

Henry macht Kaffee und gibt sich große Mühe, locker zu plaudern. Danach gehen seine Schwester und er hoch zum Invaliden, um ihm fröhliche Weihnachten zu wünschen. Tante Margit hat ein paar Geschenke in den Händen.

Vendela bleibt am Esstisch sitzen und hört, wie sie die Tür öffnen und wieder hinter sich schließen. Tante Margits Stimme klingt viel schriller und fröhlicher als sonst.

Aber man hört niemanden antworten.

Nur ein einziges Mal ist die Tür geöffnet, als Vendela vorbeigehen will, ein paar Monate nach dem Einzug des Invaliden auf den Hof. Sie steht einen Spaltbreit offen. Vendela geht langsam hin, bleibt stehen und streckt den Hals, um in das Zimmer hineinsehen zu können. Dunkel ist es, und ein säuerlicher Geruch schlägt ihr entgegen. Der Raum ist karg eingerichtet, ein Bett und ein kleiner Tisch stehen darin. Auf dem Boden liegt eine alte Decke.

Auf dieser Decke sitzt eine Gestalt. Es ist ein kleiner, zusammengekauerter Mensch mit ungekämmtem, grauweißem Haar, das in alle Richtungen absteht.

Reglos hockt er auf der Decke.

Vendela nimmt an, dass der Invalide schläft, aber plötzlich richtet er sich auf, dreht Vendela den Kopf zu und öffnet den Mund. Dann fängt er an zu kichern.

Schnell geht sie weiter, tut so, als gäbe es ihn gar nicht. Eilig läuft sie die Treppe hinunter und hinaus in den Hof.

Jetzt versteht sie, warum der Invalide immer die Tür hinter sich zumacht – man kann nicht unter die Leute, wenn man so alt und krank ist.

Aber trotzdem: Das ganze Jahr lang in einem einzigen Zimmer im ersten Stock zu sitzen und nie nach draußen in die Sonne zu gehen? Das konnte sie sich nicht vorstellen, das musste furchtbar sein.

Der Winter kommt und geht, und dann wird es März, und der Schnee in der Alvar beginnt zu schmelzen. Einige Wochen lang bilden sich größere und kleinere Pfützen in dem vergilbten Gras, sogenannte Frühlingsseen. Wenn die Schule aus ist und die Kühe im Stall sind, begibt sich Vendela auf Entdeckungsreise. Sie sieht, wie sich die Wolken in den Pfützen spiegeln, und fühlt sich frei, so weit weg vom Hof.

An einem sonnigen Nachmittag in der Alvar entdeckt sie, etwa zwei bis drei Kilometer vom Hof entfernt, ein großes und sonderbares Ding, das zwischen Wacholdersträuchern liegt. Es ist ein Felsblock.

Der Felsblock sieht aus wie ein schiefer Altar. Er ist groß und von Weitem schon zu sehen. Die Sträucher stehen in einem Kreis um den Block herum, erscheinen aber wie auf Abstand bedacht.

Aber Vendela wagt sich nicht an ihn heran, so weit war sie noch nie von zu Hause weg, und sie hat Angst, dass sie sich zwischen den Frühlingsseen verläuft. Deshalb kehrt sie um und rennt zurück.

Der Frühling verstreicht, und das Schuljahr endet, ohne dass Vendela noch einmal zu dem sonderbaren Felsen gegangen ist. An einem Sommerabend erzählt sie ihrem Vater davon und fragt ihn, ob er diesen Block auch schon einmal gesehen hat.

»Den Elfenstein?«

Henry sitzt am Küchentisch und poliert einen runden Lampensockel. Er hat ihn aus Kalkstein angefertigt, und unter seinem Schmirgelpapier beginnt er zu glänzen, wie geschliffener Marmor sieht er aus.

»Meinst du den, der auf dem Weg nach Marnäs liegt?«

Vendela nickt.

Elfenstein. Jetzt weiß sie endlich, wie er heißt.

»Der stammt noch aus der Eiszeit«, erklärt ihr Henry. »Er liegt dort schon seit ewigen Zeiten. Die Menschen sind immer wieder zu ihm gegangen und haben Sachen geopfert.«

»Und wem?«

»Den Elfen«, antwortet Henry. »Man sagt auch Elfenmühle dazu. Früher glaubten die Leute, dass die kleinen Vertiefungen auf dem Stein daher stammten, dass die Elfen dort ihr Mehl gemahlen haben. Mittlerweile geht man nur noch dorthin, um sich Sachen zu wünschen ... man bringt den Elfen eine kleine Gabe und wünscht sich dafür etwas.«

»Und was wünscht man sich?«

»Was man will. Wenn man etwas verloren hat, kann man die Elfen bitten, beim Suchen zu helfen ...«, erklärt Henry und sieht gedankenverloren aus dem Fenster hinüber zum Stall, »... man kann sich aber auch ein bisschen mehr Glück im Leben wünschen.«

»Hast du das auch schon einmal gemacht, Papa?«

»Was denn?«

»Na, den Elfen ein Geschenk gebracht und dir etwas gewünscht?«

Henry schüttelt den Kopf und fährt mit dem Polieren fort.

»Man sollte sich nichts wünschen, was man nicht verdient hat.«

16

Vendela wiegte den Stock in ihrer Hand. War das wirklich der Kuhstock aus ihrer Kindheit? Er sah zwar kürzer aus als früher, war aber noch immer unangenehm lang. Sie meinte, in weiter Ferne das dumpfe Läuten von Kuhglocken zu hören.

»Geh! Los! Geh!«

Nach vierzig Jahren konnte sie sich noch genau an das fauchende Geräusch des Stocks erinnern, aber sie wusste nicht mehr, warum sie die Kühe so hart geschlagen hatte. War sie eine Sadistin gewesen?

Sie stellte den Stock zurück in den Verschlag und schlenderte durch den Garten hinters Wohnhaus.

Von dort führte ein schmaler Pfad hinaus in die offene Landschaft. Jetzt befand sie sich auf der Weide, auf der die Kühe im Sommer gestanden hatten, aber hier gab es keine Wiese mehr, alles war von Gestrüpp und Büschen überwuchert. Es lagen auch keine Kuhfladen auf dem Boden. Da hatte schon jahrzehntelang keine Kuh mehr gegrast.

Rosa, Rosa und Rosa, dachte sie und joggte weiter.

Hinter der Steinmauer, am Ende der Weide, begann die Große Alvar.

Als Vendela klein war, erstreckte sich hier eine weite Ebene ohne Bäume und Sträucher. Jetzt sah sie auf mickrige Birken und struppigen Weißdorn. Die Büsche stellten sich ihr in den Weg, aber sie versuchte dennoch, in möglichst gerader Linie hinaus in die Alvar zu laufen.

Die Elfen bewegen sich entlang der Energielinien einer Landschaft, hatte ihr Adam erzählt. *Sie gehen immer geradeaus, und wenn die Menschen ihnen Häuser in den Weg stellen, werden sie von großem Unglück heimgesucht.*

Als sie den Hof hinter sich nicht mehr sehen konnte, steuerte sie einen Busch an, der in einiger Entfernung stand, und rannte in noch schnellerem Tempo darauf zu. Die Sonne würde nicht mehr so lange am Himmel stehen, und sie hatte nicht vor, sich im Dunkeln in der Alvar aufzuhalten.

Nur zehn Minuten später befand sie sich mitten in der Ödnis – der Abstand zum Hof erschien ihr viel kürzer zu sein, als sie es aus ihrer Kindheit in Erinnerung hatte.

Etwa in zweihundert Meter Entfernung sah sie eine hohe, dichte Ansammlung von Wacholdersträuchern und drosselte ihr Tempo. Ihre Beine zitterten, konzentriert atmete sie die kalte Abendluft ein und senkte langsam ihren Puls. Dann zwängte sie sich durchs Gestrüpp und stand in der kleinen Lichtung. Hier war jeder Besucher vor Beobachtern geschützt.

In der Mitte stand wie damals der große Felsblock.

Er hatte eine raue und kantige Oberfläche, so wie sie ihn in Erinnerung hatte.

Es geht immer darum, am richtigen Ort zur richtigen Zeit zu sein, sagte sie sich.

Vorsichtig näherte sie sich dem länglichen Steinbrocken. Er war in den Erdboden eingesunken.

Die Elfenmühle, wo die Elfen in der Dämmerung ihr Mehl gemahlen haben. Der Eingang zu ihrem Reich.

Der Felsblock erschien ihr kleiner zu sein als damals. Entweder war er in den vergangenen dreißig Jahren tiefer in die Erde gesunken oder aber es lag daran, dass Vendela jetzt einfach größer war.

In den Vertiefungen lagen Gegenstände.

Nein, keine Gegenstände, Geld. Alte Münzen.

Aus Bronze oder aus Gold? Sie wagte es nicht, eines der Geldstücke in die Hand zu nehmen und es sich genauer anzusehen. Aber wenigstens wusste sie nun, dass auch andere Inselbewohner an die Kraft der Elfen glaubten.

Sie blieb in einiger Entfernung zum Stein stehen und lauschte den Geräuschen der Ebene. Der Wind rauschte, und in weiter Ferne hörte man ganz schwach den Verkehrslärm von der Landstraße.

Aber kein Rascheln, keine Schritte.

Dann trat Vendela an den Stein heran und legte eine Hand auf den Block. Er war so kühl wie erwartet, obwohl die Sonne ihn beschien.

Sie legte sich hinter den Elfenstein in den Windschatten. Der Boden war kalt, aber nicht feucht. Vendela schloss die Augen. Sie konnte den großen Felsblock neben sich spüren, er strahlte Kraft und eine beschützende Ruhe aus.

Niemand wusste, wo sie war. Hier draußen hatte der Rest der Welt keine Bedeutung.

Schlagartig verstummte die Landschaft um sie herum – nicht ein Zweiglein bewegte sich mehr. Langsam öffnete Vendela die Augen. Die Alvar mit ihrem frühlingsgelben Gras sah erstarrt aus, verblasst wie auf einer alten Fotografie. Wenn sie jetzt auf ihre Armbanduhr sehen würde, würde sie sehen, dass die Zeiger stillstanden.

Das Reich der Elfen.

Da hörte sie ein Rascheln im Gras auf der anderen Seite der Wacholdersträucher, als würde sich jemand mit federleichten Schritten bewegen. Vorsichtig erhob sie sich, konnte aber niemanden entdecken.

Dennoch spürte sie, dass jemand sie durchs Gestrüpp hindurch beobachtete.

Ihr Trainingsanzug war feucht, sie zitterte. Ihre ganze Energie war erloschen, eine plötzliche Unruhe hatte sie verjagt. Sie wollte zu den Sträuchern gehen, den Kopf hindurchstecken und fragen, ob da jemand sei. Aber sie blieb wie angewurzelt neben dem Felsblock stehen.

Sie schleichen sich an mich heran, dachte sie ängstlich. *Die Elfen ... oder die Trolle?*

Sie traute sich nicht nachzusehen, ihre Beine zogen sie in die andere Richtung. Sie schoben sie hinter den Felsblock, der nun zwischen ihr und dem leisen Rascheln stand.

Da verstummte auch dieses Geräusch. Es hatte aufgehört zu rascheln.

Der Wind wehte wieder, und Vendela atmete erleichtert aus.

Sie fühlte sich steif und verfroren, aber etwas musste sie noch erledigen. Sie grub in ihrer Jackentasche und legte eine Münze, ein blitzendes neues Zehnkronenstück, in eine der leeren Vertiefungen im Stein.

Es war ein Risiko, sich an diesem Ort etwas zu wünschen – niemand wusste das besser als sie. Aber sie benötigte Hilfe.

Sie würde nur um eine einzige Sache bitten.

Bitte lasst Aloysius nicht erblinden, bat sie. *Gebt ihm noch ein paar gesunde, unbeschwerte Jahre ... das ist das Einzige, worum ich euch bitten möchte.*

Sie ließ die Münze in die Kuhle fallen und entfernte sich von dem Stein.

Als sie die kleine Lichtung zwischen den Wacholdersträuchern verließ, spürte sie, wie die Zeit sich wieder zu bewegen begann. Die Zeiger ihrer Uhr liefen, es war Abend geworden. Die Sonne stand im Westen und hatte ihre goldene Leuchtkraft verloren, bald würde sie hinter dem Horizont versinken. Ihr Licht spiegelte sich in den Frühlingsseen um sie herum.

17

Pelle?«, fragte Jerry verschlafen. »Pelle?«

Nachdem sie im Polizeipräsidium von Växjö verhört worden waren und sich wieder auf den Weg gemacht hatten, war Jerry auf dem Beifahrersitz eingeschlafen. Er war in einen tiefen Schlaf gesunken und hatte unverständliche Worte gemurmelt. Erst als sie in dem menschenleeren Kalmar ankamen, wachte er wieder auf. Per hatte gerade den Wagen neben der Einfahrt zum Krankenhaus geparkt.

»Pelle?«

»Es ist alles in Ordnung, Jerry. Wir sind jetzt in Kalmar.«

Er öffnete die Fahrertür. Kühle Abendluft drang in den Wagen und belebte seine Lunge. Er musste husten. Dann drehte er sich zu seinem Vater.

»Du bleibst hier sitzen ... ich will nur kurz hoch zu Nilla. Erinnerst du dich an meine Tochter, Jerry?«

Als er bemerkte, wie Jerry auf das Krankenhausschild starrte, fuhr er fort:

»Die müssen sie untersuchen. Ich komme gleich wieder.«

Es war halb elf, und alle Fenster des Krankenhauses leuchteten in den Nachthimmel. Pers Beine waren ganz steif, als er aus dem Wagen kletterte. Er war heute stundenlang gefahren. Die Eingangstür war noch nicht abgeschlossen und glitt leise auf. Er nahm den Aufzug in Nillas Abteilung, ohne einem einzigen Menschen zu begegnen.

Auch der Gang war menschenleer, und die Tür zur Abteilung war verschlossen. Er klingelte und wurde von der Nachtschwester eingelassen. Sie lächelte ihn nicht an, aber wahrscheinlich lag das an ihrer Müdigkeit. Es musste nicht bedeuten, dass es Nilla schlechter ging.

Ihre Zimmertür stand einen Spalt offen, und er hörte zwei Stimmen, die sich unterhielten. Nilla sprach mit ihrer Mutter.

Per hustete noch einmal. Er hatte gehofft, dass Marika nicht mehr da sein würde. Natürlich wusste er, dass seine Exfrau ihre Tochter jeden Abend besuchte, aber er hatte gehofft, dass sie so spät am Abend schon gegangen wäre. Eine Sekunde lang zögerte er, ob er einfach umdrehen sollte, aber dann schob er die Tür auf und trat ein.

Nilla saß im Bett, sie hatte sich ein Kissen in den Rücken gestopft. In dem Arm, der aus ihrem weißen Krankenhausnachthemd ragte, steckte eine Infusionsnadel. Sie sah unverändert aus, vielleicht ein bisschen blasser.

Marika saß neben ihr auf einem Stuhl. Der Fernseher, der in der Ecke oben unter der Decke hing, war eingeschaltet. Ein Mann und eine Frau standen in einer Küche, schrien sich an und wedelten mit den Armen, aber der Ton war ausgestellt.

»Halli, hallo«, sagte Per und lächelte Mutter und Tochter an.

Das Gespräch verstummte augenblicklich. Marika schien gerade einen Witz gemacht zu haben, denn sie lachte Nilla an – als sie aber Per erblickte, verflog das Lächeln sofort. Als würde ihr eine Maske vom Gesicht fallen, und sie sah auf einmal unendlich müde aus.

»Hallo, Papa«, sagte Nilla. Dann rümpfte sie die Nase. »Du riechst nach Rauch!«

»Ach ja? Tue ich das?«

Per grinste verkrampft und unterdrückte den Hustenreiz. Ihm fiel einfach nichts Schlagfertiges ein.

»Was ist denn passiert, Per?«, fragte Marika besorgt. »Bist du verletzt?«

»Nein, keine Sorge, nichts passiert ... Da hat ein Haus gebrannt in Småland. Ich habe es vom Auto aus gesehen und die Feuerwehr gerufen. Und dann sind die gekommen und haben das Feuer gelöscht.«

»War das Haus denn leer?«, fragte Nilla.

»Da hat niemand gewohnt«, wich Per aus und versuchte abzulenken. »Und wie geht es euch so?«

»Wir warten auf die Abendrunde der Nachtschwester und sehen fern.«

»Prima.«

Marika stand auf.

»Ich kann rausgehen, dann könnt ihr in Ruhe reden.«

»Das brauchst du nicht«, winkte Per ab, »ich wollte ja nur kurz ...«

»Doch, ist in Ordnung, ich gehe kurz raus.«

Mit gesenktem Blick ging sie an ihm vorbei und verschwand im Flur.

Vater und Tochter sahen einander an. Eigentlich hätte er etwas anderes dabeihaben können als verräucherte Klamotten. Schokolade zum Beispiel, oder eine CD.

»Ist Mama die ganze Zeit hier gewesen?«

»Sie ist tagsüber hier, aber sie schläft zu Hause.« Nilla sah ihn eindringlich an. »Ich kann auch bald wieder nach Hause fahren, oder?«

Per nickte.

»Ich hole dich am Mittwoch ab«, sagte er. »Dann feiern wir Ostern auf Öland mit einem Haufen Eiern. Gekochten und welchen aus Schokolade.«

Nilla sah zufrieden aus.

»Für mich bitte Schokoladeneier.«

Per umarmte sie und strich ihr über Wange und Stirn, sie war kühl.

»Bis bald.«

Als er das Zimmer verließ, merkte er, wie steif und verkrampft sein Lächeln gewesen war.

Marika stand am Ende des Flures, als er vorsichtig die Tür hinter sich zuzog. Sie verschränkte ihre Arme vor der Brust, als er auf sie zukam und etwa drei Schritte vor ihr stehen blieb.

»Ihr scheint es ja ganz gut zu gehen«, sagte er.

Marika nickte.

»Ist Jesper noch auf Öland?«

»Ja.«

Per hatte nicht vor, ihr von den Ereignissen des Tages zu erzählen, dass er die Insel verlassen hatte, um seinem Vater zu Hilfe zu kommen, und ihn mit zu sich ins Sommerhaus nahm. Vor allem das Letztere würde er für sich behalten, denn Marika hielt nicht viel von ihrem ehemaligen Schwiegervater.

»Ich komme Mittwochmorgen wieder«, sagte er darum. »Wann tauchen die Ärzte zur Visite auf?«

»Weiß nicht genau ... vor dem Mittagessen, glaube ich.«

»Dann werde ich vorher da sein.«

»Georg wird auch kommen«, sagte Marika leise. »Ist das in Ordnung für dich?«

»Klar«, antwortete Per und fügte gleich noch eine weitere Lüge hinzu: »Das ist kein Problem, ich mag Georg!«

Jerry war aus dem Wagen gestiegen, als Per zum Parkplatz zurückkam. Er hatte sich seine Aktentasche unter den linken

Arm geklemmt und hielt eine Zigarette in der rechten Hand. Wie konnte er bloß an so einem Tag rauchen?

»Die musst du gar nicht erst anzünden, wir fahren jetzt los«, sagte Per.

Er stieg ein, und Jerry blieb nichts anderes übrig, als die Zigarette zurück in die Packung zu stecken und sich ebenfalls ins Auto zu setzen. Er hustete.

Jerrys Atem klang nicht normal, er zischte. Nach dem heutigen Tag war es vermutlich noch schlimmer als sonst, aber gezischt und gehustet hatte er immer. Eine heruntergewirtschaftete Luftröhre und viel zu viele Zigaretten ließen ihn wie einen undichten Luftballon klingen.

Sein Vater hatte die eigene Gesundheit ein Leben lang vernachlässigt, dachte Per, als er das Krankenhaus hinter sich ließ. Aber seine Tochter Nilla war diejenige, die krank war.

An diesem Montagabend bog Per gegen halb zwölf Uhr nachts auf die Auffahrt seines Sommerhauses ein. Casa Mörner lag dunkel vor ihnen, Jesper hatte nur eine Lampe in der Küche und im Flur angelassen.

»Zu Hause?«, fragte Jerry und sah sich neugierig um.

»Stimmt genau, du bist zu Hause«, sagte Per. »Hier haben Anita und ich viele Sommer verbracht, Jerry, nachdem du sie verlassen hattest. Mama hatte jahrelang kein Geld, um mit mir in den Urlaub zu fliegen. Daran erinnerst du dich doch noch, oder?«

Jerry schüttelte den Kopf, aber seine Augen waren zu schmalen Schlitzen geworden. Doch Per wusste mit Sicherheit, dass er den Namen seiner Exfrau wiedererkannt hatte.

Er schaltete den Motor ab und seufzte leise. Eine große Müdigkeit hatte ihn erfasst, aber ihm stand noch eine letzte wichtige Begegnung an diesem Abend bevor. Er trug Jerrys Aktentasche, sein Vater folgte ihm bedächtig.

»Hallo?«, rief Per, als sie in den Flur kamen. »Jesper?«

Die Tür zum Zimmer seines Sohnes stand offen. Jesper saß im Bett und war mit seinem Gameboy beschäftigt.

»Ja?«

»Mach mal den Gameboy jetzt aus. Komm zu uns und begrüße deinen Großvater.«

Per schnüffelte an seiner Jacke, war der Rauchgeruch verflogen?

Jesper schien nichts zu bemerken. Er stand gemächlich auf und kam hinaus in den Flur. Per hatte Verständnis für sein Zögern, schließlich hatte Jerry seine Enkelkinder fast zehn Jahre lang nicht gesehen. Er hatte nie den Wunsch geäußert, sie zu sehen, und Per hatte keinerlei Anstrengung unternommen, ein Treffen zu arrangieren.

»Tag, Opa«, sagte Jesper leise und streckte ihm die Hand entgegen.

Jerry zögerte einen Augenblick, dann ergriff er sie.

»Jesper«, flüsterte er.

Dann ließ er die Hand seines Enkelsohnes los.

»Möchtest du etwas trinken?«, fragte Per ihn.

Jerry nickte, und Per ging in die Küche, um ihm ein Glas Milch einzugießen.

Nachdem er Jerry in einen Sessel vor dem Fernseher platziert hatte, ging er vor die Tür, um eine letzte Portion Frischluft zu tanken.

Er ging an den Rand vom Steinbruch.

Ein Halbmond schien über dem Sund und hüllte den Steinbruch in Schatten. Trotzdem konnte Per erkennen, dass die Treppe, mit deren Errichtung Jesper und er begonnen hatten, beschädigt aussah. Die oberen Steinblöcke waren weggebrochen.

Er ging zurück ins Haus, holte eine Taschenlampe und leuchtete damit die Felskante hinab.

Doch, er hatte richtig gesehen – die breiten Steinblöcke waren zertrümmert. Ein paar waren beim Sturz auf andere gefallen und hatten diese dabei zerschlagen.

Gestern hatte die Treppe noch so stabil gewirkt. Wer hatte sie zerstört?

18

Liebe Leserinnen und Leser,

in diesem Handbuch werde ich zum einen von meinen Begegnungen mit den Elfen erzählen, zum anderen Hilfestellungen geben, wie Sie mit ihnen in Kontakt treten können. Das ist nämlich leichter, als viele denken. Die Elfen bewegen sich entlang uralter, meist kerzengerader Pfade, die durch die Landschaft führen. Von diesen Pfaden besitzen viele der älteren Inselbewohner noch Kenntnis. Man muss also nur bei den Nachbarn anklopfen und danach fragen!

Vendela hatten den Montag in Borgholm verbracht und Lebensmittel besorgt. Jetzt war alles so weit für das Fest am Mittwoch vorbereitet, und sie gönnte sich eine kleine Pause, um das Vorwort für ihr Buch zu schreiben.

Max war in Kalmar, um einen Vortrag zu halten. Vendela saß mit angezogenen Beinen in einem Sessel im Wohnzimmer. Und endlich hatte sie einen Titel für ihr Buchprojekt gefunden – *Meine Begegnungen mit den Elfen.*

Sie hatte so viel zu erzählen, nicht nur aus ihrer Kindheit. Mit Anfang dreißig war sie nach Island geflogen, wo der Glaube an Elfen noch sehr lebendig war. Sie hatte ältere Einheimische kennengelernt, die Elfen gesehen hatten, und war mit einer Gruppe Touristen auf den Snæfellsjökull gewandert, einen Gletscher nördlich von Reykjavík, wo sich die Elfen offenbar ab und zu zeigten. Einen ganzen Abend lang hatte sie bei Eiseskälte in einer Grotte auf sie gewartet, aber keine zu Gesicht bekommen.

Man muss keine Angst vor ihnen haben, schrieb sie weiter. *Sie sind nicht böse. Sie wollen sich uns nicht immer zeigen, aber sie wollen uns nichts Schlechtes. Wenn wir sie respektieren und ihren Lebensraum nicht zerstören, dann tun sie uns nichts. Im Gegenteil, manchmal helfen sie uns, verschwundene Gegenstände wiederzufinden – oder sogar zu uns selbst zu finden.*

Vor etwa fünf Jahren war sie im *Sökaren,* der *Zeitschrift für Lebensfragen,* auf eine Anzeige gestoßen, in der ein Kurs auf der Insel Gotland angeboten wurde, in dem man die Kommunikation mit den Elfen erlernen konnte. Heimlich hatte Vendela den Kurs gebucht und an einem sonnigen Freitag im Mai den Flieger nach Visby bestiegen. Max gegenüber hatte sie erzählt, sie führe zu einem Töpferkurs.

Der Elfenführer war Anfang dreißig und trug seine langen braunen Haare zu einem Pferdeschwanz zusammengebunden. Er hieß Adam Luft und besaß einen kleinen Bauernhof südwestlich von Visby in einer flachen, aber waldreichen Gegend, in der sich viele Elfenpfade trafen. Adam mähte das Gras auf seinem Grundstück nicht, damit die Natur so unberührt wie möglich blieb.

»Die Pfade führen oft zwischen Haselnuss- und Wacholdersträuchern hindurch«, erklärte er. »Dort befinden sich die Pforten, die in ihre Welt führen.«

Adam saß im Schneidersitz da und konnte stundenlang über Elfen erzählen. Vor allem interessierte er sich für ihr Privatleben, was in seiner Vorstellung unabhängig und frei von Vorurteilen war. Vendela war sich da nicht ganz so sicher, und wenn er zwischendurch über Sex zwischen Elfen und Menschen sprach, hatte sie den Eindruck, dass es sich dabei eher um Adams Wunschvorstellungen handelte. Verließ er dieses Thema aber, sagte er viele kluge Sachen. So zum Beispiel:

»Es ist wichtig, in neuen Dimensionen und Bahnen zu denken. Als die Europäer im Mittelalter das erste Mal auf weiße Baumwollbäusche stießen, hatten sie keine Ahnung, was sie da vor sich hatten oder wo es herkam. Sie vermuteten, dass die Bäusche von fliegenden Lämmern und Schafen stammten, die sich in den Bäumen ein Nest bauten.«

Adam machte eine Pause, damit die Kursteilnehmer sich ausschütten konnten vor Lachen.

»Wenn also die Wissenschaftler von heute Leute treffen, die behaupten, dass sie Elfen begegnet sind«, fuhr er mit erhobenen Händen fort, »was sollen sie da glauben? Wie sollen sie das deuten? Wissenschaftler stehen, wie viele andere auch, dem Unerklärlichen hilflos gegenüber.«

Vendela sah von ihrem Notizheft auf. Sie meinte, das Geräusch eines Autos gehört zu haben – das Zeichen dafür, dass Max zurückgekehrt war –, aber sie hatte sich geirrt. Also fuhr sie mit ihren Aufzeichnungen fort:

Die Menschen aller Jahrhunderte hatten Begegnungen mit Elfen. Auf Island gilt ihre Existenz als so selbstverständlich, dass beim Bau von Straßen auf ihre Lebensräume Rücksicht genommen wird. Auch in England gibt es viele, die engen Kontakt mit Elfen hatten. Eine von ihnen ist das junge Mädchen Annie Jeffries aus Cornwall, die Mitte des 17. Jahrhunderts lebte. Sie ging häufig hinaus in die Natur, um den Elfen Lieder vorzusingen. Eines Tages wurde sie von ihnen entführt, und als sie nach einigen Tagen in die Welt der Menschen zurückkehrte, besaß sie die Fähigkeiten, Kranke zu heilen und in die Zukunft zu sehen.

Das hatte ihr Adam erzählt. Für Vendela war der Wochenendkurs mit ihm ein phantastisches Erlebnis gewesen. Die kleine Gruppe der Kursteilnehmer hatte gemeinsame Wanderungen in die Frühlingslandschaft unternommen, sich an besonderen Orten niedergelassen und für die Elfen bei Sonnenuntergang Lieder gesungen. Nach einer Weile begannen einige der Teilnehmer, Elfen zu sehen. Die Jüngste unter ihnen, eine Zwanzigjährige aus Stockholm, die nach eigenem Bekunden auch oft als Medium arbeitete, sah die Elfen so oft und so deutlich, dass sie sie bald voneinander unterscheiden konnte und ihnen wunderschöne Namen gab, wie Galadriel und Dunsany.

Vendela war ein bisschen neidisch, weil sie selbst keine Elfe zu Gesicht bekam, aber der Kurs war dennoch ein großartiges Erlebnis für sie. Die Landschaft auf Gotland wirkte so zeitlos und ruhig wie auf Island. Sie war nach Hause geflogen mit dem bestärkten Glauben an Elfen und der starken Sehnsucht, ihnen auf der Insel ihrer Kindheit, auf Öland, zu begegnen.

Und jetzt saß sie in ihrem großen Haus und schrieb an ihrem ersten Buch. Sie fuhr fort:

Ich hatte das große Glück, auf Öland aufzuwachsen, einer Insel, auf der sich Elfen seit jeher gerne aufhalten. Wahrscheinlich zieht sie die

Landschaft der Alvar an, die aus vielen Wäldchen mit Wacholdersträu-chern besteht.

Elfen lieben Wacholder, und in der Gegend, aus der ich stamme, gibt es sehr viel davon, deshalb ist sie auch sehr beliebt bei den Elfen.

Vendela wusste, dass sie den Elfenstein in der Alvar noch ein-mal besuchen musste. Sie war beinahe gezwungen dazu, würde aber Max nichts davon sagen. In den vergangenen zehn Jahren hatte sie in seiner Gegenwart nur ein einziges Mal vom Reich der Elfen gesprochen. Da hatte er laut gelacht und gefragt, ob sie schon Charterreisen dorthin anbieten würden.

Sie nahm ihren Stift und arbeitete weiter:

Wenn wir nun aber wissen, wo sich die Elfen regelmäßig aufhalten, warum sehen wir sie dann nicht häufiger? Die Antwort ist ganz ein-fach: Die Elfen halten sich nicht in unserer Welt auf, sondern in ihrer eigenen. Und die Pforten zwischen diesen beiden Welten sind nur in bestimmten Augenblicken geöffnet. Ob die Elfen selbst diese »Dimen-sionspforten« öffnen können oder die Öffnung nur für sich nutzen, wis-sen wir nicht. Aber was wir wissen, ist, dass es am leichtesten und wahrscheinlichsten ist, ihnen im Frühling und im Sommer in der Abend- und Morgendämmerung zu begegnen.

Wenn die Sonne untergegangen ist und es windstill wird, verwi-schen die Grenzen zwischen unseren Welten. Dann wird alles möglich. Dann kann derjenige, der Sorgen und Stress zu Hause gelassen hat und in die Natur hinausgegangen ist, erleben, wie die Regeln für Zeit und Raum aufgehoben werden und sich die Pforte in eine andere Welt öffnet. Dann kann derjenige, der einen offenen Geist hat, den Elfen begegnen.

Zumindest war das ihre Hoffnung. Natürlich wusste Vendela nicht sicher, wo und wie man Elfen am besten begegnen konnte, aber in einem Handbuch durfte man niemals zweifelnd klingen. Das hatte ihr Max beigebracht.

Aber es fiel ihr schwer, keine Zweifel zu haben, sie hatte so viele unbeantwortete Fragen. Manchmal überkam sie die Be-fürchtung, dass vielleicht nur Kinder mit Elfen in Kontakt kom-men können, so wie das Mädchen aus Cottingley in England, dem es sogar gelungen war, Fotos von ihnen zu machen. In diesem Fall wäre jede Hoffnung für Vendela verloren.

Adam Luft aber hatte gesagt, dass es leichter wäre, ihnen zu begegnen, wenn man den Glauben, aber keine Hoffnung habe. In diesem Augenblick sei man wirklich bereit. Oft könne man sie auch nur aus dem Augenwinkel erkennen. Die Elfen mochten es nicht, wenn man ihnen direkt in die Augen sah, so hatte Adam es erklärt – sie konnten die intensiven Blicke der Menschen nicht ertragen.

Vendela schrieb weiter:

Elfen sind federleichte Wesen mit zart schimmernden Flügeln, sie bewegen sich so zaghaft, dass man meint, sie schwebten über dem Boden. Wenn man aufmerksam danach sucht, kann man manchmal ihre glitzernden Spuren im Gras entdecken.

Aber besonders zeichnen sie sich durch ihren hingebungsvollen Charakter aus. Eine Elfe, liebe Leserinnen und Leser, die mit Ihnen Kontakt aufnimmt, wird ein Leben lang Ihre Begleiterin sein, auch wenn Sie sie nicht sehen können. Vielleicht hören Sie ihre Gefährtin nur – wie ein leises Rascheln im Gras hinter ihnen.

Vendela beendete ihr Vorwort und sah durch die großen Fenster, die auf den schwarzen Steinbruch hinausgingen. Als sie sich an das Rascheln am Elfenstein erinnerte, musste sie unwillkürlich an die Trolle denken – selbstsüchtige, brutale und gewalttätige Trolle.

Nein, sie wollte nicht an sie denken, schon gar nicht, wenn sie allein im Haus war.

19

Am Dienstag vor Ostern bekam Gerlof zwei neue Besucher – Vater und Sohn, die sich offensichtlich nicht besonders mochten.

Nachdem er sein Mittagessen aufgewärmt und gegessen hatte, setzte er sich in seinen Gartenstuhl, um die Zeitung zu lesen und den Vögeln zuzuhören. In friedlicher Erwartung des herannahenden Abends.

Da bemerkte er einen grauhaarigen Mann in einem zerknitterten Mantel, der mit einer Zigarette im Mundwinkel die Straße hinunterlief. Es war ein junger Mann, zumindest verglichen mit Gerlof – so um die siebzig, aber er sah nicht besonders gesund und munter aus.

Der Mann schien sich verlaufen zu haben. Er stand eine Weile vor Gerlofs Gartentor, zog an seiner Zigarette und sah sich um. Dann öffnete er das Tor und trat in den Garten. Erneut blieb er stehen, es wirkte so, als wüsste er weder, wo er war noch wie er dorthingekommen war. Sein linker Arm hing leblos von der Schulter herab; er schien gelähmt zu sein.

Gerlof sah ihn erwartungsvoll an, sagte aber kein Wort. Er hatte an diesem Tag eigentlich keine Lust auf zusätzlichen Besuch außer den Schwestern vom Pflegedienst.

Schließlich kam der Mann näher, sein Blick irrte nach wie vor durch die Gegend. Er hustete einmal kräftig, drückte seine Zigarette aus, sah Gerlof in die Augen und sagte leise:

»Jerry Morner.«

Seine Stimme war heiser und rau, und er sprach mit einem harten, schonischen Dialekt.

»Aha«, erwiderte Gerlof. »So heißen Sie also.«

Der Mann ließ sich schwer auf den Besucherstuhl fallen.

»Jerry«, sagte er.

»Dann haben wir ähnliche Vornamen. Ich heiße Gerlof.«

Jerry holte eine neue Zigarette aus der Packung, hielt sie aber nur in der Hand und betrachtete sie eingehend. Dabei entdeckte

Gerlof, dass er zwei Armbanduhren am linken Handgelenk trug, eine aus Gold, die andere aus Stahl. Aber nur eine zeigte schwedische Zeit.

»Geht es Ihnen gut?«, erkundigte sich Gerlof freundlich.

Der Mann starrte ihn mit leicht geöffnetem Mund an, als sei die Frage zu kompliziert gewesen.

»Jerry«, wiederholte er dann erneut.

»Ich verstehe.«

Gerlof begriff, dass der Gast in seinem Garten in mehrerer Hinsicht verirrt war, und stellte vorerst keine weiteren Fragen. Eine friedliche Stille senkte sich über die beiden Männer, Jerry schien sich wohlzufühlen.

»Womit beschäftigen Sie sich? Arbeiten Sie noch?«, fragte Gerlof dann doch.

Da er keine Antwort bekam, fuhr er fort:

»Ich bin Rentner, ich habe meinen Teil beigetragen.«

»Jerry und Bremer«, sagte Jerry jetzt.

Gerlof verstand nicht, was das bedeuten sollte, aber Jerry lächelte zufrieden und zündete sich die Zigarette mit einem Feuerzeug an, das die amerikanische Flagge trug.

»Jerry und Bremer?«, wiederholte Gerlof.

Der Mann hustete, statt zu antworten.

»Pelle«, sagte er und richtete sich auf.

»Pelle?«

Jerry nickte.

»Aha«, sagte Gerlof.

Sie schwiegen.

»Jerry!«

Ein junger Mann stand am Gartentor und rief. Es war einer der neuen Hausbesitzer am Steinbruch.

War das Jerrys Sohn? Er öffnete das Tor und kam näher.

»Jerry ... ich habe dich überall gesucht.«

Jerry blieb wie versteinert sitzen, als kenne er den Mann nicht, der seinen Namen gerufen hatte. Dann schüttelte er sich kurz.

»Pelle«, wiederholte er.

»Du musst mir doch sagen, wo du hingehst, Jerry«, beklagte sich der Jüngere.

»Bremer«, sagte Jerry und stand auf. Er wirkte nervös. »Bremer und Markus Lukas ...«

Er hatte sich auf den Weg zurück zum Gartentor gemacht. Der jüngere Mann zögerte noch und nickte Gerlof zu. Da fiel Gerlof auf, dass er ihn von früher kannte.

»Sind Sie nicht ein Verwandter von Ernst Adolfsson?«, fragte er. »Per ...?«

»Per Mörner.«

»Ja, genau, jetzt erinnere ich mich!«, rief Gerlof. »Sie haben als kleiner Junge viel Zeit bei Ernst verbracht, nicht wahr?«

»Ja, zusammen mit meiner Mutter«, erklärte der Mann. »Wir waren relativ häufig bei ihm. Waren Sie Freunde?«

»Ja, das kann man wohl sagen. Ich heiße Gerlof Davidsson«, stellte er sich vor. »Und das ist Ihr Vater?«

»Jerry? Ja, das ist er.«

»Er redet nicht so viel, was?«

»Nein, er leidet an einer Art Dysphasie. Er hatte letztes Jahr einen Schlaganfall.«

»Ach so. Und warum trägt er zwei Uhren am Handgelenk?«

»Tja, woher soll ich das wissen!«, erwiderte Per und senkte den Blick. »Die eine zeigt die amerikanische Zeit an ... Jerry hatte immer schon ein Faible für die USA.«

»Wer sind denn Bremer und Markus Lukas?«

»Hat er die erwähnt?« Per sah seinem Vater hinterher und antwortete: »Hans Bremer war sein Kompagnon. Und Markus Lukas, das weiß ich gar nicht so genau ...« Er verstummte. »Ich muss ihn jetzt mal nach Hause bringen.«

Er machte sich auf den Weg, hielt aber an, als er Gerlofs Frage hörte:

»Werden Sie hier wohnen bleiben?«

Per nickte.

»Ich auf jeden Fall ... zusammen mit meinen Kindern. Ich habe letztes Jahr das Haus von Ernst geerbt.«

»Schön. Da geben Sie gut darauf acht.«

Per nickte erneut. Er reichte Gerlof eine Visitenkarte aus seinem Portemonnaie.

»Ich bringe ihn jetzt mal besser nach Hause ... hier sind meine Nummern drauf, falls er noch einmal bei Ihnen auftauchen sollte.«

Dann ging er zu seinem Vater, der am Gartentor stehen geblieben war.

»Komm, Jerry, wir müssen los.«

Gerlof sah sie durch das Tor gehen und hinter der Steinmauer verschwinden, Vater und Sohn, die vermutlich nicht viel miteinander anfangen konnten.

Es war schon komisch mit den Menschen und ihren Kindern. Sie standen einander so nahe, und doch waren die Beziehungen oft voller Spannungen.

Der ältere Herr hatte Gerlof an die etwas senilen Mitbewohner im Altersheim erinnert, mit denen es unmöglich war, beim Kaffee ein vernünftiges Gespräch zu führen. So wie mit Betrunkenen.

Sie verbrachten die meiste Zeit in ihrer eigenen Welt und hatten nur kurze Gastspiele in der Wirklichkeit. Aber dennoch kamen ab und zu ganz unerwartete Dinge und Informationen aus ihnen heraus. Gedanken, Geschichten und manchmal auch schamlose Geständnisse.

Zwei teure Uhren am Arm ...

Er fragte sich, womit Jerry Morner wohl sein Geld verdient hatte.

20

Als kleiner Junge hatte Per es geliebt, den Sonnenuntergang im Kalmarsund zu beobachten. An diesem Dienstagabend stellte er sich ans Fenster und wartete. Er hatte Jerry vor dem Fernseher platziert und wollte nachher Nilla anrufen, um mit ihr eine Uhrzeit abzusprechen, wann er sie abholen sollte. Aber jetzt wollte er erst einmal den Sonnenuntergang genießen.

Es war kurz nach acht Uhr. Die Sonne hatte schon viel früher am Abend nicht mehr gewärmt, aber sie blendete noch, so tief über der Wasserlinie hängend, ein scharfes, gelbes Licht. Erst als sie schon zur Hälfte hinterm Horizont verschwunden war, verlor sie auch ihre Leuchtkraft und färbte die versprengten Wolken über dem Festland dunkelrot wie Blutspuren.

Und mit einem Mal war sie weg. Der Himmel im Westen leuchtete zwar noch, als würde darunter ein großes Feuer lodern, aber die Dunkelheit senkte sich mit großer Geschwindigkeit über den Strand und den Steinbruch.

Per lehnte sich gegen das Fenster und betrachtete die Welt der Schatten dort unten. Er musste an die zertrümmerte Treppe denken. Vielleicht war es nur eine Einbildung – aber er meinte Schatten zu sehen, die sich zwischen den Haufen aus Bruchstein hin und her schlichen.

Seit dem Verhör im Polizeipräsidium hatten die Beamten nichts mehr von sich hören lassen, und Per hatte auch nicht in Växjö angerufen.

Mittwochmorgen fuhr er nach Kalmar, um Nilla abzuholen. In der Cafeteria des Krankenhauses lag eine Abendzeitung vom Vortag. Hastig blätterte er sie durch und fand eine kurze Meldung:

Mann nach Hausbrand vermisst

Seit einem zerstörerischen Brand am Sonntagabend in einem Anwesen im Wald außerhalb von Ryd, sechzig Kilometer südlich von Växjö, wird ein Mann vermisst.

Als die Feuerwehr und die Polizei gegen achtzehn Uhr zum Tatort gerufen wurden, stand das gesamte Haus in Flammen. Die Feuerwehr war darum bemüht, den Brand einzudämmen. Die Löscharbeiten dauerten bis Mitternacht an.

Das Anwesen wurde durch das Feuer total zerstört, und bei Redaktionsschluss war noch nicht geklärt, ob jemand in den Flammen ums Leben kam. Dem Besitzer des Grundstücks gelang es, dem Feuer zu entkommen, er wurde von der Polizei verhört, konnte aber keine Angaben zur Ursache des Brandes machen.

Ein Zeuge hat angegeben, dass mindestens noch eine Person in dem brennenden Haus war. Ein Angestellter des Besitzers, der das Haus als Wohnort und als Büro genutzt hat, wird vermisst. Die Polizei befürchtet, dass er in den Flammen umgekommen sein könnte.

So bald es möglich ist, werden die Kriminaltechniker das Gebäude untersuchen, um mögliche Opfer und die Ursache des Brandes zu ermitteln.

Per faltete die Zeitung wieder zusammen. Der »Besitzer des Grundstücks« war sein Vater, und der »vermisste Angestellte des Besitzers« war Hans Bremer. Er selbst war zum Glück auch anonym geblieben und wurde nur als »Zeuge« genannt, was ihn sehr beruhigte. Wenn die Journalisten herausbekämen, dass Jerry Morner der Besitzer war, würden sie wahrscheinlich ganz andere Dinge schreiben.

Noch gab es keine Fakten, aber die würden kommen.

Er ging zum Aufzug.

Nilla hatte sich Jeans und Pullover angezogen und wartete im Aufenthaltsraum der Abteilung. Sie hatte ihre Haare gebürstet und lächelte ihm entgegen. Sie sah noch dünner aus als vorgestern. Ihre Schultern waren so schmal und fühlten sich ganz knochig an, als er sie umarmte.

»Alles in Ordnung?«

Sie nickte.

»Sie haben gesagt, dass sie mit den Untersuchungen fertig sind. Mama war heute früh beim Arzt und hat mit ihm gesprochen.«

»Gut, dann werde ich sie anrufen ... Wollen wir losfahren nach Öland? Jesper wartet schon auf dich, und Jerry ist auch da.«

»Jerry?«

»Genau ... dein Opa.«

Nilla runzelte die Stirn.

»Warum?«

»Er wird über Ostern bei uns bleiben.«

Nilla nickte, ohne weitere Fragen zu stellen.

»Ich muss den hier mitnehmen«, sagte sie. »Haben wir genug Platz dafür?«

Sie deutete auf einen zusammengeklappten Rollstuhl, der im Flur stand.

Der Anblick des Rollstuhls jagte Per einen kalten Schauer über den Rücken – warum benötigte Nilla den denn? Er wollte sich erkundigen, aber es war weit und breit kein Arzt zu sehen.

»Klar doch«, antwortete er. »Der passt prima in den Kofferraum.«

Eine knappe Stunde später hatten sie das Haus am Steinbruch erreicht.

»Erinnerst du dich an das Sommerhaus?«, fragte Per, als sie auf die Auffahrt einbogen.

Nilla nickte.

»Du wolltest es letzten Sommer streichen ... hast du es gemacht?«

»Das habe ich nicht geschafft.«

»Und du wolltest auch irgendetwas bauen?«

»Ja, mache ich, wenn ich Zeit dafür finde«, wiegelte Per ab. »Wir haben auch vor, eine Steintreppe zu bauen. Aber heute Abend gehen wir erst einmal auf ein Fest.«

»Was für ein Fest denn?«, fragte Nilla.

»Ein Nachbarschaftsfest.«

Per stieg schnell aus dem Wagen, um weiteren Fragen zu entkommen. Dann stützte er Nilla auf dem Weg über den Kies zur Eingangstür.

»Ich kann allein gehen«, protestierte sie, hielt sich aber trotzdem an seinem Arm fest, als er sie durch den Flur in ihr kleines Zimmer führte.

»Das ist dein Zimmer«, sagte er. »Geputzt und gelüftet.«

Nilla ließ sich vorsichtig auf ihr Bett sinken, und Per ging zurück zum Wagen, um ihr Gepäck und den Rollstuhl zu holen.

Jesper saß an seinem Computer, aber Jerry war nirgendwo zu sehen.

Per ging hinaus auf die Terrasse. Dort kauerte sein Vater in einem der Liegestühle, den Sonnenhut tief ins Gesicht gezogen, die Augen geschlossen. Seine Aktentasche lag wie ein alter brauner Hund zu seinen Füßen.

»Hallo, Jerry.« Per hockte sich vor ihn und legte ihm die Zeitung auf die Knie. »Lies das hier mal.«

Aber Jerrys Blick heftete sich nicht auf die Zeitung, sondern auf etwas hinter Pers Rücken.

Per drehte sich um und sah, dass Nilla in der Terrassentür stand. Ihre Arme hingen müde an ihrem Körper herunter, aber sie lächelte Jerry an.

»Hallo, Opa«, begrüßte sie ihn. »Wie geht es dir?«

Jerry nickte, statt zu antworten. Langsam hob er den rechten Arm und räusperte sich.

»Hallo«, erwiderte er.

Per hielt den Atem an. Sein erster Impuls war es, seine Tochter vor Jerry zu beschützen, dabei war das gar nicht nötig.

»Opa spricht nicht so viel«, erklärte er also nur. »Ich komme auch gleich rein ... wir essen bald.«

Nilla nickte und verschwand wieder im Haus.

Per zeigte mit dem Finger auf den Artikel über den Brand.

»Jerry, das hört sich so an, als wäre Hans Bremer im Haus gewesen. Er wird, laut Polizei, auch noch immer vermisst.«

Sein Vater hörte ihm zwar zu, reagierte aber nicht.

»Bremer«, war das Einzige, was er sagte.

Dann hob er sein Hemd hoch und zeigte Per das große Pflaster auf seinem Bauch. Per schüttelte den Kopf.

»Jerry, warum hat Bremer dich verletzt?«

Jerry kämpfte, um die richtigen Worte zu finden, endlich brach es aus ihm heraus:

»Angst«, sagte er.

Per nickte. Er wollte seinen Vater zwar nicht gerne allein im Haus zurücklassen, fragte sich aber ernsthaft, ob es eine gute Idee war, ihn mit zu dem Nachbarschaftsfest zu nehmen.

21

Heute würde die Party steigen. Einige Menschen hatten Nachbarschaftsfehden, aber die Familien am Steinbruch feierten gemeinsam ein Fest – was Vendela Larsson zu verdanken war. Sie mussten ihr nicht dankbar sein, aber ohne sie würde so etwas tatsächlich niemals stattfinden.

Es war sechs Uhr abends, als Vendela begann, die lange Festtafel auf der großen Veranda mit Tellern und Weingläsern zu decken. Im Westen über dem Kalmarsund glühte die Sonne in gelben und roten Schattierungen wie ein erlöschender Brand. In wenigen Stunden würde sie untergegangen sein. Vendela wusste, dass es abends kalt werden konnte, und legte mehrere dicke Decken bereit, in die sich ihre Gäste einwickeln konnten. Und zusätzlich gab es schließlich auch noch die Heizstrahler, die jederzeit eingeschaltet werden konnten.

Max war im Bademantel aus seinem Arbeitszimmer gekommen und wollte in die Sauna gehen. Auf nackten Füßen lief er über den Steinfußboden im Wohnzimmer, blieb aber kurz stehen und sah durch die Verandatür.

»Bist du gut vorangekommen?«, fragte Vendela.

»Ja, ganz gut«, antwortete Max, »Der Anfang ist so weit fertig ... du kannst ihn dir bald mal ansehen.«

»Sehr gern«, sagte Vendela, die ihm am Abend zuvor ihren Entwurf für eine Einleitung auf den Schreibtisch gelegt hatte.

»Der Rest sind ja Rezepte und Fotos«, erklärte Max. »Da bekommen wir schon was Ordentliches zusammen.«

Er war viel ausgeglichener, wenn er ein paar Stunden ungestört arbeiten durfte und danach noch in die Sauna ging.

»Nicht zu heiß, Max«, ermahnte ihn Vendela. »Denk an dein Herz!«

Vendela hatte fast den ganzen Tag in der Küche verbracht. Das Ergebnis waren verschiedene Fleisch- und Käsepasteten, die im Ofen warm gehalten wurden. Und jetzt war auch die Festtafel fertig gedeckt.

Gegen halb sieben waren alle Vorbereitungen getroffen. Max stieß nach seinem Saunagang frisch geduscht und umgezogen dazu, und Vendela konnte ihn überreden, alle Gartenstühle auf die Veranda zu tragen und die Windlichter auf dem Tisch anzuzünden. Dann schickte sie ihn los, um den alten Kapitän von der anderen Straßenseite abzuholen.

Eine Viertelstunde später kam er mit Gerlof Davidsson im Rollstuhl zurück. Gerlof trug einen Smoking – der glänzte und war mindestens fünfzig Jahre alt. Begleitet wurde er von John Hagman, der in einem schwarzen Anzug mit braunen Lederflicken an den Ellenbogen kam.

Max schob den Rollstuhl über den kleinen Weg aus Steinplatten, doch als Vendela die Eingangstür öffnete, erhob sich Gerlof und betrat mit kerzengeradem Rücken das Haus. Im Stehen war er beinahe einen Kopf größer als Max, stellte Vendela überrascht fest.

»Ja, ich kann auch gehen, ab und zu«, sagte Gerlof zur Begrüßung. Dann überreichte er Vendela ein kleines Paket. »Für Sie, ich habe es heute früh eigenhändig hergestellt.«

»Oh, vielen Dank.«

Vendela öffnete das Paket, aus dem ihr ein scharfer Teergeruch entgegenschlug. Das Geschenk bestand aus einem Stück Tau, das raffiniert zu einem kleinen Untersetzer geknüpft war.

»Das ist ein Walknoten«, erläuterte Gerlof. »Der soll Glück und Freude bringen.«

Vendela wurde von dem Teergeruch ein bisschen schwindelig, so als hätte sie zu starke Tabletten genommen – aber sie lächelte Gerlof freundlich dankend an.

Auch die anderen Nachbarn waren sehr pünktlich. Das junge, schöne Paar Kurdin kam als Erstes, eine Minute nach sieben, das Baby schlief im Kinderwagen. Christer Kurdin bedankte sich lächelnd für die Einladung und lobte das schöne Haus – er schien umgänglicher zu sein als seine große und eiskalte Frau, die ein dunkelgraues Leinenkostüm trug. Marie Kurdin nickte der Gastgeberin nur kurz zu und stolzierte dann erhobenen Hauptes auf die Veranda.

Familie Mörner kam fünf Minuten später; der Vater Per und seine Teenagerzwillinge. Das Mädchen Nilla hatte sich bei ihrem Bruder eingehakt. Sie war sehr mager und blass und machte nur kleine Schritte. Vendela lächelte sie an, war aber dennoch besorgt. War sie vielleicht magersüchtig?

Als Per Mörner dem Gastgeber die Hand reichte, sah Vendela, wie ihr Mann erstarrte. Die Männer hatten sich seit dem Zwischenfall auf dem Parkplatz am vergangenen Freitag nicht mehr gesehen.

Keiner der beiden lächelte.

»Alles in Ordnung?«, fragte Per.

»Klar«, entgegnete Max, erwiderte den Händedruck und nickte Jesper zu, um zu signalisieren, dass er nicht grundsätzlich gefährlich war.

Die Familie Mörner hatte einen weiteren Gast mitgebracht, den Vendela nicht kannte: einen älteren, gebückt gehenden

Mann mit grauem, nach hinten gekämmtem Haar. Er stolperte, als er über die Türschwelle ging, und Per packte ihn am Arm. Dann nickte er den Gastgebern zu.

»Das ist mein Vater, Jerry Morner.«

Jerrys Blick wirkte müde und leer, als er ihn langsam an Vendelas Körper hinabgleiten ließ, während sie seine Hand schüttelte. Er sagte kein Wort und wirkte insgesamt ein bisschen zerstreut. Unter die linke Achsel hatte er sich eine alte Ledermappe geklemmt.

Nach der Begrüßung schlurfte er einmal quer durch die Eingangshalle. Vendela ging in die Küche, um die letzten Pasteten zu holen.

Max stellte sich an den Bartresen vor dem Panoramafenster und bot seinen Gästen wahlweise Whiskey, Dry Martini oder Saft an.

Die Unterhaltung zwischen Hausherr und Gästen kam zwar langsam, aber sicher in Gang und drehte sich zuerst um Vergleiche der verschiedenen Häuser am Steinbruch. In erster Linie unterhielten sich die Männer, allen voran Max und Christer Kurdin, die ihre Neubauten aneinander maßen. Sie konkurrierten um die wildesten Geschichten. Vendela hörte, wie sich ihre Stimmen überlagerten:

»Ich habe gesehen, dass Sie viele Glasfronten haben, aber unsere Steinmauern sind im Hochsommer wahrscheinlich wesentlich kühler ...«

»Souterrain? Ja, so gewinnt man natürlich mehr Fläche ...«

»Die Zeit der Perstorp Fassadenplatten ist vorbei, das ist sozialer Wohnungsbau.«

»Harmonische Proportionen sind immens wichtig, nicht nur der Entwurf ...«

Zehn oder fünfzehn Minuten später hatte Vendela alle Platten herausgetragen, und Max ermunterte die Gäste, auf die Veranda hinauszugehen. Im Westen schwebte die Sonne über der schwarzen Silhouette des Festlandes wie ein Gemälde in Rot und Gelb. Das Meer erstreckte sich als glatter dunkelblauer Teppich davor.

Max schaltete die Heizstrahler ein, die auf der Veranda ange-bracht waren und schwach zu glühen begannen. Die kalte Abend-luft wurde fast sommerlich warm.

»Sind alle da?«, fragte er und sah in die Runde, die sich auf der Veranda versammelt hatte.

»Ich glaube schon«, sagte Vendela.

Max nickte, klopfte mit dem Messer an sein Weinglas und er-hob die Stimme:

»Bitte setzen Sie sich! Freie Platzwahl!«

Das Geraune verstummte, die Gäste nahmen Platz, und Max lächelte ihnen aufmunternd zu.

Vendela konnte sehen, dass Max in der Rolle des Gastgebers aufging. Als Bühnenkünstler. Er fühlte sich ausgesprochen wohl in dieser Rolle und strahlte Sicherheit aus, wenn er im Zentrum stand und alle Blicke auf ihm ruhten. So hatte sie sich damals in ihn verliebt.

»Ich heiße Sie alle herzlich willkommen.« Max hob sein Weinglas und fuhr fort: »Meine wunderbare Frau und ich ha-ben den ganzen Tag in der Küche verbracht, um diese kleinen Köstlichkeiten herzurichten. Viele der Rezepte stammen aus meinem neuen Buch ... daher hoffen wir sehr, dass es Ihnen schmeckt!«

22

Gerlof hatte sich eigentlich vorgenommen, zu seinen neuen Nachbarn auf Distanz zu bleiben. Aber nach den ersten Gläsern Whiskey fühlte er sich ziemlich wohl auf der ausladenden Ve-randa aus geölten Holzplanken.

Die Gastgeber hatten einen großen Ledersessel nach draußen getragen und ihn wie den Patriarchen am Kopfende der Tafel platziert. Die zierliche Hausherrin, Vendela Larsson, hatte ihm eine Decke über die Beine gelegt, und auch sonst musste er sich um nichts kümmern – alle reichten ihm pausenlos die verschiedenen Gerichte und Getränke an. Gemütlich zurückgelehnt saß er neben seinem Freund John und genoss den Abend.

Zwei große Gläser Whiskey waren genau genommen eines zu viel für ihn, und er hoffte sehr, dass sich jemand anbieten würde, ihn in seinem Rollstuhl nach Hause zu schieben – bloß nicht zu spät. Es war schon halb neun, der Alkohol machte ihn ganz schläfrig, aber die anderen Gäste schienen es nicht im Geringsten eilig zu haben, ihre Teller leer zu essen. Sie waren noch lange nicht beim Nachtisch angekommen.

»Sagen Sie, Gerlof, Sie haben also mit John hier unten im Steinbruch gearbeitet?«, fragte Per und nickte mit dem Kopf zu dem schwarzen Loch hinter ihnen.

»Nur im Sommer, als wir Kinder waren«, erwiderte Gerlof.

»Bevor wir Seemänner wurden«, ergänzte John.

»Sie waren Steinhauer?«, fragte Max Larsson, der nicht richtig zugehört hatte.

Gerlof schüttelte den Kopf.

»Wir waren zu dünn und zu schwächlich.«

»Ach was. War das so ein harter Job?«

Gerlof schwieg. Er überlegte, ob diese Menschen vom Festland überhaupt begriffen, dass der Steinbruch ein ehemaliger Arbeitsplatz war – oder ob sie ihn nur als eine Art Panoramaaussicht ansahen, die zu ihrer Freude oberhalb des Strandes angelegt worden war und sie mit niedlichen Steinhäufchen hier und da und kleinen Seen aus Regenwasser verzückte, in denen sie baden konnten.

Sie würden niemals verstehen, was für eine Schinderei es bedeutet hatte, den Kampf gegen den Berg zu gewinnen, ihm Tag für Tag den Kalkstein abzutrotzen, nur mit Brecheisen und Hammer bewaffnet. Sein Freund Ernst hatte ihm einmal erzählt, dass er im Lauf seiner vierzigjährigen Arbeitszeit im Steinbruch bestimmt an die fünfzigtausend Meter Kantenstein aus Kalkstein geschlagen hatte: für Treppen, Straßen und Bürgersteige rund um die Ostsee.

Und natürlich Grabsteine. Für Grabsteine hatte es immer Bedarf gegeben, auch in schlechteren Zeiten.

»Nein, Steinhauer sind wir nicht geworden.« Gerlof sah zu John. »Aber wir waren fleißige Gehilfen, erinnerst du dich noch? Wir haben den Männern Werkzeuge gebracht, den Wassergeist gesäubert und solche Sachen.«

»Den Wassergeist?«, wiederholte Per fragend.

»Die Hütte, in der die Arbeiter Pause machten, wurde so genannt.«

In diesem Moment wurde Gerlof bewusst, dass John und er wahrscheinlich die Letzten im Ort waren, die sich an diesen Begriff noch erinnerten. Die Steinhauer waren alle schon weg.

Gerlof nahm einen Schluck von seinem Whiskey und fuhr fort:

»Früher glaubte man, dass der Troll im Steinbruch lebt. Allerdings bin ich auf ein ganz anderes Wesen gestoßen, als ich ein kleiner Junge war ...«

Er registrierte, wie John neben ihm die Schultern hängen ließ. Er hatte diese Geschichte schon viele Male hören müssen. Trotzdem fuhr Gerlof mit seiner Erzählung fort:

»Als ich etwa acht oder neun Jahre alt war, habe ich im Steinbruch einen Kranich gefunden. Es war schon Abend, und alle Steinhauer waren bereits nach Hause gegangen. Das Vogeljunge lag vor mir im Kies. Ich wusste nicht, wo es hergekommen war, es war auch zu jung, um selbst fliegen zu können, aber seine Eltern waren nirgendwo zu sehen. Vielleicht hatte der Fuchs sie erwischt ... Also nahm ich das Junge mit, legte es in unserem Schuppen auf etwas Heu und fütterte es mit alten Kartoffeln. Als es größer geworden war, trug ich es nach draußen und wollte es in die Freiheit entlassen. Aber es weigerte sich, von meiner Seite zu weichen. Es war von mir geprägt.« Gerlof kicherte in sich hinein. »Der Kranich folgte mir den ganzen Sommer lang auf dem Fuß, wie ein Hund auf zwei Beinen. Immer wenn ich ihn loswerden wollte und versuchte, mich heimlich davonzustehlen, flog er in die Höhe und drehte über dem Ort seine Kreise, bis er mich wieder entdeckt hatte ... Einen Sommer lang hatte ich einen Kranich als Haustier, bis der Herbst kam und er zusammen mit seinen Artgenossen gen Süden zog.«

Alle am Tisch lachten herzlich über die Geschichte.

»Als Sie dann später zur See fuhren«, fragte Per interessiert, »waren Sie da das ganze Jahr unterwegs?«

»Nein, im Winter froren die Frachter im Hafen ein, da hatten wir frei«, sagte Gerlof. »Im Dezember gingen wir alle an Land und hatten die folgenden Monate eine ruhige Zeit, solange das Meer weiß war. Da beschäftigte man sich mit kleineren Reparaturen an seinem Frachter, überprüfte den Motor und besserte die Segel aus. Die restliche Zeit saß man mit den anderen Kapitänen zusammen und wartete auf den Frühling.«

Er sah hinunter in den Steinbruch:

»Aber der Kalkstein wurde selbstverständlich den ganzen Winter hindurch abgetragen und im Hafen aufeinandergestapelt. Tausende von Tonnen. Dann kam die Frühlingssonne, das Eis verschwand aus dem Sund, und es wurde wieder Zeit, die Segel zu hissen.«

»Auf dem Meer im Frühlingswind«, schwärmte Marie Kurdin. »Das muss doch wunderbar gewesen sein.«

Gerlof schüttelte den Kopf.

»So romantisch war das keineswegs.«

»Gab es viele Unfälle?«, fragte Per. »Auf Grund laufen oder so etwas?«

»Nicht bei uns«, warf John ein. »Wir hatten kein einziges Mal Grundberührung.«

»Stimmt, nicht ein Mal in dreißig Jahren«, bestätigte Gerlof. »Einer unserer Frachter sank bei einem Feuer, aber auf Grund sind wir nie gelaufen ... Aber es war eine harte Arbeit, die Seefahrt, hart und einsam. Ich habe versucht, meine Frau und meine Töchter so oft es ging mitzunehmen, aber meistens waren John und ich allein auf dem Frachter, tagein, tagaus. Die Familie blieb zu Hause.«

Er wandte den Blick ab und musste an seine Ella denken.

Natürlich glaubte er nicht an Trolle. Aber wer war dieser seltsame Gast, der Ella besucht hatte, während er zur See gefahren war?

23

Vendela hatte ein paar Gläser Wein getrunken und wurde ganz allmählich ein wenig lockerer. Da hörte sie plötzlich eine laute Stimme auf der anderen Seite des Tisches, alkoholisiert und dadurch noch unnachgiebiger.

»Nein, ich bezahle keine Steuern in Schweden«, tönte Max laut. »Mein Unternehmen ist hier gar nicht registriert, das wäre viel zu teuer ... Außerdem traue ich dem schwedischen Steuersystem nicht über den Weg. Die wollen doch nur die Leute klein halten.«

Max lachte einmal quer über den Tisch. Vendela fühlte sich gezwungen, seine Position ein bisschen zu relativieren.

»Natürlich bezahlst du Steuern hier, Max.«

Er sah sie an, und sein Lachen erstarb.

»Wenn ich unbedingt muss, ja. Aber so wenig wie möglich.«

Dann hob er sein Weinglas, als würden sie alle einem ökonomischen Klub Gleichgesinnter angehören. Da ertönte eine andere laute Stimme:

»Ich bezahle gerne Steuern.«

Das war Christer Kurdin.

»Ach ja?«, entgegnete Max. »Womit verdienen Sie denn Ihr Geld?«

»Netzsicherheit!«, lautete die knappe Antwort.

Auch er hatte schon einige Gläser Wein getrunken, neben seinem Teller stand eine fast leere Flasche weißer Bordeaux. Sein Blick war benebelt, als er sich an Max wandte.

»Ich habe euch alle so satt«, sagte er.

»Wie bitte?«, fragte Max.

»Euch Steuerflüchtlinge ... Ich habe diese Betrügereien so satt.«

Max senkte sein Glas.

»Ich bin kein Betrüg...«

»Sie benutzen doch die Straßen in Schweden, oder etwa nicht?«, unterbrach ihn Christer Kurdin.

»Wie meinen Sie das?«

»Na, Sie sind doch über die Ölandbrücke auf die Insel gefahren?«

Max runzelte die Stirn.

»Was hat das denn damit zu tun?«

»Unsere Steuern haben diese Brücke finanziert«, erklärte Christer. »Und die Straßen. Und alles andere, was wir pausenlos in Anspruch nehmen. Schulen, Krankenhäuser, Renten ...«

»Die Renten?«, wiederholte Max. »Die Renten in unserem Land sind doch ein einziger Witz. Und das Gesundheitswesen auch.«

»Das Gesundheitswesen ist kein Witz«, widersprach eine Stimme am anderen Ende des Tisches. »Die Menschen, die dort arbeiten, machen einen phantastischen Job.«

Vendela sah, dass Per Mörner das Wort ergriffen hatte.

»Ganz genau, wir bekommen sehr viel für unser Geld«, stimmte Christer zu und wandte sich wieder an Max. »Und wenn alles so schrecklich ist in Schweden, warum leben Sie dann überhaupt noch hier?«

Max starrte seinen Nachbarn an und schien darüber nachzudenken, in was für eine Gesellschaft er da geraten war.

»Der Sommer macht alles wieder wett«, erwiderte er und leerte sein Glas.

»Wer möchte noch etwas Wein?«, fragte Vendela in die Runde.

Keiner antwortete, niemand schien sie gehört zu haben, also nahm sie noch einen Schluck und lauschte der Stimmenkulisse. Wenn man die Augen schloss, klang es fast wie Gesang. Eine Reihe von Solisten, die sich um ihren Tisch versammelt hatten.

Einen kurzen Augenblick lang hatte sie einen merkwürdigen Geruch in der Nase. Eine Mischung aus verbranntem Gummi und Schwefel, aber das war wahrscheinlich nur Einbildung. Es war dunkel geworden im Steinbruch, überall war es jetzt dunkel. Nur die Veranda war hell erleuchtet.

Am Rand des Steinbruches zu sitzen war, als würde man an der Kante eines pechschwarzen Kraters stehen, eines schlummernden Vulkans.

Plötzlich hörte sie eine laute Männerstimme von der anderen Tischseite:

»Kennt sich einer von den Zugezogenen hier im Norden von Öland aus? Oder hat einer von Ihnen vielleicht früher hier gelebt?«

Erneut hatte sich der junge Nachbar Christer Kurdin zu Wort gemeldet. Er hielt sein Weinglas in der Hand und sah die Gäste am Tisch reihum freundlich an, als ob er nichts Böses im Schilde führte. Natürlich tat er das nicht, er war nur neugierig.

»Vendela stammt von Öland«, sagte Max kurz angebunden.

Nicht alle Gespräche verstummten, aber viele Gesichter wandten sich ihr zu. Sie nickte verlegen.

»Ich habe als kleines Kind hier gelebt.«

»Auch in Stenvik?«, hakte Marie Kurdin interessiert nach.

»Nordöstlich davon ... wir hatten einen kleinen Bauernhof.«

»Das klingt aber idyllisch. Mit Kühen, Gänsen und Katzen?«

»Nur Hühner ... und ein paar Kühe«, antwortete Vendela. »Ich habe mich um sie gekümmert.«

»Wie idyllisch«, wiederholte Marie Kurdin. »Die Stadtkinder von heute sollten auch lernen, sich um Tiere zu kümmern.«

Vendela nickte. Sie wollte nicht so gern an die drei Rosas denken. An den Frust und die Sehnsucht, dem allem zu entfliehen. Woher kam das nur?

Rosa, Rosa und Rosa waren schon lange tot. Alle Wesen, die sie auf der Insel gekannt hatte, waren schon lange tot.

Sie nahm einen Schluck Wein.

Gerlof Davidsson saß ihr schräg gegenüber und schien sich

wohlzufühlen. Vendela lehnte sich ein bisschen vor und fragte ihn:

»Mein Vater war auch Steinhauer hier, er hieß Henry. Kannten Sie ihn zufällig, Gerlof?«

Er sah sie freundlich an, hatte sie aber offensichtlich nicht verstanden. Sie erhob ihre Stimme:

»Kannten Sie Henry Fors, Gerlof?«

Jetzt hatte er sie gehört, und ihre Frage ließ sein Lächeln ersterben.

»Ja, Henry Fors kannte ich ... er war doch einer der Letzten, die im Steinbruch gearbeitet haben. Er war ein hervorragender Steinschleifer. Sind Sie mit ihm verwandt?«

»Er war mein Vater.«

Gerlofs Gesichtsausdruck veränderte sich, er sah verstimmt aus, oder eher betrübt?

»Ach so, das tut mir leid ...«

Vendela wusste, worauf er anspielte, und senkte den Blick.

»Das ist lange her.«

»Ich habe Henry immer morgens mit dem Rad vorbeifahren sehen«, erzählte Gerlof. »Manchmal sang er so laut, dass es nur so über die Alvar dröhnte.«

Vendela nickte.

»Er hat auch zu Hause viel gesungen.«

»Henry ist ziemlich früh Witwer geworden, nicht wahr?«

Erneut nickte sie.

»Meine Mutter starb nur wenige Jahre nach meiner Geburt. Ich erinnere mich gar nicht mehr an sie ... aber ich glaube, dass mein Vater sie sein Leben lang vermisst hat.«

»Haben Sie ihn in den Steinbruch begleitet?«

»Nur ein einziges Mal. Mein Vater sagte immer, das sei zu gefährlich. Frauen und Kinder hätten im Steinbruch nichts zu suchen, das bringe nur Unglück.«

»Ja, die Männer waren alle ein bisschen abergläubisch«, sagte Gerlof. »Sie sahen die unterschiedlichsten Zeichen in den Steinen und glaubten an Trolle und Gespenster. Besonders die

Trolle sorgten für viel Kummer bei den Steinhauern. Sie stahlen ihre Stemmeisen und Hammer und versteckten sie oder ließen sie ganz verschwinden ... selbstverständlich war es einfacher, einem Sagenwesen die Schuld zu geben als den eigenen Kollegen.«

»Meinen Sie, die haben sich gegenseitig bestohlen?«

»Nein.« Gerlof schüttelte den Kopf und lächelte sie an. »Das war bestimmt ein Troll.«

»Troll«, sagte eine heisere Stimme neben ihm.

Sie gehörte dem dritten älteren Herrn am Tisch, Per Mörners Vater.

Vendela konnte sich nicht an seinen Namen erinnern. Billy oder Barry oder Jerry? Er hatte die meiste Zeit in sich zusammengesunken dagesessen und eine Zigarette zwischen seinen gelben Fingern gehalten. Aber jetzt richtete er sich auf und blickte aufgewühlt in die Runde.

»Markus Lukas«, stieß er hervor. »Markus Lukas ist krank.«

24

Es war halb elf, und Per saß auf der Veranda der Nachbarn und lauschte den zischenden Atemzügen seines Vaters. Er klang an diesem Abend schlimmer als sonst – wie der Atem eines Mannes, der nicht mehr lange zu leben hat, aber vorhat, sich bis zum Schluss zu amüsieren.

Jerry schien sich wohlzufühlen. Manchmal sank er in sich zusammen und starrte auf seinen gelähmten Arm. Dann plötzlich richtete er sich mit einem Ruck auf und hob das Weinglas. Ab und zu sah er verängstigt aus, dann wiederum lächelte er in sich hinein. Offenbar hatte er vergessen, dass sein Geschäftspartner Hans Bremer als vermisst galt und ihr Filmstudio – genau genommen das gesamte Unternehmen Morner Art – vor nicht mehr als drei Tagen in Rauch und Flammen aufgegangen war.

Das heisere Husten seines Vaters war den ganzen Abend über zu hören gewesen, aber mit zunehmendem Weinkonsum war auch sein Lachen häufiger geworden. Er hatte sich seit Beginn des Essens bestimmt vier oder fünf Gläser eingegossen und war eindeutig angetrunken, vermutete Per. Aber das würde den Familienfrieden schon nicht stören, schließlich war es nicht das erste Mal.

Mittlerweile war es pechschwarz, und dicke Wolken bedeckten den Abendhimmel. Per spürte etwas Kaltes auf seiner Wange und stellte fest, dass ein feiner Nieselregen eingesetzt hatte.

Bald war es Zeit, ins Haus zu gehen. Jeder in sein eigenes.

Nilla schlief schon längst im Sommerhaus. Per blickte hinüber und konnte in der Entfernung nur die eine Lampe im Wohnzimmer brennen sehen. Er hatte Nilla bereits früh am Abend im Rollstuhl nach Hause gefahren – sie hatte Per zugeflüstert, dass sie nicht mehr sitzen konnte. Hatte sie überhaupt etwas gegessen? Er war sich nicht ganz sicher.

Jesper hatte noch ein bisschen länger ausgehalten, ehe er dann auch zurück zur Casa Mörner und hoffentlich früh ins Bett gegangen war.

Per wollte auch bald aufbrechen und Jerry mitnehmen. Er hatte die Nachbarn jetzt kennengelernt, und sie alle schienen ganz nette und zuverlässige Leute zu sein, aber er hatte nicht vor, sich mit ihnen anzufreunden. Er musste nur seine Hütte mit ihren Häusern vergleichen, um zu erkennen, wie unterschiedlich sie waren.

Da kam eine Frage quer über den Tisch:

»Womit beschäftigen Sie sich denn, Jerry?«

Max Larsson hatte sie gestellt.

Jerry stellte sein Weinglas ab und schüttelte den Kopf. Er fand nur ein Wort:

»Frei.«

»Okay, aber was tun Sie so, wenn Sie nicht hier bei uns sitzen?«

Jerry sah seinen Sohn verwirrt an. Per lehnte sich vor.

»Jerry ist jetzt Pensionär ... Er hat viele Jahre lang eine Firma geleitet, aber in den letzten Jahren musste er kürzertreten.«

Max nickte, ließ aber nicht locker.

»Und was war das für eine Firma? Jerry Morner ... ich sitze hier schon die ganze Zeit und überlege, ich bin der Meinung, dass ich Ihren Namen irgendwoher kenne.«

»Aus den Medien«, sagte Per. »Jerry war in den Medien tätig. Das bin ich auch.«

»Ach, tatsächlich«, Max war auf einmal sehr interessiert. »Arbeiten Sie fürs Fernsehen?«

»Nein ... ich arbeite in der Marktforschung.«

»Ach so.« Max sah enttäuscht aus.

»Und ich gehe gern joggen«, lenkte Per ab und sah die anderen Gäste an. »Obwohl das ja eher ein Hobby ist. Teilt jemand hier diese Leidenschaft?«

»Ich laufe auch«, sagte eine Stimme aus der Dunkelheit. »Ich mache das schon seit Jahren.«

Die Gastgeberin Vendela hatte geantwortet. Sie hatte große, schöne Augen.

»Super!«, sagte Per und lächelte sie an.

Er wollte bald aufbrechen und dieses enorme Haus verlassen und in sein kleines Heim zurückkehren. Aber in diesem Augenblick setzte sich Jerry neben ihm mit einem Ruck auf und starrte Max Larsson an. Sein Blick war glasklar und konzentriert, als wüsste er ganz genau, wer er war.

»Filme!«, stieß er hervor.

Max wandte sich ihm zu.

»Wie bitte?«

»Filme und Zeitschriften.«

»Ach ja?«

Max lachte unsicher, als ob Jerry sich einen Scherz mit ihm erlaubte. Jerry hingegen schien irritiert darüber, dass er offensichtlich nicht ernst genommen wurde. Mit lauter Stimme fuhr er fort:

»Ich und Bremer und Markus Lukas ... Filme und Zeitschriften. Bräute!«

Alle Gespräche am Tisch verstummten schlagartig, alle Blicke ruhten auf Jerry, nur Per wollte nicht aufschauen.

Jerry hingegen schien die Aufmerksamkeit sehr zu genießen, fast stolz sah er aus. Er streckte den Arm aus und zeigte mit seinem Finger über den Tisch. Per wusste, das es kein Entrinnen gab.

»Fragt Pelle!«

Per starrte vor sich hin und tat so, als würde er gar nicht zuhören, als wäre Jerry es gar nicht wert, dass man ihm zuhörte. Als er sich endlich aufraffte, den Kopf zu heben und seinen Vater anzusehen, war es bereits zu spät.

Jerry hatte sich seine Aktentasche auf den Schoß gehievt – er hatte sich geweigert, sie zu Hause zu lassen. Er ließ die Schnallen schnalzen und zog etwas aus dem Inneren der Tasche. Es war eine Zeitschrift, erkannte Per, aus dickem Hochglanzpapier.

Sein Vater warf sie in die Mitte des Tisches und lächelte stolz.

Der Titel der Zeitschrift prangte in roten Lettern auf dem Umschlag: BABYLON. Darunter rekelte sich eine nackte Frau mit gespreizten Beinen auf einem Sofa und lächelte.

Per stand auf. Es verging eine Ewigkeit, bis er imstande war, den Arm auszustrecken und die Zeitschrift an sich zu nehmen. Aber natürlich hatten schon alle gesehen, was darauf abgebildet war – Vendela Larsson hatte sich mit weit aufgerissenen Augen vorgebeugt, um das Foto genau zu studieren.

Dazu dröhnte die Stimme seines Vaters quer über die Veranda: »Bräute! Nackte Bräute!«

25

Am Morgen nach dem Fest wollte Per einfach nicht wach werden. Es war Viertel vor neun. Er blieb im Bett liegen, sah an die Decke und blinzelte.

Es war Gründonnerstag. Das Osterwochenende stand vor der Tür, oder hatte es schon angefangen? Wie sollten sie es feiern, so wie die Dinge jetzt standen?

Sie mussten versuchen, das Beste daraus zu machen, er hatte es Nilla versprochen. Mit Eiern – Hühnereiern und Schokoladeneiern.

Da fiel Per das gestrige Fest wieder ein.

Jerrys heiseres Lachen, Vendela Larssons nervöses Lächeln den anderen Gästen gegenüber.

Und mitten auf dem Tisch die Pornozeitschrift.

Im Haus war es still, aber in seinem schmerzenden Kopf hörte er das Echo von Stimmen und Rufen. Er hatte zu viel Rotwein getrunken, das war er einfach nicht gewöhnt. Nach dem peinlichen Zwischenfall mit der Zeitschrift hatte Per noch drei oder vier Gläser hintereinander geleert, ehe Vater und Sohn sich schließlich verabschiedet und auf den Heimweg gemacht hatten.

»Markus Lukas«, hatte Jerry mehrmals wiederholt.

Dieser Name und Vendelas Lächeln hatten in Per die Erinnerung an Regina aufleben lassen, der er vor vielen Jahren an einem sonnigen und warmen Frühlingstag begegnet war.

Sie hatte auch dieses nervöse Lachen gehabt, zwei große blaue Augen, die umrahmt waren von kurzen braunen Haaren und hohen Wangenknochen voller Sommersprossen.

War Regina seine erste große Liebe gewesen? Zumindest hatte er sie wesentlich aufregender gefunden als alle anderen Mädchen aus der Schule. Älter als er und so mondän und erfahren. Er war damals dreizehn Jahre alt gewesen, und sie hatten an diesem besagten Tag mehrere Stunden lang nebeneinander im Auto gesessen.

An einem Frühlingstag mit einem hübschen Mädchen einen Ausflug im Auto zu unternehmen hätte ein Leichtes sein können. Aber nicht für Per.

Regina hatte auf dem Rücksitz gesessen, als Jerry und sein Kumpel mit dem Cadillac bei Pers Mutter Anita vorgefahren waren, um ihn abzuholen. Ausnahmsweise war Jerry an diesem Tag pünktlich. Sie würden das Osterwochenende miteinander verbringen, Vater und Sohn.

Wie alt mochte Regina gewesen sein? Einige Jahre älter als Per, vielleicht sechzehn oder siebzehn? Sie hatte ihn angelacht, und als er sich neben sie ins Auto gesetzt hatte, hatte sie ihm über den Kopf gestreichelt, als wäre er ein kleiner Junge.

Das war Jerrys Schuld, denn kaum hatte er Platz genommen, nannte sein Vater ihn »mein Junge«.

»Regina«, sagte Jerry, eine große schwarze Sonnenbrille auf der Nase, er blies den Zigarrenqualm aus und drehte sich zu ihnen um, strich Regina über die Wange und sagte: »Das ist mein Junge ... Pelle.«

Per hätte auch gerne die Wange eines Mädchens gestreichelt, so wie sein Vater.

»Ich heiße Per«, korrigierte er.

Regina kicherte und wuschelte mit ihren schmalen Fingern durch sein Haar.

»Wie alt bist du denn, Per?«

»Fünfzehn«, log er.

Er fühlte sich wahnsinnig erwachsen in Jerrys Wagen und wurde immer mutiger. Er lächelte Regina an und fand, sie sei das schönste Mädchen, das er jemals gesehen hatte. Sie hatte ein wunderbares Lächeln, und er verliebte sich von Sekunde zu Sekunde mehr in sie. Heimlich betrachtete er sie von der Seite, ihre braun gebrannten Beine, die unter dem kurzen Kleid verschwanden, und ihre schmalen Hände, die aus den Ärmeln der Lederjacke lugten. Ihre Finger flatterten durch die Luft wie Schmetterlinge, wenn sie sich mit Jerry oder dem Fahrer unterhielt. Per konnte nur seinen Hinterkopf sehen, er hatte breite Schultern und dickes schwarzes Haar – wahrscheinlich ein guter Freund von Jerry. Sein Vater hatte viele Freunde.

Dann fuhren sie los. Per spürte, wie seine Beine und sein Rücken sich streckten – kein Blick zurück, ob seine Mutter dort stand und winkte oder schon zurück ins Haus gegangen war. Seine Mutter war augenblicklich vergessen, denn er saß neben Regina, und sie lächelten sich an.

Im Wagen roch es nach Zigarren, alle Autos von Jerry rochen so.

Sie fuhren hinaus aufs Land, später konnte sich Per nicht erinnern, wohin sie gefahren waren. Nur, dass sie stundenlang unterwegs waren und am Ende an einem Kiesweg ankamen, mitten in einem dichten Fichtenwald. Ein südschwedischer Wald.

»Ist das in Ordnung hier?«, fragte der Mann hinterm Steuer.

»Klar doch«, antwortete Jerry und hustete. »Das wird Bombe, Markus.«

Dann hielt der Wagen an.

»Pelle«, sagte Jerry, als alle ausgestiegen waren. »Jetzt gehen Regina, Markus Lukas und ich für eine Weile in den Wald.« Er packte Per bei den Schultern und sah ihm ernst ins Gesicht. »Aber du hast einen wichtigen Job, während du hier beim Wagen bleibst: Du hältst Wache und wirst dafür bezahlt. Das Wichtigste an einem Job ist nämlich, dass man dafür *Kohle* bekommt.«

Per nickte – das war sein erster Job.

»Und wenn jemand kommt?«

Jerry zündete sich eine neue Zigarre an. Er ging zum Kofferraum und öffnete die Klappe.

»Dann sagst du, dass hier eine Militärübung stattfindet«, sagte er und lächelte. »Sag, dass scharf geschossen wird und keiner da hineinlaufen darf.«

Per nickte erneut. Jerry und Markus Lukas warfen sich schwere Stofftaschen über die Schultern und verschwanden mit Regina zwischen den Bäumen. Sein Vater winkte ihm zu.

»Bis später. Dann machen wir ein Picknick!«

Per blieb allein beim Wagen zurück, die Sonne spiegelte sich in dem roten Lack, und die Fliegen surrten über den Waldboden.

Er lief ein Stück den Weg hinunter und sah sich um. Keine Menschenseele zu sehen, kein Laut zu hören. Wenn er sich konzentrierte, meinte er in der Ferne Reginas Lachen hören zu können. Ein einziges Mal. Oder war es ein Schrei?

Zäh verging die Zeit. Der Wald sah dunkel und undurchdringlich aus. Da meinte er, Reginas Schreie zu hören, mehrfach.

Schließlich hatte er sich vom Wagen entfernt und war Jerry und den anderen beiden in den Wald hinterhergegangen, ohne genau zu wissen, welchen Weg sie genommen hatten.

Ein kleiner Pfad schlingerte sich zwischen den Bäumen hindurch. Er folgte ihm eine steile Böschung hinauf, einem kleinen Kamm folgend, um Moos besetzte Steine herum und wieder einen Abhang hinunter. Per erhöhte sein Tempo – und hörte plötzlich Männerstimmen und Regina. Sie schrie mitten im Wald, laut und lang anhaltend.

Per lief, so schnell er konnte.

Die Fichten gaben den Weg frei, und plötzlich stand er auf einer sonnendurchfluteten Lichtung.

»Lass sie los!«, brüllte er.

Die Sonne schien wie ein Scheinwerfer auf den Waldboden der Lichtung. Dort lag Regina, nackt auf einer Decke, nur mit einer blonden langhaarigen Perücke bekleidet. Sie war braun gebrannt, aber ihre Brüste leuchteten strahlend weiß.

Der Fahrer des Wagens, Markus Lukas, war ebenfalls nackt. Er lag auf Regina.

Und auch Jerry, der neben ihnen mit einer großen Kamera bewaffnet stand, hatte kein Kleidungsstück am Körper. Er drückte unablässig auf den Auslöser, *klick, klick, klick*.

Pers Gebrüll hatte Regina zusammenzucken lassen, sie sah ihn kurz an, wandte aber schnell ihr Gesicht ab.

Jerry ließ die Kamera sinken und drehte sich wütend zu ihm um.

»Pelle, was zum Teufel tust du hier?«, schrie er. »Geh sofort zurück und bewache den Wagen – erledige deinen Job ordentlich!«

Etwa zwanzig Minuten später kamen sein Vater, Regina und Markus Lukas zurück zum Auto, bekleidet. Regina hatte die Perücke wieder abgenommen.

Auf dem Nachhauseweg machte sich Jerry die ganze Zeit über seinen Sohn lustig.

»Er dachte, wir wollen dich umbringen.« Jerry drehte sich zu den beiden auf dem Rücksitz um. »Regina, der Kleine dachte, wir sind dabei, dich draußen im Wald abzumurksen! Er wollte dich retten!«

Per war nicht zum Lachen zumute.

Er schaute zu Regina, aber sie vermied es, ihm in die Augen zu sehen.

Regina und Markus Lukas.

Per konnte sich auch nach so vielen Jahren noch an die Namen erinnern. Sein Kopf war schwer von Erinnerungen. Er richtete sich auf und sah aus dem Fenster. Drüben bei den neuen Villen war alles menschenleer, die Veranda der Larssons sah aufgeräumt aus, von dem gestrigen Fest waren keine Spuren mehr zu erkennen.

Die Feier hatte sich relativ schnell aufgelöst, nachdem Jerry das Pornoheft auf den Tisch geworfen hatte. Das Ehepaar Kurdin hatte mit seinem Baby das Fest als Erste verlassen, Gerlof Davidsson und John Hagman hatten sich kurz darauf erhoben, und Vendela Larsson hatte begonnen, die Essensreste in die Küche zu tragen. Vielleicht hatte sich Per das alles nur eingebildet, aber er konnte sich des Eindrucks nicht erwehren, dass die Nachbarn so schnell wie möglich seiner und Jerrys Gegenwart entkommen wollten.

Er wusste auch ungefähr, was ihn als Nächstes erwartete. Die Gastgeber hatten zwar kein Wort darüber verloren, als er sich verabschiedet hatte und mit Jerry nach Hause ging. Aber er wusste genau, dass die Fragen kommen würden.

»Sag mal, Per, hast du auch Pornos gedreht?«

»Nein.«

»Keinen einzigen?«
»Ich hatte nie etwas mit Jerrys Geschichten zu tun.«
»Nie?«
»Nein, nie.«

Als Erwachsener fiel es ihm nicht mehr schwer, sich von seinem Vater und dessen Geschäften zu distanzieren und zu versichern, dass er nicht wie er war. Aber warum hatte er den Kontakt zu ihm nicht längst für immer abgebrochen? Und warum hatte er diesen Fehler begangen, ihn mit nach Öland zu nehmen?

Per wäre am liebsten noch im Bett geblieben, zwang sich aber aufzustehen. Er hätte sich gewünscht, dass die Sonnenstrahlen an diesem besonderen Morgen nicht so durchdringend gewesen wären. Er wollte nicht mehr an Regina denken.

Er wollte auch nicht mehr an die Nachbarn denken.

Im Haus rührte sich noch keiner. Die Zimmertüren der Zwillinge waren geschlossen, und als er in die Küche ging, konnte er die tiefen Atemzüge seines Vaters aus dem Gästezimmer hören. Es war eine Mischung aus Schnarchen und Zischen.

Per kannte die Geräusche von den Besuchen bei seinem Vater in der kleinen Wohnung in Malmö, die Jerry Mitte der Sechzigerjahre gemietet hatte, ehe seine Geschäfte Gewinn abwarfen und das große Geld zu strömen begann.

Allerdings hatte er noch vernehmlichere Geräusche gemacht, wenn er Frauenbesuch hatte. Dann lag Per auf seiner Matratze vor dem Fernseher und musste dem Ächzen und Zischen aus dem Nachbarzimmer zuhören, das sich mit dem Stöhnen der Frauen mischte, mit vereinzelten Schreien und Heulkrämpfen. Wenn Jerry in seiner Wohnung fotografierte oder Filmaufnahmen machte, hatte Per immer Schwierigkeiten einzuschlafen. Trotzdem hätte er es niemals gewagt, anzuklopfen und seinen Vater bei der Arbeit zu stören. Dann hätte er wieder Ärger bekommen wie an dem Tag im Wald.

Das Schlafzimmer war im Winterhalbjahr auch Jerrys Arbeitszimmer gewesen, wenn es zu kalt war, in der freien Natur zu drehen. Dort wurde fotografiert und gefilmt, und dort hatte er auch sein Büro eingerichtet. Er hatte sich ein Wasserbett gekauft, das fast das halbe Zimmer ausfüllte und unter dem er das Firmenkapital in einem dicken Briefumschlag aufbewahrte. Das Bett war sowohl sein Büro als auch sein Spielplatz. Neben dem Bett standen zwei Telefone, eine Rechenmaschine, eine Hausbar und ein Projektor, mit dem er Filme an die Wand werfen konnte.

Die wilden Zeiten, dachte Per. *Aber damit ist jetzt Schluss.*

Er klopfte an die Tür vom Gästezimmer.

»Jerry?«

Das Schnarchen verstummte, stattdessen hörte er ein Husten.

»Du musst jetzt aufstehen, wir frühstücken gleich.«

Per drehte sich um und entdeckte das schwarze Handy, das auf dem Tisch im Flur lag. Es gehörte Jerry. Er sah, dass es eingeschaltet war und morgens um sieben Uhr ein Anruf eingegangen war. Zu diesem Zeitpunkt hatten sich aber alle Bewohner des Hauses noch im Tiefschlaf befunden.

Er nahm das Handy an sich, um zu überprüfen, ob er den Anrufer unter Umständen kannte, aber im Display stand nur UNBEKANNTER TEILNEHMER.

Mit müden Schritten kam Jerry eine Viertelstunde später auf die sonnige Terrasse geschlurft. Er trug einen weißen Morgenmantel, den er sich von Per ausgeliehen hatte. Die Zwillinge schliefen noch, aber das war in Ordnung – vor allem Nilla benötigte viel Ruhe. Außerdem wollte Per mit seinem Vater sprechen, ohne dass jemand danebensaß.

Sie nickten einander zu.

»Pelle?«, sagte Jerry und zeigte auf das Glas, das an seinem Platz stand.

»Nein, heute gibt es keinen Tropfen«, sagte Per energisch. »Nur Orangensaft.«

Als sein Vater sich hinsetzte, erhaschte Per einen kurzen Blick auf die Bauchbandage. Er half ihm, eine Scheibe Brot mit Butter zu beschmieren, und Jerry aß mit großem Appetit.

Per beobachtete ihn.

»Du hättest dich gestern ein bisschen zurückhalten sollen, Jerry.«

Jerry blinzelte.

»Du hättest nicht vor meinen Nachbarn von deinen Geschäften erzählen sollen. Und du hättest die Zeitschrift nicht zeigen sollen.«

Jerry zuckte mit den Schultern.

Per wusste, dass sich sein Vater noch nie für irgendetwas geschämt hatte. Nicht Jerry, der machte, was er wollte. Er hatte seinen Job geliebt und sein ganzes Leben lang Spaß gehabt.

Per lehnte sich über den Tisch.

»Jerry, erinnerst du dich an ein Mädchen namens Regina?«

»Regina?«

»Regina hat Mitte der Sechziger für dich gearbeitet ... Sie hatte braunes Haar.«

Jerry zeigte auf seine eigenen dünnen Haarsträhnen und schüttelte mit dem Kopf.

»Ja, ich weiß, dass du alle deine Mädchen mit Perücken zu Blondinen gemacht hast ... Aber kannst du dich an Regina erinnern?«

Jerry drehte den Kopf zur Seite und sah aus, als würde er nachdenken.

»Was ist aus ihr geworden?«, fragte Per. »Weißt du das?«

Jerry schwieg.

»Wurde ein altes Weib«, sagte er dann und fing an zu husten.

Per ließ ihn fertig husten, bevor er das Handy über den Tisch reichte, um Jerry den Anruf in Abwesenheit zu zeigen.

»Jerry«, sagte er, »jemand wollte dich erreichen.«

26

Vendela wachte am Gründonnerstag gegen acht Uhr mit trockenem Mund und zugeschwollener Nase auf. Wahrscheinlich war es nur Einbildung, aber als sie die Jalousie ein Stück zur Seite schob, hatte sie den Eindruck, dass die Luft ganz gelb von herumfliegenden Pollen war.

Aloysius schlief am Fußende, und Max lag neben ihr auf der anderen Hälfte des Doppelbettes, fest eingewickelt in seine Decke. Er hatte ihr den Rücken zugekehrt und schnarchte mit offenem Mund. Schuld daran war der Wein. Am vergangenen Abend hatte er ein Glas Rotwein nach dem anderen geleert, obwohl er wusste, dass er an sein Herz denken und mit Alkohol vorsichtig sein sollte.

Er würde einen Kater haben, darum ließ sie ihn noch eine Weile weiterschlafen.

Heute war der letzte Tag mit dem Fotografen, er würde noch einmal auf die Insel kommen, um Aufnahmen zu machen. Das bedeutete für sie, dass sie die Gerichte und das Brot vor dem Shooting am Vormittag vorbereiten und backen musste.

Sie schlug die Bettdecke zur Seite, schnäuzte sich so leise wie möglich und stand auf.

Als Max etwa eine Stunde später in seinem alten Morgenmantel aus dem Schlafzimmer schlurfte, hatte sie schon eine Allergietablette genommen und wartete auf ihre Wirkung. Außerdem standen zwei Hefeteige für Landbrote in Schüsseln und gingen auf, während Vendela geschmolzene Butter und Roggenmehl verrührte, um einen dritten vorzubereiten. Ally hatte Trockenfutter mit Hähnchengeschmack bekommen und sich danach satt unter den Küchentisch gelegt.

»Guten Morgen!«, begrüßte sie Max.

»Hmm.«

Er goss sich einen Becher Kaffee ein und begutachtete ihre Arbeit.

»Du hast viel zu früh mit dem Brotteig angefangen«, moserte er. »Die Brote sollen doch frisch gebacken aussehen, sodass es dampft, wenn ich sie aufschneide.«

»Ich weiß, sie kühlen so schnell ab«, antwortete Vendela und wischte sich über die Stirn. »Aber die hier waren auch nur als Dekoration im Hintergrund gedacht ... Ich mache frische, wenn der Fotograf kommt.«

»Okay. Hast du schon gefrühstückt?«

Sie nickte eifrig.

»Eine Banane, drei Scheiben Brot mit Käse und einen Joghurt.«

Das war gelogen, sie hatte nur eine Tasse Zitronentee getrunken.

»Sehr gut, weiter so«, lobte Max.

Er ging ins Badezimmer und schloss hinter sich ab.

Vendela sah sehnsüchtig zur Eingangstür, am liebsten wäre sie sofort hinaus zum Elfenstein gelaufen, um nachzusehen, ob die Münze schon verschwunden war. Sie nahm die übrig gebliebene Butter und formte mithilfe zweier Teelöffel kleine Kugeln daraus.

So gelbgolde Butterkügelchen sahen toll aus auf einem Foto. Leider verband sie mit Butter keine guten Erinnerungen, so lecker sie auch sein mochte. Als kleines Mädchen hatte sie nämlich selber Butter per Hand herstellen müssen – Henry hatte aus Birkenästen so eine Art Rührgerät angefertigt und seiner Tochter beigebracht, wie man aus Sahne Butter machte. Acht Liter Sahne benötigte man für ein Fässchen Butter. Das Buttern war furchtbar anstrengend, und Vendelas Hände waren mit Blasen übersät gewesen.

Wenn man Butterglück hat, geht es einem einfacher von der Hand, hatte ihr Henry erzählt. *Dann helfen einem die Elfen bis ans Ende des Lebens beim Buttern. Aber um das Butterglück zu erlangen, muss man sich bei Vollmond nackt auf einen Misthaufen setzen und dort die Butter rühren. Dann ist der Buttervorrat des Hofes bis ans Ende aller Tage gesichert.*

Vendela stellte die Schale mit den Butterkugeln in den Kühlschrank. Sie ging davon aus, dass ein alter Bauer sich dieses Butterglück-Ritual ausgedacht hatte, weil er sich erhoffte, nackte Mädchen auf dem Hof herumhüpfen zu sehen. Sie hatte sich damals nicht davon beeindrucken lassen und die Butter weiterhin bekleidet hergestellt.

Eine Stunde später kam der junge Fotograf aus Kalmar angefahren. Er wurde auf der Treppe von einem strahlenden Max in Empfang genommen, der mittlerweile im Landhausstil gekleidet war, wie Vendela es ihm empfohlen hatte. Die Männer verschwanden in der Küche, um die Motive und Winkel der Aufnahmen zu besprechen. Vendela ging zur Straße, um die Zeitung aus dem Briefkasten zu holen. Die Briefkästen der Sommerhäuser standen in einer Reihe am Straßenrand, um dem Briefträger die Arbeit zu erleichtern.

Ein großer Mann in einer grünen Daunenjacke kam ihr entgegen, unter den Arm hatte er seine Zeitung geklemmt. Es war Per Mörner.

Vendela drückte den Rücken durch und lächelte automatisch. Gestern Abend hatte für einen Augenblick betretenes Schweigen geherrscht, als Jerry Morner diese Zeitschrift auf den Tisch geworfen hatte. Aber das war schnell wieder verflogen.

Erst da hatte sie ihn wiedererkannt, sie hatte ihn schon in mehreren Interviews und Reportagen gesehen. In den Siebzigerjahren hatte sich Jerry Morner vor allem in Nachtklubs und Edelbars herumgetrieben. Und er war einer jener Pornoproduzenten gewesen, die das Bild der schwedischen Sündigkeit in der Welt geprägt und dazu geführt hatten, dass die Amerikaner und Europäer Schweden als ein Paradies betrachteten, wo alle Frauen immerzu wilden Sex haben wollten.

Vor dieser Zeit nämlich, als Vendela jung war, war Pornografie verboten und durfte nicht verkauft werden. Danach wurde sie zwar erlaubt, behielt aber ihre Anrüchigkeit. Heutzutage gab es keine klaren moralischen Regeln mehr. An dem einen Tag schrieben die Zeitungen über die entsetzliche Pornobranche, und in der nächsten Ausgabe erschien in denselben Blättern eine Liste der besten Erotikfilme.

Sie nickte Per Mörner zu und wollte wortlos an ihm vorbeigehen, aber er blieb stehen, und aus Höflichkeit hielt sie auch an.

»Vielen Dank nochmals für den Abend gestern bei Ihnen«, sagte er.

»Gern geschehen«, erwiderte sie. »Jetzt haben wir Nachbarn uns ein bisschen besser kennengelernt.«

»Ja, genau.«

Sie schwiegen einen Augenblick, dann fasste sich Per ein Herz:

»Was diese Sache anbetrifft, über die mein Vater gestern gesprochen hat ...«

Vendela kicherte nervös.

»Na ja, wenigstens war er ehrlich.«

»Ja, und er hat auch nichts Verbotenes getan«, fügte Per hinzu. »Außerdem hat er jetzt auch nichts mehr damit zu tun.«

»Ach so.«

Wieder schwiegen sie. Vendela wollte Per gerade fragen, wie er sich da so sicher sein konnte, als ihr Küchenfenster aufgerissen wurde.

»Vendela, wir sind so weit!«, rief Max. »Wir machen jetzt die Aufnahmen von den Broten, kommst du?«

»Eine Sekunde!«, rief sie zurück.

Max' Blick ruhte für einen kurzen Moment auf ihr und Per Mörner, dann nickte er ihnen zu und schloss das Fenster.

Vendela fühlte sich von ihrem Mann gemaßregelt, sie hatte eine schlechte Note in Betragen bekommen, und das nur, weil sie sich mit einem Nachbarn unterhielt.

In einem Anfall von Trotz setzte sie das Gespräch fort.

»Sie joggen also auch?«

Er nickte.

»Ab und zu. Ich würde gerne häufiger.«

»Wir könnten doch mal abends zusammen laufen gehen?«

Per musterte sie.

»Okay«, sagte er schließlich zögernd. »Wenn Sie dazu Lust haben.«

»Sehr sogar.«

Vendela verabschiedete sich und ging zurück ins Haus. Gut gemacht, sie hatte sich richtig sozial und normal verhalten. Und auch noch eine Laufbegleitung gefunden.

Aber sie würde Per Mörner nicht den Elfenstein zeigen. Das war ihr geheimer Ort.

VENDELA UND DIE ELFEN

Vendela trifft erst wieder auf den Elfenstein, als sie die kleine Dorfschule verlässt und in die größere Volksschule geht. Die befindet sich in Marnäs auf der anderen Seite der Insel, fast vier Kilometer entfernt.

Es ist ein langer Weg für ein neunjähriges Mädchen, sechs Tage die Woche, und Henry begleitet sie kein einziges Mal.

Er bringt sie nur zur Wiese, wo die Kühe unter dem hohen blauen Himmel grasen. Dann zeigt er nach Osten, zum baumlosen Horizont. »Lauf in Richtung Elfenstein; wenn du ihn erreicht hast, kannst du auch schon den Kirchturm von Marnäs sehen«, erklärt er ihr. »Die Schule liegt auf der anderen Seite der Kirche. Das ist der kürzeste Weg ... wenn im Winter mehr Schnee liegt, musst du die Landstraße nehmen.«

Dann drückt er ihr ein Päckchen mit Broten für die Frühstückspause in die Hand und geht summend in die andere Richtung zum Steinbruch.

Vendela macht sich auf den Weg. Sie läuft Richtung Osten, immer geradeaus über das verdorrte Gras der Alvar. Der Sommer ist längst vorbei, aber seine Trockenheit hat er zurückgelassen, vertrocknete Blumen und Blätter knistern und rascheln unter ihren Füßen. Sie hat eine Todesangst vor Kreuzottern, aber auf den unzähligen Wanderungen zur Schule und zurück begegnen ihr nur freundliche Tiere: Hasen, Füchse und Rehe.

Den Elfenstein passiert sie gleich am ersten Tag. Er liegt an der gleichen Stelle wie damals im Gras, einsam und unbeweglich.

Von dort läuft Vendela weiter, den Kirchturm von Marnäs vor Augen.

Die Schule beginnt um halb neun. Die Klasse wird von Schuldirektor Eriksson in Empfang genommen, der vor der schwarzen Tafel steht und sehr streng aussieht. Daneben steht die Klassenlehrerin Frau Jansson und sieht noch strenger aus. Sie macht eine Anwesenheitskontrolle und ruft alle Namen mit lauter und energischer Stimme auf. Danach setzt sie sich für die Morgenandacht ans Harmonium, alle singen Psalmen, und dann erst beginnt der Unterricht.

Um halb zwei ist der erste Schultag zu Ende, Vendela fand ihn gar nicht so schlecht. Zuerst fühlte sie sich ziemlich einsam und hatte ein bisschen Angst vor Frau Jansson. Aber dann hat sie sich vorgestellt, dass die Klasse eine Kuhherde ist und alle anderen auch Angst haben. Damit ging es ihr besser. Außerdem hatten sie nach der Frühstückspause textiles Werken, und nach fast jeder Stunde haben sie Lieder zum Mittanzen gesungen. Wenn sie jetzt noch Freunde fände, würde sie bestimmt eine schöne Schulzeit haben.

Auf dem Nachhauseweg kommt sie ein zweites Mal an dem großen Elfenstein vorbei, und diesmal hält sie an und geht zu dem Felsblock.

Wenn sie sich auf die Zehenspitzen stellt, kann sie sehen, dass der Stein auf der Oberfläche kleine Kuhlen hat, mindestens ein Dutzend. Sie sehen aus, als hätte sie jemand in den Stein geschlagen und dann poliert, wie kleine runde Schälchen.

Vorsichtig sieht sie sich um, aber es ist kein Mensch in der Nähe. Dann erinnert sie sich an die Geschichten, die Henry ihr erzählt hat, von den Geschenken an die Elfen. Am liebsten würde sie noch eine Weile dort bleiben, aber dann reißt sie sich los und läuft nach Hause, zu ihren Kühen.

Seit diesem ersten Schultag vergeht kein einziger Tag ohne einen kurzen Halt am Elfenstein auf dem Nachhauseweg, um nachzusehen, ob vielleicht jemand etwas geopfert hat. Ihr begegnet nie ein Mensch, aber in den Schälchen liegen tatsächlich manchmal kleine Geschenke an die Elfen, Geld, Nadeln und auch Schmuckstücke.

Am Stein herrscht eine merkwürdige Atmosphäre, alles ist so still. Und wenn Vendela die Augen schließt und die Augenlider so fest aufeinanderpresst, dass alles dunkelblau wird, dann entstehen in ihrem Kopf Bilder. Sie sieht eine Gruppe schmaler und blasser Gestalten, die auf der anderen Seite des Steins stehen und sie anschauen. Je fester sie die Augen zudrückt, umso deutlicher sind sie zu erkennen, am deutlichsten sieht sie eine hochgewachsene und schöne Frau mit dunklen Augen. Vendela weiß, dass sie die Elfenkönigin ist, die sich vor langer Zeit in einen Jäger verliebt hat.

Die Königin sagt kein Wort, sie blickt Vendela nur unverwandt an. Sie sieht traurig aus, als würde sie ihren Geliebten vermissen. Vendela hat die Augen geschlossen, sie hört in weiter Ferne Glocken läuten, das Gras unter ihren Füßen verschwindet, der Boden fühlt sich hart und glatt an. Und in kleinen Bächen plätschert frisches Wasser.

Das Reich der Elfen.

Aber als sie die Augen öffnet, ist alles verschwunden.

Zu Hause auf dem Hof wirft sie einen schnellen Blick auf das mittlere Fenster im ersten Stock, obwohl sie das gar nicht will.

Das Zimmer des Invaliden. Wie sonst auch steht niemand am Fenster.

Vendela geht ins Haus und ohne Umwege direkt in Henrys Schlafzimmer, das übersät ist von gebrauchten Kleidungsstücken, Rechnungen der Großhändler und Briefen vom Amt. Sie hat kein Geld, um es in die Opferschälchen zu legen, aber in dem dunkelbraunen Schrank neben dem Bett ihres Vaters liegt das Schmuckkästchen ihrer Mutter.

Es dauert noch Stunden, bis ihr Vater aus dem Steinbruch zurückkehrt, und der Invalide wird sie kaum stören. Sie hockt sich vor den Schrank und öffnet ihn.

Das Schmuckkästchen steht auf dem untersten Regal und ist weiß. Im Inneren ist es mit grünem Futter verkleidet, auf dem Broschen, Halsketten, Ohrringe und Krawattennadeln liegen. Viele Schmuckstücke sind es, an die zwanzig oder dreißig. Ganz alte Familienerbstücke sind darunter, aber auch Juwelen, die aus der Zeit nach dem Zweiten Weltkrieg stammen. All das hatten ihre Mutter und deren Familie im Lauf der Zeit gesammelt und ihnen hinterlassen.

Mit Daumen und Zeigefinger hebt Vendela eine silberne Brosche mit einem geschliffenen roten Stein hoch. Sogar hier im dunklen Zimmer kann man das Glühen des Steines sehen – wie ein Rubin.

Ein Rubin in Paris, denkt Vendela.

Sie lauscht, aber im Haus ist alles still. Dann steckt sie die Brosche schnell in die Tasche ihres Kleides.

Auf dem Nachhauseweg von der Schule am nächsten Tag holt sie die Brosche hervor, als sie am Elfenstein vorbeikommt. Sie betrachtet ihn und die leeren Opferkuhlen eine Weile.

Es ist sonderbar, aber ihr fällt kein Wunsch ein. Nicht heute. Sie ist fast zehn Jahre alt und müsste eigentlich einen Haufen Wünsche haben, aber ihr Kopf ist ganz leer.

Eine Reise nach Paris?

Nein, sie muss bescheidener sein. Schließlich wünscht sie sich, einmal wieder aufs Festland zu fahren – nach Kalmar, wo sie seit zwei Jahren nicht mehr gewesen ist.

Sie legt die Brosche vorsichtig in eine der Kuhlen und rennt schnell nach Hause.

Dann kommt der Samstag. Sie hat schulfrei, weil im Klassenzimmer neue Öfen eingebaut werden.

»Beeil dich heute ein bisschen mit den Kühen!«, sagt ihr Vater am Frühstückstisch. »Und danach ziehst du dir was Schönes an.«

»Warum das denn?«

»Wir müssen den Zug erwischen, wir fahren heute nach Kalmar und bleiben über Nacht bei deiner Tante.«

Ein Zufall? Nein, das hat sie den Elfen zu verdanken.

Aber Vendela hätte danach aufhören sollen, sich Sachen zu wünschen.

27

Eigentlich wollte Per die Polizei anrufen und sich nach neuen Ermittlungsergebnissen erkundigen, aber wenn die Familie Essen auf den Tisch bekommen sollte, war er gezwungen, Geld zu verdienen. Deshalb zog er sich nach dem Frühstück, als er seinen Vater auf der Terrasse platziert hatte, mit einer Telefonliste und seinem Frageformular bewaffnet in die Küche zurück. Er legte seinen Finger auf die Liste und wählte die erste Nummer.

Drei Klingelzeichen verstrichen, dann meldete sich eine männliche Stimme mit einem Nachnamen. Das stimmte mit den Angaben auf der Liste überein, Per setzte sich aufrecht hin und holte tief Luft, damit seine Stimme frisch und voller Energie klang:

»Guten Tag, mein Name ist Per Mörner, und ich rufe im Auftrag der Firma Intereko an, die sich mit Marktforschung beschäftigt ... Hätten Sie eventuell Zeit, mir ein paar Fragen zu beantworten? Es dauert nur drei Minuten.«

In Wirklichkeit dauerte es natürlich fast zehn Minuten.

»Worum geht es denn?«, fragte der Mann.

»Ich würde Ihnen gerne ein paar Fragen zu einer bestimmten Seife stellen. Benutzen Sie Seife in Ihrem Haushalt?«

Der Mann lachte herzlich.

»Ja, durchaus ...«

»Sehr gut«, sagte Per. »Dann nenne ich Ihnen jetzt den Namen des Produktes, und Sie erzählen mir, wann Sie es zuletzt gesehen haben ...«

Per sprach den Produktnamen langsam und deutlich aus.

»Doch, die kenne ich«, lautete die Antwort, »die Reklame dafür habe ich überall in der Stadt hängen sehen.«

»Sehr gut«, lobte Per. »Und könnten Sie mir mit drei Worten beschreiben, was Ihnen durch den Kopf gegangen ist, was Sie gefühlt haben, als Sie diese Reklame gesehen haben?«

Er war in Fahrt. Marika hatte ihn letztes Jahr amüsiert angesehen – spöttisch, fand Per –, als er ihr erzählte, dass er als Telefoninterviewer arbeitet.

Als sie sich kennenlernten, waren sie beide in der Marketingabteilung eines Unternehmens beschäftigt. Marika wurde später Marketingchefin, während Per nach der Scheidung von dem Jobkarussell absprang. Diese Entscheidung war langsam in ihm gereift. Jerry hatte auch damit zu tun. Sein Vater war zeit seines Lebens immer hungrig nach Geld und Erfolg gewesen, aber das waren nicht Pers persönliche Lebensziele.

Als Interviewer konnte er ganz unabhängig arbeiten und überall dort, wo es ein Telefon gab. Aufgabe war es, das Image eines Produktes zu ermitteln und die Ansprüche und Erwartungen an ein bestimmtes Produkt zu ergründen, damit die zukünftigen Verkaufsstrategien und Reklamekampagnen angepasst werden konnten.

Kurz nach zehn hatte er bereits fünfundzwanzig Nummern auf der Liste abtelefoniert. Vierzehn Leute hatten ihm Rede und Antwort gestanden. Als er nach dem letzten Interview den Hörer aufgelegt hatte, klingelte sein Telefon.

Per nahm ab.

»Mörner.«

Er hörte keine Stimme, nur einen merkwürdigen Widerhall. Es klang, als würde jemand im Hintergrund schreien, einige Meter vom Hörer entfernt. Aber die Stimme klang metallisch wie vom Band.

»Hallo?«, rief Per.

Niemand antwortete. Aber das Geräusch brach nicht ab.

Falsch verbunden – vielleicht ein anderer Interviewer auf Abwegen, dachte Per und legte auf.

Er arbeitete sich weiter durch die Nummern auf seiner Liste, aber gegen elf Uhr beschloss er, eine kurze Pause einzulegen, um die Zeitung *Barometern* aus dem Briefkasten zu holen. Das Blatt aus Kalmar hieß zwar Morgenzeitung, wurde aber in Stenvik bedeutend später ausgeliefert.

Er schlenderte zurück ins Haus und blätterte die ersten Seiten durch – abrupt blieb er auf dem Kiesweg stehen, als ihm ein kurzer Artikel ins Auge fiel.

Zwei Tote nach verheerendem Brand
im Haus gefunden

In einem Haus außerhalb von Ryd, südlich von Växjö, wurden zwei fast bis zur Unkenntlichkeit verbrannte Leichen einer etwa dreißigjährigen Frau sowie eines etwa sechzigjährigen Mannes entdeckt.

Das Anwesen wurde bei dem Brand in der Nacht auf Montag total zerstört, und einer der Angestellten, der sich im Haus aufgehalten haben soll, galt als vermisst. Die Kriminaltechniker haben bei der Besichtigung des Tatorts die Überreste eines Mannes gefunden, der als der Vermisste identifiziert wurde. In einem anderen Teil des Hauses wurde außerdem der Leichnam einer Frau entdeckt, die aber noch nicht näher identifiziert werden konnte.

Auch die Brandursache ist noch ungeklärt, aber nach dem Verhör eines Zeugen geht die Polizei von Brandstiftung aus. Ein Ermittlungsverfahren wegen schwerer Brandstiftung und Mord wurde eingeleitet.

Per faltete die Zeitung wieder zusammen und ging zurück ins Haus. Wenigstens wusste er jetzt sicher, dass er tatsächlich die Schreie einer Frau in dem brennenden Haus gehört hatte. Und dass die Polizei ohnehin bald von sich hören lassen würde. Darum setzte er sich wieder an seinen Arbeitsplatz am Küchentisch und beschloss, die Initiative zu ergreifen.

Er wählte die Nummer vom Polizeipräsidium in Växjö und wollte sich mit der Frau verbinden lassen, die ihn nach dem Brand verhört hatte. Aber sie hatte frei, daher wurde er mit einem Kriminalkommissar namens Lars Marklund verbunden. Der verlangte zuerst die Personennummer von Jerry und ihm, bevor er sich äußern wollte, aber auch dann war er nicht besonders redselig.

»Es liegt eine schwere Brandstiftung in Tateinheit mit zweifachem Mord vor, die Ermittlungen laufen. Das ist alles, was ich dazu sagen kann.«

»Laut Zeitungsberichten ist einer der Toten eine Frau«, hakte Per nach. »Wissen Sie, wer das war?«

»Wissen *Sie* es denn?«, lautete die Gegenfrage.

»Nein«, antwortete Per.

Der Kommissar schwieg, also fragte Per nach einer kurzen Pause weiter.

»Haben Sie denn schon einen Verdächtigen?«

»Dazu gebe ich keinen Kommentar ab.«

»Kann ich Ihnen irgendwie behilflich sein?«

»In der Tat«, sagte der Polizeibeamte, »Sie könnten mir Aufschluss über die Lokalitäten geben.«

»Die Lokalitäten ... Sie meinen das Haus?«

»Ja, unsere Techniker haben sich gefragt, wozu das Anwesen benutzt wurde. Sie haben im ersten Stock mehrere kleinere Schlafzimmer gefunden, Teile des Hauses waren wie eine Schule eingerichtet, andere wie eine Bar oder auch eine Gefängniszelle ...«

»Das war ein Filmstudio«, erklärte Per. »Die kleinen Gästezimmer waren für die Schauspieler. Und die Räume waren unterschiedlich eingerichtet und dekoriert, damit man verschiedene Szenen drehen konnte. Ich habe den Dreharbeiten nie beigewohnt, aber mein Vater hat mir erzählt, dass sie verschiedene Kulissen eingesetzt haben.«

»Ach so, die haben da Filme gedreht«, wiederholte der Beamte. »Sind das welche, von denen man schon einmal gehört hat?«

Per seufzte leise, bevor er antwortete:

»Nein, bestimmt nicht. Die haben nur Videos aufgenommen, keine kostspieligen Produktionen.«

»Krimis?«

»Nein, sie haben ... Erotikfilme gedreht.«

Und zwar am laufenden Band, fügte er in Gedanken hinzu. Hans Bremer war ein schnell arbeitender Regisseur. Jerry hatte ihm erzählt, dass er in der Lage war, in zwei Tagen einen Film in Spielfilmlänge abzudrehen.

»Erotikfilme ... Sie meinen Pornos?«

»Ganz genau. Sie haben weibliche und männliche Schauspieler gebucht und dann mit denen Pornos gedreht.«

Marklund schwieg einen Moment lang.

»Na ja«, sagte er dann, »das ist ja nicht verboten, solange keine Minderjährigen involviert waren. Oder war das so?«

»Nein«, antwortete Per prompt, obwohl er sich nicht ganz sicher war. Wie alt war Regina eigentlich gewesen?

»Und Sie waren also bei dieser ... Produktionsfirma angestellt?«

»Nein, auf keinen Fall. Aber mein Vater hat mir einiges von seiner Arbeit erzählt.«

»Hat er sich auch darüber geäußert, warum sein Partner das gemeinsame Filmstudio in Brand gesteckt hat?«, fragte Marklund. »Oder haben Sie vielleicht selbst eine Vermutung?«

Die Frage offenbarte, in welche Richtung die Polizei ermittelte. Sie gingen davon aus, dass Bremer den Brand gelegt hatte.

»Nein«, erwiderte Per. »Ich befürchte, der Firma ging es in den letzten Jahren nicht so gut. Mein Vater wurde krank, und die Konkurrenz aus dem Ausland ist ziemlich stark geworden ... vor allem in dieser Branche. Aber das ist wohl kaum Grund genug, sich das Leben zu nehmen?«

»Das weiß man nie«, sagte der Kommissar lakonisch.

Per war unsicher, ob er Marklund von der Gestalt am Waldesrand erzählen sollte, aber er schwieg. Schließlich hatte er es im Verhör erwähnt, das musste genügen.

Er sah hinaus auf die Terrasse, wo Jerry in einem Liegestuhl lag und schlief.

»Werden Sie meinen Vater erneut befragen?«

»Jetzt vor Ostern nicht mehr«, beruhigte ihn Marklund. »Aber Sie hören von uns.«

Per legte auf. Das war es.

Wenn Jerry nicht schon vor diesem Wochenende längst Rentner gewesen wäre, hätte er jetzt keine Wahl mehr gehabt – sein Arbeitsplatz war in Flammen aufgegangen. Per würde Jerry nach Ostern zurück in seine Wohnung nach Kristianstad bringen. Dort konnte er sich dann ausruhen, vor dem Fernseher sitzen und von seiner Rente leben. Wenn er denn eine bekam.

Per ging hinaus zu seinem Vater.

»Ich habe gerade mit der Polizei telefoniert, Jerry«, erzählte er. »Sie haben zwei Tote in deinem Studio gefunden ... Hans Bremer und eine Frau. Weißt du, wer das sein könnte? Hast du jemanden gesehen?«

Jerry sah von seinem Gartenstuhl auf und schüttelte den Kopf. Per setzte sich neben ihn.

»Die Polizei scheint davon auszugehen, dass Bremer den Brand gelegt hat«, sagte er. »Das klingt auch irgendwie logisch, oder?«

Jerry hörte nicht auf, den Kopf zu schütteln. Seine Lippen brachten nur ein einziges Wort heraus:

»Nee.«

»Doch, Jerry. Die vermuten, dass er den Brand im Studio gelegt hat.«

Sein Vater schien den Versuch aufgegeben zu haben, Worte zu finden. Er beugte sich hinunter zu seiner Aktentasche und öffnete die verbogenen Schnallen. Zahlreiche Papiere und Unterlagen lagen darin, in denen er herumwühlte, aber schließlich zog er eine Zeitschrift heraus. Es war die BABYLON-Ausgabe, die er bei dem Fest gezeigt hatte.

»Ich will mir das nicht ansehen«, wehrte sich Per.

Aber Jerry begann die Zeitschrift durchzublättern, als würde er eine bestimmte Seite suchen. Dann fand er sie und hielt sie ihm hin.

»Markus Lukas«, sagte er.

Per seufzte, er wollte sich das nicht ansehen. Trotzdem lehnte er sich vor.

Die Fotos zeigten, wie so viele andere, Sexszenen zwischen

einem großen Mann und einer jungen, blonden Frau – diese Art von Aufnahmen hatte Jerry jahrelang in jeder Ausgabe veröffentlicht.

Das weibliche Modell lag unter dem Mann, aber das Mädchen hatte sein Gesicht in die Kamera gedreht. Sie sah nicht den Mann an, überhaupt schien das Paar bemüht zu sein, sich so wenig wie möglich zu berühren. Liebe und Zärtlichkeit waren noch nicht einmal angedeutet.

»Markus Lukas«, wiederholte Jerry und tippte mit dem Finger auf den männlichen Körper.

»Okay ... Markus Lukas. So hieß also das männliche Modell?«

Jerry nickte.

Per sah den nackten Rücken eines muskulösen und breitschultrigen, etwa dreißig- bis vierzigjährigen Mannes. Er hatte dichtes, schwarzes, lockiges Haar – das konnte man auf einem einzigen Foto erkennen, auf dem auch sein Hinterkopf zu sehen war. Ansonsten war er nur von der Taille abwärts abgelichtet.

Per musste an den Mann denken, der den Cadillac an jenem schönen Frühlingstag gefahren hatten, als er mit Regina auf dem Rücksitz saß. Jerry hatte ihn doch auch »Markus Lukas« genannt. War es der Gleiche wie auf den Bildern? Vielleicht.

»Man kann sein Gesicht ja gar nicht erkennen«, sagte Per.

Jerry nickte, tippte aber erneut auf das Foto. Er kämpfte mit seinen steifen Lippen.

»Ist ... ütend«, stotterte er.

»Er ist wütend?«, fragte Per.

Jerry nickte.

»Wütend auf wen? Auf dich und Hans Bremer?«

Jerry wandte den Kopf ab.

»Betrogen«, gab er als Erläuterung.

»Das überrascht mich nicht ... Bremer und du, habt ihr ihn um Geld betrogen, oder was?«

Jerry schüttelte den Kopf, schwieg aber.

Per nahm die Zeitschrift an sich und blätterte sie flüchtig durch. Es gab eine Fülle von Fotos mit den unterschiedlichsten

Mädchen, auf jeder Seite, Nahaufnahmen und ganze Szenen. Aber die Männer, mit denen sie Sex hatten, waren ausnahmslos nicht zu erkennen. Die Kamera konzentrierte sich vollkommen auf die Frauen, die Männer blieben anonym.

»Gibt es keine einzige Aufnahme, wo das Gesicht von diesem Markus Lukas zu sehen ist?«, fragte er erstaunt.

Jerry verneinte.

Per seufzte, aber eigentlich überraschte es ihn nicht sonderlich. Das Gesicht der Männer war schließlich auch bedeutungslos – nur ein kleiner Teil ihres Körpers war von Belang.

»Was macht Markus Lukas denn heute? Weißt du, wo er lebt?«

Jerry schüttelte erneut den Kopf.

»Aber er ist nicht mehr in der Branche?«

Jerry schwieg. Per glaubte zu wissen, warum – gewissermaßen hatte auch Jerry sich aus der Branche zurückgezogen. Allerdings nicht freiwillig.

»Und sein richtiger Name war natürlich auch nicht Markus Lukas, stimmt's? Den habt ihr euch ausgedacht, so wie auch die Namen der Mädchen alle erfunden waren, oder?«

Jerry nickte.

»Wie heißt er denn richtig?«

Der Blick seines Vaters war erschreckend leer.

»Du weißt nicht mehr, wie Markus Lukas in Wirklichkeit hieß?«

Jerry zuckte mit den Schultern.

»Im Vertrag«, sagte er dann.

»Okay, er hatte also einen Vertrag«, sagte Per. »Dann wird dort sein bürgerlicher Name stehen.«

Jerry nickte und zeigte aufs Wasser, in Richtung Festland.

»Zu Hause.«

»Sehr gut, du hast den Vertrag also zu Hause«, wiederholte Per.

Er betrachtete die Fotos des nackten Mannes.

»Wütend«, stammelte Jerry.

Per ließ ein letztes Mal seinen Blick über die Bilder schweifen. Etwa ein Jahr nach seiner Begegnung mit Regina hatte er begriffen, warum sein Vater Frauen und Mädchen mit in den Wald nahm und sie fotografierte – dass er diese Aufnahmen in einer Zeitschrift veröffentlichte, die *Babylon* hieß, und damit sein Geld verdiente. Da war Per zu einem Kiosk ans andere Ende von Kalmar geradelt, um eine Ausgabe zu kaufen.

BABYLON stand in großen, dunkelroten Buchstaben auf der Titelseite, und darunter war ein lachendes Mädchen zu sehen, das Regina ähnelte.

Er stopfte sich die Zeitschrift unter den Pullover, radelte nach Hause und versteckte sie unter seiner Matratze. Spät am Abend, als Anita endlich zu Bett gegangen war, holte er das Heft hervor und blätterte es im Schein seiner Taschenlampe durch.

Er sah viele nackte Mädchen, seitenweise lachende Mädchen, deren weiße Haut im Licht der Sonne oder der Studioscheinwerfer leuchtete. Alle waren sie blond, bei einigen aber konnte man erkennen, dass sie eine Perücke trugen.

Auf einem der Fotos entdeckte Per den dünnen Rauchschleier einer Zigarre, die von links in das Bild schwebte. Da wusste er, dass Jerry nur wenige Meter entfernt gestanden und geraucht hatte. Per konnte förmlich sein Husten und die Anweisungen an die Mädchen hören, den Rücken zu strecken und sich zu zeigen. Er hörte seine Stimme:

»Was ist los, bist du schüchtern, oder was?«

Die Mädchen in der Zeitschrift erinnerten Per ein bisschen an Regina, und er wusste auch, dass es ihn eigentlich erregen müsste, aber das klappte nicht. Er hatte nur Augen für den Zigarrenrauch.

Per fröstelte und war wieder zurück am Steinbruch.

»Das Einzige, was wir also mit Sicherheit von Markus Lukas sagen können ...«, sagte er und klappte die Zeitschrift zu, »... ist, dass er viele Muskeln hat!«

Er hielt die Zeitschrift zwischen Daumen und Zeigefinger in die Luft und reichte sie seinem Vater.

»Versteck die bitte gut ... oder wirf sie am besten weg. Ich gehe jetzt die Zwillinge wecken.«

28

Erst gegen sechs Uhr abends waren die Aufnahmen beendet, und Vendela konnte sich endlich für ihre Joggingtour durch die Alvar umziehen. Sie dachte unentwegt an den Elfenstein und die Münze, die sie in eine der Kuhlen gelegt hatte. Aber wie schon beim letzten Mal stattete sie zuerst ihrem Elternhaus einen Besuch ab.

Die Allergiesymptome in Hals und Nase nahmen ab, sobald sie losgelaufen war. Und schon nach kurzer Zeit hatte sie einen angenehmen Rhythmus gefunden. Bereits eine Viertelstunde später erreichte sie den alten Bauernhof nordöstlich vom Steinbruch. Sie betrat das Grundstück und blieb ruckartig stehen.

Auf dem Rasen vor dem Haus stand ein Auto. Ein großer Volvo-Kombi mit Dachgepäckträger. Die Kofferraumklappe und zwei Wagentüren standen offen, außerdem die Eingangstür des Wohnhauses.

Die neuen Besitzer des Hauses waren offensichtlich über die Osterfeiertage angereist. Vendela konnte sich nicht beherrschen, sie zog es förmlich über den Rasen und auf die angelehnte Tür der Glasveranda zu.

Da tauchte plötzlich eine Frau in der Tür auf. Sie trat in den Sonnenschein hinaus und bemerkte Vendela.

»Oh!«, sagte sie nur.

Sie war etwa zehn Jahre jünger als Vendela und sah sie verunsichert an.

»Hallo!«, rief Vendela und lachte angespannt. »Ich habe nur kurz angehalten, um mich auszuruhen, ich war unterwegs, joggen ...«

»Ach ja?«

»... ich bin hier aufgewachsen. Meiner Familie gehörte früher einmal dieser Hof.«

»Dann haben Sie hier mal gewohnt?« Die Frau sah sofort aufgeschlossener und freundlicher aus. »Kommen Sie doch rein, und sehen Sie sich um. Es hat sich bestimmt einiges verändert.«

Vendela nickte und folgte der Frau durch die Glasveranda in den Flur und weiter in die Küche. Sie erkannte den Raum sofort wieder, aber er schien seit ihrer Kindheit irgendwie geschrumpft zu sein. Die neuen Besitzer hatten die Wände frisch gestrichen, moderne Bänke aufgestellt und Fliesen verlegt. Es roch auch ganz anders als früher, der Gestank nach ungewaschener Kleidung war weg.

Von der Küche führte eine Treppe in den ersten Stock. Sie blieb am unteren Absatz stehen.

»Dürfte ich nach oben gehen und mich umsehen?«

»Natürlich, aber da oben gibt es nicht so viel zu sehen.«

Langsam stieg Vendela die Treppe hoch, die Frau folgte ihr.

»Vier Jahre hat es gedauert, bis wir dazu kamen, hier oben mit den Renovierungsarbeiten anzufangen«, erzählte sie und lachte erschöpft. »Aber dann ist es doch auch ganz hübsch geworden.«

Vendela nickte schweigend. Ihr fielen keine Worte ein, das war ein schwerer Gang für sie. Aber sie schaffte die letzten Stufen. Der Fußboden war hell geschliffen und poliert – als sie hier lebte, war es dort oben schmutzig braun, düster und staubig gewesen.

Und hier zur Rechten war die Tür gewesen, die in ein kleines Schlafzimmer führte. Vor der Tür hatte ein Tischchen gestanden, auf das Vendela morgens vor der Schule das Tablett mit dem Essen stellen musste.

Die Tür zu dem Zimmer war geöffnet, auf dem Boden lagen Legosteine und Spielsachen, und sie hörte das helle Lachen eines kleinen Jungen.

Sie drehte sich um.

»Bleiben Sie lange hier?«

»Nein, nur über Ostern. Wir fahren am Montag schon wieder zurück.«

»Ich bleibe bis Mitte Mai«, erzählte Vendela und versuchte, möglichst nüchtern zu klingen. »Wenn Sie möchten, könnte ich im Haus nach dem Rechten sehen. Ich laufe ja ohnehin immer hier vorbei ...«

»Würden Sie das tun?«, fragte die Frau erstaunt. »Das wäre natürlich großartig, hier auf der Insel gab es ja schon ziemlich viele Einbrüche in Sommerhäuser.«

»Gefällt es Ihnen hier?«, fragte Vendela.

»Aber selbstverständlich, uns gefällt es sehr gut hier«, lautete die Antwort. »Es ist so idyllisch.«

Vendela zweifelte daran. Der Hof lag den Elfen im Weg – das hatte sie mittlerweile begriffen. Wer hier wohnte, der zog das Unglück an.

Unter dem dichtesten Gebüsch lagen noch kleine Schneehaufen, die Schmelzwasserseen in der Alvar waren größer als sonst, aber sie verdampften langsam in der Sonne. Bis zum Mai würden auch sie verschwunden sein.

Vendela fand sich immer besser zurecht in der Alvar, und nach einer weiteren Viertelstunde hatte sie den Stein erreicht. Sie sah sofort, dass die Elfen vor ihr dort gewesen waren.

Die alten Münzen lagen noch in ihren Kuhlen, aber das Zehnkronenstück, das sie für Aloysius geopfert hatte, war verschwunden.

Das überraschte sie nicht besonders, Vendela war nur ein wenig darüber verwundert, dass sie sich offenbar nach so vielen Jahren noch immer am Elfenstein versammelten.

Sie setzte sich ins Gras, lehnte sich mit dem Rücken gegen die Seite des Steines, die nach Osten zeigte, und seufzte. Sie hatte Zweifel gehabt, aber jetzt wusste sie, dass sie endlich angekommen war. Alle Orte, die sie je aufgesucht oder nach denen sie sich gesehnt hatte, verschwanden hinter dem Horizont. An diesem Stein verlangte niemand von ihr, dass sie eine Rolle spielte, hier gab es die Vendela Larsson nicht, auf die Max und der Rest der Welt ein wachsames Auge hatten.

Sie schloss die Augen, und sofort erschienen die Bilder, sie konnte trotzdem sehen. Ihr Blick wanderte über die Alvar bis hinunter zum Wasser. Sie hatte den Eindruck, sie könnte den Steinbruch erkennen und daneben ihr Haus. Dort saß ihr Mann Max und schrieb an dem letzten Kapitel seines Buches *Maximal gutes Essen*. Darin beschrieb er einen Alltag, in dem er als Hauptverantwortlicher für das Essen zu Hause auftrat, weil »die größte Freude darin besteht, sein eigenes Glück an andere weiterzugeben«. Um also morgens ein fröhliches Gesicht zu sehen, weckte er seine Frau, »meine geliebte V«, wie er sie im Buch nannte, »mit einem übervollen Frühstückstablett, gefüllt mit frisch gebackenem Brot, Früchten und frisch gepresstem Saft«.

Vendela wusste, dass Max in dem Augenblick des Schreibens davon überzeugt war, dass dies der Realität entsprach, obwohl sie fast immer das Frühstück machte. In seltenen Fällen hatte er ihr Frühstück gerichtet oder Abendessen gekocht, und da hatte sie jedes Mal gedacht, wenn sie ihn nur ausgiebig genug loben würde, wäre er vielleicht öfter dazu bereit. Aber das Kochen war nie Teil von Max' Alltag geworden.

Doch all das spielte jetzt keine Rolle, nicht hier draußen in der Alvar.

Sie sah das Nachbarhaus im Norden, das alte Häuschen, das vor langer Zeit von einem Arbeitskollegen von Henry gebaut worden war. Und sie sah die Familie, die jetzt dort wohnte. Per Mörner saß mit seinem Vater auf der Terrasse, seine Kinder waren auch zu Hause. Alles wirkte so friedlich, aber Vendela wusste genau, dass der Schein trog.

Per war ein bedrängtes und geplagtes Wesen. Ihm würde es auch guttun, durch die Alvar zu joggen.

Sie richtete ihren Blick wieder auf den Platz zurück, an dem sie sich befand, auf den Stein und die kleine Lichtung zwischen den Wacholdersträuchern. Für einen Moment war alles in ein helles, strahlendes Licht getaucht, doch plötzlich erschien das Bild eines sehr großen Mannes in einem langen weißen Gewand. Er stand reglos vor ihr, ohne ihrem Blick auszuweichen. Er lächelte sie sogar an.

War das der König der Elfen? Nein, Vendela vermutete, dass

er nur ein Bote war, ein Diener, der ihr zeigte, dass die Elfen von ihrer Anwesenheit wussten. Der Mann war von niedrigerem Rang und erinnerte sie irgendwie an Max.

Das Bild in ihrem Kopf verschwand nicht, der Mann blieb dort stehen und lächelte, als würde er sagen wollen: *Du musst den ersten Schritt tun, nicht ich.*

Aber Vendela war nicht bereit dazu, noch nicht.

Sie öffnete die Augen und sah sich um. Die Lichtung war menschenleer, aber es raschelte im Gebüsch.

Plötzlich erschauerte sie vor Kälte, so wie immer, wenn sie sich aus der Welt der Elfen zurückzog. Sie stand auf und holte drei Münzen aus ihrer Jackentasche. Dann legte sie die Geldstücke in drei nebeneinanderliegende Kuhlen.

Eine Münze war für Max und sie, eine für Aloysius' Gesundheit und eine für die Nachbarn am Steinbruch. Per Mörner und die anderen.

Dann kehrte sie dem Stein den Rücken und setzte ihre Tour über die Alvar fort, an den spiegelglatten Wasserpfützen vorbei. Die Abendsonne strahlte ihr im Westen entgegen, ein warmes Leuchtfeuer, das den Weg die Küste hinunter wies.

Es war erst sieben Uhr, als sie zu Hause ankam. Die Zeit war langsam vergangen, wie sie es immer tat im Reich der Elfen.

29

Gerlof saß in seinem Garten. Es war Karfreitag, der Tag, an dem Jesus Christus am Kreuz gestorben war. Als kleiner Junge hatte man ihn gezwungen, den Tag damit zu begehen, nichts zu tun. Man durfte nicht spielen, kein Radio hören, nicht laut sprechen und auf gar keinen Fall lachen. Das Einzige, was man tun konnte, war, still auf einem Stuhl zu sitzen. Jetzt war er alt und beging den Tag ungefähr so, wie er ihn damals feiern musste, allerdings war das jetzt einfach nur erholsam und gemütlich.

Er saß also in seinem Garten und wartete auf die Ankunft seiner Kinder und Enkelkinder von der Westküste Schwedens. In der Zwischenzeit hätte er so einiges machen können – er hatte Kunden, die ein neues Buddelschiff bestellt hatten, und er wurde ziemlich gut dafür bezahlt. Aber erstens war Feiertag, und zweitens wanderten seine Gedanken immer wieder zurück zu dem Bündel mit Ellas alten Tagebüchern.

Er hätte gar nicht erst anfangen sollen, darin zu lesen.

Nun stand er auf und holte sich das Tagebuch des Jahres 1957. Er machte es sich in seinem Gartenstuhl bequem, schlug eine Seite in der Mitte des Buches auf und fuhr mit seiner Lektüre fort.

Heute ist der 16. Juni 1957, schrieb Ella mit ihrer tadellosen Handschrift.

Heute Nacht gab es ein fürchterliches Gewitter, die Kinder und ich waren auf, um die Blitze zu sehen. Dreimal schlugen sie im Sund ein, und das Wasser funkelte und prasselte nur so.

Gerlof verschlief das ganze Schauspiel, aber er ist Krach und Getöse wohl von der Seefahrt gewohnt.

Gestern ist er bis nach Långvik hochgeradelt, um ein neues Netz zu kaufen, dann fuhr er zurück und legte es aus. Heute Morgen fuhr er dann gegen fünf Uhr raus, um es einzuholen, fünfundzwanzig Flundern und sechs Barsche waren darin. Deshalb hatten wir heute frischen Fisch in Mehlschwitze, herrlich.

In der Früh haben Lena und Julia ein Rehkitz über die Straße springen und im Wald verschwinden sehen.

Heute musste der arme Witwer Fors seine letzten beiden Kälber verkaufen, der Schlachter aus Kalmar kam um zwei Uhr. Jetzt hat er nur noch seine drei Kühe, um die sich seine Tochter Vendela kümmert. Sehr bedauerlich, aber offenbar benötigt Fors dringend Geld.

Ja, dachte Gerlof, da hatte Ella recht. Vendela Larssons Vater hatte zeit seines Lebens Geldsorgen gehabt. Ein paar magere Kühe, die auf sehr mageren Wiesen weideten, und dann seine Arbeit in dem kleinen Steinbruch, der kaum noch mit den großen Steinbrüchen konkurrieren konnte, das kann nicht leicht gewesen sein.

Er blätterte weiter auf die nächste Seite:

Heute ist der 27. Juni 1957.

Es ist schon eine Weile her, dass ich etwas geschrieben habe, aber die Zeit vergeht so schnell, und ich habe so viel zu erledigen. Ein Tag folgt dem nächsten. Außerdem hat man ja auch nicht immer gleich viel Lust zum Schreiben.

Sonnig und heiß ist es noch dazu. Wir haben Hochsommer.

Gerlof ist nach Kalmar gesegelt, um den Frachter vermessen und die Tonnage feststellen zu lassen. Er ist gestern losgefahren und hat die Mädchen mitgenommen, die jetzt Sommerferien haben. Aber ich habe kein Problem, allein zu sein. In Borgholm findet heute zwar das Kaffeekränzchen der Nähgruppe statt, aber ich kann gut darauf verzichten. Meistens wird nur über die Teilnehmerinnen hergezogen, die nicht dabei sind, deshalb wird es jetzt gerade wahrscheinlich um mich gehen.

In den Abendstunden ist der Ort voller Fasanenhähne, die von den Hühnern in den Bauernhöfen angelockt werden. Aber die Bauern werden sich hüten, ihre Hühner von den Fasanen besteigen zu lassen!

Das kleine Kerlchen von der Weide kam heute wieder vorbeigeschlichen und bekam Haferkekse und ein Glas Limonade von mir. Der ist so quirlig und ist die ganze Zeit in Bewegung, aber er spricht kaum und erzählt mit keinem Wort, wer er ist und woher er kommt.

Aber er sollte ein Bad nehmen, und sein Haar ist so lang und ungekämmt. So etwas habe ich noch nie gesehen.

Da hörte Gerlof plötzlich Motorengeräusche und zuckte zusammen. Ein Auto näherte sich und bog langsam in seine Einfahrt.

Plötzlich hatte er es sehr eilig, das Tagebuch zuzuklappen und es unter seiner Decke zu verstecken. Aber als das Gartentor geöffnet wurde und dann der Volvo mit seinen Töchtern aufs Grundstück fuhr, saß er entspannt und ruhig in seinem Gartenstuhl. Die Wagentüren wurden aufgerissen.

»Hallo, Opa! Wir sind da!«

»Willkommen!«, rief Gerlof zurück und winkte. »Frohe Ostern!«

Alle sprangen aus dem Wagen. Lena hatte ihre jüngste Tochter dabei und Julia ihre beiden jüngsten Stiefsöhne, mit Taschen und Rucksäcken bestückt.

Die Familie war versammelt, die friedvolle Stille hatte ein Ende. Die Enkelkinder umarmten ihren Großvater und zogen sofort weiter in die Küche, wo sie den Fernseher oder das Radio anstellten. Was es auch war, sie drehten die Lautstärke so auf, dass die Rockmusik aus den geöffneten Fenstern drang.

Gerlof musste an die Karfreitage seiner Kindheit denken.

»Wie geht es dir, Papa? Ist alles in Ordnung?«

Julia war auf ihn zugekommen. Sie gab ihm einen Kuss auf die Wange.

»Hier auf dem Grundstück ist alles in bester Ordnung«, antwortete Gerlof. »In der ganzen Stadt ist es ruhig ... aber die neuen Hausbesitzer beim Steinbruch sind jetzt eingezogen.«

»Und, sind sie nett?«

»Ja, ziemlich nett.« Er erinnerte sich an die Zeitschrift, die Jerry Morner auf den Tisch geworfen hatte. »Und ziemlich originell.«

»Wollen wir vorbeigehen und uns vorstellen?«

»Nein, ich war gerade erst vorgestern bei ihnen. Das muss genügen.«

»Dann bleiben wir zu Ostern unter uns?«

Gerlof nickte. Er hatte zwar noch eine junge Verwandte, die in Marnäs wohnte, Tilda, das Enkelkind seines Bruders. Aber sie hatte im vergangenen Herbst einen Partner gefunden und war vollkommen von ihrem neuen Leben absorbiert.

»Und was machst du sonst so?«, fragte Julia.

»Ich sitze hier und denke nach.«

»Und worüber?«

»Über nichts.«

Julia streckte ihm die Arme entgegen.

»Willst du aufstehen?«

Gerlof lächelte und schüttelte den Kopf. Jetzt gerade wollte er lieber nicht aufstehen.

»Ich sitze hier ganz ausgezeichnet.«

Früher oder später würde er mit seinen Töchtern über Ellas Tagebücher sprechen müssen und sie fragen wollen, ob sie Genaueres über den sonderbaren Besucher ihrer Mutter wussten.

30

Bis zu dem Augenblick, als Nilla am Esstisch kollabierte und Blut spuckte, hatte die Familie Mörner ein sehr idyllisches Osterfest verbracht.

Per war es gelungen, sich selbst zu überlisten. Er hatte nicht einsehen wollen, wie krank sie wirklich war. Aber er hätte es wissen können, denn seit Ostersamstag hatte sie sehr erschöpft gewirkt. Sie hatte ihm zwar nach dem Frühstück beim Gemüseschälen geholfen, aber die Arbeit ging ihr nur langsam von der Hand, zwischendurch stand sie wie versteinert am Tisch und starrte auf das Schneidebrett.

»Bist du müde?«, fragte er.

»Geht so ... Ich habe heute Nacht nicht so gut geschlafen.«

»Willst du dich vielleicht ein bisschen hinlegen?«

»Nein, es geht schon.«

»Du könntest heute einen kleinen Spaziergang an der Küste machen«, schlug er vor. »Versuch doch, Jesper zu überreden, mitzukommen.«

»Hmm«, murmelte Nilla und fuhr fort, den Salat mit langsamen Bewegungen in Streifen zu schneiden.

Per beobachtete sie angespannt aus den Augenwinkeln.

Das Fundament für die Steintreppe hatte er vergangenen Dienstag erneuert, seitdem hatte er das kleine Ritual, jeden Morgen und Abend an die Kante zum Steinbruch zu gehen und nachzusehen, ob alles noch an seinem Platz war. Das tat er auch am Morgen des Ostersamstags, die Steine lagen unberührt an Ort und Stelle. Er wollte bald an dem Projekt weiterarbeiten, damit die Treppe eines Tages bis nach oben führte.

Die Wassergruben unten im Steinbruch begannen langsam auszutrocknen. Im Sommer würden er und Jesper tolle Sachen dort unten machen, Fußball spielen zum Beispiel.

Nilla natürlich auch.

Er wandte sich ab und ging um das Haus herum zu Ernsts ehemaliger Werkstatt. Es war eine quadratische Holzhütte, nur etwa zwei Meter hoch. An einigen Stellen konnte man auf den vom Wind gezeichneten Holzplanken noch Reste der ursprünglichen roten Farbe sehen. An der einen Vorderseite waren zwei kleine verschmutzte Fensterscheiben rechts und links neben einer pechschwarzen Tür hingebaut.

Davor hing eine dicke Kette, die an einer Öse an der Hauswand befestigt war. Allerdings war sie nur mit einem rostigen Nagel gesichert. Per zog ihn ab und öffnete die Tür.

Die Luft in der Hütte war trocken von dem Kalksteinstaub, der den Boden bedeckte. Vor drei Sommern war er zum letzten Mal hier gewesen, als Ernsts Verwandte sich die Gegenstände ausgesucht hatten, die sie mitnehmen wollten. Die fertigen Schleifarbeiten, die direkt am Eingang gestanden hatten, waren weg; die Sonnenuhr, das Vogelbad und die Lampenfüße. Zurückgeblieben waren die unfertigen Skulpturen beziehungsweise jene Plastiken, von denen niemand so richtig wusste, was sie darstellen sollten.

Sie waren in einer Ecke zusammengeschoben worden. Es waren Steinblöcke, die wie aufgequollene, kopflose Körper aussahen oder wie Köpfe mit tiefen Augenhöhlen und aufgerissenen Mündern. Einige Skulpturen sahen noch nicht einmal aus wie menschliche Wesen.

Per betrachtete sie nicht eingehender, er schloss die Tür und ging an die Straße zu den Briefkästen, um die Zeitung zu holen.

»Ihr Vater ist also der berühmte Jerry Morner!«, sagte Max. »Ich kannte ihn nicht, aber den Namen habe ich natürlich schon oft gehört.«

Per hatte seit dem Nachbarschaftsfest nicht mehr mit Max Larsson gesprochen, aber nun waren sie sich bei den Briefkästen begegnet.

»Haben Sie das?«

Per entfernte sich drei Schritte von den Briefkästen, aber Max verstand das Zeichen nicht und redete einfach weiter:

»Klar. Jerry Morner, er war doch schon ein Halbpromi in den Siebzigern, hat Interviews gegeben und ist lautstark in Pornodebatten im Fernsehen aufgetreten ... und beim Militär hat man diese Blätter doch auch gelesen, die er herausgegeben hat.« Er zwinkerte Per zu. »Na ja, gelesen – es waren ja fast nur Fotos drin.«

»Ja.«

»*Babylon* hieß das eine davon«, plapperte Max weiter. »Und wie hieß das andere noch? Sodom?«

»*Gomorra.*«

»Ja, stimmt. *Babylon* und *Gomorra*. Die waren ziemlich teuer ... und man musste im Kiosk auch immer danach fragen, sie hatten die nie in der Auslage liegen.« Er räusperte sich. »Natürlich lese ich so etwas jetzt nicht mehr. Werden die noch verkauft?«

»Nein, die sind vom Markt.«

»Die Videofilme haben die Zeitschriften abgelöst, und jetzt gibt es ja auch noch das Internet«, nickte Max kennerisch. »Die Dinge entwickeln sich weiter.«

Per erwiderte nichts darauf.

»Wie hat er denn seine Modelle gefunden?«, fragte Max.

Per zuckte mit den Schultern.

»Ich hatte nie etwas damit zu tun.«

»Man fragt sich, was für ein Typ von Mädchen bei so etwas mitmacht«, grübelte Max.

»Keine Ahnung«, antwortete Per, aber hatte sofort Reginas Lächeln vor Augen.

»Man hat deren Gesichter ja ganz deutlich gesehen ... einige von ihnen sind richtig hübsch gewesen.«

Per zuckte erneut mit den Schultern. Er hatte jetzt lange genug höfliche Nachbarschaftspflege betrieben, daher wandte er sich zum Gehen.

»Na, die haben wohl ganz gut daran verdient«, hörte er Max hinter sich sagen. »Und sie wurden um eine Erfahrung reicher.«

Per blieb stehen und drehte sich zu ihm um. Er beschloss, den Kindertest mit ihm zu machen. Er hatte das schon öfter getan.

»Haben Sie Kinder?«, fragte er ihn.

»Kinder?«, wiederholte Max und sah verwirrt aus, ehe er antwortete: »Klar, ich habe drei, aus meiner ersten Ehe.«

»Töchter?«

Larsson nickte.

»Eine. Sie heißt Annika.«

»Max«, Per senkte seine Stimme, »was würden Sie sagen, wenn Sie erfahren würden, dass Annika mit meinem Vater zusammengearbeitet hat?«

»Das hat sie nicht«, widersprach Max aufgebracht.

»Wie können Sie sich da so sicher sein? Hätte sie Ihnen das erzählt? Was meinen Sie?«

Max schwieg betreten. Per ließ ihn so stehen und machte sich auf den Nachhauseweg. Er war noch nicht weit gekommen, da knurrte Max hinter ihm:

»Du Schwein!«

Per ging weiter, ohne eine Regung zu zeigen. Er war diese Art von Reaktionen gewöhnt, wenn er daran erinnerte, dass Jerrys Modelle Menschen waren.

Aber leider war der Nachbarschaftsfrieden am Steinbruch jetzt wieder empfindlich gestört.

Du Schwein.

Per klang die Beschimpfung im Ohr nach, während er das Osteressen vorbereitete.

Jerry, Per, Nilla und Jesper – drei Generationen würden dieses Jahr Ostern zusammen feiern. Es war leider zu kalt, um draußen sitzen zu können, also deckte er im Wohnzimmer den Esstisch, der vor Ernsts alter Seemannskiste stand. Während er die Teller verteilte, betrachtete er den höhnisch grinsenden Troll, der in seiner Höhle verschwand. Und er fragte sich, warum der Troll grinste und die Prinzessin weinte. Hatte der Ritter es nicht rechtzeitig geschafft, ihre Tugend zu verteidigen?

»Pelle?«, fragte eine Stimme hinter ihm.

Sein Vater hatte das Zimmer betreten.

»Das Essen ist gleich fertig, Jerry. Du kannst dich schon hinsetzen ... Ostereier, das magst du doch, oder?«

Jerry nickte und setzte sich.

»Du darfst so viele essen, wie du willst«, versprach Per und fuhr fort, den Tisch zu decken.

Ehe er rausging, um die Kinder zu holen, wandte er sich an seinen Vater:

»Heute keine Zeitschriften auf dem Esstisch.«

Während des Essens schwieg Jerry. Auch die Zwillinge sprachen nicht viel. Jeder aß seine Eier und hing seinen eigenen Gedanken nach.

»Wart ihr unten am Strand?«, fragte Per.

Nilla nickte bedächtig. Sie sah müde und blass aus, ihre Stimme klang schwach und dünn.

»Wir sind in den Steinbruch gegangen, und Jesper hat ein Skelett gefunden.«

Jesper schüttelte den Kopf.

»Es war nur ein kleiner Knochen ... ich glaube, es ist ein Stück von einem Finger.«

»Einem Finger?«, sagte Per fassungslos. »Von einem Menschen?«

»Ja, ich glaube schon.«

»Wo habt ihr den denn gefunden?«

»Unter einem Steinhaufen. Ich habe ihn in meinem Zimmer.«

»Der stammt wahrscheinlich von einem Tier, wir können uns das später in Ruhe ansehen«, sagte Per und schälte sein Ei. »Aber eigentlich soll man keine Knochen vom Boden aufheben, da können Bakterien dran sein und ...«

Aber Jesper schien ihm nicht zuzuhören, mit vor Entsetzen aufgerissenen Augen starrte er an Per vorbei.

»Papa!«, schrie er. »Nilla!«

Neben Per hatte Nilla ihr Ei auf den Teller fallen lassen und war nach vorn gesunken, ihr Kopf hing tief, und sie rutschte langsam zur Seite weg.

Auf der Tischdecke waren kleine Blutstropfen, und als sie hustete, wurden es mehr.

Per griff nach ihrem Arm.

»Nilla!«

Er bekam sie zu fassen, ehe sie zu Boden glitt. Sie sah ihn mit schweren Augenlidern an.

»Was? Was ist los?«, sagte sie. Es klang, als würde sie im Schlaf sprechen. »Soll ich ...?«

Dann verstummte sie und sank in sich zusammen. Per hielt sie sicher im Arm.

»Es ist alles in Ordnung«, sagte er leise. »Alles in Ordnung.«

Aber das war falsch, nichts war in Ordnung – seine Tochter war plötzlich fiebrig rot im Gesicht. Ihr Puls raste, und ihr Körper hatte jegliche Spannung verloren, sie war ohnmächtig geworden.

Das gemeinsame Essen wurde schlagartig abgebrochen. Jerry saß stumm auf seinem Platz und starrte entgeistert auf die Blutstropfen auf der Tischdecke. Jesper war aufgesprungen und sah seine Schwester mit aufgerissenen Augen an.

Per legte Nilla aufs Sofa. Da hustete sie und öffnete die Augen.

»Mir ist kalt«, flüsterte sie.

Per erinnerte sich an die Worte des Arztes in Kalmar über die neue Medizin, die sie jetzt nahm. Sie reduzierte die Abwehrkräfte und begünstigte so Infektionen. Er sah zu Jesper.

»Nilla wird es bald wieder gut gehen«, beruhigte er ihn. »Aber ich muss sie zurück ins Krankenhaus bringen ... Kann ich dich mit Opa allein lassen?«

Jesper nickte.

»Und kannst du Mama anrufen?«

Der Parkplatz des Krankenhauses war leer, und auch in der Klinik herrschte kaum Betrieb, aber natürlich war die Notaufnahme besetzt. Nilla wurde rasch auf ein Bett gelegt und einen Flur hinuntergeschoben. Per blieb nichts anderes übrig, als in ihre alte Abteilung zu gehen und dort zu warten.

Er setzte sich auf einen Stuhl im Flur, er kannte sich mittlerweile ja ganz gut aus. Dann wartete er und wartete.

Fast eine Stunde später wurden die Türen der Abteilung aufgestoßen, und Marika und ihr Mann Georg kamen herein. Georg war braun gebrannt und trug einen dunklen Anzug, wie schon bei ihren letzten beiden Begegnungen.

»Der Arzt will mit uns sprechen«, sagte Marika.

Per kannte den Arzt nicht, der an diesem Abend Dienst hatte. Er hieß Stenhammar und war jünger als der vorherige. Aber sein Blick war genauso ernst, als er sie in sein Büro führte und sich hinter seinen Schreibtisch setzte.

»So, ich habe gute und schlechte Nachrichten.«

Niemand sagte ein Wort, daher fuhr er fort:

»Die gute Nachricht ist, dass wir das Fieber senken konnten. Pernilla kann bald aus der Intensivstation entlassen werden.«

»Können wir sie dann heute Abend wieder mit nach Hause nehmen?«, fragte Marika, obwohl es Pers Wochenende war.

Stenhammar schüttelte den Kopf.

»Das sind die schlechten Nachrichten«, sagte er. »Pernilla kann vorerst nicht nach Hause. Wir müssen sie hierbehalten.«

»Wie lange denn?«, fragte Marika.

Der Arzt schwieg eine Weile. Dann hob er an zu einem langen

und detaillierten Vortrag über die Untersuchungen, die Ergebnisse und die Diagnose. Er erklärte alles sehr ausführlich und verwendete umständliche, unbekannte Worte.

»Epitheli ... wie heißt das?«, fragte Per.

»Wir kürzen das mit E.H.E. ab«, erläuterte Stenhammar, »das ist eine äußerst seltene und sehr ungewöhnliche Krebsart, die vor allem das Weichgewebe angreift. Ich verstehe sehr gut, dass Ihnen das kein Trost sein kann, aber als Arzt ...«

»Was bedeutet das für Nilla?«, unterbrach ihn Marika.

Erneut begann der Arzt mit einer ausführlichen Darlegung. Hinterher erinnerte sich Per nur an zwei Worte: *bösartigen Tumor*.

»... daher ist es das Beste, wenn sie bis zum Eingriff bei uns bleibt«, schloss Stenhammar und faltete seine Hände auf der Tischplatte.

Eingriff. Der Boden unter Pers Füßen schwankte.

»Sie müssen operieren?«

Der Arzt nickte.

»Ja, eine Bestrahlung reicht leider nicht aus, befürchte ich. Wir stehen kurz vor einer Vitalindikation.«

Per fragte nicht, was das letzte Wort bedeutete, aber es hörte sich nicht gut an.

»Wann denn?«, flüsterte Marika.

»Bald, bevor es zu spät ist.« Stenhammar holte Luft. »Und es wird leider auch keine leichte OP werden.«

»Wie stehen die Chancen?«, brach es aus Per heraus.

Eine furchtbare Frage, Per hätte sie am liebsten zurückgenommen. Aber Stenhammar schüttelte ohnehin nur den Kopf.

»Wir gehen hier keine Wetten ein.«

Nach dem Gespräch verließen sie schweigend das Arztzimmer. Georg lief los, um Kaffee zu holen. Per wusste nicht, was er zu seiner Exfrau sagen sollte, doch Marika sah sich plötzlich suchend um:

»Wo ist Jesper?«

»Er ist im Sommerhaus geblieben.«

»Allein?«

»Nein, mein Vater ist bei ihm.«

»Jerry?«

Marikas Frage hallte durch den leeren Flur. Per senkte seine Stimme, als er antwortete:

»Gerhard, genau. Er ist seit ein paar Tagen bei uns ...«

»Warum das denn?«

»Er ist krank«, erwiderte Per. »Er hatte einen ...«

»Krank war Jerry schon immer!«

»... und er benötigte Hilfe«, fuhr Per unbeirrt fort. »Aber ich fahre ihn bald zurück nach Kristianstad.«

»Bring ihn bloß nicht mit ins Krankenhaus, ich will diesem geilen alten Sack auf gar keinen Fall noch einmal begegnen.«

»Geiler alter Sack? Das stimmt vielleicht sogar«, sagte Per leise, »aber soweit ich mich erinnere, warst du damals ziemlich neugierig auf Jerrys Geschäfte, als wir uns kennenlernten. Du hast gesagt, du fändest das spannend.«

»*Dich* habe ich auch spannend gefunden, das ging aber beides schnell vorbei«, fauchte Marika ihn an.

»Prima«, sagte Per. »Ein Problem weniger.«

»Nicht ich habe ein Problem mit dir, Per. Du hast ein Problem mit mir.«

Er schnappte nach Luft.

»Ich gehe jetzt zu Nilla rein und verabschiede mich von ihr.«

Marika blieb mit verschränkten Armen im Flur stehen, und Per ging einen Moment zu Nilla ins Zimmer, ehe er sich auf den Nachhauseweg machen wollte.

Nilla lag unter ihrem weißen Bettlaken, eine Infusion im Arm. Er beugte sich zu ihr und legte seine Wange auf ihre.

»Hallo.«

»Hallo ...«

Sie war wieder blass, ihr Atem ging flach und hektisch.

»Wie geht es dir? Kannst du gut atmen?«

»Geht so ...«

»Du siehst aber gut aus ...«

Sie schüttelte den Kopf.

»Ich kann meinen schwarzen Stein nicht finden, Papa.«

»Welchen Stein?«

»Das Stück Lavastein aus Island ... den Glücksstein, den mir Mama geschenkt hat. Ich hatte ihn in meinem Zimmer und bin mir ganz sicher, dass ich ihn mir heute früh in die Tasche gesteckt habe, aber da ist er nicht mehr.«

Per erinnerte sich an den Stein, ein glatter, pechschwarzer Stein, den Nilla ihm gezeigt hatte. Er passte genau in seine Handinnenfläche.

»Der liegt bestimmt irgendwo im Haus«, beruhigte er sie. »Ich werde ihn finden.«

Als er eine halbe Stunde später ins Sommerhaus zurückkam, hatten Jerry und Jesper den Tisch abgedeckt und die befleckte Decke in die Wäsche getan. Aber in der Spüle stapelte sich das Geschirr, darum musste sich Per kümmern.

Opa und Enkel saßen im Wohnzimmer zusammen auf dem Sofa, im Fernsehen lief eine amerikanische Serie. Jerry sah wie gebannt auf den Bildschirm, aber Jesper drehte sich zu Per um.

»Ist alles gut gegangen, Papa?«

Per nickte und rieb sich die Augen.

»Doch ... Nilla muss heute Nacht im Krankenhaus bleiben, aber ihr geht es schon besser.«

Jesper nickte und wandte sich wieder der Serie zu.

Später, dachte Per *Ich erzähle ihm später von dem Tumor.*

Er wollte aus dem Wohnzimmer gehen.

»Was machst du jetzt?«, fragte Jesper.

»Ich muss nach einem Stein suchen«, antwortete Per, »einem Glücksstein.«

Da fiel ihm etwas anderes ein.

»Was hattet ihr noch mal im Steinbruch gefunden? Einen Knochen?«

»Hmm. Der liegt in meinem Zimmer, im Bücherregal.«

Per ging in Jespers Zimmer. Er versuchte, sich nicht über die Unordnung aufzuregen, öffnete aber das Fenster, um zu lüften. Dann sah er das Regal durch.

Der Knochen lag zwischen Jespers Büchern und Spielen und war ziemlich klein, nur vier oder fünf Zentimeter lang. Seine Oberfläche war gelbgrau und fühlte sich rau an, er hatte wohl viele Jahre draußen gelegen und war dadurch trocken und brüchig geworden.

Per musste zugeben, dass Jesper und Nilla recht hatten, der Knochen sah tatsächlich aus wie ein abgebrochener menschlicher Finger.

31

Da ihre Eltern schon gestorben waren und sie keine gemeinsamen Kinder hatten, würden Max und Vendela Ostern nur zu zweit in ihrem neuen Sommerhaus feiern. Vendela störte das nicht besonders, für sie war es kein so wichtiger Feiertag.

Vendelas erwachsene Tochter Carolina aus ihrer Ehe mit Martin hatte am Morgen aus Dubai angerufen und frohe Ostern gewünscht. Sie würde erst zu Mittsommer wieder nach Schweden zurückfliegen. Max hatte drei Kinder aus erster Ehe, aber seine Tochter hatte sich vor zwei Jahren mit ihm überworfen, nachdem er Sachen über ihre Mutter gesagt hatte, die ihr nicht gefielen. Danach war es ihr gelungen, die beiden Brüder auf ihre Seite zu ziehen, und seitdem herrschte Funkstille.

Außerdem war Vendela als Stiefmutter ohnehin ein Hassobjekt, das wusste sie. So war es von Anfang an gewesen.

Sie hatte vom Grundstück des alten Bauernhofs ein paar Birkenzweige mitgenommen. Und obwohl ihr davon die Nase lief und juckte, nahm sie die Zweige als Dekoration mit ins Haus.

Mehr benötigte man eigentlich nicht, um eine österliche Stimmung zu schaffen.

Es war Zeit fürs Abendessen. Vendela hatte keine Lust mehr auf Kochen – in Kühlschrank und Tiefkühltruhe waren auch noch Reste vom Nachbarschaftsfest –, aber sie würde trotzdem noch einiges auf den Tisch bringen müssen. Schließlich war Ostern: ein paar Eier, ein bisschen Hering und Kartoffeln, Wein. Einen Bordeaux hatte sie schon geöffnet und sich ein Glas eingeschenkt.

Die Tür zu Max' Arbeitszimmer war geschlossen, er hatte den ganzen Tag an einem seiner Arbeitstische gesessen und wollte nicht gestört werden. Max bereitete sich auf eine Lesereise vor, die er nach Ostern antreten würde, außerdem waren die ersten hundert Umbruchseiten von *Maximal gutes Essen* von seinem Verlag eingetroffen. Gestern hatten sie das letzte Rezept an den Lektor geschickt, das Projekt stand kurz vor der Vollendung. Früher oder später würde Max bestimmt auf sie zukommen und sie bitten, noch einmal Korrektur zu lesen.

Die Abzugshaube dröhnte, und Eier und Kartoffeln kochten in ihren Töpfen auf dem Herd. Ihr Notizheft mit den Aufzeichnungen über die Elfen lag auf der Küchenbank. Vendela hatte einen Stift in der Hand und schrieb sich vereinzelte Formulierungen auf, während sie die Kochtöpfe im Auge behielt. Sie musste an die Kinder von Max denken, die noch nicht einmal angerufen hatten, um ihrem Vater frohe Ostern zu wünschen. Sie stellte das Weinglas ab und schrieb:

In der Welt der Elfen gibt es keinen Streit und keine Konflikte, Elfen leben in vollkommener Harmonie. Wie ist das möglich?

Das liegt an ihrem Erkenntnisvermögen. Die große Gabe der Elfen ist es, etwas aus allen Perspektiven gleichzeitig betrachten zu können. Ganz im Gegensatz zu vielen engstirnigen Menschen, und deshalb herrscht auch nie Unfrieden. Die Elfen kennen ihren Platz in der Welt und beschäftigen sich mit wichtigeren Dingen als Auseinandersetzungen.

Allerdings durfte sie nicht vergessen, dass die Elfen vor langer Zeit einen Krieg gegen die Trolle geführt hatten, bei dem viel Blut geflossen war. Musste sie nicht auch davon erzählen?

Hinter ihr begann in diesem Augenblick ein Wecker zu summen, die Eier waren fertig. Sie hob den sprudelnden Kochtopf vom Herd und ließ kaltes Wasser hineinlaufen.

Zwölf Eier hatte sie gekocht, weiß und hart, aber sie selbst würde kein einziges davon essen. Sie hatte den Kampf gegen den Hunger gewonnen, seit sie auf der Insel angekommen war. Wenn sie nur genügend Eier kochte, verlor Max den Überblick, ob sie schon eines gegessen hatte oder nicht.

Sie kehrte zu ihrer Bank zurück und fuhr mit ihren Aufzeichnungen fort:

Elfen sind eher spirituelle als physische Wesen, sie haben verstanden, dass die Verherrlichung des Körperlichen nicht gut ist. In der Seele gibt es ausreichend Liebe für die ganze Welt, im Körper hingegen existiert nur die Begierde. Und wenn die Begierde an die Macht kommt, entsteht ein Kampf zwischen Körper und Seele, den meistens die Seele verliert.

Wir Menschen verlieren leicht die Kontrolle über unseren Körper, weil wir so viel mit ihm erreichen wollen, Elfen versuchen das erst gar nicht. Während wir uns in diesem Teufelskreis drehen, ohne ihm entkommen zu können, spielen die Elfen ausgelassen auf den Wiesen.

Vendela registrierte eine Bewegung aus dem Augenwinkel und hielt inne. Sie drehte sich um.

»Ach, hallo, Ally«, rief sie.

Aloysius kam in die Küche getapst – ohne sich die Nase am Türrahmen zu stoßen, wie es ihm sonst in letzter Zeit so oft passierte. Vorsichtig kam er auf sie zu, langsam, aber zielsicher.

»Wie geht es dir?«, fragte Vendela und lächelte ihn an. »Frohe Ostern, mein Schatz.«

Der Pudel setzte sich bedächtig auf den Küchenfußboden, die steifen Vorderläufe weit gespreizt.

»Du bekommst heute Abend auch ein paar Leckerli, freust du dich?«

Der Hund leckte sich über die Nase und sah Vendela an.

Es war unglaublich, aber Aloysius sah sie *direkt* an. Sein Blick wirkte fokussiert, er konnte sie tatsächlich sehen. Sie machte einen Schritt zur Seite und beobachtete, wie seine Augen ihrer Bewegung folgten.

Vendela ließ den Stift fallen und lief los. Sie stürmte zu Max' Arbeitszimmer und ließ sich nicht von der verschlossenen Tür abhalten:

»Max, er kann wieder besser sehen!«, rief sie und hämmerte gegen die Tür. »Allys Augen sind wieder besser geworden. Max, komm raus und sieh dir das an!«

32

Die Enkelkinder hatten den ganzen Ostersamstag über hart gekochte Eier mit Wasserfarben bemalt. Es gab gelbe Eier mit blauen Rändern und rote Eier mit grünen Punkten – aber die meisten hatten so viele Farbschichten erhalten, dass sie grau und schwarz waren.

Gerlof aß ein paar davon mit viel Salz und Kaviar, am liebsten aber nahm er sich Hering in Kräutersoße mit Kartoffeln und Knäckebrot. Dazu trank er ein paar Schnäpse, gewürzt mit Wermutkraut, das man unten am Strand pflücken konnte. Zufrieden bemerkte er, dass sonst niemand am Tisch Alkohol trank. Umso besser.

In den vergangenen Jahren hatte er sich um seine jüngste Tochter Julia immer wieder Sorgen machen müssen, aber an diesem Abend hatte sie nur Milch in ihrem Glas.

Nach dem Essen und den Schnäpsen fühlte sich Gerlof so wohl, dass er anfing zu erzählen, wie einfach und ärmlich das Leben auf der Insel früher einmal gewesen war.

»*Brennsuppe*, weiß einer von euch, was das ist?«

Die Enkelkinder schüttelten den Kopf.

»Das war ein besonderes Gericht, das man an Samstagen aß«,

erzählte Gerlof. »Das Rezept war einfach: Man nahm die Essensreste der vergangenen Woche, die in einem Holzgefäß gesammelt wurden, dann salzte man sie ordentlich und kochte alles mit einer Mehlschwitze auf. Und dann wurde das gegessen. Von der ganzen Familie!«

Julia schüttelte den Kopf.

»Du hast doch im Leben nie Brennsuppe essen müssen, Papa! So arm wart ihr nicht!«

Gerlof runzelte die Stirn.

»Ich spreche von meinem Großvater, er bekam diese Mehlsuppe, als er klein war. In meiner Kindheit war es aber auch schlimm genug. Wir hatten keinen Wasserhahn, jeden Tropfen Wasser mussten wir aus dem Brunnen im Hof hochpumpen.«

»An die Pumpe kann ich mich auch erinnern«, sagte Lena, »die hatten wir auch noch in den Sechzigerjahren. Ich fand immer, dass Brunnenwasser besser schmeckte als das Wasser aus dem Hahn.«

»Ja«, stimmte Gerlof ihr zu, »aber manchmal war es zu braun, dann musste man so lange pumpen, bis es wieder klar wurde. Und wir hatten auch keine Toilette, nur ein Plumpsklo mit einem Eimer, den man in eine große Grube entleeren musste, wenn er voll war. Es spritzte gegen die Beine, wenn man nicht vorsichtig genug war, und wenn man stolperte, dann ...«

Lena legte geräuschvoll ihre Gabel auf den Teller.

»Wir essen doch noch, Papa.«

»Ja, schon gut«, lenkte Gerlof ein und zwinkerte seinen Enkelkindern zu. »Aber im Frühling war es genau umgekehrt. Dann hatten wir zu viel Wasser. In der Alvar bildeten sich zum Teil richtige Seen ... Ich erinnere mich, dass wir in ihnen gebadet haben. Mein Bruder Ragnar und ich haben einmal eine alte Blechwanne gefunden, auf der haben wir ein Laken als Segel gehisst und das Schiff im Frühlingsfluss zu Wasser gelassen.« Er lachte laut auf. »Das hat ordentlich Tempo bekommen und ist dann umgekippt. Das war meine erste Schiffshavarie.«

»Gab es damals schon Autos?«, fragte eines der Enkelkinder.

»Klar«, sagte Gerlof. »Autos gab es schon in meiner Kindheit. Die kamen sehr bald auf die Insel, noch vor der Elektrizität. Autos gab es hier sogar vor dem Ersten Weltkrieg, aber einige Höfe haben erst in den Vierzigern Stromanschlüsse bekommen. Andere wollten gar keine, es kostete ja auch viel Geld. Man hat sich mit Petroleumlampe beholfen, solange es ging.«

»So hattet ihr wenigstens keine Probleme bei Stromausfall«, warf Julia ein.

»Ja, aber wenn mal ein Gewitter aufzog, rannten alle in Todesangst aus den Häusern und setzten sich in ihre Autos, bis es vorbei war. Wir hatten Schwierigkeiten, uns an die Elektrizität zu gewöhnen.«

Als fast alle Eier gegessen waren, standen die Enkelkinder vom Tisch auf, und es wurde bedeutend ruhiger im Raum.

Gerlof blieb mit seinen Töchtern zurück.

Er wollte ihnen etwas sagen, es fühlte sich fast wie ein Geständnis an.

»Ich habe übrigens angefangen, Mamas Tagebücher zu lesen.«

»Die liegen auf dem Dachboden, oder?«, fragte Julia.

»Nein, die lagen in einem Küchenschrank. Wollt ihr sie auch lesen?«

»Lieber nicht«, sagte Julia.

Auch Lena schüttelte den Kopf.

»Ich habe sie dort auch liegen sehen, aber nie angerührt. Das ist viel zu intim. Wollte sie die nicht verbrennen? Ich meine mich erinnern zu können, dass ...«

»Verbrennen? Davon habe ich nichts gewusst«, unterbrach sie Gerlof. Er wollte sein ohnehin schon schlechtes Gewissen nicht noch verstärken, also sagte er mit fester Kapitänsstimme: »Ich lese sie auf jeden Fall. Das Lesen von Tagebüchern ist nichts Unrechtes.«

Es wurde still am Tisch. Gerlof nahm noch ein schwarz bemaltes Ei aus der Schüssel und begann es zu schälen:

»Sie beschreibt merkwürdige Wesen, die sie hier besucht haben, wusstet ihr davon? Das steht so in ihren Tagebüchern.«

Die Töchter sahen ihn fragend an.

»Hat sie Wichtelmänner gesehen?«, fragte Julia. »So wie Großmutter?«

»Nein, keine Wichtelmänner. Ella schreibt von einem ›Kerlchen‹, das sie ab und zu im Sommerhaus besuchte, wenn sie alleine hier war. Zuerst dachte ich, sie hatte einen heimlichen Verehrer aus der Stadt, während ich zur See fuhr ...«

»Niemals!«, unterbrach Julia.

»Das glaube ich eigentlich auch nicht.« Gerlof sah nachdenklich aus dem Fenster auf die Wiese und die Büsche hinter seinem Grundstück. »Aber ich frage mich, wen oder was sie da gesehen hat. Mir gegenüber hat sie nie etwas erwähnt. Wusstet ihr davon?«

Julia schüttelte den Kopf. Sie schälte ihr letztes gekochtes Ei und sagte:

»Mama mochte es ja gern ein bisschen geheimnisvoll ... sie konnte auch sehr gut schweigen.«

»Vielleicht war es ja ein Troll aus dem Steinbruch«, schlug Lena vor und lachte. »Ernst hat doch immer davon erzählt.«

Gerlof lachte nicht.

»Dort gibt es keine Trolle.«

Er erhob sich langsam vom Tisch, seine Töchter streckten ihm sofort ihre Hände entgegen, aber er wollte keine Hilfe haben.

»Es geht schon, vielen Dank. Ich werde jetzt bald zu Bett gehen. Ihr habt aber die Ostermesse morgen früh nicht vergessen, oder?«

»Wir bringen dich zur Kirche«, versicherte Lena.

»Gut.«

Gerlof musste zum Glück mit niemandem sein Zimmer teilen. Er zog die Tür hinter sich zu und zog sich seinen Schlafanzug an, obwohl es erst neun Uhr war. Aber er wusste, dass er tief und fest schlafen würde, auch wenn alle anderen noch wach waren und vor dem Fernseher saßen. Er hörte ihr Lachen und die hohen Stimmen und schloss die Augen.

Die Lebhaftigkeit der Enkelkinder von morgens bis abends raubte ihm seine Kräfte. Wie würde das erst werden, wenn die Sommerferien begannen? Er musste die Frühlingsruhe genießen, solange sie anhielt.

33

Ally?«, rief Max. »Ally, hierher, sieh mich an.«

Max saß in einem Sessel im Wohnzimmer und beugte sich vor. Der kleine Pudel hockte am anderen Ende des Raumes auf Vendelas Schoß und schnupperte in die Richtung, aus der die Stimme kam.

»Aloysius? Kannst du mich sehen?«

Vendela flüsterte ihm ins Ohr:

»Ally, siehst du das Herrchen?«

Der Hund winselte leise und nahm auch eine Witterung auf, aber er schnupperte in unterschiedliche Richtungen.

Max seufzte.

»Er kann mich nicht sehen, Vendela. Sein Gehör und sein Geruchssinn sind noch in Ordnung, aber sein Sehvermögen hat er verloren.«

Vendela streichelte Ally über den Rücken.

»Nein«, widersprach sie, »er sieht viel besser als vorher, und er stößt sich gar nicht mehr an den Möbeln.« Sie kraulte den Pudel hinter den Ohren. »Außerdem sieht er mir direkt in die Augen. Das tust du, nicht, mein Kleiner?«

Ally streckte sich und leckte Vendela am Hals.

Max schüttelte den Kopf.

»Eine Sehschwäche heilt nicht von selbst, davon habe ich noch nie gehört. Ich glaube nicht daran, dass das Sehvermögen einfach so wiederkommen kann.«

»Doch«, widersprach Vendela. »*Hier* kann so etwas passieren. Auf der Insel schon.«

»Ach ja?«

Vendela setzte den Pudel auf den Boden.

»Es ist ein heilender Ort«, erklärte sie. »Ich glaube, es liegt am Wasser und an dem Boden. Er enthält so viel Kalk.«

»Klar!«, erwiderte Max und stand auf. Er ging in Richtung Flur. »Ich muss noch die Sommerreifen aufziehen. Könntest du mir für meine Fahrt ein bisschen Pastasalat fürs Lunchpaket machen?«

Vendela ging in die Küche, um Nudelwasser aufzusetzen. In ein paar Stunden würde sie allein sein. Sie freute sich darauf.

Die Osterfeiertage waren ganz harmonisch verlaufen, und Vendela hatte Max beim Korrekturlesen der Fahnen des Kochbuches geholfen. Ostersonntag würde er gegen Abend zu seiner Lesereise durch Südschweden aufbrechen, die eine knappe Woche, bis Freitag, dauern sollte. Er würde viel über seine bereits veröffentlichten Bücher, die Ratgeber, erzählen und natürlich auch jede Menge Werbung für sein neues Werk machen, *Maximal gutes Essen*.

»Vorfreude«, sagte Max immer. »Man muss Vorfreude wecken.« Ein bisschen ziellos lief er durchs Haus, mal unbeschwert und gut gelaunt, mal angespannt und irritiert, und beobachtete Vendela. Aber so war er immer, wenn er kurz vor einer Lesereise stand. So vieles konnte schiefgehen: Es kam zu wenig Publikum, das Mikrofon funktionierte nicht, oder der Veranstalter hatte vergessen, die Bücher oder einen Raum zu organisieren. Nach den Reisen war Max immer wesentlich entspannter.

Am Anfang hatte Vendela ihn noch begleitet, und sie hatten es sich gemütlich gemacht in den verschiedenen Hotels, aber mittlerweile hatten sie stillschweigend das Abkommen getroffen, dass sie zu Hause blieb.

Als die Nudeln im Topf kochten, ging sie zurück ins Wohnzimmer und blieb abrupt stehen.

Auf dem dunklen Steinfußboden befand sich eine milchig

weiße Pfütze. Vendela begriff sofort, was geschehen war, und lief schnell in die Küche, um Haushaltspapier zu holen, bevor Max die Pfütze entdeckte. Aber es war zu spät:

»Vendela!«

Sie ging zu ihm und sah ihn fragend an:

»Was gibt es denn, mein Schatz?«

»Hast du gesehen, was dein Hund hier auf den Boden gemacht hat?«

Jetzt war es natürlich *ihr Hund*.

»Oh ja, ich sehe es.« Sie lief erneut in die Küche und kam dieses Mal mit Küchenkrepp zurück. »Das ist doch nur eine kleine Magenverstimmung.«

Sie hockte sich hin. Max stand mit steifem Rücken daneben und begutachtete ihre Arbeit.

»Das ist ja nicht zum ersten Mal passiert!«

»Nein, er isst eben manchmal auch Gras, dann passiert so etwas«, entschuldigte Vendela den Pudel. »Aber seit letzter Woche wirkt er viel lebendiger und munterer.«

Max erwiderte nichts, sondern drehte sich nur um und ging. Vendela wischte den Rest weg und stand dann auf.

»So, schon wieder sauber!«

In diesem Moment schlug die Eingangstür zu, Max hatte das Haus verlassen. Ally hatte sich unter den Küchentisch gelegt und die Nase zwischen die Pfoten gesteckt, als würde er sich schämen. Vendela beugte sich zu ihm hinunter.

»Mach das bitte nicht noch einmal, mein Süßer.«

All die Jahre, in denen Max mit Ally lange Spaziergänge unternehmen und Stöcke und Bälle zum Apportieren werfen konnte, hatte er den Hund geschätzt. Seit er kränklicher wurde, hatte das Tier für ihn offensichtlich keinen Wert mehr.

Sie würde heute Abend noch einmal zum Elfenstein gehen und neue Münzen opfern. Und sie würde bleiben und ihre Wünsche vortragen: dass Aloysius wieder gesund wird und Max ihn so annimmt, wie er ist, egal, ob jung oder alt, hübsch oder hässlich, gesund oder krank. Er war doch ihr Ally.

»Für dich ist der Zug noch lange nicht abgefahren, mein Kleiner«, tröstete sie ihn und goss die Nudeln in das Sieb. »Wir werden es ihm schon noch *zeigen*.«

VENDELA UND DIE ELFEN

Im Oktober des Jahres 1957 geschieht etwas, was Vendelas Leben auf dem kleinen Bauernhof noch anstrengender macht. Henry Fors' Interesse für den Sternenhimmel entwickelt sich zu einem regelrechten Weltraumfieber.

In diesem Herbst ist er allerdings auch nicht der Einzige, dem es so ergeht.

Alles beginnt an einem Samstagabend, als Henry eine Nachrichtensendung im Radio hört und etwas Ungeheuerliches erfährt – die Sowjetunion hat den ersten künstlichen Erdsatelliten mit einer Rakete in den Weltraum geschossen, und er befindet sich bereits auf der Erdumlaufbahn. Der Satellit heißt Sputnik und ist eine runde Metallkugel, die nicht mehr als einen Meter Durchmesser hat.

Henry sitzt am Küchentisch und lauscht gespannt dem Rundfunksprecher.

»Sputnik«, wiederholt er. »Stell dir das mal vor …«

Dann springt er hinaus auf die Treppe, legt den Kopf in den Nacken und starrt hoch in den Weltraum. Lange steht er so, dann kommt er zurück in die Küche.

»Ich habe ihn gesehen!«, ruft er Vendela aufgeregt zu und zieht sie mit sich hinaus in den Garten. Sie stehen nebeneinander und sehen in den Nachthimmel. Die Sterne leuchten, Henry sucht konzentriert den Himmel ab und deutet schließlich hinauf.

»Dort oben ist er!«

Vendela starrt in den unendlichen schwarzen Raum über sich. Sie sieht zahllose Sterne – wie ein schwach funkelnder Teppich aus Eiskristallen in einem schwarzen Meer. Henry behauptet steif und fest, dass sich einer von ihnen bewegt.

»Da! Siehst du ihn denn nicht?«

Mehrere Minuten lang starrt Vendela auf einen Fleck am Firmament, dann gibt sie auf. Sie dreht sich zum Haus um und sieht hoch zu den Fenstern im ersten Stock.

Das mittlere ist schwach erleuchtet, sie sieht einen Schatten hinter der Glasscheibe, und Vendela weiß, dass der Invalide mit dem Rollstuhl ans Fenster gerollt ist, um in den Sternenhimmel sehen zu können.

Einen Monat später wird ein zweiter sowjetischer Satellit ins Weltall geschickt, Sputnik 2. Dieser ist größer und schwerer und hat einen kleinen Hund namens Laika an Bord. Vendela tut Laika leid, sie bekommt kaum Futter und hat keine Chance, die Rückkehr zur Erde zu überleben, sondern stürzt mit dem Satelliten ins Meer.

»Aber sie hat den Druck und die Schwerelosigkeit ausgehalten!«, schwärmt Henry. »Das heißt, dass auch Menschen das bald tun können.«

Voller Hoffnung und Begeisterung sieht er Vendela an. Aber sie denkt nur an Laika, die so ganz allein im weiten, dunklen Weltall ist. Die Kühe auf der Weide sind wenigstens zu dritt.

Im Lauf des Winters gelingt es den Amerikanern, ebenfalls einen Satelliten namens Explorer ins Weltall zu schicken, aber der kann über Nordeuropa nicht gesehen werden. Doch das muss Henry auch nicht, um zu erkennen, dass ein Wettkampf begonnen hat, ein Wettlauf, den er gespannt im Radio und in den Zeitungen verfolgt. Von seiner nächsten Reise nach Borgholm kehrt er mit dem Sachbuch *Satelliten und Raumschiffe* zurück, aus dem er jeden Abend vorliest.

»Die Russen werden bald eine Rakete zum Mond schicken«, erzählt er ihr eines Abends. »Der Flug dorthin dauert nur hundertsiebenundfünfzig Stunden. Das geht schneller, als mit dem Schiff nach Amerika zu fahren.«

Danach zieht er sich in sein Zimmer zurück. Als sie später zu ihm reingeht, um ihm eine gute Nacht zu wünschen, sitzt er mit Stift und Papier auf seinem Bett und zeichnet Kreise.

»Was malst du denn da?«

Henry sieht hoch.

»Umlaufbahnen.«

Ihr Vater hat ein Glühen in den Augen, wie sie es noch nie zuvor bei ihm gesehen hat, schon gar nicht bei der Arbeit auf dem Hof. Da weiß sie, dass er sich um die Landwirtschaft und das Vieh in Zukunft noch weniger kümmern wird.

Die Winterstürme türmen Neuschnee zu riesigen, gefrorenen Schneewehen auf, und Vendelas Schulweg quer durch die Alvar ist versperrt. Monatelang muss sie weite Umwege gehen.

Ende März kommt endlich die Sonne zurück, und ihr Vater schenkt ihr ein Paar Stiefel, die der alte Schuster im Ort angefertigt hat, Schuh-Paulsson. Sie sind schlecht vernäht, und es dringt Wasser ein, aber wenigstens führt ihr Schulweg sie jetzt wieder über die Alvar an den schmelzenden Schneewehen vorbei.

Und sie kann den Elfenstein wieder besuchen.

In Lauf des Frühlings bedient sich Vendela immer wieder beim Schmuckkästchen ihrer Mutter. Ein Stück nach dem anderen nimmt sie an sich, um es auf dem Weg zur Schule am Stein zu opfern. Ihr Vater scheint den Diebstahl nicht zu bemerken, er ist vollends damit beschäftigt, den Sternenhimmel zu beobachten und die Umlaufbahnen der künstlichen Erdsatelliten zu berechnen. Wenn er nicht gerade im Steinbruch arbeiten muss. Der Bauernhof verfällt, und den Invaliden hat er offenbar auch ganz vergessen, aber all das scheint ihn nicht zu kümmern.

Vendela legt die Schmuckstücke in die Kuhlen, und sie verschwinden. Manchmal dauert es ein paar Tage, aber früher oder später sind sie weg, und Vendela sieht sie nie wieder.

Wenn sie sich etwas von den Elfen wünscht, wird das fast immer erfüllt, wenn auch manchmal auf merkwürdige Weise.

Zum Beispiel wünscht sie sich eine beste Freundin in der Klasse, jemanden, der nur für sie da ist und sich nicht um den Geruch von Bauernhof schert, der sie umgibt.

Zwei Tage später fragt Dagmar Gran, ob Vendela nicht nach der Schule mit zu ihr nach Hause kommen möge. Dagmars Familie ist wohlhabend, sie besitzt einen großen Hof in der Nähe der Kirche, mit vielen Traktoren und mehr als fünfzig Kühen – das sind so viele, dass keine von ihnen einen Namen hat, sie sind durchnummeriert. Aber Vendela kann leider nicht gleich mitkommen, sie muss sich ja noch um Rosa, Rosa und Rosa kümmern. Aber sie fragt Dagmar, ob sie nicht ein bisschen später kommen könne, und das geht in Ordnung.

In der Woche darauf wünscht sich Vendela von den Elfen, dass es abends etwas anderes gibt als gekochten Aal. Henry war günstig an Aal von der Ostküste gekommen, und sie hatten zehn Tage hintereinander das Gleiche gegessen.

»Heute Abend gibt es Hühnchen«, eröffnet Henry ihr nachmittags in der Küche. »Ich habe gerade eines geschlachtet.«

Da Dagmar und Vendela jetzt beste Freundinnen geworden sind, möchte sich Vendela in der Schule gern auf den leeren Platz neben sie setzen. Aber Frau Jansson lehnt das ab und sagt, dass sie über die Sitzplätze der Schüler zu bestimmen habe und Vendela weiterhin neben Thomas Hellman sitzen solle, weil der eine beruhigende Person als Sitznachbar benötige.

Am nächsten Tag schon hält Vendela am Elfenstein an und legt eine dünne Goldkette in eine der kleinen Steinschalen. Dann wünscht sie sich eine neue Lehrerin, eine nettere und freundlichere als Frau Jansson.

Drei Tage später bekommt Frau Jansson eine Erkältung und muss zu Hause bleiben. Die Erkältung weitet sich zu einer Lungenentzündung aus, die sie fast das Leben kostet. Nach ihrer Genesung muss sie zur Kur aufs Festland in ein Sanatorium. Eine junge Referendarin ersetzt sie, Fräulein Ernstam.

Die Schüler pflücken Blumen am Wegesrand und bringen sie Herrn Jansson, der Hausmeister an der Schule ist. Vendela macht besonders viele Knickse und beteuert mit dünner Stimme ihren Wunsch, dass die Frau Lehrerin schnell wieder gesund werde.

Auf dem Nachhauseweg wagt sie es nicht, den Stein anzusehen.

34

Jerry Morners Bauch war groß, weiß und nicht im Mindesten muskulös.

Über Jahre hinweg hatte er ihn mit Wein und Käse, Longdrinks und Whiskey genährt. Eine Woche lang hatte nun dieser mächtige Bauch ein großes Pflaster getragen, das Per aber am Morgen des Ostersonntags mit einer einzigen schnellen Bewegung abriss.

Der Besitzer des Bauches knurrte kurz, zuckte aber nicht zusammen.

»So, erledigt«, sagte Per. »Geht es wieder?«

Jerry knurrte erneut, aber die Wunde sah verheilt aus, fand Per. Es war nur noch ein dünner rosa Strich zu erkennen.

»Kannst du dich erinnern, wie es dazu gekommen ist?«, fragte Per zum wiederholten Mal.

Es dauerte einen Augenblick, ehe Jerry antwortete:

»Bremer.«

»Okay. Aber ihr wart doch Freunde ... Weißt du, warum er dir das angetan hat?«

Jerry schüttelte den Kopf. Er hielt an seiner Version fest, was sie zwar glaubwürdig machte, aber trotzdem äußerst merkwürdig klang. Warum sollte Hans Bremer seinen Partner mit einem

Messer attackieren, sich und eine Frau im Haus einschließen und dann einen Brand legen?

Per konnte nur hoffen, dass die Polizei in dem Filmstudio auf verwertbare Spuren stieß und er davon erfahren würde.

Es gab aber auch noch andere Fragen, mit denen er sich beschäftigen musste. Zum Beispiel suchte er überall nach Nillas Lavastein, den gestrigen Abend hatte er damit verbracht, und am Morgen hatte er die Suche fortgesetzt. Aber der Stein schien wie vom Erdboden verschluckt. Er suchte auch im Auto, ebenfalls ohne Erfolg. Dabei musste er die ganze Zeit darauf achten, sich nicht in Sichtweite seines Vaters aufzuhalten. Denn sobald der ihn sah, hörte Per seine heisere Stimme, die ihn rief:

»Pelle! Pelle!«

Nachdem Per Jerry den Verband abgenommen hatte, richtete er sich auf und streckte sich.

»Jerry, jetzt bist du wieder gesund, und ich habe mir überlegt, dich nach Hause zu fahren. Heute Abend bringe ich dich zurück nach Kristianstad. Was hältst du davon?«

Sein Vater blieb stumm.

»Dann ist das abgemacht, Jerry. Bleib einfach hier sitzen, und ruh dich aus, wir essen dann später.«

Nach dem Mittagessen zog Per sich um und ging joggen. Zum einen, um seinen Kopf freizubekommen, zum anderen, um der Gesellschaft von Jerry für eine Weile zu entkommen.

Das Wetter an diesem Ostersonntag war klar und frühlingsfrisch, nur über dem Festland hingen ein paar Schleierwolken. Per lief nach Norden, an der Küste entlang, und hielt erst an, als die kleine Insel Blaue Jungfrau als schwarze Kuppel im Sund vor ihm auftauchte. Er genoss den Blick auf diese Landschaft: die Felsen, die Sonne, das Meer. Für einige wenige Sekunden konnte er alles andere vergessen. Dann machte er kehrt und lief wieder zurück.

Er war fast zu Hause angekommen, als er in einiger Entfer-

nung einen anderen Läufer entdeckte in einem roten Trainingsanzug mit weißer Baseballkappe auf dem Kopf. Die Gestalt kam
von Osten über den Weg auf den Steinbruch zu, der sich ins Landesinnere schlängelte. Eine schlanke Person, die sich mit schnellen Schritten näherte.

Es war Vendela Larsson.

Per blieb einige Hundert Meter vom Steinbruch entfernt stehen
und wartete, bis sie ihn erreicht hatte. Er lächelte ihr entgegen.

»Hallo, wie weit war es?«

Interessanterweise hatte Per den Eindruck, dass Vendela verlegen wirkte, als fühlte sie sich irgendwie ertappt.

»Wie weit? Sie meinen, welche Strecke ich gelaufen bin?« Sie
schien nachdenken zu müssen. »Ich habe noch nie nachgerech-
net ... ich bin raus in die Alvar gelaufen und wieder zurück. Das
ist meine übliche Runde.«

»Prima. Ich laufe meistens die Strecke an der Küste hoch. Zwei
Kilometer nach Norden und wieder zurück.«

Sie lächelte. »Ich jogge fast jeden Abend. Wir haben doch
darüber gesprochen, einmal gemeinsam zu laufen ... vielleicht
morgen?«

»Gerne«, antwortete Per.

Sie schwiegen, und schließlich machte sich Per im langsamen
Laufschritt auf den Nachhauseweg. Vendela folgte ihm.

»Wie geht es den Kindern?«

Per beobachtete sie von der Seite. Wie viel wusste sie? Wusste
sie, dass Nilla krank war? Er hatte keine Kraft, jetzt darüber zu
sprechen.

»Na, es geht mal so und mal so«, sagte er ausweichend. »Jesper
geht es gut, aber seine Schwester Nilla hat ... sie hat ihren Glücksstein verloren.«

»Ach wirklich, ist sie sehr traurig?«, fragte Vendela. »Ich fand
ja, dass sie auf unserem Fest ein bisschen blass wirkte, so als
wäre sie ...«

»Ein bisschen«, unterbrach Per sie, »sie ist ein bisschen traurig.«

Vendela sah hinüber zur Casa Mörner.

»Hat sie ihn im Haus verloren?«

»Das glaubt sie zumindest.«

Vendela blieb unvermittelt auf dem Kiesweg stehen und schloss für ein paar Sekunden die Augen. Per sah sie besorgt an.

»Geht es Ihnen gut?«

Sie öffnete die Augen und nickte. Dann setzte sie ihren Heimweg fort. Über die Schulter, als sei es eine Selbstverständlichkeit, rief sie ihm noch zu:

»Ich glaube, Sie werden den Stein gleich finden. Der ist bestimmt noch in ihrem Zimmer.«

Und so war es tatsächlich auch.

Als Per nach Hause kam und in das Zimmer ging, in dem Nilla über Ostern gewohnt hatte, lag er auf ihrem Bett. Ein kleiner runder, geschliffener Lavastein, gut sichtbar auf dem weißen Bettlaken.

Aber er hatte doch in ihrem Zimmer nachgesehen? Er hatte doch überall nach diesem Glücksstein gesucht.

35

Die vom Fest«, sagte Jerry.

Er stand vor dem Sommerhaus und zeigte mit seinem zitternden Zeigefinger nach Süden.

»Wie bitte?«, fragte Per irritiert, er bereitete den Wagen für die Fahrt vor.

»Haben Film gemacht«, sagte Jerry.

»Von wem redest du denn?«

»Sie da!«

Er deutete nach wie vor mit dem Zeigefinger in die Luft. Per sah hinüber zum Nachbarhaus, wo sich zwei Gestalten in der Einfahrt bewegten.

»Meinst du Marie Kurdin? Die Frau mit dem Baby?«

Jerry nickte.

»Sie hat in deinen Filmen mitgemacht?«

Jerry nickte erneut.

»Flittchen!«

Per biss sich auf die Lippe, Jerry hatte das Wort früher oft verwendet.

»Sag so etwas nicht«, bat er ihn.

»Knackig«, sagte Jerry langsam, als würde ihm das Wort gefallen. »Knack-kiges Flittchen.«

»Hör auf damit«, zischte Per. »Ich bin nicht interessiert.«

Trotzdem wanderte sein Blick zum Nachbarhaus.

Marie Kurdin stand auf ihrem Grundstück und war damit beschäftigt, den Wagen mit unzähligen Taschen, einem Wickeltisch und Tüten mit Spielsachen zu beladen. Familie Kurdin machte sich daran, ihr Landhaus wieder zu verlassen.

Wie alt mochte sie sein? Dreißig vielleicht. Eine große und schlanke, frischgebackene Mutter. Sie wirkte sehr energisch, wie sie die Reisetaschen verstaute und zwischendurch ihrem Mann etwas zurief, der noch im Haus war. Es war unmöglich, dass diese Frau in einem von Jerrys Filmen mitgemacht hatte. Oder doch? Plötzlich tauchten Bilder in Pers Kopf auf, Bilder, um die er nicht gebeten hatte: Marie Kurdin lag wie alle anderen vor ihr auf einem Bett, über ihr Markus Lukas und an der Seite Jerry mit seiner Zigarre ...

Nein. Per schüttelte den Kopf und sah seinen Vater vorwurfsvoll an.

»Das bildest du dir ein.«

Bevor sie losfuhren, ging Per zu den Larssons, um Vendela für den Hinweis zu Nillas Glücksstein zu danken – und sie zu fragen, woher sie wusste, wo er lag.

Er klopfte an, aber niemand öffnete. Daher kritzelte er eine Zeile auf einen Zettel:

Vielen Dank für den Stein! Per

Dann faltete er ihn zusammen und schob ihn in den Türspalt.

Diesmal waren sie zu dritt im Auto, als sie die Insel über die Ölandbrücke verließen. Jesper war mit dabei, er fuhr zurück zu seiner Mutter. In ein paar Tagen waren die Osterferien zu Ende, und die Schule fing wieder an.

Marika wohnte in einem Haus im Norden von Kalmar, und Per ließ seinen Sohn an der Straße raus, denn er wollte nicht riskieren, dass sich Jerry und seine Exfrau begegneten.

»Findest du den Weg nach Hause?«, fragte er Jesper, als dieser aus dem Wagen stieg.

Jesper nickte, lachte aber nicht über den Witz, sondern beugte sich zu ihm und umarmte ihn.

»Ich wünsche dir alles Gute für die Schule«, sagte Per, »und grüß Mama von mir.«

Als Jesper im Haus verschwunden war, wandte er sich an Jerry.

»Hast du diese Umarmung gesehen, Jerry? Es gibt Väter, die bekommen so viel Zärtlichkeit!«

Jerry erwiderte nichts, also sagte Per:

»Na gut, dann ab nach Hause.«

»Nach Hause«, wiederholte Jerry.

Ein paar Stunden später hatten sie das Zentrum von Kristianstad erreicht, und Jerry saß schlafend auf dem Beifahrersitz, den Kopf nach hinten gelehnt, mit geöffnetem Mund und hängenden Wangen. Sein Schnarchen übertönte sogar das Motorengeräusch, deshalb schaltete Per das Radio ein. Ein altes schwedisches Volkslied erklang:

In einem Saal im Krankenhaus,
wo die weißen Betten stehn,
lag ein kleines Mädchen hustend,
blass und mager mit lockigem Haar ...

Schnell schaltete er wieder aus. Zuerst kannte Per sich nicht gleich aus, aber dann fand er die richtige Straße und parkte am Bürgersteig, nur zehn Meter vom Hauseingang entfernt.

Als er den Motor abstellte, zuckte Jerry zusammen und wachte auf. Er blinzelte und sah sich verwirrt um.

»Pelle?«

»Du bist jetzt zu Hause«, sagte Per.

»Kristianstad?«

Jerry hustete und sah die Straße hinunter. Dann schüttelte er langsam den Kopf.

»Nein.«

Offenbar bereute er es schon wieder. Per seufzte.

»Doch, doch, es ist alles in Ordnung und sicher.«

Jerry schüttelte weiter den Kopf. Dann hob er seinen zitternden Zeigefinger und deutete in die Luft.

»Was ist denn?«

Per hatte den Blick nicht von der Haustür abgewendet. Er öffnete die Autotür.

»Warte hier«, sagte er und stieg aus. »Ich gehe mal nachsehen ... Dann hole ich dich. Hast du die Schlüssel?«

Jerry wühlte in der Manteltasche und reichte ihm den Schlüsselbund.

»Prince«, sagte er.

Jerry wollte Zigaretten, aber Per ignorierte seinen Wunsch und warf die Tür zu.

Langsam näherte er sich der Eingangstür. Jerrys Wohnung lag in einem zentralen, aber nicht besonders edlen Stadtviertel von Kristianstad in einem vierstöckigen Backsteinhaus. Es war Anfang des 20. Jahrhunderts erbaut worden und bedurfte nun dringend einer Renovierung. Unter dem Dach waren kleine Steinköpfe angebracht, die herunterstarrten. Sie sahen aus wie verkrüppelte Eulen.

Per schloss die Tür auf und trat ins dunkle Treppenhaus.

Er dachte daran, wie er vor einer Woche in Jerrys Filmstudio gelaufen war, an den Qualm und die Flammen, die aus dem Erdgeschoss emporloderten. An Bremers Körper in dem brennenden Bett und an die Hilfeschreie der jungen Frau.

Aber im Treppenhaus roch es nicht nach Rauch, es hallte nur

unheimlich. Die steinerne Treppe wand sich um einen zylinder-förmigen Fahrstuhl, doch der sah uralt aus und war ein bedroh-lich enger Stahlkäfig.

Per zog es vor, die drei Stockwerke zu Fuß zu gehen.

Er passierte zwei Wohnungstüren und blieb am Fuß des letz-ten Treppenabsatzes vor Jerrys Wohnung abrupt stehen.

Jerrys Tür stand einen Spalt offen.

Zuerst dachte Per, er hätte sich im Stockwerk geirrt, aber als er die Treppenabsätze durchzählte, kam er zu dem Schluss, dass er vor der richtigen Wohnungstür stand.

Er versuchte, durch den Spalt in den Flur der Wohnung zu sehen, aber der war dunkel. Es drangen auch keine Geräusche aus dem Appartement.

Per stand einige Stufen unterhalb der Wohnungstür und lauschte, konnte aber nur das Rauschen vereinzelter Autos auf der Straße hören.

Per musste an die Eingangstür von Jerrys Filmstudio denken, auch die hatte einen Spaltbreit offen gestanden.

Warum war auch diese Tür offen? Das sollte sie eigentlich nicht. Alles in Ordnung und sicher, hatte er Jerry erklärt, aber jetzt hatte er selbst die größten Zweifel.

Hast du Angst?

Ja, er hatte Angst. Ein wenig.

Per holte tief Luft, erinnerte sich an sein Judotraining und versuchte, das Gleichgewicht in seinem Körper zu finden, von den Füßen bis in die Schultern. Vorsichtig nahm er eine Stufe nach der anderen. Auf einmal kam ihm der Gedanke, dass je-mand in Jerrys Wohnung stand und auf ihn wartete. Jemand, der den Atem anhielt und ihn kommen hörte, wie lautlos er sich auch bewegte und wie leise sein Herz schlagen mochte.

Die letzten drei Stufen nahm er mit einem Sprung, eins, zwei und drei – dann griff er nach der Klinke und stieß die Tür auf.

Der Gestank von abgestandenem Zigarrenrauch schlug ihm entgegen, aber der war vermutlich Jerry zuzuschreiben.

Per tastete im Flur nach dem Lichtschalter und drückte ihn.

Dann sah er sich um.

Zuerst sah alles aus wie immer. Wie immer? Er war seit drei Jahren nicht mehr in Jerrys Wohnung gewesen, und damals hatte er sich nur eine halbe Stunde dort aufgehalten. Aber er erinnerte sich, dass im Flur eine Menge Kleidungsstücke hingen, Wildledermäntel und gelbe Blazer. Und darunter standen jetzt wie damals schwarze Lackschuhe, die Jerry wahrscheinlich schon seit vielen Jahren nicht mehr getragen hatte.

Per tat zwei Schritte, blieb stehen und lauschte. Alles war still.

Ein großer, persischer Teppich führte vom Flur in das angrenzende Wohnzimmer. An der Vorderkante des Teppichs lag ein großer aufgeklappter Reisekoffer.

Er sah sofort, dass er leer war, aber dahinter standen noch weitere Taschen. Marokkanische Stofftaschen, Plastiktüten und Aktenkoffer lagen überall verstreut auf dem Boden – und sie schienen von jemandem geöffnet worden zu sein, der sie nach etwas durchsucht hatte, denn Kleidungsstücke und Zeitungen lagen auf einem Haufen übereinander.

Jetzt hatte Per sogar große Angst, aber er wagte sich trotzdem noch zwei Schritte vor.

Kein Laut war zu hören und niemand zu sehen.

Eigentlich hatte er erwartet, dass auch das gesamte Wohnzimmer durchwühlt wäre. In den Ecken lagen zwar Wollmäuse und auf dem Glastisch eine alte Apfelsinenschale, aber Jerrys Ölgemälde hingen unberührt an den Wänden. Und die Bücher, die Per ihm im Lauf der Jahre immer wieder geschenkt hatte, standen ordentlich im Bücherregal aufgereiht. Sein Vater hatte sich nie die Zeit genommen, ein Buch zu lesen.

Die antike lackierte Kommode aus Furnierholz, eine sogenannte Hauptkopia aus den Dreißigerjahren, hingegen war nicht unberührt geblieben. Per kannte das Möbelstück aus seiner Kindheit, es hatte drei Schubladen, die immer verschlossen gewesen waren. Aber jetzt standen sie alle offen.

Gewaltsam aufgebrochen. Jemand hatte einen Schraubenzieher genommen oder ein Stemmeisen und damit die schwarzen

Schlüssellöcher herausgehackt, um so die Schubladen aufzu-
bekommen. Die Papiere und Dokumente, die Jerry dort aufbewahrt hatte, hatte jemand herausgerissen und auf den Boden
geworfen.

Jerrys Schlafzimmer lag hinter dem Wohnzimmer. Die Tür
stand offen, die Jalousien waren heruntergelassen, und es war
pechschwarz und so still wie in der restlichen Wohnung. Über
Jerrys Wasserbett hing ein Gemälde von einer nackten Frau mit
riesigen Brüsten.

Mit zwei Schritten war Per an der Schlafzimmertür. Er sah das
ungemachte Bett, auf dem Bettdecke und Kissen auf einem Haufen lagen. Aber es lag niemand darin.

Die Wohnung war menschenleer.

Per drehte sich um und ging langsam wieder nach draußen.

Auf der Straße fuhren Autos und Busse vorbei, in ein paar Metern Entfernung lief ein älteres Ehepaar Arm in Arm. Es war ein
ganz normaler Tag, und Per versuchte sich zu beruhigen. Er ging
zurück zum Wagen und öffnete die Beifahrertür. Sein Vater sah
zu ihm hoch.

»Prince, Pelle?«

Per schüttelte den Kopf. Er blieb einen Moment neben dem
Wagen stehen und starrte auf Jerrys Hauseingang. Die Tür blieb
geschlossen.

»Jerry, als du letztes Wochenende nach Ryd gefahren bist, hast
du die Wohnungstür abgeschlossen?«, fragte Per.

Jerry hustete und nickte.

»Du hast sie zugezogen und abgeschlossen, bist du ganz sicher?«

Jerry nickte mit Nachdruck, aber Per wusste ja, dass sein Vater
schon ganz andere Dinge vergessen hatte. Seit dem Schlaganfall
war es beinahe Normalität geworden, dass alles, was er gestern
gesagt oder getan hatte, am nächsten Tag vergessen war.

»Die Tür stand aber einen Spalt offen, und deine Kommode
war aufgestemmt ... Da ist jemand eingebrochen. Wenn nicht du
so eine Unordnung dort gemacht hast.«

Jerry saß schweigend und mit gesenktem Kopf in seinem Sitz. Per war gezwungen, einen Entschluss zu fassen.

»Okay ... wir müssen noch einmal nach oben und überprüfen, ob etwas gestohlen worden ist. Dann müssen wir den Einbruch anzeigen.«

Er beugte sich zu seinem Vater herunter und half ihm aus dem Wagen.

»Jerry«, sagte er eindringlich, »hatte noch jemand außer dir einen Schlüssel zu deiner Wohnung?«

Sein Vater stand etwas unsicher und schwankend auf dem Bürgersteig und schien einen Moment über die Antwort nachdenken zu müssen. Dann antwortete er mit einem Wort:

»Bremer.«

36

Per zeigte den Einbruch bei der Polizei in Kristianstad an, obwohl Jerry nicht ermitteln konnte, ob tatsächlich Unterlagen aus der Kommode entwendet worden waren oder nicht.

»Jerry, was fehlt?«, hatte er ihn mehrfach gefragt. »Was haben sie mitgenommen?«

Aber sein Vater hatte nicht geantwortet, sondern nur stumm und verwundert auf die Haufen gestarrt, so als könnte er gar nicht zuordnen, was da vor ihm lag. Als Per die Unterlagen durchblätterte, stellte er fest, dass es sich vor allem um alte Mietrechnungen und Kontoauszüge handelte.

Aber wo waren die anderen Dokumente? Verträge mit den Modellen, mit denen Bremer und Jerry gearbeitet hatten? Vereinbarungen, in denen die Mädchen bestätigten, dass sie nicht *zu* jung waren und sich freiwillig für die Aufnahmen zur Verfügung gestellt hatten?

Aber er fand kein einziges Dokument dieser Art.

»Weißt du, was du alles hier in deiner Wohnung aufbewahrt hast, Jerry? Waren das wichtige Unterlagen?«

»Papiere.«

»Waren das wichtige Papiere?«

»Doku...«

Jerry verstummte, das Wort war zu schwer.

»Unterschiedliche Dokumente? Auch von Morner Art?«

»Morner Art?«

Jerry schien sich noch nicht einmal an den Namen seiner Aktiengesellschaft erinnern zu können.

Als Per bei der Polizei anrief, konnte er nur vage Angaben zu dem Einbruch machen. Sie nahmen die telefonische Anzeige entgegen, würden aber nicht vorbeikommen, um den Tatort zu untersuchen.

»Wir haben Feiertag«, erklärte der Polizeibeamte. »Wir können uns nur auf die akuten Fälle konzentrieren. Aber vielen Dank für die Anzeige, wir halten unsere Augen offen.«

Gegen neun Uhr abends rief Per seine Tochter im Krankenhaus an, um ihr eine gute Nacht zu wünschen.

»Wie geht es dir?«

»Geht so.« Ihre Stimme war dünn, aber er konnte sie gut verstehen. »Ein bisschen besser als gestern ... Ich habe wieder einen Tropf und einen Haufen Spritzen bekommen.«

»Gut«, sagte Per ein wenig geistesabwesend. »Und ich habe deinen Glücksstein gefunden.«

»Hast du wirklich? Wo war er denn?«

»Auf deinem Bett«, erzählte Per. »Du bekommst ihn, wenn ich dich morgen besuche. Gibt es noch andere Neuigkeiten?«

»Nee ... obwohl, es sind viele Neue hier auf Station«, sagte Nilla zögerlich. »Ein Junge ist dabei, er heißt Emil.«

Ihre Stimme klang plötzlich heller und fröhlicher, als sie seinen Namen nannte, deshalb hakte Per gleich nach:

»Ist er denn so alt wie du?«

»Beinahe. Er ist fünfzehn.«

»Prima«, sagte Per. »Frag ihn doch, ob er ›Mensch ärgere dich nicht!‹ spielen will.«

Nilla kicherte und wechselte dann das Thema:

»Hast du meinen Gedanken heute Abend bekommen? So gegen acht Uhr?«

»Ich glaube schon ... Ich habe auf jeden Fall einen Haufen Bilder im Kopf gehabt.«

»Woran habe ich denn gedacht? Was hast du gesehen?«

Per blickte aus dem Fenster in den Himmel über der Stadt und riet einfach:

»Wolken?«

»Nein.«

»Sonnenuntergang?«

»Nein.«

»Hast du an deine Freunde gedacht?«

»Nee, an Fledermäuse.«

»Fledermäuse? Warum das denn?«

»Sie fliegen abends ums Krankenhaus herum«, erklärte Nilla. »Die flattern wie schwarze Stofffetzen über den Abendhimmel.«

»Interessierst du dich nicht mehr für Vögel?«

»Doch, tagsüber. Aber wenn ich abends nicht einschlafen kann, sehe ich den Fledermäusen zu.«

Per versprach ihr, sie am nächsten Tag besuchen zu kommen, und dann verabschiedeten sie sich voneinander.

Es war fast zu spät, jetzt noch nach Hause zu fahren, außerdem war niemand mehr dort. Deshalb beschloss Per, in der Wohnung seines Vaters zu übernachten.

Ehe er sich auf die Couch legte, hängte er die Sicherheitskette vor.

Die Wohnung in Kristianstad fühlte sich nicht vertraut an, aber auf dem großen Ledersofa hatte er schon als Jugendlicher geschlafen, als Jerry noch in Malmö lebte. Als er sich jetzt darauf ausstreckte, weckte es vergessen geglaubte Erinnerungen in ihm.

Seine Mutter hatte ihn oft gewarnt, bevor er zu seinem Vater fuhr:

»Wenn er Frauenbesuch hat, musst du nicht über Nacht bleiben, dann kannst du gleich wieder nach Hause fahren, oder ich hole dich dort ab. Du musst dir so etwas nicht bieten lassen.«

»Ach, komm schon, Mama.«

Natürlich hatte sein Vater auch Frauen zu Besuch. Manchmal sogar gleich mehrere auf einmal. Per hatte sich oft gefragt, ob irgendwo in Südschweden ein paar anonyme Halbschwestern und -brüder von ihm rumliefen. Das hätte ihn zumindest nicht sonderlich überrascht.

Die Tür zu Jerrys Schlafzimmer war zwar immer geschlossen gewesen, aber trotzdem hatte Per Jerry und seine Frauen hören können. Da war er zwar glücklicherweise schon älter und nicht mehr so unschuldig wie zu dem Zeitpunkt, als er Regina kennengelernt hatte. Trotzdem waren diese Nächte keine Freude.

Das ist doch egal, hatte Per sich gesagt, *Liebe ist dabei nicht so wichtig.*

Und heute? Jetzt kreisten seine Gedanken um Nilla und Jesper, und für einen kurzen Moment sah er sogar die großen Augen von Vendela Larsson in der Dunkelheit strahlen.

Dann schlief er ein.

Als er aufwachte, war es Montagmorgen, Ostermontag.

Jerrys Küche war alles andere als glamourös. Die Tischdecke war voller Fettflecken, benutzte Becher und Teller türmten sich in der Spüle, und zum Frühstück gab es nur Kaffee und Knäckebrot. Und Jerrys Zigaretten.

Per goss seinem Vater einen Becher Kaffee ein und sagte:

»Ich muss bald los, Jerry. Ich muss zurück nach Kalmar, zu Jesper und Nilla.«

Jerry sah ihn an.

»Aber du nicht«, fuhr Per fort, »du bleibst hier. Du kommst doch in der Wohnung allein zurecht, oder?«

Er versuchte, seine Stimme fest klingen zu lassen, aber das

gelang ihm nicht besonders gut. Per sah sich hilflos in der verdreckten Küche um und konnte sich nicht entscheiden, was er mit seinem Vater anstellen sollte.

Fahr nach Hause, hörte er sein Spiegelbild in der Fensterscheibe sagen. *Er würde sich keine Sekunde über dich Gedanken machen, wenn du alt und krank wärst.*

Aber das konnte Per nicht. Und zwar nicht nur wegen des Versprechens, das er damals seiner Mutter gegeben hatte, oder weil Jerry sich nicht ausreichend um seine Ernährung und Gesundheit kümmerte und dringend Hilfe benötigte. Nein, auch die Tatsache, dass jemand einen Ersatzschlüssel besaß, es einen Brandanschlag auf Jerrys Filmstudio gegeben hatte und jemand in seine Wohnung eingebrochen war, war ausschlaggebend.

Wenn Jerry allein in Kristianstad bleiben sollte, musste Per dafür sorgen, dass die Polizei seine Wohnung überwachte, denn sie war nicht sicher.

Wenn Hans Bremer einen Ersatzschlüssel gehabt und jemand ihm diesen abgenommen hatte, um über Ostern die Wohnung zu durchsuchen und Dokumente zu beseitigen – dann konnte diese Person auch jederzeit wiederkommen.

Zu guter Letzt hatte sich Per dazu durchgerungen, seinen Vater wieder mit nach Öland zu nehmen. Er hatte ihm eine Tasche mit sauberen Kleidungsstücken gepackt und die Wohnung sorgfältig hinter sich abgeschlossen. Dann hatten sich Vater und Sohn auf den Weg nach Norden begeben.

Sie hielten in Kalmar auf dem Krankenhausparkplatz, und Per lief hinauf in Nillas Zimmer. Aber sie schlief tief und fest. Sie sah so friedlich aus. Er setzte sich eine Weile an ihr Bett, legte ihren Glücksstein auf den Nachttisch und betrachtete liebevoll ihr blasses Gesicht. Er hätte sich am liebsten zweigeteilt: Ein Teil von ihm wollte den ganzen Tag an ihrem Bett sitzen und sie beschützen, der andere Teil wollte jetzt gleich aufstehen, gehen und nie wieder zurückkehren. Seine Tochter in diesem Krankenbett liegen zu sehen war für ihn unerträglich.

Per und Jerry setzten ihre Fahrt nach Öland fort und erreichten das Haus am Steinbruch am späten Nachmittag. Wenigstens hatte er im Moment keine Kinder mehr im Sommerhaus, um die sich Per kümmern musste. Und auch die meisten Nachbarn waren abgereist. Das Anwesen der Familie Kurdin war verschlossen und verriegelt.

Die anderen Nachbarn, das Ehepaar Larsson, schienen noch auf der Insel zu sein. Das erinnerte ihn an die Verabredung mit Vendela zu einer Laufrunde, und er freute sich darauf.

Als Per seinem Vater ins Haus half, nutzte er die Gelegenheit:

»Die Firma von Bremer und dir, Morner Art, was wird jetzt daraus?«

»Bremer«, sagte Jerry und schüttelte den Kopf.

Per meinte verstanden zu haben.

»Ja, Hans Bremer gibt es nicht mehr, dann musst du die Firma abwickeln, Jerry, ein für alle Mal.«

Sein Vater nickte.

»War es das vielleicht, was dieser Markus Lukas wollte, als er dich anrief?«, versuchte Per weiterzubohren. »Solltest du aufhören, Filme zu machen?«

Jerry wirkte verwirrt und blieb stumm.

»Ich kann dir dabei helfen, Morner Art abzuwickeln«, bot Per an. »Ich kann mich um das Praktische kümmern, zum Beispiel mit der Handelskammer und deiner Bank Kontakt aufnehmen und mich um alles andere kümmern.«

Jerry blieb nach wie vor stumm, aber Per meinte ein winziges Nicken bemerkt zu haben. Und er hoffte sehr – er wünschte es sich inständig –, dass Jerrys Firma bald für immer der Vergangenheit angehören würde.

Keine Zeitschriften mehr, keine Filme.

Keine Ausflüge mehr in den Wald.

37

Nachdem Max seine Lesereise angetreten hatte, war Vendela zum ersten Mal allein in dem Sommerhaus, das auf einmal noch größer wirkte als zuvor. Viel zu groß – das Wohnzimmer mit seiner hohen Decke und den dicken Holzbalken erinnerte sie an den Stall ihres elterlichen Hofes. Ihre Schritte hallten, wenn sie über den Steinfußboden lief. Sie hatte den handgeknüpften Knoten von Gerlof an die Küchentür gehängt, jedes Mal, wenn sie daran vorbeiging, musste sie lächeln.

Aber natürlich war Aloysius noch im Haus und eine willkommene Gesellschaft. Und er war so lebhaft und munter! Es war geradezu unglaublich – kaum hatte Max das Haus verlassen, hatte sich Ally aus seinem Korb begeben und mehrere Runden im Erdgeschoss gedreht, ohne ein einziges Mal mit einem Möbelstück zu kollidieren. Und Vendela fand auch, dass er sie ganz direkt ansah, ohne dass sie ihn ununterbrochen rufen und mit ihrer Stimme dirigieren musste. Auf der anderen Seite überraschte sie das nicht sonderlich, denn genau das hatte sie sich ja gewünscht. Sie würde sich bald daranmachen, ihrem Buch über Elfen die Geschichte von Allys Genesung hinzuzufügen, von Anfang bis Ende.

Aber jetzt würde sie mit Per Mörner den Küstenweg entlangjoggen.

»Hallo«, grüßte Per, als sie die Tür öffnete.

»Hallo!«, erwiderte Vendela.

»Sind Sie so weit?«

»Absolut!«

Sie ließen den Steinbruch hinter sich und fielen bald schon in den gleichen Lauf- und Atemrhythmus. Sie liefen nebeneinander und parallel zur untergehenden Sonne.

Die Abendkühle zog vom Sund über den Strand und die Felsen, und die Sonne färbte den Himmel dunkelrot.

Als sie den Kiesweg erreicht hatten, erhöhten sie ihre Geschwindigkeit. Vendela fühlte sich stark und konnte Pers hohes Tempo ohne Schwierigkeiten halten. Sie hörte seinen tiefen und gleichmäßigen Atem, die Nähe zu seinem großen Körper verlieh ihr neue Energie, sie hatte das Gefühl, dass sie es bis nach Långvik schaffen würde.

Aber nach etwa drei oder vier Kilometern meinte Per:

»Wollen wir umdrehen?«

Er sah erschöpft aus.

»Klar, das genügt für heute.«

Sie machten oberhalb des Strandes eine kurze Pause und sahen schweigend hinunter auf den dunkelblauen Sund, auf dem kein einziges Schiff fuhr. Dann liefen sie zurück nach Süden, erneut in gleichem Takt.

Erst als sie den Steinbruch wieder erreicht hatten, sprachen sie miteinander.

»Ich würde Sie gern eine Sache fragen«, begann Per etwas zögernd. »Das mit dem Stein ... dem Glücksstein meiner Tochter aus Island. Wie haben Sie das gemacht?«

»Ich?«, fragte Vendela überrascht. »Ich habe gar nichts gemacht.«

»Aber Sie wussten genau, wo ich ihn finden würde ... nämlich auf Nillas Bett, also in ihrem Zimmer.«

Vendela nickte und erwiderte:

»Manchmal spürt man bestimmte Dinge einfach.« Sie wollte das Thema wechseln, deshalb stellte sie eine Gegenfrage: »Ihre Familie ist schon wieder nach Kalmar zurückgefahren?«

»Mein Vater ist noch hier. Aber meine Kinder sind zurück in Kalmar.«

»Meine auch ... also mein Mann. Mein kleiner Hund Aloysius und ich sind hiergeblieben. Auf dem Fest letzte Woche hatte er sich ein bisschen zurückgezogen, er mag große Gesellschaften nicht so sehr. Wollen Sie ihn mal kennenlernen?«

»Gerne.«

Per folgte ihr zur Haustür.

Vendela schloss auf und warf einen Blick nach Osten über die Alvar und nach Westen zum Strand.

»Wir wohnen hier zwischen den Welten der Trolle und der Elfen«, bemerkte sie.

»Tun wir das?«, fragte Per.

»Mein Vater Henry hat mir immer erzählt, dass die Trolle unten im Steinbruch leben und die Elfen in der Alvar. Und als sie sich in die Quere kamen, gab es Krieg, und sie kämpften, bis Blut floss.«

»Ach wirklich?«

»Ja, unten im Steinbruch findet man noch Spuren dieses Kampfes. Blutspuren.«

»Sie meinen den Blutstein, die Gesteinsschicht?«, sagte Per. »Glauben Sie daran?«

Nachdenklich betrachtete er sie, und Vendela lachte nervös.

»Vielleicht, ja ... aber nicht an die Trolle.«

Er lächelte.

»Aber an die Elfen?«

»Doch.« Vendela wurde ernst. »Vielleicht gibt es sie wirklich. Aber es sind freundliche Wesen, sie helfen uns.«

»Tun sie das?«

»Ja.« Und ohne nachzudenken, fügte sie hinzu: »Sie haben dabei geholfen, den Stein Ihrer Tochter wiederzufinden.«

»Ach, wie das denn?«

»Ich habe sie darum gebeten, und sie haben mir ein Bild davon gezeigt, wo er lag.«

Per erwiderte nichts, aber Vendela spürte, dass er sie musterte. Sie hätte nicht so viel über Elfen plappern sollen, aber jetzt war es zu spät.

Etwas betreten standen sie sich an der Haustür gegenüber, deshalb drehte Vendela sich um und rief:

»Ally!«

Ein paar Sekunden später hörten sie tapsende Schritte, und dann erschien ein grauweißer Pudel in der Tür.

»Na, hallo«, begrüßte ihn Per.

Ally hob den Kopf und schnupperte, konnte den neuen Besucher aber nicht ausmachen. Damit Per das nicht bemerkte, kniete sich Vendela schnell hin und kraulte den Hund hinter den Ohren.

»Vielen Dank für die Runde«, sagte Per und wandte sich zum Gehen.

»Gleichfalls. Wollen wir morgen gleich noch mal?«

Eine direkte und aufrichtige Frage, und sie hatte noch nicht einmal nervös kichern müssen.

Zuerst zögerte Per, aber dann nickte er.

Kaum hatte Vendela die Tür hinter sich geschlossen, da klingelte das Telefon in der Küche. Einen Moment blieb sie neben Ally im Flur stehen. Sie ahnte, wer das war, und wusste nicht, ob sie jetzt überhaupt mit ihm sprechen wollte.

Es klingelte zwei-, drei-, viermal – beim fünften Klingelzeichen hatte sie den Apparat erreicht und hob ab.

»Ja, bitte?«

»Wo warst du?«, fragte eine vorwurfsvolle Männerstimme. »Ich habe dreimal angerufen.«

Wie erwartet war es Max.

»Nirgendwo«, antwortete Vendela schuldbewusst, »draußen, in der Alvar.«

»Warst du joggen?«

»Ganz genau.«

»Allein? Wolltest du nicht mit dem Nachbarn laufen gehen?«

Vendela konnte sich nicht einmal erinnern, dass sie es Max gegenüber erwähnt hatte. Aber natürlich erinnerte sich Max daran und musste sie sofort darauf hinweisen. Diesen Kontrollzwang hatte sie nie begriffen. Sie schwieg eine Weile, ehe sie ihm eine Lüge servierte:

»Nein, ich bin alleine unterwegs gewesen.«

»Bist du die Einzige im Ort, oder ist noch jemand da?«

»Ich weiß es nicht genau, aber da sind bestimmt noch Leute. Ich war die meiste Zeit im Haus.«

»Okay ... ich habe jedenfalls mehrfach angerufen.«

Sie schwiegen. Vendela hörte tapsende Schritte in der Küche, Ally kam auf sie zugewackelt. Sie schnipste mit den Fingern, und Ally hob den Kopf und lauschte angestrengt, um den Weg zu ihr zu finden.

»Wie ist deine Lesung gelaufen?«, fragte sie dann.

»Ging so.«

»Sind viele Leute gekommen?«

»War okay, aber die haben kaum Bücher gekauft.«

»Ach, das wird schon noch.«

»Gibt es sonst noch was?«

»Was denn?«

»Hast du heute irgendwelche Tabletten genommen?«

»Nur zwei«, antwortete Vendela. »Eine morgens und eine nach dem Mittagessen.«

»Prima«, lobte Max. »Ich muss jetzt auflegen. Ich gehe mit dem Veranstalter essen.«

»Okay, schlaf gut.«

Als Vendela aufgelegt hatte, fragte sie sich, warum sie in Bezug auf die Tabletten gelogen hatte. Sie hatte schon seit Tagen keine mehr genommen. Das Joggen half ihr viel mehr als jede Pille.

38

Nachdem seine Kinder und die Enkelkinder nach Ostern abgereist waren, kehrte in Gerlofs Garten wieder die Normalität ein.

Die letzten dürren Blätter des vergangenen Jahres waren von den Haselnusssträuchern gefallen, die das Grundstück säumten. Gerlof konnte kleine, eifrige Wesen sehen, die im Gestrüpp hin und her hüpften. Das waren Buchfinken, soeben eingetroffene

Zugvögel, die entweder den Sommer über bleiben würden oder nur einen kurzen Zwischenstopp eingelegt hatten, um bald über die Ostsee nach Finnland und Russland weiterzufliegen. Er konnte sie vor allem hören – der Chorgesang der Finken erinnerte ihn an melodisch klingende Glöckchen.

Es war auch ein bisschen wärmer geworden, und der Wind blies nur schwach, sodass Gerlof im Freien an seinen Buddelschiffen hätte weiterarbeiten können. John Hagman hatte ihm ein altes und gut durchgetrocknetes Stück Mahagoniholz vorbeigebracht, und Gerlof hatte vor, daraus ein Viermastvollschiff anzufertigen. Diese Segelschiffe hatten ihre Blütezeit auf den großen Weltmeeren gefeiert, lange bevor er selbst Seemann wurde, aber zeit seines Lebens hatte er diesen Schiffstyp geliebt.

Aber er könnte natürlich genauso gut weiter in Ellas Tagebüchern blättern, heimlich. Ab und zu entdeckte er nämlich eine Stelle über ihren merkwürdigen Besucher.

Heute ist der 5. August 1957.

In dieser Woche gab es viel Fisch. Am Donnerstag haben wir gebratenen Hecht gegessen, den Gerlof am Strand zwischen den Steinen mit einem Speer harpuniert hat. Und heute Morgen brachte mir Schreiner Andersson einen Flussbarsch vorbei.

Und letzten Samstag haben wir ein Flusskrebsfest gefeiert. Da Gerlof in Borgholm zum Hafentreffen war, waren die Mädchen und ich allein.

Mein kleines Kerlchen scheint zu wissen, wann die Luft rein ist. Er hatte sich ein paar Wochen lang nicht gezeigt, aber heute war er plötzlich wieder da und stand an der Steinmauer, als ich nach draußen kam. Ich habe ihm Milch und Kekse aus der Küche geholt. Er kam näher, und da schlug mir sein Gestank entgegen. Heute war es schlimmer als sonst, wahrscheinlich liegt das an der Hitze. Er müsste mal baden, dachte ich mir da, warum badet er nie? Aber er lächelte mich an, und ich tat so, als wäre nichts.

Wie sonst auch sagte er kein Wort, sondern knabberte die Kekse und trank die Milch. Und dann verschwand er wieder gen Norden, ohne ein Wort des Dankes.

Er ist so scheu und zuckt bei dem kleinsten Geräusch zusammen. Es ist ganz eindeutig, dass er gar nicht da sein darf. Er möchte unbemerkt kommen und gehen dürfen, wann er will. Deshalb erzähle ich auch niemandem ein Wort über ihn.

Gerlof schlug das Tagebuch zu und legte es auf den Tisch. Er sah die Straße hinunter, die nach Norden führte, und dachte darüber nach, dass Ellas Besucher von dort gekommen war.

Was lag denn nördlich von seinem Sommerhaus? In den Fünfzigerjahren hatten dort kleine Höfe und Bootshäuser gestanden, sonst gab es nur Gras und Büsche. Und den Steinbruch natürlich. Der lag ja am nächsten, auf der anderen Straßenseite.

Er wollte gerade weiterlesen, als es am Gartentor klingelte.

Aber es war nicht der Pflegedienst, sondern Per Mörner. Er winkte Gerlof zu, der den Gruß erwiderte. Sie hatten sich seit dem Nachbarschaftsfest nicht mehr gesehen.

»Ich bin zurück«, verkündete Per, während er über den Rasen lief.

»Ich wusste gar nicht, dass Sie verreist waren«, entschuldigte sich Gerlof. »Haben Sie Ihren Vater zurück aufs Festland gebracht?«

»Eigentlich war das so gedacht«, entgegnete Per leise, »aber uns ist etwas dazwischengekommen ... Er bleibt vorerst hier, und ich kümmere mich um ihn.«

Er hatte den Blick gesenkt, während er das erzählte.

»Das ist doch schön«, sagte Gerlof, »dann haben Sie mehr Zeit füreinander.«

»Klar«, entgegnete Per, sah aber nicht besonders erfreut aus.

Sie schwiegen eine Weile, bis Per sagte:

»Ach, übrigens, wissen Sie etwas über diese Blutspur drüben im Steinbruch?«

»Blutspur?«, wiederholte Gerlof. »Die habe ich noch nie gesehen.«

»Keine richtige Spur«, lenkte Per ein, »sondern eher so eine rote Gesteinsschicht, die sich durch den Felsen zieht ... Ernst hat das immer Blutstein genannt.«

»Ach so, das!«, Gerlof nickte. »*Blutlage* haben das die Steinhauer genannt. Aber das ist kein Blut, das ist Eisenoxid. Es bildete sich, als Öland noch unter Wasser lag und der Steinbruch ein Teil des Meeresbodens war. Da schien die Sonne durch das Wasser der Ostsee, und der Meeresboden oxidierte. Dann erhob sich die Insel aus dem Meer, das Eisenoxid verhärtete und wurde zu einer Gesteinsschicht ... Das war natürlich lange vor meiner Zeit, aber ich habe gelesen, dass es so vonstatten gegangen ist.«

»Aber haben die Steinhauer geglaubt, es wäre Blut?«

»Nein, aber sie hatten eine Menge unterschiedlicher Bezeichnungen für die Steinschichten im Berg.« Gerlof hob die Hand und zählte mit den Fingern mit: »Der Hartstein lag als oberste Schicht und war voller Spalten und Sprünge, den brach man aus dem Felsen und schaufelte ihn beiseite. Dann kam der Kleisterstein, der war hart und schwer abzubauen. Darunter lag die sogenannte ›gute Schicht‹, wo sich der beste und feinste Kalkstein befand, den schlugen sie aus dem Felsen und verkauften ihn. Und darunter verlief an einigen Stellen der Blutstein.«

»War das auch eine gute Steinschicht?«

»Nein, im Gegenteil«, sagte Gerlof. »Wenn sie den Blutstein trafen, hatten sie zu tief geschlagen.«

Per nickte und bedankte sich.

»Dann weiß ich Bescheid ... es gibt doch auch immer eine einfache Erklärung für die Dinge.«

Gerlof warf einen kurzen Blick auf Ellas Tagebuch, das auf dem Gartentisch lag.

»Meistens zumindest.«

39

Per nahm seine Arbeit am Dienstagmorgen wieder auf.

»Hallo, mein Name ist Per Mörner, und ich rufe im Auftrag der Firma Intereko an, die sich mit Marktforschung beschäftigt. Hätten Sie eventuell Zeit, mir ein paar Fragen zu beantworten?«

Während er seine Fragen herunterratterte, ertappte er sich dabei, dass er an etwas vollkommen anderes dachte. Zum Beispiel an Vendela Larsson und ihre Vorstellung von Trollen und Elfen. Sie war sonderbar, aber er konnte sie nicht aus seinem Kopf bekommen.

Gegen zehn Uhr klingelte der Apparat in der Küche, als er gerade sein zwölftes Telefonat über Seife beendet hatte. Ihm fiel der merkwürdige anonyme Anruf an Ostern wieder ein, und seine Hand schwebte einen Augenblick zögernd über dem Hörer. Doch dann ging er ran.

In der Leitung tönte eine resolute Männerstimme:

»Per Mörner?«

»Ja.«

»Hier ist Lars Marklund vom Polizeipräsidium in Växjö. Wir hatten schon einmal miteinander ...«

»Ja, ich erinnere mich.«

»Gut, es geht nach wie vor um den Brand in Ryd. Wir müssen das Verhör, das wir am besagten Abend begonnen haben, vervollständigen.«

»Sie wollen mich noch einmal verhören?«

»Sie und Ihren Vater auch.« Marklund blätterte in seinen Unterlagen. »Gerhard Mörner, nicht wahr. Wann würde es Ihnen denn passen?«

»Mit meinem Vater kann man sich leider nicht mehr so gut unterhalten«, sagte Per.

»Ist er krank?«

»Er hatte letztes Jahr einen Schlaganfall, und seitdem ist sein

Sprachvermögen stark beeinträchtigt, er kann nur vereinzelte Worte sagen.«

»Wir würden ihm trotzdem gerne ein paar Fragen stellen. Können wir ihn an seiner gemeldeten Adresse antreffen?«

»Nein, er ist hier bei mir auf Öland.«

»Gut, wir melden uns wieder.«

»Worum geht es eigentlich?«, fragte Per. »Was genau wollen Sie denn wissen?«

»Wir haben nur noch ein paar ergänzende Fragen. Die kriminaltechnischen Untersuchungen des Tatortes sind abgeschlossen.« Er machte eine Pause und fügte dann hinzu: »Und die Obduktionen auch.«

»Und was haben Sie herausbekommen?«, hakte Per nach.

Aber der Polizeibeamte hatte bereits aufgelegt.

Jerry schlief noch, beziehungsweise er lag noch im Bett, als Per in sein Zimmer ging und ihn ermunterte, aufzustehen und sich anzuziehen. Das schien jeden Tag ein bisschen langsamer zu gehen, der linke Arm wurde immer kraftloser, und Per musste mithelfen, um ihn in den Hemdärmel zu schieben.

»So, jetzt gibt es Frühstück«, sagte er.

»Müde«, stöhnte Jerry.

Per ließ ihn am Küchentisch mit Kaffee und geschmierten Broten sitzen und trat auf die Terrasse, wo die Sonne schien und ihm die kalte, klare Morgenluft entgegenwehte. Er wollte Ernsts Werkstatt genauer untersuchen.

Damit das Licht auch die hintersten Skulpturen in den Regalen erreichte, stieß er die Türen weit auf. Eine sonderbare Gruppe stand dort – eine große Trollfamilie, oder was die Figuren auch immer darstellen sollten. Und an der Wand hinter ihnen hingen Ernsts Werkzeuge: Spitzeisen, Hämmer, Äxte und Bohrmeißel. Ein ganzes Arsenal.

Hatte Jerry früher viele Interessen gehabt, war ihm jetzt nur der Schlaf geblieben. Er schlief morgens lang und nach dem Frühstück legte er sich am liebsten wieder ins Bett. Aber Per ließ ihm das nicht durchgehen, er zog ihm Mantel und Schuhe an und nahm ihn mit an die Kante des Steinbruchs. »Hier«, erklärte Per und zeigte mit dem Finger den Felsen hinunter, »hier sind Jesper und ich gerade dabei, eine Steintreppe zu errichten. Man kann sie jetzt schon benutzen, wenn man vorsichtig ist.«

Er hielt Jerry die ganze Zeit am Arm fest, als sie die schmale Treppe hinuntergingen – sie war zwar kaum breit genug, dass sie nebeneinandergehen konnten, und einige Steine wackelten bedrohlich unter ihren Füßen, aber die großen Steinblöcke lagen fest an Ort und Stelle.

»Nicht schlecht, oder?«, fragte Per, als sie unten angekommen waren.

Jerry hustete zunächst, statt einer Antwort, dann sah er sich das große Kiesgelände in Ruhe an.

»Leer«, ließ er verlauten.

Per behielt ihn im Auge, während er die Arbeit an der Treppe wiederaufnahm. Die Schubkarre hatten sie unten gelassen, er füllte sie mit Kies, lud diesen am Fuß der Treppe ab und verteilte ihn mit einem Spaten, um die Stufen an der Felsenwand auszubauen und stabiler zu machen.

Als er fünf Schubkarren mit Kies verarbeitet hatte, sah er sich nach seinem Vater um.

»Was machst du da, Jerry?«

Jerry hatte sich vor einen Schutthaufen gestellt und Per den Rücken zugedreht. Er stand nur da und hielt den Kopf leicht gesenkt. Per begriff zuerst nicht, was Jerry tat, bis er sah, dass der an seinem Reißverschluss herumfingerte.

»Nein, Jerry!«, schrie er.

Sein Vater drehte sich um.

»Was?«

»Das darfst du hier unten nicht machen, du musst ins Haus gehen!«

Aber da war es bereits zu spät.

Die Trolle mögen es nicht, wenn man in ihrem Reich Wasser vergießt, schoss es Per durch den Kopf. Dann nahm er seinen Vater am Arm.

»Wir haben eine Toilette im Haus, Jerry. Bitte benutze sie das nächste Mal.«

Jerry sah ihn verständnislos an, aber dann erstarrte er plötzlich und sah an Per vorbei, Richtung Meer. Er blinzelte.

»Bremers Auto«, sagte er.

»Was?«, fragte Per.

Jerry hob seinen gesunden Arm und zeigte in Richtung Küstenstraße, die sich zwischen Steinbruch und Strand entlangschlängelte.

Per drehte sich um und sah einen Wagen. Das dunkelrote Auto parkte so weit von der Straße entfernt, dass der Fahrer einen Blick über den gesamten Steinbruch hatte. Per hatte das Auto nicht kommen sehen, war sich aber ziemlich sicher, dass die Küstenstraße leer gewesen war, als Jerry und er die Treppe hinunter in den Steinbruch genommen hatten.

Per kniff die Augen zusammen, um den Wagen besser erkennen zu können, denn das Auto stand direkt im Sonnenlicht.

»Wie kommst du darauf, dass es Bremers Wagen ist?«

Jerry schwieg, starrte aber unentwegt dorthin.

»Na gut, ich gehe da jetzt hinüber«, entschied Per.

Mit großen Schritten überquerte er das riesige Feld des Steinbruchs. Das Auto stand am Rand, und als Per sich näherte, konnte er einen Mann hinter dem Lenkrad ausmachen, der sich vorbeugte und zu ihm hinunter in den Steinbruch sah. Reglos saß er dort, mit einer schwarzen Baseballkappe auf dem Kopf.

Als Per nur noch wenige Hundert Meter von der Küstenstraße trennten, startete der Autofahrer seinen Motor.

»He, hallo!«

Per schrie und winkte, ohne zu wissen, wem er da winkte, und fing an zu rennen.

»Warten Sie!«, rief er.

Aber der dunkelrote Wagen wurde schneller, er fuhr rückwärts auf die Straße zurück, wendete und brauste nach Süden. Er war zu weit weg, als dass Per das Nummernschild hätte erkennen können.

Das Motorengeräusch erstarb in der Ferne, und Per kehrte um. Er war außer Atem, als er wieder am östlichen Ende des Steinbruchs angekommen war.

Jerry sah ihn fragend an.

»Bremer?«

»Nein.«

»Markus Lukas?«

Per schüttelte den Kopf und versuchte, ruhiger zu atmen. Niemand aus Jerrys Welt hatte die Erlaubnis, in die seine einzudringen. Hier wohnten Per und Jesper und Nilla.

»Das war bestimmt nur ein Tourist«, entschied Per. »Wollen wir die Treppe jetzt noch mal ausprobieren?«

Der Polizeibeamte aus Växjö rief gegen drei Uhr nachmittags noch einmal an, als sie wieder zurück im Haus waren.

»Ich habe die Termine überprüft«, sagte Marklund, »und wollte vorschlagen, dass wir uns auf halbem Weg treffen. Könnten Sie eventuell Ende der Woche ins Polizeipräsidium von Kalmar kommen?«

»Gut.«

»Was halten Sie von Freitag, so gegen zwei Uhr?«

»Gerne. Allerdings gibt es ein paar Unwägbarkeiten im Moment, ich kann also nichts garantieren. Es kann sein, dass ich überraschend ins Krankenhaus muss.«

»Geht es Ihrem Vater so schlecht?«

»Nein. Es handelt sich nicht um meinen Vater, sondern um meine Tochter.«

»Ah, ich verstehe – aber dann vereinbaren wir jetzt den Freitag, und Sie melden sich, sollten Sie den Termin nicht wahrnehmen können?«

»So machen wir es«, versprach Per. »Aber könnten Sie mir kurz ein paar Details nennen und erklären, warum wir kommen sollen? Haben Sie etwas Verwertbares im Haus gefunden?«

»So einiges.«

»Ist der Tote im ersten Stock tatsächlich Hans Bremer?«

Der Polizist zögerte mit einer Antwort.

»Die Toten sind identifiziert worden.«

»Ja, laut Zeitungen ein Mann und eine Frau«, sagte Per. »Und es war offensichtlich Brandstiftung?« Auch darauf erhielt er keine Antwort, deshalb fuhr er fort: »Sie müssen nichts verraten, ich habe ja den Kanister im Studio entdeckt. Und im ganzen Haus hat es nach Benzin gestunken.«

Erneut dauerte es eine Weile, ehe der Polizeibeamte antwortete:

»Wie schon gesagt, würden wir uns gerne mit Ihrem Vater darüber unterhalten, was er vorgefunden hat, als er beim Studio ankam – und auch, was Ihnen aufgefallen ist.«

»Werden wir denn verdächtigt?«

»Nein, Sie nicht, Per. Sie hatten gar keine Zeit, den Brand zu legen.«

»Sie verdächtigen also meinen Vater? Oder Bremer?«

Marklund seufzte.

»Wir verdächtigen Hans Bremer nicht. Er kann weder Ihren Vater attackiert noch den Brand gelegt haben.«

»Und bitte warum nicht?«

Marklund zögerte ein letztes Mal.

»Weil seine Hände auf dem Rücken gefesselt waren. Und die der Frau ebenfalls.«

40

Tschüss, Aloysius, bis später!«

Vendela schloss die Tür hinter sich ab und trat auf den Kiesweg. Sie streckte die Arme in den Himmel, dehnte sich und versuchte die Schäfchenwolken mit der Hand zu greifen. Dann lief sie langsam zu Mörners Haus hinüber und sah, dass Pers Vater auf der Steinterrasse in sich zusammengesunken in einem Gartenstuhl saß.

Sie klopfte an. Es dauerte einen Augenblick, ehe Per die Tür öffnete – allerdings machte er sie nur einen kleinen Spalt auf, als würde er den Besuch erst vorsichtig begutachten wollen. Vendela fand, dass er unruhig, ja geradezu ängstlich aussah.

»Sind Sie so weit?«

Er sah sie überrascht an.

»Wollten wir heute wieder eine Runde drehen?«

Vendela nickte.

»Das hatten wir gestern doch abgemacht. Haben Sie es sich anders überlegt?«

Per schien sich wieder zu erinnern.

»Nein, ich bin gleich da. Fünf Minuten … ich muss nur schnell noch Jerry ins Haus bringen.«

Vendela fand, dass es sich anhörte, als würde Per von einem Haustier sprechen.

Zehn Minuten später hatte Per seinen Vater geweckt und ihn auf das Sofa ins Wohnzimmer verfrachtet. Vendela bemerkte, dass Jerry alles im Halbschlaf über sich ergehen ließ – sein Sohn deckte ihn mit einer Decke zu und ließ ihn weiterdösen.

Nachdem Per seine Trainingssachen und die Joggingschuhe angezogen hatte, liefen sie los.

»Gleiche Runde wie gestern?«

»Gerne«, erwiderte Vendela.

Sie liefen nicht so schnell wie beim letzten Mal und hatten mehr Atem, um sich zu unterhalten.

»Soll Ihr Vater nicht so viel an der frischen Luft sitzen?«

»Doch, aber nicht, wenn ich weg bin«, erklärte Per. »Ich muss ein bisschen auf Jerry aufpassen, sonst haut er einfach ab.«

Sie liefen weiter, mit langen Schritten und gleichmäßigen Atemzügen. Es fühlte sich genauso gut an wie gestern. Als sie die Häuser hinter sich gelassen hatten, setzte Vendela das Gespräch fort:

»Sie sagen niemals Papa.«

Per schien zu lachen, oder war das eher ein Keuchen?

»Nein, wir haben uns von dieser Art von Anreden verabschiedet.« Und er fragte zurück: »Und Sie, haben Sie immer ›Papa‹ zu Ihrem Vater gesagt?«

»Zu Henry?«, Vendela zögerte. »Nein, ich vermute, ich habe meistens ›Vater‹ gesagt.«

»Aber Sie mochten ihn?«

»Ich weiß es nicht«, wich Vendela aus und sah hinüber zum Steinbruch. »Er fuhr jeden Morgen hierher und kam jeden Abend spät nach Hause. Ich glaube, ihm hat es im Steinbruch viel besser gefallen als auf dem Bauernhof. Er liebte die Arbeit mit den Steinen und vor allem mit dem roten Kalkstein.«

»Meinen Sie den Blutstein?«, warf Per ein. »Ich weiß jetzt, was das ist.«

»Was das *ist*?«

»Ich weiß, wie der Blutstein entstanden ist.« Er holte Luft und sprach weiter: »Ich habe mich mit Gerlof Davidsson darüber unterhalten, und er erzählte mir, dass es sich dabei um eine geologische ...«

»Ich will das gar nicht wissen«, unterbrach ihn Vendela.

»Warum denn nicht?«

»Das nimmt etwas weg ... das zerstört die Magie.«

Sie schwiegen, nur das Geräusch der Schuhe auf dem Boden und Pers tiefe Atemzüge waren zu hören. Plötzlich bog Vendela auf einen kleineren Kiesweg nach Osten ab, der auf die Landstraße führte. Sie war einem Impuls gefolgt, und Per lief hinterher.

»Wo wollen Sie denn hin?«

»Ich möchte Ihnen etwas zeigen«, sagte sie und lief zügig weiter.

Sie führte ihn auf den Weg zu ihrem Elternhaus und hielt dann am Gartentor an. Eine Woche war seit ihrem letzten Besuch vergangen, das Gras war gewachsen und leuchtete noch grüner, aber das Haus war leer. Und auch der Volvo stand nicht auf dem Hof. Die glückliche Familie, die jetzt hier im Sommer wohnte, war wieder in die Stadt zurückgekehrt.

Auch Per blieb stehen und verschnaufte, dann sah er sich neugierig um.

»Wo sind wir hier?«

Vendela öffnete das Gartentor und sagte:

»Hier hört man meine Kindheit rauschen.«

»Ach wirklich?«

»Na ja, so hat es Gustav Fröding in einem Gedicht formuliert, aber es stimmt tatsächlich, ich bin hier aufgewachsen«, sagte Vendela und betrat den Garten.

Per zögerte eine Sekunde, ehe er ihr folgte.

»Wie war das denn, hier zu leben?«, fragte er. »Hatten Sie eine fröhliche Kindheit?«

Vendela schwieg, sie wollte nicht so viel von sich erzählen. Und sie wollte möglichst nicht an die Kühe denken müssen.

»Es war ziemlich einsam«, gestand sie schließlich. »Meine Freunde lebten alle in Marnäs. Ich hatte nur meinen Vater zur Gesellschaft, und dann hatte ich noch ...«

Sie verstummte und blieb wie angewurzelt vor den mit Gras bewachsenen Fundamentresten stehen, wo einmal der Kuhstall gewesen war.

Dann wanderte ihr Blick zum ersten Stock des Wohnhauses, einen kurzen Moment lang erwartete sie, im mittleren Fenster ein Gesicht mit zwei aufgerissenen Augen zu sehen. Ein Gesicht hinter der Scheibe, eine erhobene Hand, ein leises Kichern.

Komm hoch zu mir, Vendela.

Aber das Zimmer hinter dem Fenster war dunkel und leer.

VENDELA UND DIE ELFEN

Nachdem die Elfen Frau Jansson so krank gemacht haben, dass sie das verbleibende Schuljahr arbeitsunfähig sein wird, muss Fräulein Ernstam die Klasse übernehmen. Vendela mag sie sehr gern, und auch den anderen Schülern geht es so. Fräulein Ernstam stammt aus Kalmar und bringt neue Ideen für den Unterricht mit. Sie wirkt jung und *modern*, sie steigt in der Stunde manchmal vom Katheder und läuft in der Klasse herum, und sie weigert sich, das Harmonium zu spielen.

Eine Woche nachdem sie den Posten als Klassenlehrerin übernommen hat, verkündet sie den Schülern, dass sie alle zusammen eine Frühlingsreise nach Borgholm unternehmen werden. Besuch des Hafens, des Schlosses und unter Umständen auch eine kleine Bummeltour über den Marktplatz. Die Reise soll eine Art Stärkung sein, bevor es ernst wird und die Schüler sich auf die Abschlussprüfung am Ende des Schuljahres vorbereiten müssen.

Ein erwartungsvolles Gemurmel geht durch die Reihen, nur Vendela schweigt.

Sie kann natürlich nicht mitfahren. Jemand muss sich um die Kühe kümmern, und außerdem hat sie keine zwei Kronen für die Fahrt, denn so viel kostet der Ausflug. Das ist zwar kein Vermögen, aber sie selbst hat kein Geld und will auf keinen Fall ihren Vater darum bitten. Er hat nichts, das hat er schon so oft gesagt.

Aber innerhalb einer Woche löst sich das Geldproblem von

ganz allein, am Dienstag bekommt Vendela von ihrer besten Freundin Dagmar zwei Fünfzigörestücke geschenkt, und am Donnerstag – noch ein Wunder – findet sie auf ihrem Nachhauseweg hinter der Kirche von Marnäs ein Zweikronenstück, das jemand dort verloren hat. Und auf einmal hat sie genug Geld für die Reise.

Das einzige verbleibende Problem sind die Kühe Rosa, Rosa und Rosa. Mit den Münzen in der Hand bleibt sie am Elfenstein stehen und starrt die Steinschälchen an.

Sie sind natürlich alle leer.

Vendela legt ein Fünfzigörestück in eine der Kuhlen und wünscht sich, dass ihr morgen erspart bleibt, die Kühe nach Hause zu treiben und zu melken. Einen einzigen freien Tag im Jahr, das ist doch nicht zu viel verlangt?

Sie steht noch eine Weile beim Stein und betrachtet ihre Münze. Später kann sie sich nicht mehr daran erinnern, an was sie dabei alles gedacht hat – ob sie sich vielleicht noch mehr gewünscht hat.

Vielleicht ein besseres Leben? Ein Leben weit weg vom Bauernhof, weit weg von ihrem Vater, dem Invaliden und der Insel? Weit weg, in einer anderen Welt, ohne Pflichten, wo Geld keine Rolle spielt?

Vendela erinnert sich nicht mehr. Sie lässt die Münze in der Kuhle liegen und geht ihrer Wege, ohne sich noch einmal umzusehen. Sie kommt nach Hause und läuft hinaus zur Wiese, wo die Kühe ihre Köpfe heben und sie erwarten. Rosa, Rosa und Rosa reihen sich auf und beginnen, zum Gattertor zu wanken, Vendela hebt den Stock. Aber an diesem Tag schlägt sie die Tiere kein einziges Mal, sie ist zu sehr mit ihren Gedanken beschäftigt. Sie geht hinter den Kühen her und grübelt darüber nach, wie ihr Wunsch wohl in Erfüllung gehen kann.

In der darauffolgenden Nacht erwacht sie vom Gebrüll der Tiere in der Dunkelheit. Sie klingen, als hätten sie Todesangst, und neben dem Muhen hört Vendela lautes Prasseln und Knistern.

Sie setzt sich in ihrem Bett auf, und in diesem Moment riecht sie den Rauch, und durch die Rollgardinen sieht sie ein Flackern im Hof. Ein gelber Lichtschein, drüben am Stall, der immer größer wird und die anderen Gebäude mit dem schwarzen Wald verschmelzen lässt. Dann hört sie schwere Schritte und Geschrei:

»Der Stall brennt!«

Das ist Henrys Stimme. Sie hört, wie er durch das Zimmer poltert und dann ihre Tür aufreißt.

»Es brennt. Du musst sofort raus hier!«

Vendela springt aus dem Bett, Henry zerrt an ihr und trägt sie die Treppe hinunter in die kalte Nacht hinaus. Sie landet im feuchten Gras und blickt sich verwirrt um. Und dann sieht sie, dass der Stall in Flammen steht. Die Flammen drängen zwischen den Holzbrettern hervor und schicken tanzende Funken in den Nachthimmel. Sie lecken schon am Dach der Scheune.

Henry steht neben ihr, er ist barfuß und nur im Nachthemd. Da dreht er sich plötzlich zum Haus um.

»Ich muss Jan-Erik holen!«

Er stürzt zurück ins Haus.

»Jan-Erik?«

Aber sie erhält keine Antwort.

Die Kühe brüllen, lauter und gequälter, als sie es je gehört hat. Sie können dem Feuer nicht entrinnen.

Die Flammen schlängeln sich auch über den Boden, klettern an der Außenwand nach oben und schlagen über dem Dach in roten Wirbeln zusammen. Vendelas Beine sind wie gelähmt. Sie kann sich nicht bewegen, sie bleibt im Gras sitzen und beobachtet, wie ihr Vater mit einem großen Deckenbündel aus dem Haus kommt.

Henry setzt das Bündel auf dem Boden ab.

Vendela hört pfeifende Atemzüge. Zwei dürre Arme bohren sich zwischen den Decken hervor, ein Gesicht mit großen Augen kommt zum Vorschein, und ein Mund mit weißen Zähnen lächelt ihr entgegen.

Es ist der Invalide, der da im Gras sitzt, nur einen Meter von ihr entfernt.

Sie starren sich an, während um sie ein Krachen und Bersten die Luft erfüllt, als das Dach des Stalles in sich zusammenstürzt.

Im Schein des Feuers kann Vendela sehen, dass der Invalide keineswegs alt ist. Er ist ein Junge, vielleicht fünf oder sechs Jahre älter als sie. Seine Beine sind lang und dünn.

Aber er ist offensichtlich sehr krank. Er hat viel Schleim in seiner Luftröhre, das kann Vendela hören, und mit seiner Haut stimmt etwas nicht – sein Gesicht ist rot und angeschwollen, obwohl das Licht der Flammen nicht daraufscheint. Und er hat lange Wunden mit getrocknetem Blut und Schorf auf Stirn und Wangen, als hätte ein Tier ihn angefallen. Auch sein Oberkörper ist rot und voller Narben. Trotzdem lächelt er.

Etwa zwei oder drei Jahre – so lange hat der Invalide nun bei ihnen auf dem Hof gewohnt, ohne dass Vendela wusste, wer er war. Konnte er sprechen? Verstand er Schwedisch?

»Wie heißt du?«

Er öffnet seinen Mund und kichert, antwortet aber nicht.

»Ich heiße Vendela, und du?«

»Jan-Erik«, sagt er schließlich mit so leiser und dumpfer Stimme, dass sie kaum gegen das Donnern des Feuers zu hören ist. Er kichert erneut.

»Wer bist du?«

»Jan-Erik«, wiederholt er.

Henry rennt in wilder Verzweiflung über den Hof, hin und her. Als das Feuer auf das Wohnhaus überzugreifen droht, füllt Henry Eimer mit Wasser und stürzt in den ersten Stock, um das Holz zu wässern und die Funken zu ersticken.

Da endlich steht Vendela auf. Sie macht eine einzige Sache richtig in dieser Nacht, denn sie geht zum Hühnerstall neben der brennenden Scheune und öffnet die Tür. Die Hühner und Küken flattern in einem einzigen, wilden Durcheinander über den Hof, dicht gefolgt vom Hahn. Dann sammelt sich die Schar wieder und drängt sich dicht zusammen. Sie sind außer Gefahr.

»Ruf die Feuerwehr!«, brüllt Henry seiner Tochter zu.

Vendela rennt in die Küche und wählt die Notrufnummer der Feuerwehr in Borgholm. Sie wird nach Kalmar weiterverbunden, es dauert unendlich lang, bis sie endlich jemanden am Apparat hat und erklären kann, wo es brennt.

Als sie wieder nach draußen kommt, sitzt der Invalide noch immer im Gras, und Henry stürzt nach wie vor zwischen der Wasserpumpe und dem brennenden Stall hin und her.

Aber es ist zu spät. Das Feuer wütet die Wände hinauf bis übers Dach des Viehstalls, und endlich gibt Henry mit einem tiefen Seufzer auf.

Vendela bleibt wie angewurzelt auf dem Hof stehen und hört, wie das Brüllen der Kühe langsam verstummt.

Gegrilltes Fleisch, es riecht in dieser Nacht nach gegrilltem Rindfleisch.

Vendela spürt zwar die Hitze des Feuers, aber sie friert. Sie will nicht länger draußen bleiben.

»Vater ... kommst du mit ins Haus?«

Er scheint sie nicht zu hören, dann aber schüttelt er den Kopf:

»Das Feuer ist nicht schuld.«

Vendela versteht nicht, was er damit meint.

Eine ganze Stunde später erst kommt die Feuerwehr mit zwei Löschfahrzeugen, aber sie kann nur noch verhindern, dass sich das Feuer weiter ausbreitet. Der Stall ist nicht mehr zu retten.

Es ist weit nach Mitternacht, als die Feuerwehr wieder abrückt. Dichter Qualm hängt über dem Hof. Henry sitzt noch immer draußen auf der Treppe in der Kälte. Er hat zwar den Invaliden längst wieder nach oben getragen, aber er selbst geht nicht ins Haus. Vendela geht ein letztes Mal zu ihm hinaus.

»Wer ist Jan-Erik, Vater?«

»Jan-Erik?«, wiederholt Henry und scheint nachdenken zu müssen. »Das ist mein Sohn ... dein Bruder.«

»Mein Bruder?«

Er sieht sie über die Schulter an.

»Habe ich dir das nie gesagt?«

Vendela starrt ihn an, sie hat tausend Fragen, stellt aber nur eine Einzige:

»Warum muss er nicht in die Schule gehen?«

»Er darf nicht«, erklärt Henry. »Sie haben gesagt, es sei vergebliche Liebesmüh, er sei nicht intelligent genug!«

Dann wendet er sich wieder ab und starrt in die Dunkelheit.

Vendela geht in ihr Zimmer, sie liegt kerzengerade und steif im Bett.

Wahrscheinlich ist Henry die ganze Nacht auf, denn als er seine Tochter am nächsten Morgen um sieben Uhr weckt, trägt er noch immer das rußverschmierte Nachthemd.

»Schule!«, sagt er nur. »Du konntest heute ja ein bisschen länger schlafen, weil du nicht melken musstest.«

Da nimmt Vendela den Rauchgeruch in ihrem Zimmer wahr und erinnert sich an den Brand in der vergangenen Nacht. Und sie erinnert sich an den Invaliden. Jan-Erik.

Henry will das Zimmer wieder verlassen, bleibt aber dann einen Moment in der Tür stehen.

»Mach dir keine Sorgen um unsere Zukunft, ich habe die Versicherungsunterlagen und die Prämienquittung, das wird sich alles regeln.«

Da fällt Vendela siedend heiß ein, dass heute der Ausflugstag ist. Die Klasse fährt nach Borgholm.

Und sie kann mit. Sie hat nicht nur genug Geld für die Fahrt, sondern muss sich auch nie wieder um die Kühe kümmern.

Kurz darauf läuft sie über die leere Alvar, doch sie macht einen großen Bogen um den Elfenstein. Sie will ihn nicht mehr sehen. Aber die Fragen drängen sich ihr dennoch auf.

Was hat sie sich eigentlich alles gewünscht, als sie am Tag zuvor am Elfenstein stand? Sie kann nicht begreifen, was sie da getan hat, und will am liebsten nicht daran denken, was die Elfen für sie getan haben.

Die Klasse hat sich versammelt, mit Geplauder und Gelächter laufen sie zur Bahnstation. Nur Vendela freut sich nicht, und sie redet auch mit keinem. Der Rauchgeruch sitzt ihr noch in der Nase.

Auf der Fahrt nach Borgholm sitzt sie mit Dagmar und den anderen Mädchen in einem Abteil, aber es fühlt sich so an, als wäre sie in der Alvar geblieben. Ganz allein. Von dem Besuch in Borgholm behält sie nichts, im Schatten der nächtlichen Ereignisse gleitet der Tag an ihr vorbei.

Als sie von dem Ausflug nach Hause kommt, drei Stunden nachdem sie die Kühe hätte melken müssen, findet sie den Hof voller fremder Menschen vor.

Die Polizei ist auch da – zwei Beamte aus Marnäs gehen bedächtig über das Gelände und inspizieren den Ort des Geschehens. Der eine Giebel des Wohnhauses ist schwarz, und der Stall ist bis auf das Fundament niedergebrannt. Es ähnelt einem rechteckigen Bassin, das mit Asche gefüllt ist. Verbrannte Holzplanken und Dachschindeln stecken in dem grauen Haufen. Mit ausgestreckten Beinen liegen drei verkohlte Körper auf der Fläche, und über dem gesamten Hof hängt der Geruch von verbranntem Fleisch.

Rosa, Rosa und Rosa. Aber Vendela will nicht an sie denken.

Auch die Nachbarn haben sich auf dem Vorplatz versammelt. Viele Menschen aus Stenvik und von entlegeneren Ortschaften sind gekommen, um die niedergebrannte Scheune des armen Witwers Henry Fors zu begutachten. Einige von ihnen haben sogar Brote und Milch für die bedürftige Familie dabei. Henry lächelt und bedankt sich hölzern, und Vendela macht Knickse mit glühenden Wangen. Sobald sie kann, schleicht sie sich davon. Sie geht die Treppe hinauf in den ersten Stock und drückt die Klinke herunter, aber die Tür ist verschlossen.

»Jan-Erik? Ich bin es, Vendela!«

Keine Antwort, nicht einmal ein Kichern. Hinter der Tür bleibt alles still. Sie geht wieder nach unten und sieht aus dem Küchenfenster.

Einer der Männer, die aus Stenvik gekommen sind, ist groß

und schlank. Er blickt sich nachdenklich auf dem Hof um. Voller Mitgefühl unterhält er sich mit ihrem Vater, als die Polizisten ihn plötzlich zu sich rufen. Vendela beobachtet, wie ihr Vater die Wachtmeister in den Überresten des Stalles herumführt und die Leichen der Kühe zeigt.

Die Polizisten begutachten alles ganz genau, während Henry ins Haus geht. Vendela sieht, wie sich der große Mann aus Stenvik nach einer Weile zu den Polizisten gesellt und mit ihnen redet, er zeigt auf die Reste der Scheune und deutet auf etwas am Boden.

Die Beamten hören ihm aufmerksam zu und nicken schließlich.

»Ich habe keine Ahnung, was die da draußen vorhaben«, murmelt Henry, der sich an den Tisch gesetzt hat. »Die reden sich irgendetwas ein.«

Dann fasst er Vendela an den Schultern und sieht ihr in die Augen.

»Du musst mir helfen«, sagt er. »Wenn es Fragen gibt.«

»Fragen?«

»Wenn es Probleme gibt. Das wirst du doch tun, oder? Deinem Vater helfen und zur Seite stehen?«

Vendela nickt stumm.

Etwa eine halbe Stunde später, die Dämmerung ist bereist hereingebrochen, kommen die Polizisten in die Küche und tragen den Brandgeruch mit hinein. Schwer lassen sie sich auf die Stühle am Küchentisch fallen und sehen Henry forschend an.

»Erzählen Sie uns, was Sie wissen, Herr Fors«, fordert der eine ihn auf.

»Ich weiß nicht viel.«

»Wo ist der Brand zuerst ausgebrochen?«

Henry legt seine Hände auf den Küchentisch.

»Ich weiß es nicht, plötzlich hat es gebrannt. Ich habe immer nur Unglück, immer. Dieser Ort bringt nur Unglück.«

»Sie sind also vom Feuer geweckt worden?«

Nur der eine Polizist redet, der andere mustert Henry die ganze Zeit.

Der nickt.

»So gegen Mitternacht. Meine Tochter auch.«

Vendela wagt es kaum, den Männern ins Gesicht zu sehen. Ihr Herz schlägt so laut, als wolle es zerspringen. Jetzt in der Dämmerung tanzen die Elfen ihre Reigen über die Wiesen der Alvar.

»Wir gehen davon aus, dass das Feuer an zwei Stellen gleichzeitig ausbrach«, sagt der redselige Wachtmeister.

»Ach, wirklich?«

»Ja, an der östlichen und an der westlichen Giebelwand. Und das ist ein bisschen sonderbar, denn es hat ja so lange geregnet. Der Boden ist ganz feucht.«

»Jemand hat dort eine Kerze angezündet«, wirft der andere ein. »Wir haben einen Klumpen Wachs gefunden.«

»Tatsächlich?«, sagt Henry.

»Du hast doch auch Petroleum gerochen, oder?«, fragt der eine Beamte den anderen.

»Ja, in der Tat, das habe ich.«

»Dürfen wir bitte Ihre Schuhe ansehen, Herr Fors?«

»Schuhe? Welche Schuhe?«

»Alle«, antwortet der Polizist. »Alle Schuhe und Stiefel, die Sie besitzen.«

Henry zögert, aber dann geht er mit den Polizisten in den Flur und zeigt ihnen seine Schuhe. Einer nach dem anderen wird hochgehoben, und Vendela sieht, dass sie die Sohlen untersuchen.

»Diese hier könnten es sein«, sagt der eine Polizist und hebt ein Stiefelpaar hoch. »Was meinst du?«

Der andere nickt.

»Stimmt, das ist derselbe Abdruck.«

Sein Kollege stellt die Stiefel auf den Küchentisch und sieht Henry misstrauisch an.

»Haben Sie Brennstoff im Haus, Herr Fors?«

»Brennstoff?«

»Petroleum oder so.«

»Ja, das ist schon möglich ...«

»Einen Kanister?«

Vendela fällt wieder ein, wie das Feuer sich am Boden entlanggewunden hat wie eine Schlange. Es war über den Boden gekrochen gekommen und die Wände der Scheune emporgeklommen, als hätte es genau gewusst, welchen Weg es nehmen musste.

»Ein Kännchen«, sagt Henry leise. »Ich glaube, ich habe irgendwo noch eine halb volle Kanne mit Petroleum.«

Die Polizisten nicken.

»Ich glaube, der Fall ist klar«, sagen sie und sind sich einig.

»Ja.«

Es wird still. Plötzlich streckt sich Henry, holt tief Luft und sagt mit fester Stimme:

»Nein.«

Überrascht sehen ihn die Beamten an.

»Es ist gar nichts klar. Ich habe nichts mit dem Brand zu tun ... das Petroleum kann doch jeder ausgegossen haben. Ich war die ganze Zeit im Haus, bis der Brand ausgebrochen ist. Das kann meine Tochter bezeugen, auf Ehre und Gewissen.«

Nun sind alle Blicke auf Vendela gerichtet. Ihr wird eiskalt.

»Ja«, stößt sie endlich hervor, und dann lügt sie weiter. »Papa war die ganze Zeit im Haus. Er schläft direkt neben meinem Zimmer, und ich höre ihn immer, wenn er aufsteht, aber das ist er nicht.«

Henry zeigt auf die Stiefel, die vor ihm auf dem Tisch stehen.

»Und die da gehören mir gar nicht.«

»Aber die standen in Ihrem Flur«, entgegnet der eine Wachtmeister. »Wem gehören sie dann?«

Henry geht zum Fuß der Treppe, die in den ersten Stock führt, und sagt:

»Kommen Sie mit nach oben, dann werden ich es Ihnen zeigen.«

41

Gerlof gab sich große Mühe, um genügend leere Flaschen zu bekommen, in denen er seine kleinen Schiffe segeln lassen konnte – jeden Abend trank er ein Glas Wein zum Essen. Aber seine Modellbautätigkeit hatte er auch nach Ostern nicht wiederaufgenommen, und mit dem Viermastvollschiff hatte er noch nicht einmal angefangen. Die meiste Zeit verbrachte er damit, zu schlafen, auf seinem Gartenstuhl in der Sonne zu sitzen – und in Ellas Tagebüchern zu lesen.

Er las sie mit System, immer eine Seite am Stück, und dann legte er das Buch auf den Gartentisch und dachte über das Gelesene nach.

Heute ist der 18. September 1957.
Ich schäme mich ein bisschen, dass ich mir nicht häufiger die Zeit nehme, ein paar Zeilen zu schreiben. Aber jetzt ist es wieder so weit. Ja, es ist eine Menge passiert, wir waren auf der Beerdigung von Oskar Svensson in Kalmar, und ich habe meinen zweiundvierzigsten Geburtstag gefeiert.

Letzten Sonntag waren wir auf der Konfirmation meines Neffen Birger in der Kirche von Gärdslösa, es war eine sehr feierliche Zeremonie, und Vikar Ek hat ziemlich schwere Fragen gestellt.

Gerlof hat gestern den Zug genommen und ist zum Hafen gefahren, heute Morgen hat er sich mit dem Frachter auf den Weg nach Stockholm gemacht, und die Mädchen haben eine Fahrradtour nach Långvik unternommen. Also war ich wieder allein im Haus, aber das kann zwischendurch auch mal ganz angenehm sein.

Heute war es sehr bedeckt, und der Wind hat sich im Lauf des Vormittags zu einem ersten Herbststurm über der Ostsee entwickelt. Ich weiß, dass Gerlof mit den Wellen zurechtkommt, aber Gott behüte ihn, dass ihm nichts passiert. Er wird noch mindestens zwei Monate zur See fahren müssen.

Jetzt sitze ich gerade auf der Veranda und schreibe dies.

Als die Mädchen aufgebrochen waren, ging ich nach draußen und entdeckte etwas Merkwürdiges auf der untersten Treppenstufe: Dort lag ein Schmuckstück. Eine silberne Brosche in Form einer Rose, aber kann das echtes Silber sein? Vermutlich hat mein kleines Kerlchen sie dort hingelegt, ich weiß nicht, was ich damit anfangen soll, es kommt mir nicht richtig vor.

Nach dieser Lektüre saß Gerlof eine Weile still im Garten und dachte nach. Dann erhob er sich und ging ins Haus.

Ellas gelbes Schmuckkästchen hatte er all die Jahre behalten, er hatte es in seiner Kommode unter seiner alten, ausgeblichenen Schiffsflagge versteckt. Jetzt holte er es hervor, öffnete den Verschluss und sah hilflos in Wirrwarr von Armbändern, Ketten, Ringen und Ohrringen. Es lagen auch ein paar Broschen dazwischen, die dringend gereinigt werden müssten. Eine von ihnen hatte die Form einer Rose und einen roten Stein in der Mitte.

Vorsichtig hob Gerlof die Rose hoch.

Hatte er Ella jemals diese Brosche tragen sehen? Er konnte sich nicht erinnern.

42

Wie angewurzelt standen Jerry und Marika im Flur des Krankenhauses und starrten einander an.

Per stand daneben und wäre in diesem Augenblick aber am liebsten ganz woanders gewesen. Auf der anderen Seite des Sundes zum Beispiel – auf einer Joggingtour mit Vendela Larsson. Aber er war nun mal hier.

Soeben waren Jerry und er aus dem Fahrstuhl gestiegen und direkt in Marikas Arme gelaufen.

»Hallo, Jerry!«, sagte Marika leise. »Wie geht es dir?«

Marika und ihr Schwiegervater waren sich nur ein einziges Mal begegnet, aber das war lange her, ein Jahr vor der Geburt der Zwillinge. Sie hatte zuerst Pers Mutter Anita kennengelernt, mit der sie sich hervorragend verstand, und dann wollte sie auch seinen Vater treffen. Eines Tages, an einem Wochenende, waren sie in der Nähe von Kristianstad gewesen und hatten spontan beschlossen, bei ihm vorbeizufahren.

Per hatte sich inständig gewünscht, dass niemand zu Hause wäre.

Aber Jerry hatte ihnen in einem dunkelblauen Seidenbademantel geöffnet, unter dem er nur eine Unterhose mit Leopardenmuster trug. Er hatte sie hereingebeten und ihnen Toast und schwedischen Kaviar und Maränenrogen serviert. Dazu gab es selbstverständlich reichlich Sekt. Als sie sich verabschiedeten, überreichte er ihnen als Präsent die neuesten Ausgaben seiner Zeitschriften *Babylon* und *Gomorra* – für die Romantik!

Danach wollte Marika ihren Schwiegervater nie wiedersehen.

Aber jetzt, vierzehn Jahre später, standen sie sich also gegenüber. Per war sich nicht sicher, ob Jerry seine Exfrau überhaupt wiedererkannte. Er starrte sie finster an, aber das tat er im Moment bei jedem.

»Jerry kann nicht mehr so viel sprechen«, erklärte Per. »Aber sonst geht es ihm ganz gut. Stimmt doch, oder?«

Sein Vater nickte und starrte Marika weiter unverwandt an.

»Warst du schon bei Nilla?«, fragte Per.

»Ja, ihr geht es ganz gut heute.« Sie sah ihn eindringlich an. »Ich muss los, der Arzt wollte mich noch sprechen, kannst du bitte auch mitkommen?«

Per schüttelte den Kopf, er hatte Angst, schlechte Neuigkeiten zu hören.

»Heute nicht.«

»Aber es könnte wichtig sein«, wandte Marika ein.

»Alle Gespräche über Nilla sind wichtig«, entgegnete Per ausweichend. »Ich bin bald wieder zurück, aber Jerry und ich müssen noch eine Sache erledigen. Und die ist auch wichtig.«

»Könnt ihr das nicht verschieben?«

»Nein, wir haben einen Termin.«

Er wollte ihr nicht erzählen, dass sie zur Polizei mussten. Marika nickte, sah aber verärgert aus.

»Bis später«, sagte Per und lief den Gang hinunter zu Nillas Zimmer.

Seine Tochter saß aufrecht und im Schneidersitz auf ihrem Bett, trug ihren Pyjama und trank etwas aus einem Glas. Sie nickte ihrem Vater zu, setzte das Glas aber nicht ab, sondern leerte es in einem Zug. Per musterte die orangefarbene Flüssigkeit und fragte sie:

»Was trinkst du denn da?«

»Karottensaft«, erwiderte Nilla.

»Hast du dir den selbst gekauft?«

Sie leckte sich die Lippen und schüttelte dann den Kopf.

»Emil hat ihn mir gegeben. Seine Mutter presst ihm dauernd Säfte und mischt lauter Vitamine hinein, die ihn gesund machen sollen. Aber er mag den Saft nicht.«

»Aber du magst ihn?«

»Der schmeckt ganz okay – und dann muss er ihn nicht trinken.«

Draußen auf dem Flur hörten sie die scharfe Stimme einer Krankenschwester, die einen Patienten fragte, was er im Gang zu suchen habe. Der Patient murmelte etwas Unverständliches.

»Ach so? Na, dann versuchen wir es mal mit einer Bettpfanne«, erwiderte die Krankenschwester, und dann verhallten ihre energischen Schritte im Flur.

»Bleibst du?«, fragte Nilla. »Mama kommt gleich wieder, sie musste nur eben noch mal zu dem Arzt.«

Er schüttelte den Kopf.

»Ich habe keine Zeit, Opa wartet draußen.«

»Was habt ihr denn vor?«

»Wir ... ach, wir drehen eine kleine Runde durch Kalmar.«

Er log seine Tochter an, so wie er auch Marika angelogen hatte.

Marika war schon weg, als er zum Fahrstuhl zurückkehrte. Jerry saß auf einem Stuhl und hatte sein Handy ans Ohr gepresst, beendete aber das Gespräch, als Per kam.

»Mit wem hast du gerade telefoniert?«, fragte Per, während sie nach unten fuhren. »Hat dich jemand angerufen?«

»Bremer«, antwortete er.

»Aber er ist tot, Jerry.«

»Bremer wollte sprechen.«

»Ach ja?«

Per nahm Jerry das Handy ab und klickte sich durchs Menü. Schon wieder UNBEKANNTE RUFNUMMER.

Sie setzten sich ins Auto, und Per startete den Motor.

»Tu mir bitte einen Gefallen, Jerry«, sagte Per. »Erzähl der Polizei nicht, dass Bremer dich angerufen hat. Sonst ziehen die eventuell falsche Schlüsse!«

Keine Antwort. Jerry schwieg, während sie durch Kalmar fuhren. Als sie jedoch an einem Spielkasino vorbeikamen, dessen Fenster mit Folie beklebt waren, heftete sich sein Blick darauf. Dann öffnete er den Mund und presste zwei Wörter hervor, die Per nicht verstand.

»Was?«, fragte Per. »Was hast du gesagt?«

»Moleng Noar.«

»Moleng ... Was ist das?«

Jerry grinste.

»Malmö.«

»Moleng Noar in Malmö?«

Jerry nickte.

»Das klingt wie ein Chinarestaurant«, rätselte Per. »Oder ist es ein Mensch, Jerry? Ein Chinese aus Malmö, den du kennst?«

Jerry schüttelte den Kopf.

»Cindy«, murmelte er vor sich hin. »Suzie, Christy, Debbie ...«

»War das ein Ort, an dem du diese Mädchen kennengelernt hast?«

Sein Vater nickte, grinste versonnen vor sich hin und sprach kein weiteres Wort mehr auf der Fahrt.

Das Polizeipräsidium von Kalmar war ein großes, gelbes Backsteingebäude mit kleinen Fenstern. Es lag im Norden des alten Stadtkerns und nahm einen halben Straßenblock ein.

Jerry entdeckte das Polizeischild über dem Eingang, zuckte zusammen und blieb abrupt stehen.

»Es ist alles in Ordnung«, beruhigte ihn Per. »Sie wollen sich nur mit uns unterhalten.«

Er meldete ihren Besuch bei der Empfangsdame an und ließ sich mit Jerry in eines der Plastiksofas fallen. Vor ihnen an der Wand hing ein Plakat gegen illegalen Alkoholausschank, auf dem das Gesicht eines Mädchens mit traurigen Augen zu sehen war, und darunter stand: WISSEN SIE, WAS IHRE TOCHTER GESTERN ABEND GEMACHT HAT?

Oh ja, das weiß ich ganz genau, dachte Per traurig.

Nach einigen Minuten kam Kommissar Lars Marklund auf sie zu, mit dem Per bisher nur am Telefon gesprochen hatte. Er war in Zivil und trug Jeans und einen grauen Rollkragenpullover.

»Willkommen«, begrüßte er sie. »Wir haben uns überlegt, Sie, Herr Mörner, zuerst zu befragen und danach Ihren Vater.« Er wandte sich an Jerry und sagte: »Sie können hier solange sitzen bleiben und warten, Herr Mörner.«

Jerry wirkte auf einmal nervös, er wollte wieder aufstehen, aber Per beugte sich zu ihm hinunter.

»Bleib einfach hier sitzen, Jerry, es ist alles in Ordnung. Ich komme auch gleich wieder.«

Sein Vater schien darüber nachzudenken und nickte dann.

Marklund führte Per in ein kahles Büro, in dem nur ein überfüllter Schreibtisch stand.

»Setzen Sie sich doch. Sie wohnen also auf Öland?«

Per nahm auf der anderen Seite des Schreibtisches Platz.

»Das ist richtig.«

»Es ist schön da – ich wollte mir immer ein Sommerhaus auf Öland kaufen. Ist so etwas teuer?«

»Das kann schon sein, ich weiß es aber nicht. Ich habe mein Sommerhaus geerbt.«

»Sie Glücklicher.« Der Kommissar nahm einen Stift und einen Notizblock. »In Ordnung, können Sie mir bitte mit Ihren eigenen Worten erzählen und beschreiben, was Sie an besagtem Tag bei dem betreffenden Anwesen in Ryd gesehen haben, außerhalb und innerhalb der Anlage. Alle Details sind von Belang!«

»Sie meinen, alles, was mit dem Brand zu tun hat?«

Per ließ seinen Blick über die Unterlagen wandern, die vor ihm lagen. Marklunds Ellenbogen ruhte auf einem technischen Protokoll und einer Skizze vom Erdgeschoss des Filmstudios. Per entdeckte Pfeile und Kreuze auf der Zeichnung sowie die Bleistiftnotiz FÜNF BRANDHERDE.

»Genau, bitte erzählen Sie mir alles, was Sie über den Brand wissen!«, forderte ihn Marklund auf. »Wie Sie ihn entdeckt haben, wann das war und in welchem Teil des Hauses. Ob Sie Beschädigungen im Haus beobachtet haben, bevor der Brand ausbrach, und wie sich der Brand Ihrer Meinung nach ausgebreitet hat.«

Per holte tief Luft. Er erzählte, wann er bei dem Filmstudio eingetroffen war, um Jerry abzuholen, und dass er seinen Vater dann mit Schnittverletzungen auffand und ihn in Sicherheit brachte. Dann berichtete er, wie er zurück ins Haus und in den ersten Stock gelaufen war und von dem verqualmten Zimmer. Und dass er den Hilfeschrei eine Frau gehört hatte, aus einem anderen Zimmer. Zuletzt erklärte er, wie er plötzlich vom Feuer eingeschlossen war und aus dem Fenster springen musste.

Das war die Wahrheit und nichts als die Wahrheit, zumindest soweit er sich erinnerte. Er benötigte ungefähr eine Viertelstunde für seinen Bericht.

»Das ist alles, was ich weiß«, schloss er. »Ich habe mich zwar im Haus aufgehalten, habe aber nichts mit dem Brand zu tun.«

»Das hat auch niemand behauptet«, beschwichtigte ihn Marklund und machte sich eine Notiz.

Per lehnte sich vor.

»Aber was haben Sie bisher in Erfahrung bringen können? Das war doch sorgfältig vorbereitet, oder?«

Marklund schwieg.

»Normalerweise geben wir keine Ermittlungsdetails frei«, sagte er dann, »aber Sie haben ja selbst den perforierten Benzinkanister und die Autobatterie gesehen. Worauf deutet das hin?«

»Diese Tat war geplant!«

Marklund nickte.

»Die Kriminaltechniker haben an einigen der Brandherde Papierreste gefunden – Überreste von Dokumenten.«

Per musste sofort an die aufgebrochene Kommode in Jerrys Wohnung denken.

»Dabei könnte es sich um alte Verträge mit den Models handeln«, sagte er, »die bei Jerrys und Bremers Filmen und Zeitschriften mitgemacht haben. Haben Sie schon mit einigen von denen gesprochen?«

»Die sind nicht so leicht aufzuspüren«, gestand Marklund. »Es ist uns bisher nicht gelungen.«

»Nein, natürlich, die haben selbstverständlich auch nicht ihre bürgerlichen Namen angegeben«, nickte Per. »Benötigen Sie Hilfe? Ich könnte mich auf die Suche machen ...«

Der Kommissar schüttelte energisch den Kopf.

»Kommt nicht infrage, das ist unser Job.«

Per sah zur Decke: Undank ist der Welten Lohn.

»Aber wir gehen tatsächlich davon aus, dass die Tote ein ehemaliges Modell war«, räumte Marklund ein.

Per sah ihn an.

»Ach, wirklich? Und wie hieß sie?«

»Wir geben keine Namen raus, noch nicht.« Marklund schrieb eine weitere Notiz auf seinen Block. »Erzählen Sie mir doch lieber ein bisschen über Ihren Vater. Wie lange übt er diesen Beruf denn schon aus? Und was hat er davor gemacht?«

»Jerry hat über seine Vergangenheit wenig gesprochen, aber ich weiß, dass sein Vater Pfarrer war und Jerry früh von zu Hause abgehauen ist und Anfang der Fünfziger als Autohändler gearbeitet hat. Er war bestimmt sehr talentiert. Einige Jahre später hat er eine Postkartenfirma gekauft und begonnen, erotische Karten zu drucken. Die verkauften sich gut. In den Sechzigern hat er dann mit der Herausgabe der Zeitschrift *Babylon* begonnen, die in Dänemark gedruckt und dann mit kleinen Motorbooten nach Schweden eingeschmuggelt wurde. Aber Anfang der Siebziger, als das Pornografie-Verbot in Schweden aufgehoben wurde, hat er sofort eine Aktiengesellschaft gegründet, Mitarbeiter eingestellt und seine Zeitschriften in ganz Europa verkauft.«

»Damit begann das Goldene Zeitalter Ihres Vaters, kann man das so sagen?«

Marklund machte sich Notizen, während er die Frage stellte. »Und diese Mitarbeiter, die er eingestellt hat, was wissen Sie über die?«

»Nichts. Ein Typ war quasi immer mit dabei, der nannte sich Markus Lukas, aber das klingt nach Pseudonym.«

»Und dieser Bremer?«, hakte Marklund nach. »Was wissen Sie über Hans Bremer?«

»Auch nicht viel.«

»Sind Sie ihm schon einmal begegnet?«

Per verneinte.

»Ich weiß nur das, was mir mein Vater im Lauf der Jahre erzählt hat. Dass sie Ende der Siebziger zusammengearbeitet haben und Bremer damals in Malmö lebte. Er war schnell und effektiv, und das schätzte Jerry sehr.«

»Da wissen wir anscheinend doch mehr als Sie«, stellte Marklund fest.

»Und was?«

»Ich darf Ihnen auch darüber keine Details verraten, aber Bremer war in Malmö in die verschiedensten Geschäfte verwickelt. Diese Filme waren offenbar nur ein Teil seines Tätigkeitsbereichs. Wir sind der Sache auf der Spur und untersuchen gerade die anderen Geschäftsfelder.«

»Soll das heißen, er war ein Gangster?«

»Das habe ich nicht gesagt. Sind sie denn gut miteinander ausgekommen, Bremer und Ihr Vater?«

»Ich gehe davon aus, sie haben ja jahrelang zusammengearbeitet. Und Jerry wollte nach Ryd fahren, um ihn dort zu treffen.«

Marklund blätterte in seinen Aufzeichnungen.

»Aber die beiden haben sich an jenem Tag gestritten, richtig?«

»Das behauptet Jerry zumindest. Er hat auch gesagt, dass Bremer ihn mit dem Messer verletzt hat, wenn ich ihn richtig verstanden habe. Aber wenn Bremer gefesselt und eingesperrt gewesen ist, dann muss das ja jemand anders gewesen sein!«

»Haben Sie denn jemanden gesehen?«

Per zögerte. *Markus Lukas*, schoss es ihm durch den Kopf.

»Ich bin mir nicht sicher ... ich hatte den Eindruck, dass ich jemanden am Waldrand habe stehen sehen, nachdem ich aus dem Fenster gesprungen bin. Da gibt es einen Waldweg, und ich habe auch frische Reifenspuren gesehen, glaube ich.« Nach einem kurzen Zögern fuhr er fort: »Und dann bin ich auf den Gedanken gekommen, dass Bremer seinen Wagen dort abgestellt haben könnte und der Brandstifter vielleicht damit geflohen ist.«

»Ach, tatsächlich?« Marklund blätterte erneut durch seine Unterlagen. »Wie kommen Sie darauf, dass Bremer einen Wagen hatte?«

Per sah ihn überrascht an.

»Davon gehe ich aus, Bremer hat meinen Vater oft mitgenommen. Und Bremer muss ihn doch auch von der Busstation abgeholt haben. – Haben Sie bei ihm eigentlich alle Schlüssel gefunden?«

Wieder blätterte Marklund.

»Seine Schlüssel? Besaß er denn so viele?«

»Ich bin mir nicht sicher. Aber jemand war in der Wohnung meines Vaters, während er bei uns auf Öland war, und hat dort eine Kommode aufgebrochen. Wir haben das jetzt an Ostern entdeckt. Mein Vater hat gesagt, dass Bremer einen Ersatzschlüssel für diese Wohnung gehabt hat. Ich habe den Einbruch angezeigt.«

»Ein Einbruch?«, fragte Marklund überrascht. »Ich werde mich mal erkundigen, was die Kollegen da herausbekommen haben.«

»Danke«, sagte Per.

Marklund sah auf seine Uhr.

»Möchten Sie noch etwas hinzufügen?«

Per dachte nach. Ein Teil von ihm hätte gerne erzählt, dass der Hilfeschrei der Frau in seinem Kopf widerhallte und sich mit Reginas Schreien im Wald vermischte – aber das war hier keine Therapiesitzung.

Doch dann fiel ihm etwas ein.

»Eine Sache vielleicht noch ... Mein Vater und ich haben seit dem Brand ein paar sonderbare Anrufe erhalten.«

»Von wem?«

»Das wissen wir nicht. Sie waren anonym.«

»Gut, aber vielleicht gibt es doch eine Möglichkeit, die Nummer herauszufinden, wir können es ja versuchen.«

Marklund machte sich eine letzte Notiz und nickte.

»Dann sind wir fertig, würde ich sagen. Haben Sie vielen Dank, Sie können jetzt rausgehen und Ihren Vater holen.«

Per erhob sich. Er musste an Nilla denken und fragte:

»Wie lange wird es ungefähr noch dauern?«

»Nicht lange ... Zwanzig Minuten vielleicht?«

»In Ordnung, aber Jerry kann nicht gut sprechen, nur dass Sie vorbereitet sind.«

Als er das Büro verließ, warf er einen Blick auf seine Uhr und stellte fest, dass er etwas über eine halbe Stunde verhört worden war. Jerry war vermutlich im Sofa eingeschlafen.

Aber als er in die Eingangshalle kam, saß sein Vater keineswegs auf dem Sofa und schlief. Das Sofa war leer.

Per starrte zuerst wie versteinert auf das Möbel, dann überprüfte er die Toiletten bei der Garderobe, aber auch dort war niemand.

Die Frau am Empfang sah Per freundlich an, als er auf sie zuging.

»Der alte Mann?«, sagte sie. »Der ist rausgegangen.«

»Rausgegangen?«

»Ja, ich glaube, er hat draußen auf der Straße einen Bekannten gesehen und ist gegangen.«

»Wann war das?«

»Das ist noch nicht so lange her, ich weiß nicht so genau ... vielleicht vor einer Viertelstunde?«

Per stürzte aus dem Polizeipräsidium.

Er stand auf dem Bürgersteig und sah sich um, gegen das grelle Sonnenlicht kniff er die Augen zusammen. Auf der Straße fuhren ein paar Autos vorbei, aber weit und breit war kein Mensch zu sehen.

Jerry war wie vom Erdboden verschluckt.

43

Kalmar war ein einziges Labyrinth. Bisher hatte sich Per immer ganz gut zurechtgefunden, die Stadt war nicht unübersichtlich groß. Aber jetzt erschien sie ihm wie ein riesiger Wirrwarr aus Straßen und Bürgersteigen.

Und Jerry war nirgendwo zu sehen.

Per rannte bis zu den Kreuzungen links und rechts des Polizeipräsidiums und einmal um den ganzen Block herum, aber sein Vater blieb verschwunden. Er rief ihn auf dem Handy an, aber Jerry ging nicht ran.

Da gab er auf und lief ins Gebäude zurück. Lars Marklund stand am Empfang und sah auf die Uhr.

»Gibt es Probleme?«

»Mein Vater ist verschwunden«, stöhnte Per ganz außer Atem. »Ich muss los, ihn mit dem Wagen suchen.«

Er war schon fast wieder zur Tür hinaus, als Marklund ihm hinterherrief:

»Warten Sie! Sie können doch nicht einfach losrennen ... Wir müssen eine Fahndung herausgeben.«

Per kam zurück, er musste sich beruhigen.

Marklund zückte seinen Notizblock, und zusammen erstellten sie eine Personenbeschreibung: Aussehen, Größe, Kleidung.

»Sehr gut.« Marklund klappte den Block zu. »Ich schicke das an unsere Funkstreifen.«

Per rannte aus dem Präsidium, sprang ins Auto und fuhr los. Seine Hände umklammerten das Lenkrad wie einen Rettungsring. Krampfhaft versuchte er, seine Gedanken zu sortieren. Wo könnte Jerry hingegangen sein? In eine Bar? Zur Bushaltestelle?

Das Grübeln hatte keinen Sinn, er würde aufs Geratewohl suchen müssen.

Er bog auf die Hauptstraße und begann, Block für Block abzufahren. Zuerst suchte er in den Straßen in unmittelbarer Nähe des Polizeipräsidiums. Auf dem Bürgersteig sah er kleine Grüppchen von Schulkindern auf dem Nachhauseweg und Mütter mit Kinderwagen, aber keinen Jerry.

Er fuhr nach Norden in Richtung Autobahn, als sein Handy klingelte. Er drosselte die Geschwindigkeit und holte es aus der Jackentasche.

»Ja, hallo?«

»Wo hast du die ganze Zeit gesteckt, Per, ich habe schon so oft versucht, dich zu erreichen.«

Das war Marika. Per fühlte, wie sein schlechtes Gewissen schwer auf seine Schultern drückte, aber er suchte weiterhin konzentriert die Straßen ab.

»Bei der ... ich hatte doch einen Termin.«

Er wollte ihr nichts von dem Polizeiverhör erzählen, und Marika fragte auch nicht nach.

»Du musst sofort zum Krankenhaus kommen«, sagte sie nur.

»Das kann ich jetzt gerade nicht, Marika«, antwortete Per, während seine Augen von rechts nach links wanderten. Kein Jerry, nirgendwo. »Ich komme, sobald ich kann, aber jetzt gerade muss ich ...«

Sie unterbrach ihn:

»Ich habe mit Stenhammar gesprochen.«

»Stenhammar?«

»Das ist Nillas Arzt, erinnerst du dich nicht an ihn, Per?«

»Doch, natürlich, ja … was hat er denn gesagt?«

Seine Exfrau schwieg am anderen Ende der Leitung.

»Was ist denn, Marika?«

»Sie hat einen Tumor«, sagte sie leise. »Eine besondere Sorte …
Er wächst nicht schnell, aber er muss entfernt werden.«

Per wurde noch langsamer, er schloss die Augen für einen
Moment.

»Ja«, erwiderte er mit gefasster Stimme. »Aber das wussten wir
doch schon, oder?«

»Aber er sitzt an einer Ader.«

Per verstand sie nicht.

»An einer Ader?«

»Ja, er hat sich um die große Hauptschlagader gelegt. Um die
Aorta.«

»Was bedeutet das?«

Marika schwieg erneut, bis sie ihm mit gedämpfter Stimme
antwortete:

»Niemand wagt es, sie zu operieren.«

»Aber … das müssen sie!«, rief Per.

Er hörte ein Schluchzen.

»Sie *müssen*, Marika«, wiederholte Per.

»Georg und ich waren vorhin eine halbe Stunde bei Stenhammar. Er hat schon mit mehreren Gefäßchirurgen telefoniert, aber keiner will das machen.«

Aber sie müssen, sagte eine Stimme in Pers Kopf, *sonst gibt es
doch keine Hoffnung!*

»Marika, ich bin gerade mit dem Auto unterwegs und muss
noch eine Sache für Jerry erledigen … Aber ich melde mich, sobald ich kann, wieder.«

Sie erwiderte etwas, aber er hatte die Verbindung schon unterbrochen.

Dann beschleunigte er, jetzt musste er unbedingt Jerry finden. Um alles andere könnte er sich später Gedanken machen.

Keine Hoffnung für Nilla, sagte die innere Stimme. *Aber es muss doch Hoffnung geben.*

Mit leerem Blick starrte er durch die Windschutzscheibe. Nilla ...

Sie müssen operieren!

Er befand sich auf der Ausfallstraße und kam an einer Tankstelle vorbei, rechts und links war die Straße von Wiesen gesäumt, und über die Autobahn führte eine schmale Brücke. Hier war nur noch wenig Verkehr.

Bald würde die Autobahnauffahrt kommen, er konnte genauso gut jetzt schon umdrehen.

Pers Blick wanderte über die Brücke und registrierte einen dunklen Pkw auf der anderen Seite. Der Wagen hatte auf der Straße angehalten, die Beifahrertür öffnete sich, und jemand stieg aus.

Es war ein alter Mann mit gebeugtem Rücken und einem grauen Mantel. Per erkannte Jerry sofort.

Der Pkw entfernte sich rückwärts von Jerry, der wie angewurzelt dastand. Er sah sich um, wirkte verwirrt und schlurfte dann los.

Per stieg auf die Bremse und hielt den Wagen an – er hatte Jerry jetzt zwar gefunden, aber er konnte nicht zu ihm. Die Autobahn war dazwischen. Wie musste er fahren, um auf die Brücke zu gelangen? Er kannte sich hier überhaupt nicht aus.

Hektisch schaltete er in den Rückwärtsgang. Er wollte gerade gegen jede Regel auf der Straße wenden, als er sah, dass der Pkw, aus dem Jerry ausgestiegen war, anhielt. Und dann auf einmal Fahrt aufnahm.

Und immer schneller wurde. Es war ein roter Wagen, ein Ford vielleicht – war es derselbe Wagen, der vor drei Tagen am Steinbruch gestanden hatte? Der Fahrer war auch dieses Mal nur als dunkler Schatten mit Baseballkappe zu erkennen.

Der rote Pkw fuhr auf die Brücke und auf Jerry zu, aber anstatt in der Spur zu bleiben oder langsamer zu werden, zog der Fahrer den Wagen an den Fahrbahnrand und gab Gas.

Per war hundertundfünfzig Meter entfernt, vielleicht zwei-hundert. Er hielt an, riss die Autotür auf und rief, so laut er konnte.

»Jerry!«

Aber der schlurfte weiter mit gesenktem Kopf, um sich gegen den Wind zu stemmen. Per sprang aus dem Auto und legte die Hände zu einem Trichter an den Mund.

»Papa!«

Dieses Mal schien Jerry ihn gehört zu haben. Er drehte den Kopf und sah in Pers Richtung. Aber da war der rote Wagen bereits wenige Meter hinter ihm. Er hielt nicht an, im Gegenteil, er beschleunigte erneut.

Jerry flog wie eine Stoffpuppe durch die Luft. Der Kühler des Wagens riss ihm die Beine weg und schleuderte ihn hoch. Per wurde Zeuge, wie sein Vater auf die Motorhaube prallte, dann wie ein undeutlicher Schatten mit ausgestreckten Armen und flatterndem Mantel übers Auto flog und schließlich auf dem Boden aufschlug.

»Jerry!«

Der rote Wagen hatte nach der Kollision seine Geschwindig-keit gedrosselt, Per registrierte, dass die Windschutzscheibe einen Sprung hatte.

Er ließ seinen Saab an Ort und Stelle mit aufgerissener Tür stehen und stürzte die Böschung hinauf. Immer wieder rutschte er auf dem feuchten Gras aus.

Jerry hob den Kopf, er blutete, schien aber bei Bewusstsein zu sein. Dann ließ er den Kopf jedoch wieder auf den Asphalt sinken.

Der rote Wagen hielt in etwa zehn oder zwölf Meter Entfer-nung auf dem Seitenstreifen, und der Fahrer drehte sich nach hinten zu Jerry um – bevor er Gas gab und davonbrauste.

Er beging Fahrerflucht.

Per glitt auf dem nassen Untergrund aus, kämpfte sich verbis-

sen die Böschung hinauf und wühlte gleichzeitig in der Jackentasche nach seinem Handy – da fiel ihm ein, dass er es im Auto
liegen gelassen hatte.

Als er oben war, sprang er über das Brückengeländer und landete zwei Meter von Jerry entfernt auf der Brücke. Der rote Pkw
hatte bereits die Autobahnauffahrt erreicht.

Per beugte sich über den Körper auf dem Asphalt.

»Jerry?«

So viel Blut überall. Es lief ihm von der Stirn und aus der Nase
zwischen die abgebrochenen Zähne.

»Papa?«

Die Augen in dem zerschrammten Gesicht seines Vaters waren zwar geöffnet, aber er reagierte nicht. Verzweifelt sah sich
Per nach Hilfe um.

Das Letzte, was er von dem roten Wagen sah, war, wie er auf
die Autobahn nach Süden einbog und der Fahrer seine Scheibenwischer betätigte.

44

Das ist das Schlimmste, was ich je erlebt habe«, sagte Max. »Das
schlägt alles bisher Dagewesene.«

»Ach, denk nicht mehr daran«, versuchte Vendela ihn zu beruhigen.

Sie hatte ihm einen Sessel zurechtgerückt, einen Whiskey gebracht und massierte jetzt seinen Nacken. Dann beugte sie sich
vor und flüstere ihm ins Ohr:

»Max, es gibt so viele Menschen, denen es viel schlimmer geht.«

Er nahm einen großen Schluck, schloss die Augen und seufzte:

»Ich weiß, aber diese Inkompetenz, wo immer ich auch hin-
kam – Wegbeschreibungen, die falsch waren, Hotelzimmer mit

Haarbüscheln in der Badewanne und dann dieses Lokalradio, das den Termin mit mir vergessen hatte. Die haben das *vergessen*!« Er schüttelte empört den Kopf. »Und auf jedem Podium waren die Scheinwerfer genau auf mein Gesicht gerichtet. Ich habe das Publikum gar nicht gesehen!«

»Gab es auch schöne Momente ...«, begann Vendela, aber Max unterbrach sie sofort, er war noch nicht fertig.

»Und ich habe vor den Lesungen immer nur ein albernes Stück Brot bekommen. Dabei steht ausdrücklich in meinem Vertrag, dass ich ein ordentliches Abendessen erhalte. Die haben mir noch nicht einmal ein Glas Wein angeboten. Wasser und Brot, damit sollte ich die ganze Lesung überstehen!«

»Aber wie war denn das Publikum?«, warf Vendela ein. »Es war doch bestimmt voll?«

»So etwa dreihundert jeden Abend«, sagte Max erschöpft. »Ich hatte mir ja fünfhundert erhofft ... keine einzige Lesung war ausverkauft.«

»Aber das sind doch trotzdem super Zahlen«, widersprach Vendela, »und du wirst sehen, wenn das Kochbuch erscheint, wird es wieder voller.«

Max leerte seinen Whiskey und stand auf.

»Irgendwelche Post?«

»Nur ein paar Briefe«, antwortete Vendela und folgte ihm in die Küche.

Heimlich sah sie sich nach Ally um, aber der Hund hatte sich seit Max' Rückkehr kaum sehen lassen. Er spürte es genau, wenn sein Herrchen schlechte Laune hatte.

Max nahm den Stapel Post an sich und blätterte ihn durch.

»Ist etwas Spannendes passiert in der Zwischenzeit?«

»Nicht viel«, antwortete Vendela. »Ich habe ein bisschen Efeu an der Vorderseite gepflanzt und mit dem Schneiden der Fliederhecke weitergemacht. Und auf der Rückseite habe ich drei Robinien gepflanzt.«

»Die sind ein guter Sichtschutz.«

»Ja, das habe ich mir auch gedacht.«

Max hob einen Zettel hoch, der neben der Spüle lag.

Vielen Dank für den Stein! Per«, las Max laut vor. Misstrauisch wandte er sich Vendela zu. »Welcher Stein? Welcher Per?«

Sie hielt seinem Blick stand, wusste aber er nicht sofort, was sie sagen sollte.

»Der Nachbar hat den Zettel vor die Tür gelegt«, erklärte sie schließlich, »Per Mörner, du weißt schon. Seine Tochter hatte ihren Glücksstein verloren, und ich habe ihm geholfen, ihn wiederzufinden.«

»Aha? Und wo lag er? Der Stein?«

»Draußen vor ihrem Häuschen«, log Vendela, ihre Augenlider flatterten. Es war eine Notlüge, denn sie konnte ihm unmöglich erzählen, dass sie die Elfen um Hilfe gebeten hatte.

»Du hast dich also mit dem Nachbarn getroffen, ja?«, sagte Max mit einem gefährlichen Unterton. »War es deshalb so schwer, dich zu Hause zu erreichen?«

Vendela blinzelte, sagte aber nichts. Was sollte sie darauf erwidern?

Max bohrte weiter:

»Was hast du mit diesem Per denn so gemacht, wenn ihr euch getroffen habt?«

»Nichts ... nicht viel«, stotterte Vendela herum. »Aber er bewegt sich auch so gern wie ich, und wir waren zusammen joggen. Die Küste hinunter.«

»Ach, sieh mal einer an«, sagte Max langsam und leise. »Ihr habt euch also zusammen bewegt!«

»Ganz genau!«

Sie biss die Zähne aufeinander, um nicht aus Nervosität zu lachen.

45

Jerry wurde in dasselbe Krankenhaus gebracht, in dem auch seine Enkeltochter Nilla lag, nur auf eine andere Abteilung. Per verbrachte das gesamte Wochenende damit, zwischen dem Zimmer seines Vaters und dem seiner Tochter hin- und herzuwechseln, um an ihren Betten zu sitzen und zu wachen.

Diese Wanderungen fielen ihm schwer – jedes Mal lief er an der Entbindungsstation vorbei, wo werdende oder frischgebackene Eltern ein und aus gingen. Wenn sich die Tür öffnete, drangen die hellen Stimmen und fröhlichen Rufe von Kleinkindern heraus, die gerade Schwester oder Bruder geworden waren, und mischten sich mit dem Schreien der Neugeborenen.

Per lief so schnell wie möglich vorbei.

In Nillas Abteilung war es dagegen unerträglich leise. Die Krankenschwestern liefen geräuschlos durch die Gänge und sprachen mit gedämpften Stimmen miteinander.

Bevor sich Stenhammar ins Wochenende verabschiedet hatte, hatte er Marika und Per einen Termin für die Operation genannt: um zehn Uhr am Morgen des 1. Mai. Das war eine sehr optimistische Aussage, denn bisher hatte noch kein Gefäßchirurg seine Bereitschaft zu diesem Eingriff angezeigt.

Noch fast zwei Wochen, sagte sich Per. *Viel Zeit.*

Die Jalousien in ihrem Raum waren zugezogen. Nilla lag im Bett, in der Hand den Lavastein, in den Ohren die Kopfhörer.

Er setzte sich neben sie und nahm ihre Hand. Sie unterhielten sich leise.

»Sie sagen, dass sie schon noch jemanden finden werden«, erzählte sie. »Dann stimmt das wohl auch.«

»Natürlich«, nickte Per. »Und es wird alles gut gehen ... Du kannst bald wieder nach Hause.«

Sein Lächeln fühlte sich verkrampft an, aber er hoffte, dass sie ihm das nicht ansah.

»Ich muss jetzt wieder rüber zu Opa.«

»Grüß ihn von mir.«

Sie hatte viel mehr Verständnis als ihre Mutter. Seit Per mitten im Gespräch das Handy ausgeschaltet hatte, sprach Marika kaum mehr ein Wort mit ihm. Sie waren sich am Samstag im Gang begegnet, an der Tür zu Nillas Zimmer, und sie hatte ihn nur eines kurzen Blickes gewürdigt.

»Tut mir leid, das mit Gerhard«, sagte sie im Vorbeigehen. »Hoffe, es wird wieder alles gut.«

Hoffst du das wirklich?, fragte sich Per hinter ihrem Rücken und schämte sich eine Sekunde später für diesen Gedanken.

Jerry wachte nicht auf.

Er lag in einem kleinen Zimmer, und auch bei ihm war die Jalousie heruntergelassen, was die Sonnenstrahlen zu winzigen glühenden Punkten werden ließ. Samstag und Sonntag verbrachte Per lange Stunden im Dämmerlicht an seinem Bett, ohne dass viel geschah. Die Krankenschwestern kamen, wechselten seine Infusionen, überprüften alles, tätschelten dann seine Hand und gingen wieder.

Jerry war Freitagabend geröntgt und gegipst worden, seine gesamte rechte Seite war bandagiert, Arm und Bein lagen im Gips, das Gesicht war zur Hälfte mit Verbänden bedeckt. Aber Per wusste, dass sein Gehirn die schlimmsten Verletzungen davongetragen hatte.

Zuerst war er von der Notaufnahme direkt auf die Intensivstation gebracht worden, von der er nach einiger Zeit in ein Einzelzimmer auf einer Pflegestation verlegt wurde. Es hätte optimistisch stimmen können, bedeutete aber genau das Gegenteil – wie Per von einer Krankenschwester mitgeteilt bekam.

»Hoffen Sie nicht auf ein Wunder«, sagte sie nüchtern.

Man hatte Jerry auf ein Einzelzimmer verlegt, weil die Ärzte nichts mehr tun konnten. Dort lag er nun in einer Art Dämmerzustand, murmelte vor sich hin, und selten schlug er für einen Moment die Augen auf. Die meiste Zeit schlief er.

Per saß bei Jerry und musste daran denken, dass sein Vater

sich kein einziges Mal hatte blicken lassen, als seine Mutter Anita im Sterben gelegen hatte. Er hatte noch nicht einmal angerufen. Drei Tage vor ihrem Tod war eine Karte mit dem Aufdruck »Gute Besserung« eingetroffen. Per hatte sie weggeworfen, ohne sie seiner Mutter zu zeigen.

Dann dachte er darüber nach, wann sie beide, Vater und Sohn, sich nahegestanden hatten, in den fast fünfzig Jahren, die sie sich nun kannten. Als er ein Kind war? Nein. Aber auch nicht später, als Erwachsene. Er konnte sich nicht an eine einzige Stunde der Nähe erinnern – vielleicht waren diese Momente jetzt an seinem Krankenbett die intensivsten.

Ich müsste ihm etwas sagen, dachte sich Per. *Ich müsste ihm jetzt meine Meinung sagen, alles loswerden und mich danach besser fühlen.*

Aber er sagte kein Wort. Er wartete nur.

Als er am Samstag in die Krankenhauskantine ging, um zu Mittag zu essen, sah er die Schlagzeile der Zeitung im Zeitungskiosk.

Doppelmord im Pornostudio

Jetzt waren diese Neuigkeiten endlich in der Welt. Sex und Gewalt in einer Überschrift, das war für einen Redakteur natürlich das Größte. Per kaufte sich die Zeitung, erfuhr aber nichts Neues. Dort stand nur, dass die Polizei wegen Brandstiftung und zweifachen Mordes ermittelte. Und dass das Anwesen »dem berühmt-berüchtigten Pornoregisseur Jerry Morner« gehörte. Neben dem Artikel war ein Schwarz-Weiß-Foto von Jerry aus den Siebzigerjahren abgedruckt, auf dem er lachte und eine Ausgabe von *Babylon* in die Kamera hielt. Kein Wort darüber, dass er jetzt im Krankenhaus lag – es wurde nur erwähnt, dass er für einen Kommentar nicht zur Verfügung stand.

Kommissar Marklund kam am Sonntag gegen drei Uhr nachmittags ins Krankenhaus, Per traf ihn vor Jerrys Zimmer.

»Ich bin auf dem Weg zurück nach Växjö«, Marklund sprach mit gedämpfter Stimme. »Wie geht es ihm? Hat er etwas gesagt?«

»Er ist noch nicht richtig aufgewacht. Sie gehen von massiven Hirnschäden aus.«

Marklund nickte.

»Haben Sie den Fahrer gefunden?«, fragte Per.

»Noch nicht, wir suchen die Autobahnen ab und haben am Tatort auch Reifenspuren gesichert. Der Wagen muss einen deutlich sichtbaren Blechschaden davongetragen haben, deshalb überprüfen wir auch die Autowerkstätten. Und wir suchen Zeugen.«

Per warf einen Blick über die Schulter zu Jerrys Krankenzimmer.

»Es muss jemand gewesen sein, den Jerry kannte. Er stieg ja gerade aus, als ich da vorbeifuhr. Also muss er vor dem Polizeipräsidium freiwillig eingestiegen sein.«

»Haben Sie den Fahrer erkannt?«

Per verneinte.

»Haben Sie das Nummernschild sehen können?«

»Ich war zu weit weg, er stand auf der Brücke. Es war ein dunkelroter Pkw. Ich glaube, denselben haben wir auch vor ein paar Tagen in der Nähe unseres Sommerhauses auf Öland gesehen.«

Marklund holte seinen Notizblock hervor.

»Erinnern Sie sich an irgendwelche Details?«

»Nicht an viel ... Das Nummernschild war schwedisch, und der Wagen war ein Ford, ein alter Ford Escort, glaube ich.« Erschöpft sah er den Polizeibeamten an. »Hilft Ihnen das?«

Marklund klappte den Block zu.

»Man weiß nie.«

Aber Per begriff, dass es kaum ein Fingerzeig war.

Jerry versank immer tiefer in seinen Dämmerzustand, nur seine Augen zuckten ab und zu hinter den geschlossenen Lidern. Er atmete flach und murmelte aus dem Zusammenhang gerissene Wörter. Die meisten klangen, als würde er eine lange Reihe schwedischer Namen aufzählen, meistens weibliche:

»Josefine, ja ...«

»Amanda ...«

»Charlotte?«

»Susanne, was willst du von mir?«

Der Name von Pers Mutter fiel kein einziges Mal, und auch Regina war nicht dabei.

Im Lauf des Tages wurde seine Atmung immer flacher und schwächer, doch hin und wieder murmelte er noch Namen, die Per wiedererkannte:

»Bremer ...«

»... Moleng Noar ...«

»... und Markus Lukas, so krank ...«

Gegen acht Uhr am Sonntagabend, Per war kurz davor, einzunicken, schlug Jerry plötzlich die Augen auf, sah ihn an und flüsterte mit klarem Blick:

»Pelle?«

»Ja, ich bin hier«, sagte Per. »Es ist alles in Ordnung, Papa.«

»Gut, Pelle ... gut.«

Per beugte sich zu seinem Vater vor.

»Wer war es?«, fragte er ihn. »Wer hat den Wagen gefahren?«

»Bremer.«

»Der kann es nicht gewesen sein.«

Aber Jerry nickte nur als Antwort und schloss seine Augen.

Er starb kurz nach neun an diesem Sonntagabend, mit einem kaum hörbaren Seufzer auf den Lippen. Die pfeifenden und zischenden Atemgeräusche, die Per sein Leben lang kannte, verstummten für immer. Und sein Körper hörte auf zu kämpfen.

Per saß neben Jerry und hielt die Hand seines Vaters, als er starb. Und er blieb noch eine Weile sitzen, nachdem es ganz still im Zimmer geworden war.

Mehrere Minuten saß er da, jetzt elternlos, ohne Mutter und ohne Vater. Er überlegte, ob er jemanden über Jerrys Tod unterrichten musste, ob es jemanden gab, den er anrufen sollte – aber ihm fiel nicht eine einzige Person ein.

Schließlich verließ er das Zimmer, um einen Arzt zu holen.

46

Per traf etwa eine Stunde nach Mitternacht an der Casa Mörner ein. Er hatte so lange im Krankenhaus gewartet, bis der Leichnam seines Vaters auf eine Bahre gehoben und dann von einem Pfleger weggebracht worden war.

Die Nachtschwester hatte nach dem Tod von Jerry die Fenster in seinem Zimmer weit aufgerissen, die Gardinen flatterten, und der Raum war bald von frischer, kühler Abendluft erfüllt.

Die Schwester wandte sich Per zu und lächelte ihn fast verlegen an.

»Ich mache das immer!«, erklärte sie. »Ich lasse die Seele fliegen.«

Per nickte. Er sah aus dem Fenster und meinte fast, Jerrys Geist durch die Nacht fliegen zu sehen wie ein schimmernder Silberball. Würde er zu Boden sinken oder zu den Sternen aufsteigen?

Gegen halb eins hatte er Kalmar verlassen und war ohne große Eile über die Ölandbrücke gefahren. Allerdings warf er auf der Küstenstraße nach Norden immer wieder einen Blick in den Rückspiegel. Zweimal näherten sich in hoher Geschwindigkeit die Scheinwerfer eines Autos, und Per hielt das Lenkrad fest umklammert, aber beide Wagen überholten ihn.

Am Steinbruch war es pechschwarz – nur vereinzelt leuchteten Lampen an den Eingangstüren der Häuser. Per fuhr zu seinem kleinen Häuschen, stieg aus und lauschte in die Dunkelheit. Alles war still. Nur ein leises Rauschen in den Baumwipfeln, mehr war nicht zu hören.

Doch dann klingelte plötzlich das Telefon in der Küche.

Langsam näherte sich Per dem Haus. Das Klingeln hielt an.

Markus Lukas, dachte er. *Du sitzt irgendwo in deinem Versteck und fragst dich, ob es dir gelungen ist, meinen Vater umzubringen.*

Er schloss die Tür auf, ging in die Küche und starrte auf das Telefon, ehe er den Hörer abnahm.

»Hallo?«

Niemand antwortete. Er hörte nur eine Art Echo. Einen rhythmischen Ruf im Hintergrund.

Und das Geräusch kam vom Band, Per erkannte es wieder. An Gründonnerstag hatte jemand angerufen und exakt dasselbe Band laufen lassen, allerdings mitten am Tag.

Und dann begriff er, was er da hörte. Es war die Stimme einer jungen Frau, eine Tonspur aus einem von Jerrys Filmen.

Per umklammerte den Hörer.

»Sprechen Sie mit mir!«, forderte er. »Warum tun Sie das?«

Keine Antwort – das Band lief weiter. Er schloss die Augen.

»Sie müssen das nicht mehr laufen lassen ... Jerry ist tot – Sie haben ihn umgebracht.«

Er drückte den Hörer noch fester ans Ohr, aber auch dieses Mal erhielt er keine Antwort. Die Tonspur lief noch einen Augenblick weiter, dann hörte er ein Klicken. Die Verbindung war unterbrochen worden.

Er legte auf und musterte sein blasses Spiegelbild im Küchenfenster. Wie war diese Botschaft zu verstehen? Gedachte Markus Lukas weiterzumachen? Genügte es nicht, Jerry für seine Taten zu jagen und zu töten, wollte er die ganze Familie Mörner zerstören? Würden die Kinder und Enkelkinder für die alten Sünden des Vaters und Großvaters büßen müssen?

Er trat hinaus in die Nacht und ging zu Ernsts Werkstatt.

Die Trollfamilie starrte ihn von den Regalen an den Wänden an, als er begann, Werkzeuge auszuwählen, um sie ins Haus zu tragen.

Vorschlaghammer, Sägen, Stemmeisen und Holzhammer – alle hervorragend als Waffen geeignet. Im Licht der Glühbirne sah Per zwar, dass einige der Werkzeuge abgenutzt und stumpf waren, aber sie waren massiv und schwer. An der Wand fand er auch eine große Holzaxt, die lebensgefährlich aussah. Er hob sie an.

Du willst Rache? Dann komm doch her, dachte er. *Komm her, und du wirst ja sehen, ob ich bereit bin, mich für die Taten meines Vaters zu opfern ...*

Er schleppte alle Gegenstände ins Haus, schloss sorgfältig hinter sich ab und verteilte die Waffen in den Räumen. Die Axt platzierte er neben seinem Bett. Dann löschte er das Licht, legte sich hin und starrte in die Dunkelheit. Er musste an Markus Lukas denken, den Mann mit dem abgewandten Gesicht.

Nach einer Weile schlief er ein.

Vier Stunden später weckte ihn die aufgehende Sonne. Er hob den Kopf und blinzelte ins Licht. Sein Blick fiel auf die schwere Holzaxt neben seinem Bett. Sofort war alles wieder da:

Sein Vater war ermordet worden, und seine Tochter war schwer krank.

Die Welt fühlte sich kalt und leer an.

Reglos blieb er im Bett liegen, konnte aber nicht wieder einschlafen. Schließlich resignierte er und stand auf, um Frühstück zu machen. Er hatte das Telefon im Auge, aber das blieb stumm.

Nach dem Frühstück nahm er dann selbst den Hörer in die Hand und rief jene Institutionen an, die informiert werden mussten, wenn ein Angehöriger verstorben war: ein Beerdigungsinstitut, Jerrys Bank und den Pfarrer der Kirche, in der die Beerdigung stattfinden sollte.

Danach saß er zusammengesunken am Fenster und starrte hinaus, wartete darauf, dass irgendetwas geschähe. Er musste sich mit etwas beschäftigen, deshalb holte er die Fragebögen seiner Marktforschung hervor.

Aber er konnte jetzt niemanden anrufen, das war ihm zu viel – deshalb entschied er sich zu schummeln. Er füllte selbst die Formulare aus, eines nach dem anderen. Am Anfang war er langsam, und es fiel ihm schwer, aber mit der Zeit ging es ihm überraschend leicht von der Hand, sich Menschen vorzustellen, die diese besondere Seifenreklame gesehen hatten und nun erwogen, das Produkt zu kaufen. Einige von ihnen, so zum Beispiel »Peter aus Karlstad« und »Christina aus Uppsala«, waren sich ganz sicher, dass sie das tun würden. Sie waren davon überzeugt, dass diese Seife ihrem Leben einen Sinn geben könnte.

Wenn es Per nicht so schlecht ginge, würde er das bestimmt lustig finden.

Sich selbst Antworten auszudenken ging vor allem viel schneller, als reale Menschen anzurufen – in nur wenigen Stunden hatte er die Arbeit von drei Tagen erledigt. Und die Angst vor Markus Lukas begann sich langsam in Luft aufzulösen.

Nach seiner Fragebogenaktion betrat er Jerrys Schlafzimmer und sah sich ein bisschen um. Sein Vater hatte dort nicht lange gewohnt, also auch nur wenige Spuren hinterlassen, nicht einmal einen Geruch. Ein paar zerschlissene Stoffhosen hingen über dem Stuhl, und auf dem Bett lag Jerrys Aktentasche, die er offenbar nicht mit nach Kalmar genommen hatte.

Per hob sie hoch und öffnete sie. Er hoffte, er könnte darin etwas Wichtiges entdecken, aber er fand nur Tabletten gegen Bluthochdruck und zwei kleine Handtrainer, die Jerry nach dem Schlaganfall verschrieben bekommen hatte, um die Muskeln in seinen Händen aktiv zu halten.

Und natürlich lag die alte Ausgabe von *Bablyon* in der Tasche.

Per setzte sich aufs Bett, schlug die Zeitschrift auf und betrachtete die Fotoserien. Aber er hatte keine Augen für die Mädchen, sondern konzentrierte sich auf den Mann, der in den Bildtexten als Markus Lukas geführt wurde und dessen Gesicht nicht zu sehen war. Er war etwa dreißig Jahre alt. Da der Erscheinungstermin dieser Zeitschrift zwölf Jahr zurücklag, musste Markus Lukas heute etwas über vierzig sein.

Per starrte auf den Hinterkopf des Mannes und versuchte ihn sich am Lenkrad eines roten Pkws vorzustellen. Hatte dieser Mann seinen Vater auf dem Gewissen?

Plötzlich entdeckte er etwas, was er bis dahin nicht bemerkt hatte: Auf einem der Fotos war ein ausgestreckter Arm zu sehen. Er zeigte auf das nackte Paar im Bett und trug zwei Uhren am Handgelenk. Eine goldene und eine aus rostfreiem Stahl.

Es war Jerrys Arm. Lange blieb Per versunken auf dem Bett sitzen und betrachtete das Foto.

Das Telefon klingelte zweimal an diesem Montagabend. Der erste Anrufer war ein Reporter einer Abendzeitung, der über Umwege von Jerrys Tod erfahren und Per als dessen Sohn ausgemacht hatte. Er hatte gehört, dass Jerry bei einem Autounfall »unter mysteriösen Umständen« ums Leben gekommen war, und überfiel Per mit einer ganzen Reihe von Fragen. Aber Per wimmelte ihn ab.

»Rufen Sie die Polizei an«, sagte er.

»Haben Sie Pläne, das Pornoimperium zu übernehmen?«

»Es gibt kein Imperium!«, erwiderte Per und legte auf.

Der zweite Anruf kam von Marika.

»Wie geht es dir, Per?«

Die Frage klang nach aufrichtiger Anteilnahme.

Er seufzte. »Es ist, wie es ist.« Nach einer kurzen Pause fuhr er fort. »Es tut mir furchtbar leid, dass ich in den letzten Tagen nicht so oft bei Nilla war ... Das wird jetzt wieder anders.«

Marika ließ das ohne Kommentar stehen.

»Ich habe Neuigkeiten«, sagte sie.

»Gute oder schlechte?«

»Gute«, sagte sie, und ihre Stimme klang hoffnungsvoll. »Ein Gefäßchirurg aus Lund hat sich gemeldet, er ist ein Freund von Doktor Stenhammar. Stenhammar hat mir erzählt, dass der Mann bereit ist, Nilla zu operieren. Er sagt, das sei eine ›große Herausforderung‹. Er will einen Versuch wagen.«

Einen Versuch?, dachte Per und spürte, wie sich sein Magen zusammenkrampfte.

»Sehr gut«, sagte er nur.

»Er kann nichts versprechen. Das hat Stenhammar mehrmals betont.«

In einigen Ländern Afrikas sterben die Kinder wie die Fliegen, schoss es Per durch den Kopf, *wie die Fliegen. Und das ist nur eine kleine Randnotiz in den Zeitungen.*

»Hast du Angst?«

»Natürlich habe ich das, Marika.«

»Ich auch, aber ich habe wenigstens Georg. Möchtest du, dass Jesper dich für ein paar Tage besucht?«

»Nein«, entgegnete Per leise. »Er kann ruhig bei dir bleiben.«

Wieder betrachtete er sein Spiegelbild in der dunklen Fensterscheibe – sah seine müden und angsterfüllten Augen. Er wusste, dass Jesper nicht ins Sommerhaus zurückkehren durfte. Nicht, bevor der Troll getötet war.

47

Jetzt kommt die schöne Sommerzeit«, sang Gerlof leise vor sich hin. Mit gelben Windröschen, Mohn und Waldhyazinthe. Und bald schon würde der Flieder blühen.

Es war ein klarer und milder Frühlingstag und der Monat Mai nur noch eine knappe Woche entfernt. Die dünne Erdschicht der Insel war feucht, trocknete aber nun in der Sonne. Gerlof konnte es in der Luft riechen, dass all die Pfützen bereits verdunstet waren. In nur wenigen Wochen hatte sich der blassgelbe Rasen in ein hellgrünes, üppig sprießendes Feld verwandelt.

Der Frühling war praktisch schon wieder vorbei. In wenigen Wochen würde es Sommer sein, zumindest Frühsommer.

»Der Frühling auf Öland kommt plötzlich, mit großer Wucht, und hält nicht lange an«, hatte mal jemand geschrieben. Aber Gerolf war dankbar, dass er den Jahreszeitenwechsel hatte beobachten können, und das von der ersten Reihe aus, hier in seinem Garten und nicht hinter dreifach verglasten Fenstern im Altersheim von Marnäs.

Alles war still. Er hatte einen Stuhl für Besucher neben seinem Gartenstuhl aufgestellt, aber in den letzten Tagen war niemand vorbeigekommen. John Hagman half seinem Sohn in Borgholm dabei, die Küche zu streichen, und seine Nachbarin Astrid Linder war noch nicht aus dem Winterurlaub in Spanien zurück.

Vergangene Woche war Gerlof sein Heimatort Stenvik menschenleer erschienen, wenigstens hatte er nun Per Mörners Wagen zum Steinbruch hinunterfahren sehen.

Wie schön. Gerlof hoffte, dass er ihn besuchen kommen würde. Von den neuen, reichen Nachbarn auf der anderen Straßenseite war er nicht ganz so begeistert, aber es war angenehm, sich mit Per Mörner zu unterhalten.

Tatsächlich tauchte Per auch einige Stunden später auf, als Gerlof draußen in seinem Gartenstuhl saß.

Allerdings sah sein Nachbar an diesem Mittwochnachmittag sehr müde aus. Er kam langsam heran und ließ sich nach einer kurzen Begrüßung auf dem Besucherstuhl nieder.

»Wie geht es Ihnen?«, fragte Gerlof.

»Nicht besonders gut.«

»Ist etwas geschehen?«

Per sah zu Boden.

»Mein Vater ist tot ... Er starb Sonntagabend im Krankenhaus in Kalmar.«

»Wie ist das denn passiert?«

»Er wurde überfahren.«

»Überfahren?«

»Jemand hat ihn mit dem Auto erwischt und danach Fahrerflucht begangen.«

»Ein Unfall?«

»Das glaube ich nicht.« Per seufzte. »Jerry muss den Fahrer gekannt haben, denn er ist bei ihm eingestiegen. Der hat ihn auf einer kleinen Brücke aussteigen lassen, ihn dann überfahren und ist über die Autobahn abgehauen.«

»Und wer war es?«

»Wer ihn töten wollte?« Per schwieg. »Ich weiß es nicht. Davor sind einige merkwürdige Dinge passiert. Jerrys Filmstudio brannte vor ein paar Wochen nieder. Es war Brandstiftung, und zwei Menschen wurden ermordet.«

Gerlof nickte. Er hatte davon gelesen.

»Ihr Vater war also nicht allzu beliebt?«

»Nein, das kann man nicht sagen. Ich mochte ihn auch nicht besonders. Als ich jünger war, habe ich immer behauptet, ich hätte keinen Vater mehr.« Er lachte höhnisch. »Und jetzt stimmt es tatsächlich.«

»Haben Sie noch Geschwister?«

»Soweit ich weiß nicht.«

»Vermissen Sie ihn?«

Per schien über diese Frage nachdenken zu müssen.

»Der Pfarrer hat mir heute dieselbe Frage gestellt. Ich wusste nicht, was ich darauf antworten sollte. Es wurde einem nicht leicht gemacht, Jerry zu mögen. Aber ich habe mir immer gewünscht, dass er *mich* mag. Das war mir aus einem unerfindlichen Grund wichtig.«

Sie saßen eine Weile schweigend nebeneinander.

»Meine Mutter mochte ihn«, fuhr er leise fort. »Na ja, vielleicht stimmt das auch gar nicht. Aber auf jeden Fall war es ihr immer wichtig, dass ich mit ihm in Kontakt blieb. Sie forderte mich mehrmals im Jahr auf, ihm zu schreiben oder ihn anzurufen, etwa zum Geburtstag. Jerry hat sich nie gemeldet, aber nach seinem Schlaganfall war ich auf einmal wieder gut genug. Da hat er mich häufiger angerufen.«

»Er hatte ja auch einen ziemlich speziellen Beruf«, sagte Gerlof. »Nackte Frauen und Männer zu fotografieren – wurde er reich damit?«

Per betrachtete seine Hände.

»Früher hat er schon sehr viel verdient, glaube ich. Am Ende nicht mehr.«

»Geld«, zitierte Gerlof. »Das verführt, wie Paulus sagt, Menschen dazu, unrechte Dinge zu tun ...«

Aber Per schüttelte den Kopf.

»Ich glaube, sein Vermögen ist schon lange aufgebraucht. Jerry hatte zwar ein großes Talent, Geld zu machen, aber er konnte es auch mit vollen Händen ausgeben. Seine letzte Zeitschrift hat er Jahre vor seinem Schlaganfall herausgegeben. Zum Schluss konnte er sich nicht einmal ein Auto leisten.«

»Jerry Morner«, sagte Gerlof. »War das sein richtiger Name?«

»Nein, er hieß Gerhard Mörner. Aber er hat sich als Pornoproduzent einen neuen Namen zugelegt. Das tun offenbar alle in der Branche.«

»Damit sie sich dahinter verstecken können!«, nickte Gerlof.

»Ja, leider.« Per starrte hinunter ins Gras. »Ich würde mich gern mit einigen Leuten unterhalten, die Jerry kannten, die früher für ihn gearbeitet haben. Aber noch nicht einmal der Polizei gelingt es, sie aufzuspüren.«

Gerlof nickte nachdenklich. Er erinnerte sich an die Zeitschrift, die Jerry beim Nachbarschaftsfest auf den Tisch geworfen hatte.

»Ich werde sehen, was ich tun kann«, sagte er.

Per hob den Kopf.

»Was *Sie* tun können ...?«

»Ich werde ein wenig recherchieren«, erklärte Gerlof. »Wie hießen diese Zeitschriften noch, die Ihr Vater herausgegeben hat?«

Am selben Abend rief Gerlof bei seinem Freund John Hagman in Borgholm an. Sie plauderten wie immer erst einmal über dies und das, aber nach einer Weile kam Gerlof auf den wahren Grund seines Anrufs zu sprechen.

»John, du hast mir vor langer Zeit mal erzählt, dass dein Sohn einen Stapel Zeitschriften unter seinem Bett versteckt hatte. Den hat er doch mit nach Borgholm genommen, als er ausgezogen ist? Du hast sie mir damals beschrieben, es war eine bestimmte Sorte Zeitschriften. Erinnerst du dich daran?«

»Klar«, erwiderte John. »Und er schämte sich kein bisschen dafür. Ich habe versucht, mit ihm darüber zu sprechen, aber er hat behauptet, dass alle Jungs so etwas lesen.«

»Hat Anders sie noch?«

John seufzte, das tat er oft, wenn es um seinen Sohn ging.

»Ganz bestimmt, irgendwo!«

»Meinst du, er würde mir diesen Stapel mal ausleihen?«

John stutzte.

»Kann ihn mal fragen«, sagte er dann.

Etwa eine Viertelstunde später rief John zurück:

»Ja, er hat sie alle noch ... und er kann dir sogar noch mehr davon besorgen, wenn du willst.«

»Woher denn?«

»Er kennt einen Trödelladen in Kalmar, der alle möglichen alten Blätter verkauft.«

»Sehr gut«, sagte Gerlof. »Das wäre ausgesprochen nett von ihm. Ich bezahle natürlich dafür. Mich interessieren vor allem zwei Zeitschriften.«

»Und welche sind das?«

»Sie heißen *Babylon* und *Gomorra.*«

»Sind das nicht die von diesem Morner?«

»Ganz genau.«

»Ich sag es Anders, aber du bist dir ganz sicher?«

»Sicher?«

»Ob du sicher bist, dass du diese Zeitschriften wirklich haben willst? Ich kenne ja die von Anders, und die sind sehr ... sehr enthüllend!«

Scham und Verwunderung, dachte Gerlof.

»Das glaube ich gerne, John«, antwortete er. »Aber es ist bestimmt nicht schlimmer, als heimlich fremde Tagebücher zu lesen.«

48

Fünf Minuten nachdem er seine Stimme gegen Vendela erhoben hatte, kam Max auch schon wieder ins Wohnzimmer zurück und sprach nun sehr leise, fast flüsternd. Die Faust, die noch vor Kurzem gedroht hatte, war jetzt eine ausgestreckte Hand, die er gegen sich selbst richtete, sich damit auf die Brust klopfte und den einfühlsamen Psychologen mimte:

»Ich bin überhaupt nicht wütend auf dich, Vendela, das darfst du bitte nicht glauben«, sagte er. Er holte tief Luft und fuhr fort: »Ich bin nur ein bisschen enttäuscht. Das Gefühl hat mich eben überwältigt.«

»Ich weiß, Max ... aber es besteht überhaupt keine Gefahr.«

Vendela hatte im Lauf der vergangenen zehn Jahre begriffen, dass die Gereiztheit und Eifersucht von Max regelmäßigen Zyklen unterworfen waren und sie immer dann stärker in Erscheinung traten, wenn ein Buch kurz vor der Veröffentlichung stand.

Sie blieb ganz ruhig. Es war Freitagabend – Sankt Markus, ein wichtiger Tag, wenn man dem Volksglauben vertraute.

»Max, ich glaube, ich gehe jetzt eine Runde laufen«, sagte sie. »Wir können uns später noch unterhalten.«

»Muss das jetzt sein? Wenn du hierbleiben würdest, dann könnten wir ...«

»Doch, es ist besser so.«

Vendela ging ins Badezimmer und zog sich um. Sie warf einen kurzen Blick in den Spiegel: Sie sah eine müde Seele, einen hungrigen Körper und Sorgenfalten auf der Stirn.

Ihr fielen die Beruhigungstabletten ein, aber sie öffnete noch nicht einmal die Schranktür.

Als sie ins Wohnzimmer zurückkehrte, saß Max in seinem Sessel am Fenster und trank seinen Freitagswhiskey, der etwas größer war als der Donnerstagswhiskey. Aloysius lag am anderen Ende des Raumes und hatte seine Ohren aufgestellt.

Max senkte sein Glas, als er sie sah.

»Geh nicht«, bat er sie. »Kannst du heute Abend nicht einmal zu Hause bleiben?«

»Ich werde gleich wieder zu Hause sein, Max.« Vendela schnürte die Schuhe zu und richtete sich auf. »Nach dieser Runde. Es dauert doch nur eine halbe Stunde.«

»Bleib bitte hier.«

»Nein, aber ich bin gleich wieder zurück.«

Max trank den Whiskey in einem Zug aus und sah hinüber zu Aloysius. Dann stand er auf und kam auf sie zu.

»Ich werde dieses Wochenende mit einem neuen Buchprojekt beginnen.«

»Ach wirklich? Jetzt schon?«, fragte Vendela verwundert. »Worüber denn?«

»Es wird *Maximales Gefühlsleben* heißen. Oder noch besser *Maximales Beziehungsleben*.« Er lächelte sie an. »Beziehungen sind doch das Wichtigste überhaupt. Mit wem leben wir zusammen, was teilen wir mit dem anderen, du und ich, du und ich und andere. Du und andere.«

»*Du und andere* – was meinst du damit?«

»Na, du und der Nachbar von unserer kleinen Farm da drüben. Dieser Per Mörner und du, ihr habt doch eine ganz enge Verbindung.«

»Max, das stimmt doch gar nicht.«

Er kam zwei Schritte näher. Vendela sah, dass seine Stirn vor Schweiß glänzte, als würde sich dahinter ein Gewitter zusammenbrauen. Bald würde der erste Blitz einschlagen.

»Was stimmt nicht?«, fragte er und wischte sich mit den Fingern über die Lippen. »Ich habe es doch mit eigenen Augen gesehen!«

»Wir haben nichts gemacht.«

»Ihr wart doch joggen?«

»Ja, aber ...«

»Und das Gras in der Alvar ist doch mittlerweile trocken, oder? Trocken und weich? Man kann sich darauflegen, hinter einer Steinmauer!«

»Hör jetzt auf damit, Max«, wehrte sich Vendela. »Du nervst!«

»Ach, tue ich das?«

»Ja, du ereiferst dich darüber, mit wem ich joggen gehe, aber in Wirklichkeit denkst du an etwas vollkommen anderes.«

»Ach, und an was?«

»Das weißt du ganz genau: Es geht um Martin!«

»Nein!«

Max kam einen Schritt näher, und Vendela wich nach hinten aus.

Wenn ich jetzt ein falsches Wort sage, wird er zuschlagen, dachte Vendela.

»Ich gehe jetzt, Max«, sagte sie mit fester Stimme, »bis du dich wieder beruhigt hast.«

Ihr Mann ließ die Schultern sinken.

»Ja, natürlich«, sagte er leise. »Geh du ruhig!«

Und Vendela lief los. Mit großen Schritten entfernte sie sich von ihrem Märchenschloss, von dem sie früher einmal geträumt hatte. Und sie entfernte sich von Max. Zuerst wollte sie bei Per vorbeilaufen und anklopfen, aber das Haus sah verschlossen und leer aus. Seit einer Woche hatte sie weder ihn noch seinen kranken Vater gesehen, und auch Familie Kurdin war nicht da.

In einem großen Bogen lief sie nach Westen hinaus in die Alvar. Aber das war keine gute Wahl. Sie hatte Schwierigkeiten, eine geeignete Route zu finden. Häufig versperrten ihr Steinmauern oder Stacheldraht den Weg, und erst nach einer Weile hatte sie die offene Landschaft erreicht.

Im Licht des Sonnenuntergangs sah sie, dass die Alvar in voller Blüte stand. Der gelbbraune Boden hatte das Regenwasser aufgesogen und war jetzt mit einem Teppich verschiedenster Blautöne bedeckt: Ähriger Ehrenpreis, Sandthymian und Küchenschelle. Dazwischen leuchteten vereinzelt gelbe Tupfer von Löwenzahnblüten. Wunderschön.

Aber die Stille in dieser grünen Oase hatte auch etwas Unheilverkündendes. Als Vendela stehen blieb, um zu verschnaufen und den Duft der Blumen zu genießen, da schloss sie die Augen und wünschte allen einen glücklichen und friedvollen Sankt-Markus-Abend. Aber sie spürte keine Wärme und Freundlichkeit ihr als Antwort entgegenströmen. Sie sah auch keine Bilder, alles blieb dunkel.

Den Elfen ging es nicht gut.

49

Gerlof saß wie immer in der Sonne im Garten, als Carina Wahlberg zu Besuch kam. John war am Morgen vorbeigekommen und hatte ihm einen ordentlichen Stapel Zeitschriften dagelassen – alte Ausgaben von *Babylon* und *Gomorra* voller Flecke und Risse –, und Gerlof war gerade damit beschäftigt, sie systematisch durchzublättern.

Er berührte die Seiten nur mit den Fingerspitzen, denn die Hefte rochen nicht besonders gut.

Seine Hausärztin grüßte von Weitem und winkte, als sie durchs Gartentor kam.

»Guten Tag, liebe Frau Doktor«, rief er zurück.

Sie lächelte und kam auf ihn zu – blieb aber abrupt stehen, als ihr Blick auf den Stapel mit den Zeitschriften fiel.

»Ich bin vorbeigekommen, um Ihr Hörvermögen zu testen«, sagte Frau Wahlberg und starrte auf den Stapel. »Mit Ihrem Sehvermögen ist ja offensichtlich alles in Ordnung. Soll ich später wiederkommen?«

Gerlof schüttelte den Kopf.

»Kommen Sie, setzen Sie sich.«

»Meinen Sie wirklich? Sie sind doch beschäftigt!«

Er sah von der Ausgabe auf seinen Knien auf, ohne zu lächeln.

»Es ist nicht so, wie Sie denken«, sagte er.

»Ich denke gar nichts.«

»Es ist *nicht so*! Ich bin vierundachtzig, und meine letzte Freundin Maja aus dem Altersheim war ungefähr gleich alt, bevor sie zu krank wurde, um mit mir zusammen zu sein. Ich habe in den letzten fünfundzwanzig Jahren keiner einzigen jungen Frau mehr hinterhergesehen.« Gerlof dachte kurz nach und korrigierte dann: »Na gut, aber zwanzig Jahre sind es auf jeden Fall.«

»Warum sehen Sie sich dann so etwas an?«, fragte Carina Wahlberg.

»Weil ich muss.«

»Ach ja?«

»Ich recherchiere!«

»Klar!«

Doktor Wahlberg setzte sich zu ihm. Gerlof blätterte weiter:

»Ich versuche, einen Hinweis auf diesen Fotos zu entdecken, aber ich weiß nicht, wonach ich suchen muss. Alles wirkt nur furchtbar traurig auf mich.«

Wahlberg sah ihm über die Schulter, ihr Gesicht wirkte ernst.

»Ich habe zumindest gleich ein Detail entdeckt, das mir nicht gefällt«, sagte sie, »also, von meinem Standpunkt aus.«

»Und was?«

»Sie haben alle keinen Schutz.«

»Schutz?«

»Ich meine Kondome«, erklärte die Ärztin. »Die Männer müssten Kondome tragen. Aber das sieht man wahrscheinlich nie in solchen Zeitschriften.«

Gerlof musterte sie interessiert.

»Sie haben so etwas schon einmal gesehen?«

»Ich war doch Schulärztin. Junge Männer kaufen sich solche Hefte und bekommen vollkommen falsche Vorstellungen. Sie gehen davon aus, dass diese Phantasien der Realität entsprechen.«

»Sie tragen keinen Schutz, das stimmt. Aber Sie irren sich in einer Sache.«

»Wobei denn?«

»Es sind keine Phantasien. Für diejenigen, die fotografiert werden, ist es Wirklichkeit.«

Wahlberg erhob sich.

»Ich gehe mal rein und stelle Ihre Medizin zusammen, Gerlof.« Auf dem Weg ins Haus drehte sie sich um und fügte hinzu: »Ich möchte Ihnen einen guten Rat geben: Werfen Sie diese Zeitschriften so bald wie möglich weg. Ich glaube nicht, dass Sie sich wünschen, dass Ihre Töchter sie finden.«

»Sie meinen, wenn ich plötzlich tot umfalle?«

Die Ärztin lächelte nicht.

»Tatsächlich finden sich häufig bei Verstorbenen solche Dinge unter einer Matratze oder in Schubladen versteckt, ob im eigenen Haus oder im Altersheim. Das passiert öfter, als man glaubt. Und es ist immer traurig, wenn das eigene Kind oder Enkelkind sie entdecken muss.«

Gerlof nickte.

»Sie gehören mir ja noch nicht einmal«, sagte er, »aber ich übermittele dem Besitzer Ihre Einwände.«

Nachdem Doktor Wahlberg gegangen war, fuhr Gerlof damit fort, die Zeitschriften durchzublättern. Es gab eine erschreckend geringe Variationsbreite. Seitenweise blonde Mädchen in unterschiedlichen Stellungen – er war überrascht, wie ermüdend das nach einer Weile war. Traurig und deprimierend. Aber er machte weiter.

Bei einem der Bilder hielt er plötzlich inne. Es war ein Farbfoto und sah eigentlich aus wie alle anderen: Es zeigte einen muskulösen Mann, der in einem kleinen Klassenzimmer nackt an einem der Schultische saß. Neben ihm saß eine junge Frau. Laut Bildunterschrift hieß sie Bellinda und wurde beschrieben als »ein schüchternes schwedisches Schulmädchen, das seinen Platz erst finden muss«.

Gerlof war sich ganz sicher, dass sie nicht Bellinda hieß. Aber er betrachtete das Foto dennoch lange und eingehend. Nach einer Weile griff er sogar nach seiner Brille und benutzte sie als Lupe.

Dann legte er die Brille beiseite, nahm die Zeitschrift und ging ins Haus, um zu telefonieren. Er rief Per Mörner auf dem alten Anschluss von Ernst an, aber niemand hob ab. Dann wählte er Mörners Handynummer.

»Mörner.«

Seine Stimme klang nach wie vor müde. Gerlof räusperte sich.

»Hier ist Gerlof, Gerlof Davidsson aus Stenvik. Haben Sie einen Moment Zeit?«

»Ja, aber nicht lange. Ich bin auf dem Weg ins Krankenhaus. Ist etwas passiert?«

»Wie man es nimmt!«, antwortete Gerlof. »Ich habe die Zeitschriften Ihres Vaters ein bisschen durchgeblättert.«

»Aha, wie sind Sie denn an die rangekommen?«

»Oh, ich habe so meine Kontakte«, erwiderte Gerlof geheimnisvoll; er wollte weder John Hagman noch dessen Sohn Anders verraten.

»Und was sagen Sie dazu?«

Gerlof hob die Zeitschrift hoch und betrachtete das Titelblatt.

»Viele blonde Perücken und traurige Augen«, sagte er. »Und es sind ziemlich grobe Aufnahmen, sehr primitive Fotos.«

»Ich weiß«, seufzte Per und klang noch erschöpfter. »Aber so sehen die nun einmal aus, und wir Männer kaufen so etwas.«

»Ich bin zu alt dafür«, stellte Gerlof fest.

»Und ich hatte noch nie Spaß an solchen Fotos«, entgegnete Per. »Jerry mochte sie und auch die Filme, aber ich nicht. In keiner Lebensphase, aber es gibt ja genügend Interessenten, die diese Zeitschriften kaufen.«

»Diese Männer auf den Fotos, wer sind die?«

»Männer?«, fragte Per erstaunt. »Das ist doch nur ein Mann. Er heißt Markus Lukas, oder zumindest nannte er sich so.«

»Nein, es sind mehrere Männer. Mindestens zwei. Man kann ihre Gesichter nicht sehen, aber ihre Körper unterscheiden sich.«

»Ach, tatsächlich?«

»Und keiner von denen hat sich geschützt. Keine Kondome.«

»Ja, das ist richtig. Jerry fand wohl, dass das nicht gut aussähe – unmännlich. Sie sind ein guter Beobachter, Gerlof.«

Gerlof seufzte.

»Warum tun diese Mädchen das? Wissen Sie das?«

»Warum? Nein, das kann ich Ihnen nicht beantworten«, sagte Per. »Vielen von ihnen ging es wohl nicht so gut, aber ich weiß es nicht.«

Er verstummte, also ergriff Gerlof wieder das Wort:

»Ich habe auf jeden Fall eine von ihnen gefunden.«

»Wie bitte?«

»Eines der Mädchen aus den Zeitschriften. Sie hatten doch gesagt, Sie würden so gerne mit einem sprechen.«

»Sie meinen – Sie haben eines der Mädchen wiedererkannt?«

»Ich habe ihren Pullover wiedererkannt.«

»Sie hat einen Pullover an?«, fragte Per erstaunt.

»Nein, aber er liegt über einer Stuhllehne im Hintergrund«, erläuterte Gerlof. »Sie stammt aus Kalmar, soweit ich weiß. Ich weiß nicht, wie sie heißt, aber ich glaube, Sie werden Sie finden.«

50

Per war auf dem Weg nach Kalmar, um Nilla zu besuchen, als Gerlofs Anruf ihn erreichte. Er hatte gerade beschlossen, in Borgholm anzuhalten, um in die Bücherei zu gehen. Gerlofs Entdeckungen klangen vielversprechend, aber er hatte sich vorgenommen, zuerst nach Markus Lukas zu suchen. Vielleicht war er doch in einem der Telefonbücher verzeichnet. Aber der Name tauchte in keinem der Telefonbücher von Südschweden auf. Per erinnerte sich an den Namen, den Jerry im Auto vor sich hin gemurmelt hatte, *Moleng Noar*.

Der Name klang asiatisch – wie ein chinesisches Restaurant.

Er blätterte in den Gelben Seiten von Malmö, wo Hans Bremer gewohnt hatte, fand aber kein Restaurant mit diesem Namen. Er blätterte weiter zu den privaten Telefonanschlüssen und fand unter B tatsächlich *Bremer, Hans* in der Terränggatan 10 B.

Per notierte sich die Adresse und grübelte weiter über den exotischen Namen nach. *Moleng Noar.*

Er nahm einen Stift und probierte die unterschiedlichsten Schreibweisen aus:

Molang-noor

Mu-Lan Over

Moo Leng Noer

Aber seine Suche in den Büchern blieb erfolglos.

Vielleicht war das ja ein französischer Name, eine Variante von Moulin Rouge oder so?

Moulin Noir. Die schwarze Mühle.

Er blätterte aufs Neue und entdeckte tatsächlich einen Eintrag unter diesem Namen. Moulin Noir war ein Nachtklub in Malmö, Öffnungszeiten von zwei Uhr nachmittags bis vier Uhr morgens: JEDE HALBE STUNDE EINE SHOW!, stand in der Anzeige.

Ein Sexklub also. Wie hätte es auch anders sein können.

Hatte der Jerry auch gehört? Per gegenüber hatte er ihn nie erwähnt, aber es würde ihn nicht weiter überraschen.

Per notierte sich die Adresse. Er würde nach Malmö fahren müssen. Aber vorher wollte er zu Nilla. Nur noch sechs Tage bis zur Operation.

Per durfte nicht zu Nilla ins Zimmer – die Krankenschwester musste noch ein paar Proben nehmen. Er musste warten, bis sie fertig waren.

Im Wartezimmer saß eine Person. Die Frau war etwa fünf-undsechzig, saß versunken auf einem Sofa und hatte einen Woll-pullover in den Händen. Es war nicht das erste Mal, dass er das Wartezimmer mit jemandem teilte. Aber es war immer anstren-gend – alle wussten, warum man dort saß, aber niemand hatte die Lust oder die Kraft, darüber zu sprechen.

Sie waren Angehörige und warteten auf Untersuchungsergebnisse. Vielleicht brauchte die Frau aber auch einfach eine Pause von den vielen Symptomen und Beschwerden, die durch die Krankenzimmer schwebten.

Per sollte sich krankschreiben lassen, wegen der Betreuung eines kranken Kindes – wenn er nur die Kraft dazu hätte. Marika war krankgeschrieben, hatte sie ihm erzählt, und er wusste nicht, ob beide Eltern ein Anrecht darauf hatten. Dafür gab es hundertprozentig ein Gesetz. In der Zwischenzeit musste er sich mit dem Fälschen der Fragebögen behelfen.

Die Frau auf dem Sofa sah ihn plötzlich an.

»Sind Sie Nillas Vater?«

Per nickte.

»Ich bin Emils Großmutter – er hat viel von Nilla erzählt.« Sie lächelte. »Sie sind Freunde geworden.«

»Ja, das ist richtig.« Obwohl Per Angst vor der Antwort hatte, stellte er die Frage: »Wie geht es Emil denn?«

Ihr Lächeln erstarb.

»Sie sagen nicht besonders viel ... wir können nur warten.«

Per nickte und schwieg.

Alle warteten, es gab nichts zu sagen.

Dann endlich gab die Krankenschwester das Zimmer wieder frei.

Nilla lag in dem abgedunkelten Raum, die Hände um ihren Glücksstein. Als er eintrat, hob sie die eine Hand zum Gruß. Es war vermutlich nur Einbildung, aber Per fand, dass ihre Arme noch dünner aussahen und ihre Brust noch eingefallener wirkte.

»Wie geht es dir?«

»Geht so.«

»Hast du Schmerzen?«

Nilla konzentrierte sich auf den Stein in ihren Händen.

»Im Moment nicht ... nicht so starke.« Sie seufzte. »Ich habe diese Qualen so satt. Den Schmerz ... die Ärzte und Schwestern wollen immerzu, dass ich ihn beschreibe. Sie fragen, wo er sitzt und wie er sich anfühlt: Ist er eher beißend oder stechend oder krampfartig? Ich fühle mich wie in einer Prüfung, aber ich kann das nicht so gut.«

»Das ist keine Prüfung«, beruhigte Per sie. »Du kannst antworten, was du willst.«

»Ich weiß, aber wenn ich ihnen sage, dass sich der Schmerz anfühlt wie eine dunkle Wolke über mir, die wächst und die weiße Wolke, auf der ich sitze, in sich aufsaugt, hören die mir gar nicht mehr zu ... Das ist denen zu seltsam.«

Sie schwiegen.

»Nilla, ich muss noch mal losfahren«, sagte Per nach einer Weile.

»Was denn? Hat es wieder mit Opa zu tun?«

Per schüttelte den Kopf. Er hatte ihr noch nicht vom Tod ihres Großvaters erzählt. Das musste warten.

»Ich muss nur kurz nach Malmö und eine Sache erledigen. Aber ich bin morgen Abend zurück, versprochen.«

51

Es war ein ganz normaler Samstag in einer Großstadt. Die Autos fuhren durch die Straßen, die Fähren legten nach Dänemark ab, die Leute hatten frei und spazierten mit dem Kinderwagen in der Frühlingssonne die Strandpromenade von Malmö entlang.

Per hatte beinahe vier Stunden für die Strecke von Kalmar gebraucht. Gegen drei Uhr erreichte er das Stadtzentrum und parkte in einer Seitenstraße, etwas entfernt vom Hauptbahnhof, weil die Parkgebühren dort günstiger waren. Dann machte er sich auf den Weg, die Gasse zu finden, in der das Moulin Noir lag.

Das Etablissement hatte keine aufwendigen Reklameschilder, um auf sich aufmerksam zu machen. Nur eine kleine Tafel mit der Aufschrift MOULIN NOIR SEXSHOP & NIGHTCLUB hing über dem Eingang. Die Tafel war mit einem Eisengitter versehen, und Per vermutete, dass sich hier wahrscheinlich in regelmäßigen Abständen Pornogegner versammelten und ihre Transparente schwangen und mit faulen Eiern warfen. Aber jetzt war die Straße menschenleer.

Er zögerte, als er vor der Tür stand, an die jemand einen weißen Zettel mit dem Vermerk: ACHTUNG! ERST AB 18! geklebt hatte. Obwohl er niemanden in Malmö kannte, sah er sich sorgfältig nach allen Seiten um, bevor er die Tür öffnete.

Er fasste all seinen Mut zusammen und ging hinein.

Hinter der Tür erstreckte sich ein schmaler, langgestreckter Shop, in dem es so still war wie auf der Straße. Der scharfe Zitronengeruch eines Reinigungsmittels hing in der Luft, aber der Linoleumboden, auf dem Per stand, sah trotzdem irgendwie schmutzig aus. In den Regalen an der Wand reihten sich VHS-Kassetten und laminierte Zeitschriften aneinander, aber er entdeckte keine Ausgabe von *Babylon* oder *Gomorra*. Jerrys Kollegen hatten die Marktlücke, die sich nach der Einstellung seiner Zeitschriften aufgetan hatte, längst ausgefüllt.

Auf dem gegenüberliegenden, gläsernen Ladentresen stand eine etwas altertümliche Registrierkasse, hinter der eine junge Frau auf einem Barhocker saß und sich gelangweilt die Nägel feilte. Sie war Anfang dreißig, trug ein hautenges schwarzes Kleid und hohe Lackstiefel. Ihre Augen waren mit schwarzem Kajal umrandet, und ihre Haare waren sehr lang und glänzend rot, sahen allerdings nach Perücke aus. Per ging ohnehin davon aus, dass an diesem Ort das meiste gefälscht war.

Hinter dem Tresen führte eine Treppe in den Keller und endete vor einem Perlenvorhang. Dahinter waren hämmernde Beats und das Stöhnen einer Frau zu hören, aber es klang metallisch und hohl wie auf einer Filmtonspur. Es erinnerte ihn an das Geräusch, das er bei den anonymen Anrufen am Telefon gehört hatte.

Per ging auf die Frau zu, und sie ließ ihre Nagelfeile sinken und lächelte ihn an.

»Hallo«, sagte er.

»Hallo, mein Süßer«, säuselte sie. »Willst du dich in die Höhle der Sünde wagen?«

»Vielleicht, was kostet es denn?«

»Fünfhundert.«

Das waren dreihundert Kronen mehr, als Per dabeihatte.

»Fünfhundert«, wiederholte er. »Nur für den Eintritt?«

»Nicht nur Eintritt, mein Süßer«, flötete sie, und ihr Lächeln wurde noch breiter. »Du bekommst noch eine große *surprise* da unten.«

»Ach, bekomme ich das? Ist die denn fünfhundert Kronen wert?«

Sie zwinkerte ihm zu.

»Die Jungs mögen sie in der Regel.«

»Arbeiten Sie schon lange hier?«

»Ziemlich lange«, sagte sie. »Willst du jetzt ...«

»Wie lange denn schon?«

Er versuchte seinen Fragen den bestimmten Ton von Lars Marklund zu geben. Das Lächeln der Frau erstarb augenblicklich.

»Seit einem halben Jahr. Bezahlst du jetzt, oder was?!«

»Wem gehört der Klub eigentlich?«

Sie zuckte mit den Schultern.

»Irgendwelchen Typen.« Sie streckte ihm die Hand mit den langen roten Nägeln entgegen. »Fünfhundert, please!«

Per zog sein Portemonnaie aus der Tasche wie einen Köder, aber er öffnete es nicht.

»Ich würde mich gerne mit den Besitzern unterhalten.«

Die Frau schwieg.

Dann öffnete er das Portemonnaie und zog die zweihundert Kronen heraus. Er nahm ein Stück Papier und schrieb unter seine Telefonnummer: *Rufen Sie mich an! Per Mörner (Jerry Morners Sohn).*

Er reichte ihr das Geld und den Zettel.

»Die sind für Sie«, sagte er, »ich will auch gar nicht rein. Aber bitten geben Sie den Zettel an Ihre Chefs weiter ... an denjenigen, der am längsten dabei ist.«

Die Frau nahm alles entgegen, sah aber so gelangweilt aus wie am Anfang.

»Ich werde sehen, was ich machen kann. Ich weiß nicht, ob er heute Abend kommt.«

»Geben Sie ihm den Zettel einfach, wenn er kommt«, sagte Per. »Werden Sie das tun?«

»Klar!«

Sie steckte sich schnell die Scheine ein. Den Notizzettel faltete sie zusammen und legte ihn neben die Kasse. Dann setzte sie sich auf ihrem Barhocker zurecht, richtete ihre Perücke und schien Per schon wieder vergessen zu haben.

Er trat einen Schritt zur Seite, lauschte den Klängen und sah die Treppe hinunter. Er musste wieder an Regina denken und hatte auf einmal die Phantasie, dass sie dort unten im Keller auf ihn warten würde. Vielleicht saßen auch Jerry und Bremer dort unten, zwei Leichen mit Zigarren im Mundwinkel, die Hände auf Reginas Schenkeln. Wenn er bezahlen würde, könnte er hinuntergehen und nachsehen.

Er drehte sich um und verließ den Shop.

Die Nacht würde er in einem Billighotel an der Autobahn außerhalb der Stadt verbringen. Aber bevor er sich dorthin aufmachte, wollte er in der Terränggatan vorbeifahren. Es war eine plötzliche Eingebung – er wollte nur einmal sehen, wo und wie Bremer gelebt hatte.

Die Straße war ein düsterer Ort, obwohl die Frühlingssonne nach Kräften schien. Nummer 10 war ein heruntergekommenes fünfstöckiges Haus, das so kaputt und grau war wie die Straße, an der es lag. Am Bürgersteig parkte ein alter Lieferwagen mit Anhänger, der zur Hälfte mit Umzugskartons gefüllt war.

Der Name BREMER stand noch am Klingelschild des Eingangs 10B, und zum Glück stand die Eingangstür offen. Das Schloss schien kaputt zu sein.

In dem hallenden Treppenhaus stank es fürchterlich, als hätte jemand saure Milch auf dem Boden vergossen. Per nahm die

Treppe in den zweiten Stock. Die Wohnungstür stand einen Spalt offen, und aus dem Inneren drangen hämmernde Laute.

Er schob die Tür auf, und es schlug ihm ein noch säuerlicherer Geruch entgegen.

»Hallo?«, rief er.

»Was ist denn?«, antwortete eine müde Stimme.

Eine Frau mittleren Alters, früh ergraut, stand in der Tür zur Küche und musterte ihn mit verschränkten Armen. Hinter ihr sah Per einen Jungen, die Baseballkappe verkehrt herum auf dem Kopf. Er war gerade damit beschäftigt, einen alten Fernseher von der Wand abzumontieren und die Kabel zusammenzulegen.

Auf einmal fühlte sich Pers Kopf ganz leer an. Was wollte er hier eigentlich?

»Hallo, ich wollte mal vorbeischauen«, begann er. »Ich bin ... ein alter Kumpel von Hans.«

Der Blick der Frau wirkte jetzt noch resignierter.

»Ach ja? Ein Superkumpel, ja?«

»Nein«, gestand Per, der keine Lust hatte, weiter Lügen zu erzählen. »Wir waren keine Kumpels im eigentlichen Sinne – aber mein Vater und er haben zusammengearbeitet. Und ich war gerade in der Nähe und wollte mal sehen, wo er gewohnt hat.«

Die Frau schien an seinen Erklärungen kein Interesse zu haben. Sie bat Per auch nicht herein, sondern drehte sich wortlos um und verschwand in der Wohnung.

Deshalb folgte er ihr und fragte:

»Waren Sie seine Frau? In diesem Fall würde ich Ihnen gerne mein herzliches ...«

»Hasse war nicht verheiratet«, unterbrach ihn die Frau. »Ich bin seine jüngere Schwester, Ingrid. An Walpurgis sollen hier neue Leute einziehen, deswegen müssen wir die Bude ausräumen.«

Viel leer zu räumen gab es nicht, stellte Per fest, als er durch die Wohnung ging. Im Schlafzimmer stand nicht einmal ein Bett, die Matratze lag auf dem Boden, und die gelb gestrichenen

Wände waren kahl. Bremer schien seine gesamte Zeit und Energie darauf verwendet zu haben, zusammen mit Jerry Filme und Zeitschriften zu produzieren. Einrichtungsfragen waren wohl kein Thema.

Seine Schwester war in die Küche gegangen und hatte begonnen, Besteck und Töpfe in einen Umzugskarton zu legen. Hier war die Einrichtung genauso karg wie im Schlafzimmer. Ein wackeliger Küchentisch und zwei Stühle standen vor dem Fenster, und am Kühlschrank hingen ein paar vergilbte Postkarten. Es lagen weder VHS-Kassetten noch Zeitschriften herum – kein Gegenstand, der einen Rückschluss auf seine Tätigkeit zugelassen hätte.

»Sie da!«

Er sah auf. Ingrid stand vor ihm und zeigte mit dem Finger auf ihn.

»Sie könnten mir helfen, diesen Schrank auszuräumen«, sagte sie. »Tun Sie das?«

»Nein, ich habe keine Zeit, ich muss ...«

»Dauert doch nicht lang. Danach könnten Sie noch Simon mit den Kartons helfen.«

Per stellte sich auf einen Stuhl und begann, die Teller aus dem Schrank zu nehmen und in einen Umzugskarton zu stapeln. Als er einen Stapel tiefer Teller von einem der unteren Regalfächer anhob, entdeckte er einen gelben Zettel, der dahinter gelegen hatte. Per nahm ihn an sich. Es war ein alter selbstklebender Notizzettel, der offenbar von der Innenwand des Schrankes abgefallen war. Darauf standen in krakeliger Schrift vier Telefonnummern, davor vier Namen.

Ingrid

Cash

Fontene

Daniele

Die erste Nummer gehörte aller Wahrscheinlichkeit nach Hans' Schwester. Eine der anderen hätte eigentlich Jerrys sein müssen, aber Per erkannte keine wieder.

»Sind Sie hier fertig?«, fragte Ingrid hinter ihm.

»Fast.«

Er steckte den Zettel in die Tasche und fuhr fort, die Teller einzuräumen. Als er damit fertig war, trug er die Umzugskartons nach unten. Er war überrascht, dass sich doch einiges an Gegenständen in dieser scheinbar leeren Wohnung befunden hatte. Es dauerte fast eine Stunde, bis sie alles herausgetragen hatten.

Bremers Schwester sprach die ganze Zeit über kein Wort, und auch Per schwieg.

»Wissen Sie denn, wie Ihr Bruder ums Leben kam?«, fragte er nur, als sie fertig waren und auf der Straße in der Sonne standen.

Die Schwester wischte sich den Schweiß von der Stirn.

»Die Polizei hat gesagt, dass er bei einem Brand umkam. Er war mit irgendeinem suspekten Typen verabredet, und dann ist das Haus abgebrannt.«

»Hatte es denn Streit gegeben?«

»Streit? Das glaube ich nicht, die haben bestimmt nur zusammen rumgesessen und gesoffen und geraucht, nehme ich an. Damit war Hasse die meiste Zeit beschäftigt.«

Ein Kleinkrimineller, der in viele verschiedene Geschäfte verwickelt war – so hatte ihm die Polizei Hans Bremer auch beschrieben.

»Aber – hatte er Feinde?«

Bremers Schwester schüttelte den Kopf.

»Das hat mich die Polizei auch gefragt ... Feinde hatte er keine. Aber ausgenutzt wurde er, das weiß ich sicher.«

»Inwiefern?«

»Er hat anderen Geld geliehen, ihnen geholfen ... Hans war viel zu gutgläubig, und er hatte keine richtigen Freunde, nur Superkumpels. Und ein Mensch, der keine Freunde hat, der hat auch keine Feinde, oder?«

Per war sich da nicht so sicher.

»Hieß einer dieser Männer Markus Lukas?«, fragte er.

»Markus Lukas? Nee, kenn ich nicht.«

»Hans und er haben zusammengearbeitet, habe ich gehört ...
Ihr Bruder hat viel gearbeitet, oder?«

Erneut schüttelte Ingrid den Kopf.

»Hans hat immer so wenig wie möglich getan. Er hat immer
behauptet, er hätte einen Haufen Geld am Start, aber daraus ist
wohl nie etwas geworden.«

Per nickte. Er hatte eingesehen, dass Ingrid keine Ahnung von
den Geschäften ihres Bruders hatte. Er hatte sie schlichtweg angelogen.

Schweigen und Lügen. Hier wie dort dasselbe.

52

Max war dunkelrot im Gesicht, er sah aus, als stünde er kurz vor
einem Herzinfarkt.

»Er ist dreizehn Jahre alt, Vendela!«

»Was spielt es für eine Rolle, wie alt er ist, Max?«

»Dreizehn! Er ist wie ein Achtzigjähriger!«

»Ja, und? Er ist achtzig und *gesund*!«

Ihr Streit am Montagabend hatte sich ausschließlich um Aloysius und seine Gesundheit gedreht. Darüber hatten sie schon
häufig Auseinandersetzungen gehabt, aber sie drehten sich im
Kreis.

»Er ist *nicht* gesund!«

»Doch, Max ... er läuft viel mehr als früher und bewegt sich
viel sicherer!«

»Er ist *blind*!«

Als die Äußerungen sich zu wiederholen begannen, waren sie
beide verstummt und sich aus dem Weg gegangen. Max hatte
sich in sein Arbeitszimmer zum Nachdenken zurückgezogen,
Vendela war in die Küche gegangen. Während sie stritten, hatte

sich Aloysius im Hintergrund gehalten, aber nachdem Ruhe eingekehrt war, kam er hinter ihr hergetapst und schnupperte an ihrem Bein.

So sollte man keinen Streit beenden, das hatte sie Max schon so häufig gesagt. Man sollte nicht einfach davonstürzen, ohne die Sache zu bereinigen. Darin hatte er ihr immer wieder recht gegeben und diesen Rat sogar in einem seiner Bücher angepriesen.

Vendela wischte ein paar Brotkrümel von der rostfreien Spüle und seufzte leise.

Sie kamen da einfach nicht weiter, musste sie sich eingestehen. Es gab nur zwei Möglichkeiten, sie trennten sich, oder sie mussten eine Paartherapie anfangen – das Problem dabei war nur, dass Max ein alter Psychologe war und alles besser wusste. Er hatte sich immer geweigert, zu anderen Therapeuten zu gehen, weil er ihnen nicht traute.

Sie holte ihr Notizheft hervor, setzte sich, griff nach dem Stift auf dem Küchentisch und schrieb mit zitternder Hand ein paar hastige, krakelige Zeilen nieder:

Manchmal werden wir Menschen von großem Kummer und dem Gefühl von Sinnlosigkeit übermannt. Warum werden einige Menschen von größerem Unglück heimgesucht als andere? Warum werden wir die ganze Zeit falsch verstanden oder schlecht behandelt? Niemand weiß das.

Aber auch die Elfen kennen die Traurigkeit, sie leiden dann fürchterlich und können Schmerzen empfinden, die viel tiefgehender sind als unsere.

Das Wichtigste, was uns ihr Leiden lehren kann, ist, dass ...

Ja, was konnten uns die Elfen lehren? Vendela saß reglos am Tisch und dachte nach, den Stift in der Hand. Aber ihr fiel nicht ein, wie sie den Satz fortsetzen sollte.

Sie klappte das Heft wieder zu und ging ins Badezimmer. Aber sie griff nicht nach den Beruhigungstabletten, sondern trank ein Glas Wasser. Sie sehnte sich nach der Alvar.

Schnell zog sie sich die Laufsachen an und war fünf Minuten später fertig. Sie streichelte Aloysius und öffnete die Haustür.

»Bis später!«, rief sie.

Aber sie bekam keine Antwort.

Dieses Mal lief sie auf direktem Weg zum Elfenstein, mit großen Schritten und geballten Fäusten. Ein paarmal stolperte sie über Grasbüschel und überwachsene Steine, aber sie fing sich und hatte den Elfenstein bald erreicht.

Vendela hatte weder Geld noch Schmuckstücke bei sich, sie hatte nichts in den Taschen, was sie hätte opfern können, aber sie wollte einfach an diesem Ort sein. Vier Tage hintereinander war dies ihr Ziel gewesen, hier hatte sie wenigstens vor Max Ruhe.

Sie legte die Handflächen auf den Stein und versuchte sich zu entspannen. In ihrem Kopf hallten Fetzen ihres Streits wieder.

Aber heute fand sie keinen Trost.

Seit ihrem letzten Besuch bei den Elfen war alles nur schlimmer geworden, die Traurigkeit hing schwer über dem Reich der Elfen. Vendela sah ganz deutlich die Bilder, wenn sie die Augen schloss: Der Elfenkönig saß auf seinem Steinthron und weinte um die kranke Elfenkönigin. Blaues Blut floss aus seinen Augen.

Vendela spürte, dass sie keine Zeit für sie und ihre Sorgen hatten.

Sie wandte sich ab und lief nach Westen.

Als sie zum Haus zurückkam, waren alle Fenster dunkel. Auch Max' Audi stand nicht in der Auffahrt, und die Eingangstür war abgeschlossen. Max musste weggefahren sein, aber zum Glück lag der Ersatzschlüssel unter einem der Blumentöpfe. Vendela schloss auf und ging hinein.

»Hallo?«, rief sie.

Ihre Stimme hallte, aber sie bekam keine Antwort. Vendela hatte nicht etwa Max erwartet, aber Ally bellte nicht und kam ihr nicht tapsend entgegen.

»Ally?«

Keine Reaktion. Als sie in die Küche ging, entdeckte sie eine Notiz am Kühlschrank:

Bin nach Hause gefahren –
Gehe mit Ally zum Tierarzt, lasse von mir hören.
Kuss Max

Vendela riss den Zettel ab und warf ihn wütend zu Boden.

Sie lief durch das ganze Haus, überprüfte jedes Zimmer, bis sie ganz sicher sein konnte, dass Ally nicht da war. Dann ließ sie sich in einen Sessel im Wohnzimmer fallen und starrte durch das große Fenster hinunter in den leeren Steinbruch.

Max war zurück nach Stockholm gefahren und hatte ihren Hund mitgenommen. Vendela war machtlos, sie konnte nichts tun.

Sie schloss die Augen.

Da hörte sie das Läuten einer Kuhglocke und Jan-Eriks Kichern.

VENDELA UND DIE ELFEN

Henry Fors hat die Stiefel an sich genommen und die Polizisten die Treppe hinaufgeführt. Vendela läuft, Böses ahnend, hinterher.

»Kommen Sie hier herein, dann werden Sie erfahren, wem die Stiefel gehören.«

Er stellt sich vor die einzige verschlossene Tür im ersten Stock und öffnet sie, ohne vorher anzuklopfen.

»Hier ist er ... mein Sohn Jan-Erik.«

Vendela beobachtet, wie die drei Männer das Zimmer betreten und sich um eine Gestalt gruppieren, die auf einer Decke in der Mitte sitzt. Er trägt dieselben verdreckten Kleidungsstücke wie am Tag des Brandes. Jan-Erik legt den Kopf in den Nacken und sieht die Männer an, dann kichert er und dreht Vendela den Kopf zu. Sie möchte etwas sagen, aber schafft es nicht einmal, den Mund zu öffnen.

»Ist er krank?«, fragt einer der Beamten.

»Krank und krank. Er ist geisteskrank.« Henry redet mit ausgestrecktem Zeigefinger weiter, als würde er eine Sehenswürdigkeit präsentieren: »Wir haben ihn seit ein paar Jahren bei uns ... vorher war er in einer Anstalt, aber ich habe ihn da aus reiner Nächstenliebe herausgeholt.« Er macht eine kleine Pause und fährt dann fort: »Das war vermutlich ein Fehler.«

»Dann sind das seine Stiefel?«

»Ja, natürlich, ich kann Ihnen das beweisen.«

Henry kniet sich neben seinen Sohn, greift sein Bein und zieht ihm den Stiefel an. Der scheint tatsächlich zu passen, obwohl Vendela genau weiß, dass die Stiefel ihrem Vater gehören.

»Ja, ja, eindeutig«, sagt der Polizist und sieht hinüber zu dem Rollstuhl. »Aber kann er denn überhaupt gehen?«

»Na klar«, antwortet Henry. »Der Arzt in der Anstalt hat gesagt, dass er sehr gut laufen kann, es aber nur tut, wenn keiner zusieht.«

»Zeigen Sie uns das bitte«, fordert ihn der andere Beamte auf.

Henry greift Jan-Erik unter die Arme und zieht ihn hoch.

»Jetzt komm schon.«

Dann stellt er ihn auf seine Füße.

Jan-Erik kichert weiter. Er steht kerzengerade, an dem einen Fuß eine dicke Socke, an dem anderen einen Stiefel.

Henry versetzt ihm einen kleinen Stoß in den Rücken.

»Los, geh, mein Junge. Lauf los!«

Jan-Erik steht reglos für einige Sekunden da und starrt die Polizisten an. Dann macht er den ersten zaghaften Schritt, dann einen zweiten.

»Aber warum sollte er den Hof anzünden?«

»Warum?«, widerholt Henry. »Woher soll ich das wissen, ich verstehe ihn nicht. Er ist eine Mondgestalt!«

Die Beamten sehen sich nachdenklich an.

»Was meinst du, kann so einer überhaupt angeklagt werden?«

»Keine Ahnung. Wie alt ist er denn, Fors?«

»Siebzehn.«

»Dann vielleicht ...«, meint der eine. »Wir müssten das überprüfen.«

Vendela ist übel. Sie öffnet den Mund:

»Nein!«

Alle Köpfe drehen sich zu ihr um, sie muss etwas sagen:

»Es war meine Schuld. Ich war es! Ich habe die Kühe gehasst. Ich bin in die Alvar gegangen und habe darum gebeten, dass sie verschwinden! Ich habe die ...«

Die Elfen gebeten, will sie eigentlich sagen, aber sie traut sich nicht. Dadurch würde sie alles nur schlimmer machen.

Zuerst sehen die Polizisten sie erstaunt an, dann lächeln sie sich an. Einer von ihnen zwinkert.

»Das ist ja eine richtig kriminelle Familie!«, sagt er.

Und dann verlassen die Beamten den Raum und schieben sich an Vendela vorbei die Treppe hinunter.

Nachdem sie abgefahren sind, senkt sich eine große Stille über den Hof. Henry schweigt verbissen, aber Vendela will auch gar nicht mit ihm reden. Das Gerücht, dass die Polizei Henry in Verdacht hat, scheint sich schnell verbreitet zu haben. Denn schon am nächsten Tag kommt kein einziger Besucher mehr auf den Hof – alle Nachbarn machen große Umwege.

In den Wochen nach dem Brand folgt ein Verhör dem nächsten. Am Ende wird das Urteil gefällt, dass sowohl Henry Fors als auch sein Sohn ein Verbrechen begangen haben: Jan-Erik hat den Stall in Brand gesteckt, und Henry hat diese Tat zunächst geheim gehalten, um die Versicherungsprämie zu kassieren.

»Aber Jan-Erik war es nicht«, sagt Vendela zu ihrem Vater. »Du warst es.«

Henry zuckt mit den Schultern.

»So macht es aber einen besseren Eindruck. Dein Bruder ist geisteskrank, die können ihn nicht verurteilen.«

Trotz der Ereignisse geht Henry jeden Tag in den Steinbruch. Mit geradem Rücken fährt er jeden Morgen an die Küste und kehrt jeden Abend wieder nach Hause zurück. Vendela traut sich nicht zu fragen, womit er sich da den ganzen Tag beschäftigt, denn Kunden hat er keine mehr.

Auch sie macht so weiter wie bisher und geht jeden Tag zur Schule. Aber sowohl der Weg dorthin wie auch zurück nach Hause wird zu einer einzigen Qual. Sie ist nicht mehr Vendela Fors, sondern nur noch ein Teil der »Brandstifterfamilie«, und in den Pausen sitzt Dagmar Gran mit den anderen Mädchen aus der Klasse zusammen und sieht sie nicht einmal an.

Nach ein paar Wochen des schweigsamen Wartens werden Jan-Erik und Henry ins Gericht nach Borgholm zitiert.

Henry zieht sich den schwarzen Sonntagsanzug an und kämmt sich sorgfältig. Für seinen Sohn holt er saubere Kleidung aus dem Schrank und geht zu ihm in den ersten Stock hoch.

Er schreit ihn an. Vendela begreift, dass sich Jan-Erik weigert mitzugehen. Aber nach einer Weile kommt Henry mit seinem Sohn in den Armen die Treppe hinunter. Jan-Erik klammert sich ängstlich an seinem Vater fest.

»Und jetzt gehen wir zum Zug«, befiehlt Henry mit fester Stimme.

Vendela steht im Flur. Ihr Bruder hat zwar ein sauberes Hemd an, aber sein Gesicht ist so schmutzig wie immer.

»Sollte sich Jan-Erik nicht waschen?«

»Doch, aber sie haben mehr Mitleid, wenn er so aussieht«, erklärt Henry und verlässt den Hof.

Vendela muss zu Hause bleiben. Sie setzt sich in die Küche und wartet.

Spät am Abend erst kehren Henry und Jan-Erik zurück. Es wurde ein Urteil gefällt: Henry bekommt acht Monate Freiheitsstrafe wegen Versicherungsbetrugs. Die Strafe muss er im Gefängnis von Kalmar verbüßen.

Des Weiteren – weil Henrys wirtschaftliche Situation so ist, wie sie ist – müssen der Hof und das gesamte Inventar versteigert werden.

»So ist es nun einmal«, sagt er, nachdem er Jan-Erik in sein Zimmer gebracht hat und bei Vendela in der Küche steht. »Gott entscheidet – er gibt und er nimmt, daran muss man sich gewöhnen.«

Sein Lächeln hat etwas Höhnisches, als wäre das Ende des Hofes eine gute Neuigkeit.

»Und Jan-Erik?«, fragt Vendela. »Muss er auch ins Gefängnis?«
»Nee.«
»Ist er freigesprochen?«
Henry schüttelt den Kopf.

»Das hat leider nicht so geklappt, wie ich es mir gewünscht habe ... Er muss nach Norrland.«

»Norrland?«

»Salberga heißt das. Es ist eine Anstalt für asoziale Geisteskranke.«

»Und wie lange?«

»Das weiß ich nicht ... Vermutlich, bis sie ihn laufen lassen.«

Ein unheilvolles Schweigen senkt sich über die beiden Menschen in der Küche, bis Vendela sich traut zu fragen:

»Und ich?«

Sie erwartet zu hören, dass sie auf dem Hof bleiben müsse, doch dann antwortet Henry:

»Du wirst auch nach Kalmar gehen. Und bei deiner Tante und deinem Onkel leben und dort zur Schule gehen.«

»Und wenn ich das nicht will?«

»Du musst.«

Vendela verstummt. Hatte sie sich von den Elfen gewünscht, in die Großstadt zu kommen? Hatte sie beim Elfenstein gestanden und sich gewünscht, dass ihr Leben hier ein Ende hätte?

Sie kann sich nicht erinnern, sie hat sich so viele Dinge gewünscht.

Es nähert sich der Tag, an dem die kleine Familie in alle Winde verstreut werden soll. Henry wird seine Strafe verbüßen, Vendela zieht zur ihrer Tante, und Jan-Erik soll in Kalmar von zwei Pflegern aus Salberga abgeholt werden. Der Tag vor ihrer Abreise ist ein Sonntag Mitte Mai, bedrückend düster und bedeckt.

Am frühen Morgen packt Henry eine Reisetasche für sich und einen Rucksack für Jan-Erik. Dann kocht er Kaffee und trinkt einen Becher. Er sitzt stumm am Küchentisch und starrt hinaus auf das Ascherechteck im Hof. Vendela sitzt ihm gegenüber. Sie schweigt ebenfalls und sieht auf ihre schmalen Hände.

Aber ihr Vater ist rastlos, gegen zehn springt er auf und hebt die Kaffeekanne, ehe er registriert, dass er bereits Kaffee getrunken hat. Unvermittelt wendet er sich zu Vendela.

»Ich gehe in den Steinbruch, arbeiten. Ausruhen können wir uns an einem anderen Tag.«

»Du willst jetzt in den Steinbruch gehen?«

»Ja, aber ich bin heute Abend zurück, wenn deine Tante und dein Onkel kommen. Sie nehmen uns alle drei mit nach Kalmar.«

Dann macht er sich auf den Weg zu seiner Arbeit an der Küste, vielleicht zum letzten Mal. Vendela hört, dass er am Gartentor zu singen beginnt. Sein Gesang verschwindet in der Ferne, und Vendela findet, das sie das einsamste Mädchen auf der ganzen Welt ist.

Aber sie hat nicht vor, einfach nur dazusitzen und auf Tante Margit und Onkel Sven zu warten. Als Henry um die Ecke gebogen ist, geht sie schnurstracks in sein Schlafzimmer, kniet sich vor den Schrank und holt das Schmuckkästchen hervor.

Das letzte verbleibende große Schmuckstück ihrer Mutter ist ein goldenes Herz an einer dünnen Silberkette. Das steckt sich Vendela in die Tasche.

Dann geht sie hoch zu Jan-Erik.

Im Obergeschoss ist es still. Nur die eintönige Radiostimme, die den Wetterbericht vorliest, dringt aus Jan-Eriks Zimmer.

Vendela öffnet die Tür, ohne anzuklopfen.

Ihr Bruder liegt auf dem Boden und hört Radio. Er scheint sie zu erwarten und lächelt sie an.

Vendela geht in die Hocke und sieht in seine meerblauen Augen.

»Papa ist weggegangen, Jan-Erik«, sagt sie langsam und deutlich. »Er ist hinunter zum Steinbruch gegangen, wo er immer gearbeitet hat.«

Jan-Erik blinzelt.

»Sie werden dich auch bald abholen, und mich auch. Aber wir werden nicht auf sie warten. Verstehst du mich?« Vendela zeigt in die Richtung, wo die Alvar anfängt. »Wir werden zu den Elfen gehen.«

Er lächelt sie unverwandt an.

»Na, komm mit.«

Aber Jan-Erik bleibt auf seiner Decke sitzen und streckt ihr die Arme entgegen. Er will getragen werden. Ihr dringt sein säuerlicher Gestank in die Nase, und sie hebt den Finger.

»Aber du musst zuerst baden.«

Sie zerrt die Badewanne in die Küche, pumpt mehrere Eimer Wasser aus dem Brunnen und wärmt es auf dem Holzofen. Als alles vorbereitet ist, trägt sie ihren Bruder die Treppe hinunter. Er ist federleicht, mager und knochig.

Jan-Erik kichert nervös, während er sich selbst langsam ins Wasser sinken lässt, das sich schon nach wenigen Minuten grauschwarz färbt. Seinen Körper wäscht er selbst, Vendela hilft nur beim Gesicht. Sie reibt ein Küchenhandtuch mit Seife ein und entfernt damit vorsichtig den Eiter und das getrocknete Blut.

Darunter kommen geheilte Narben und Risse in der Haut zum Vorschein, aber sie ist frischer und gesünder als erwartet. Jan-Erik fängt an, wie ein Mensch auszusehen.

Nachdem er abgetrocknet ist, schneidet sie ihm die Nägel. Sie holt ein frisches Hemd und eine Hose aus Henrys Kleiderschrank und krempelt sie hoch, damit sie ihm passt.

»So, und jetzt gehen wir.«

Vendela trägt ihn aus dem Haus und spürt, wie er sein Kinn auf ihre Schulter legt. Dann geht sie noch einmal hinein und holt den Rollstuhl. Dann machen sie sich auf den Weg über den Kuhpfad in die Alvar.

Sie spricht leise mit ihrem Bruder:

»Die Elfen werden uns helfen, Jan-Erik. Es ist schöner bei ihnen.«

Aber Jan-Erik lacht nur. Er drückt seinen Rücken gegen die Lehne und zieht die Beine an.

Vendela entscheidet sich für die Strecke zwischen den Bäumen hindurch, damit sie niemand sehen kann. Diesen Weg ist sie so oft hinter den Kühen hergelaufen, den Kuhstock in der Hand.

Sie haben die Wiesen schon fast überquert und sind weit vom Haus entfernt, als Vendela plötzlich einfällt, dass sie mehr als nur die Opfergabe für die Elfen hätte mitnehmen sollen. Decken und etwas zu essen nämlich, aber dafür ist es nun zu spät.

Sie schiebt den Rollstuhl über das Gras. Der Boden ist feucht, die Räder sind groß, und sie kommen nur langsam vorwärts.

Sie lassen das letzte Gatter hinter sich und stehen auf der Alvar.

Unter dem gewaltigen, blauen Himmel geht Vendela mit ihrem Bruder zielstrebig auf den Wasserstreifen am Horizont zu. Die untergehende Sonne im Rücken, fährt sie den Rollstuhl zwischen den großen Seen der Alvar hindurch. Direkt auf den dichten Kreis aus Wacholdersträuchern zu.

»Wir sind gleich da«, sagt sie.

Sie kann den Elfenstein schon sehen und spannt die Muskeln an, um die letzten Meter schneller voranzukommen.

Abrupt stoppt die Fahrt. Vendela ist mit den Rädern in die Nähe eines der Schmelzwasserseen geraten, wo das Gras im Wasser steht und der Boden dadurch weich und nachgiebig ist. Der Rollstuhl sinkt langsam zur Seite.

Die großen Räder sind in dem lehmigen Boden stecken geblieben.

Zuerst bleibt Jan-Erik im Stuhl sitzen, während Vendela daran zieht und zerrt, um ihn frei zu bekommen. Schließlich steigt er aus und stellt sich daneben.

Vendela hofft insgeheim, dass er anfängt zu laufen und sie gemeinsam weitergehen können. Aber er bleibt reglos stehen. Lächelnd beobachtet er ihren Kampf mit dem Rollstuhl.

Schließlich gibt sie auf und lässt den Stuhl zurück. Sie streckt ihrem Bruder die Arme entgegen und hebt ihn hoch, obwohl sie kaum noch Kraft in den Beinen hat.

Dann setzen sie ihren Weg zu dem Kreis aus Wacholdersträuchern fort.

Die letzten Schritte bis zum Elfenstein schleppt sie Jan-Erik, Meter für Meter. Der Körper in ihren Armen ist vollkommen entspannt, während sie schwitzt und ihre Muskeln krampfen. Er hat auch sein Kinn wieder auf ihre Schulter gelegt.

Sie betreten den Kreis zwischen den Wacholdersträuchern. Dort ist der Boden trocken und hart. Vendela stellt Jan-Erik auf seine Füße, und er geht die letzten Schritte zum Stein.

Endlich sitzt er mit ausgestreckten Beinen auf dem Boden, den Rücken gegen den rauen Felsen gelehnt.

Vendela inspiziert die Oberfläche des Steins und bemerkt, dass alle Kuhlen leer sind.

Die Elfen müssen vor nicht allzu langer Zeit da gewesen sein.

Sie lässt ihre Hand in die Tasche gleiten und spürt die Silberkette zwischen den Fingern. Das letzte Schmuckstück ihrer Mutter. Sie legt sie in eine der Kuhlen.

Kümmert euch um ihn, wünscht sie sich. *Und um mich auch. Macht uns gesund und frei von Sünden.*

Sie atmet tief ein und aus. Dann lässt sie sich neben ihren Bruder zu Boden sinken und sieht zu, wie die Sonne zwischen den Sträuchern untergeht.

Der Wind raschelt in den Blättern. Schweigend sitzen sie nebeneinander, Vendela wartet. Die Vögel verstummen einer nach dem anderen, es wird immer dunkler und kälter.

Nichts geschieht. Niemand kommt. Jan-Erik bewegt sich nicht, aber sie friert erbärmlich in ihrem dünnen Kleid.

Schließlich, als die Nacht schon hereingebrochen und es eiskalt ist, kann sie nicht mehr sitzen bleiben.

»Jan-Erik, wir müssen gehen, wir müssen uns Essen und wärmere Kleidung holen.«

Er lächelt sie an und streckt ihr seine dünnen Arme entgegen, aber sie schüttelt den Kopf.

»Nein, das schaffe ich nicht. Du musst selbst gehen.«

Aber er sieht sie nur freundlich an und bleibt sitzen.

Vendela macht sich auf den Weg, dreht sich aber noch einmal um.

»Warte hier auf mich, Jan-Erik. Ich komme, so schnell es geht, zurück.«

53

Das Kronan-Gymnasium in Kalmar bestand aus einer Ansammlung roter Backsteingebäude, die einen halben Häuserblock umfassten. Per erreichte es eine halbe Stunde vor zwölf, es wurde noch unterrichtet. Er lief durch lange, menschenleere Flure und nahm die Treppe ins Schulsekretariat.

Im Vorzimmer saß eine junge Frau, die unmöglich vor fünfzehn Jahren schon dort gearbeitet haben konnte. Als er eintrat, begrüßte sie ihn freundlich:

»Kann ich Ihnen helfen?«

»Vielleicht«, sagte Per. »Ich bin auf der Suche nach einer ehemaligen Schülerin, die Anfang der Achtzigerjahre hier war.«

»Wie heißt sie denn?«

»Das weiß ich leider nicht. Aber ich habe ein Foto von ihr.«

Er griff in seine Jackentasche und zeigte ihr das Foto des blonden Mädchens, das Gerlof in einer der *Babylon*-Ausgaben entdeckt hatte. Er hatte den Kopf aus der Zeitschrift ausgeschnitten und ihn auf ein weißes Stück Papier geklebt.

»Ich habe ein altes Häuschen auf Öland geerbt«, erzählte er, »und dieses Foto lag in einer Schublade, zusammen mit einem Tagebuch und noch anderen Unterlagen. Ich würde sie gerne finden und es ihr wiedergeben.«

Er beobachtete die Frau, ob seine Lügengeschichte Erfolg hatte. Ausgiebig betrachtete sie das Foto und fragte dann:

»Wie haben Sie denn herausbekommen, dass sie auf diese Schule hier gegangen ist?«

Lüg so wenig wie möglich, ermahnte sich Per.

»Nun ja, das weiß ich, weil ... weil es noch andere Fotos gab, auf denen sie den Pullover der Schuluniform trug.«

Das Letzte war die Wahrheit, denn Gerlof hatte tatsächlich im Hintergrund eines der Pornofotos den Pullover entdeckt, der über einem Stuhl hing. Der war offensichtlich bei den Aufnahmen übersehen worden. Er hatte die Aufschrift KRONANSKOLAN

1983–1984, einer der wenigen Hinweise darauf, dass Jerrys Mädchen mitnichten Phantasiegeschöpfe waren.

»In Ordnung«, sagte die junge Frau, »Sie sollten wohl eher mit einem unserer Mathematiklehrer sprechen, Karl Harju. Er ist seit den Siebzigern auf dieser Schule.«

Sie stand auf und führte Per durch die noch immer leeren Flure bis zur geschlossenen Tür eines Klassenzimmers.

»Sie können hier so lange warten. Es ist gleich Pause.«

Per musste sich nur fünf Minuten gedulden, dann sprang die Tür auf, und eine wilde Horde von Gymnasialschülern stürmte aus dem Zimmer, lachend und kreischend, und verschwand den Gang hinunter. Er sah ihnen hinterher und stellte fest, dass seine Kinder in wenigen Jahren in demselben Alter sein würden.

Seine *beiden* Kinder.

Im Klassenzimmer stand ein älterer Mann in einer grünen Strickjacke. Mit ruhigen Bewegungen wischte er Gleichungen von der Tafel.

»Herr Karl Harju?«

»Ja, das bin ich«, sagte der Mann mit einem finnlandschwedischen Akzent.

»Wunderbar, ich wollte Sie gerne bei einer Angelegenheit um Hilfe bitten ...«

Per ging auf ihn zu und präsentierte ein weiteres Mal die Mischung aus Lüge und Wahrheit. Am Ende hielt er das ausgeschnittene Foto hoch.

»Erkennen Sie das Mädchen wieder?«, fragte er.

Der Lehrer betrachtete das Bild lange und eingehend mit gerunzelter Stirn. Dann nickte er.

»Sie hieß Lisa, glaube ich«, sagte er. »Warten Sie mal eben hier.«

Dann verschwand er aus dem Klassenzimmer und war etwa zehn Minuten später mit einem Ordner unter dem Arm zurück.

»Wir hatten damals ja noch keine Computer für die Archivierung«, erläuterte er. »Eigentlich sollten wir alles nachtragen, aber ...«

Er schlug den Ordner auf und holte ein Papier heraus. Per erkannte, dass es eine alte Klassenliste war.

»Stimmt, sie hieß tatsächlich Lisa«, nickte der Lehrer. »Lisa Wegner, sie war ein bisschen still, aber angenehm und nett, das kann man schon auf dem Foto erkennen. In der Klasse gab es eine richtige Mädchenbande, Lisa und Petra Blomberg, Ulrica Ternman und Madeleine Frick.«

Per sah, dass hinter den Namen Adressen und Telefonnummern standen, aber die waren selbstverständlich auch fünfzehn Jahre alt.

»Kann ich mir die Daten abschreiben?«

»Sie können die Liste im Lehrerzimmer kopieren!«, schlug Herr Harju vor.

Nachdem er die Kopie gezogen hatte, reichte Herr Harju sie Per und fragte:

»Was ist eigentlich aus Lisa geworden, wissen Sie das zufällig? Dieses Foto scheint ja aus einer Zeitschrift ausgeschnitten worden zu sein.«

»Ja, es stammt wohl aus einer Zeitschrift«, sagte Per. »Sie war vermutlich für eine kurze Zeit ein Fotomodell.«

»Da sieh mal einer an!«, der Lehrer lächelte. »Als Pauker ist man doch auch immer neugierig, was aus den Schützlingen geworden ist.«

Per kehrte ins Sekretariat zurück und bat darum, einen Blick ins örtliche Telefonbuch werfen zu können.

Nur eines der Mädchen aus der Kronan-Bande schien noch im Landkreis Kalmar zu leben, Ulrica Ternman. Die Adresse war eine Straße in Randhult, ein Ort im Süden der Stadt.

Er notierte sich Anschrift und Telefonnummer, setzte sich in seinen Wagen und wählte die Nummer von seinem Handy aus:

»Hallo«, sagte eine männliche Stimme, »dies ist der Anrufbeantworter von Ulf, Hugo, Hanna und Ulrica. Wir sind momentan nicht zu Hause, aber Sie können gerne eine Nachricht ...«

Per wollte gerade auflegen, als ein Frauenstimme die Ansage unterbrach:

»Hallo?«

Per drückte das Handy ans Ohr.

»Hallo? Sind Sie Ulrica Ternman?«

»Ja, mit wem spreche ich?«

»Ich heiße Per Mörner. Sie kennen mich nicht, aber ich bin auf der Suche nach einer Frau namens Lisa Wegner. Ist das richtig, dass Sie früher miteinander befreundet waren?«

Auf der anderen Seite der Leitung herrschte Schweigen, als würde der Name nicht sofort eine Erinnerung wecken.

»Lisa? Doch natürlich, wir sind zusammen zur Schule gegangen«, sagte sie schließlich, »aber wir haben gar keinen Kontakt mehr. Sie wohnt im Ausland.«

»Oh, wie schade, und Sie haben auch keine Telefonnummer von ihr?«

»Nein, sie ist als Aupair nach Belgien oder Frankreich gegangen und hat dann dort geheiratet, glaube ich – aber was wollen Sie denn von ihr?«

»Ich vermute, dass sie früher einmal mit meinem Vater gearbeitet hat, Jerry Morner.«

Wieder herrschte Schweigen.

»Wie hieß Ihr Vater?

»Morner ... Gerhard ›Jerry‹ Morner.«

Ulrica Ternman senkte die Stimme.

»Meinen Sie den, der diese ... diese Zeitschriften herausgegeben hat? Das war Ihr Vater?«

»Ja, das stimmt. Er hat zwei Zeitschriften herausgegeben. *Babylon* und *Gomorra*. Kennen Sie ihn auch?«

»Ja, schon ...«

»Tun Sie das wirklich?« Dann begriff Per, beziehungsweise, er meinte zu verstehen. »Sie haben also auch mit ihm gearbeitet?«

Erst war es still, dann hörte er ein Klicken.

Per wartete fünfzehn Sekunden, dann drückte er auf die Wiederwahltaste.

Ulrica Ternman hob nach dem fünften Klingelzeichen ab. Per übernahm die Führung wie ein erfahrener Telefoninterviewer.

»Hallo, Frau Ternman, wir haben gerade miteinander telefoniert ... ich glaube, das Gespräch wurde irgendwie unterbrochen.«

Er meinte einen Seufzer hören zu können.

»Was wollen Sie von mir?«

»Ich würde Ihnen nur gerne ein paar Fragen stellen, dann lasse ich Sie auch gleich wieder in Ruhe. Stimmt es, dass Sie auch für Jerry Morner gearbeitet haben?«

Erneut ein Seufzer.

»Nur ein einziges Mal«, flüsterte sie. »Ein einziges Wochenende.«

Per drückte das Handy fest ans Ohr.

»Ulrica, ich würde mich sehr gerne mit Ihnen darüber unterhalten.«

»Aber warum denn?«

»Weil mein Vater tot ist.«

»Wirklich?«

»Ja, er starb bei einem Autounfall. Und es gibt einige Sachen, von denen er mir nie erzählt hat. Womit er sich beschäftigt hat und so.«

»Aha? Sie hatten also nichts damit zu tun?«

»Nein«, antwortete Per. »Aber andere, andere Männer.«

»Ja, ich weiß«, sagte Ulrica Ternman mit müder Stimme. »Aber ich kann Ihnen gar nicht viel erzählen.«

»Können wir es versuchen?«

»In Ordnung«, sagte sie nach einer kleinen Pause. »Kommen Sie morgen Abend zu mir, aber vor sieben Uhr.«

»Gut, ich wohne auf Öland, wo liegt Randhult?«

»Fünfundzwanzig Kilometer südlich von Kalmar«, sagte sie. »Das ist ausgeschildert, ich wohne in dem einzigen Backsteinhaus neben einer Scheune.«

»Vielen Dank.«

Per hatte auf seinem Weg zur Schule am Krankenhaus angehalten, aber Nilla hatte geschlafen. Nach seinem Besuch im Kronan-Gymnasium fuhr er nun erneut bei ihr vorbei.

Marika war nicht da, aber Nilla war wach, von der Infusion, die in ihrem Arm steckte, ans Bett gefesselt.

»Hallo, Papa«, begrüßte sie ihn, bewegte sich aber nicht.

»Wie geht es dir?«

»Na ja ... geht so.«

»Hast du Schmerzen?«

»Nein, nicht besonders.«

»Was ist denn dann los mit dir, mein Schatz? Bist du einsam?«

Nilla zögerte erst, dann nickte sie.

Per hatte noch die Horde von Teenagern vor Augen, die an ihm vorbeigerast waren.

»Würdest du deine Freunde gerne wiedersehen?«

Nilla schwieg.

»Deine Klassenkameraden vielleicht?«, schlug Per vor. »Wenn du sie anrufst, kann ich losfahren und sie abholen!«

Nilla gab keine Antwort, lächelte nur schwach und schüttelte den Kopf.

Seit er sie am Samstag zum letzten Mal gesehen hatte, war sie noch stiller und kleiner geworden. Geblieben war nur ein Lächeln, das aber meistens müde war. Per versetzte es jedes Mal einen Stich ins Herz, wenn er sie so sah, es nahm ihm fast die Luft. Keine Dreizehnjährige sollte so traurig aussehen.

»Nein«, sagte sie schließlich und drehte sich zur Wand. »Ich will sie nicht sehen.«

»Nicht?«

Nilla hustete, schluckte und flüsterte die Antwort:

»Sie sollen mich so nicht sehen.«

Eine schier unerträgliche Stille senkte sich über sie, dann bemerkte Per, dass seine Tochter leise weinte. Er setzte sich auf ihre Bettkante und legte seine Hand auf ihren Rücken.

»Was ist los, Nilla? Erzähl es mir, dann finden wir eine Lösung.«

Ihr liefen die Tränen über die Wangen, als sie ihm erzählte, was geschehen war.

Als Per eine Stunde später in Stenvik ankam, zog er sich sofort die Joggingschuhe an und lief los. Ihm war vollkommen egal, wohin, Hauptsache weg. Im Gegenwind rannte er am Steinbruch entlang, dann hinunter zum Wasser und danach wieder ins Landesinnere, er wurde immer schneller, bis seine Lungen brannten und die Oberschenkel steinhart waren.

Er blieb auf einer Felsplatte stehen, verschnaufte und hielt den Kopf in den Wind. Er wollte sich übergeben, aber es ging nicht.

Er dachte unentwegt an Nilla.

Vor Wochen schon hatte er erkannt, dass dieses Schulhalbjahr verloren war. Aber Nilla sollte im Herbst zurück in die Schule gehen können. Zu ihren Klassenkameraden.

Sie musste zurück.

Das war der einzige Gedanke, der ihm durch den Kopf schoss. Und sie sollte nicht nur zurückkehren können: Sie sollte mit ihren Freunden zusammen gesund und fröhlich aus dem Klassenzimmer stürmen können. Sie sollte wieder Basketball spielen, Hausaufgaben machen, zu Schulfeten gehen und sturmfreie Bude zu Hause haben können.

Dann sollte sie aufs Gymnasium wechseln und sich nachts nach einer Party heimlich ins Haus schleichen, während Per tat, als ob er schliefe. Sie sollte durch Europa reisen und fremde Sprachen lernen können.

Nilla musste wieder in die Schule gehen, eine Zukunft haben. Ihre Zukunft war nicht mehr als die Gegenwart, aber bald würde sie ihr altes Ich zurückbekommen. Er würde alles dafür tun.

Per traf auf eine bemooste Steinmauer und folgte ihr eine Weile, dann kletterte er hinüber. Er befand sich am Rand der Alvar. Alles Wasser war verdunstet. Der Boden war trocken und hart, und er lief weiter zwischen den Büschen und Sträuchern hindurch.

Es dauerte eine Weile, bis er bemerkte, dass er verfolgt wurde. Ein Rascheln ließ ihn anhalten und sich umdrehen.

Er war umgeben von einem Dickicht aus Büschen und hörte genau, wie ihm jemand in gleichmäßigem Tempo folgte.

Er hielt die Luft an, er musste sofort an Markus Lukas denken und ging in die Hocke. Er hatte nichts, um sich zu verteidigen – die Axt und die anderen Waffen lagen alle im Haus.

Da tauchte plötzlich eine Gestalt zwischen den Sträuchern auf und entdeckte ihn sofort. Entwarnung.

Es war Vendela Larsson. Sie war so außer Atem wie er und hielt in ein paar Metern Entfernung, um zu verschnaufen.

Sie grüßten sich nicht, sondern atmeten im Takt und sahen sich dabei in die Augen. Per entdeckte eine große Müdigkeit in Vendelas Gesicht, sie war nicht nur physisch erschöpft. Er streckte sich und holte tief Luft.

»Mein Vater ist tot«, sagte er.

Vendela trat nah an ihn heran und legte ihre Hand auf seine Wange.

»Das tut mir furchtbar leid«, sagte sie.

Per nickte.

»Und Emil ist auch gestorben.«

Vendela erwiderte nichts, sie ließ ihre Hand, wo sie war, und sah ihn fragend an.

Da erzählte er ihr alles.

»Er starb Sonntagabend. Er hat sich im Krankenhaus eine Infektion geholt und war zu schwach, um dagegen anzukämpfen. Nilla hatte sich in ihn verliebt, sie weinte die ganze Zeit, während sie es mir erzählte. Sie hat geweint und geweint, und ich wusste einfach nicht, was ich sagen sollte.«

Vendela hob ihre Arme und drückte ihn sacht an sich.

Eigentlich wollte Per nicht umarmt werden. Es gab keine Liebe auf dieser Welt.

Sie standen schweigend aneinandergeschmiegt und hielten sich lange fest. Nach einer Weile bemerkte Per, dass sie im selben Rhythmus atmeten. Lange, tiefe Atemzüge.

Dann löste sie sich langsam von ihm.

Sie nickte zu dem Labyrinth aus Büschen und Steinen, das vor ihnen lag.

»Komm mit. Ich möchte dir etwas zeigen.«

54

Vendela hatte an diesem Montagabend Max insgesamt achtmal angerufen, sowohl auf seinem Handy als auch auf ihrem Fest-netzanschluss in der Stadt. Aber erst beim neunten Mal ging er ran. Zu diesem Zeitpunkt war Vendela nicht mehr in der Lage, ihre Stimme beherrscht und ruhig klingen zu lassen. Sie schrie in den Hörer:

»Ally muss hier sein, Max. Hier auf der Insel!«

»Aber jetzt ist er eben hier.«

»Ihm geht es nicht gut in der Stadt!«

»Das werden wir ja sehen«, erwiderte Max. »Ich gehe auf jeden Fall morgen früh mit ihm zum Tierarzt. Dann werden wir erfahren, was mit ihm los ist.«

Vendela drückte den Hörer fest ans Ohr.

»Er wird wieder gesund. Wenn er bei *mir* ist!«

»Das redest du dir ein!«

Max' Stimme klang ruhig und beherrscht, Vendela wurde noch wütender, als sie merkte, wie sehr er seine Überlegenheit genoss.

»Bring ihn wieder zurück, Max. Fahr bitte direkt nach dem Tierarzt hierher.«

»Natürlich, wir kommen bald. Du kannst ja in der Zwischenzeit ein bisschen joggen gehen.«

Vendela wusste, worauf er anspielte, und seufzte.

»Ich bin ganz alleine hier, Max«, sagte sie leise. »Alle Nachbarn sind abgereist.«

»Das heißt, du behältst sie alle im Auge, ja?«

Vendela kommentierte das nicht, es hatte keinen Zweck.

»Komm morgen mit Ally nach Hause«, sagte sie und legte den Hörer auf.

Sie blieb am Fenster stehen und starrte hinaus in die karge Landschaft. Sie hörte klagende und schreiende Laute und dachte zuerst, ein Kind würde weinen, aber dann sah sie die Sturmmöwen, die an der Küste entlang nach Süden flogen.

Sie war wie betäubt von Wut und Hunger, wollte aber nichts essen. Sie wollte nur raus und laufen.

Eine Viertelstunde später lief sie los und sah sofort, dass Per Mörners Wagen wieder vor dem Haus stand.

Aber sie klopfte nicht an, sondern lief hinaus in die Alvar, die Sonne im Rücken und den Blick in die Ferne gerichtet. Ihre Arme und Beine bewegten sich mechanisch. Sie wurde zu einer Maschine, fand keinen richtigen Rhythmus, kam aber schnell voran.

Da bemerkte sie, dass sie nicht allein war. Vor ihr rannte eine Gestalt durchs Dickicht.

Per Mörner. Er hatte seine blaue Trainingsjacke an, trug aber an diesem sonnigen Abend kurze Hosen.

Vendela beschleunigte ihr Tempo und holte ihn langsam ein.

Sie rief ihm nicht zu, aber er drehte sich schließlich um, als sie sich bis auf fünfzig Meter genähert hatte.

Sie starrten einander an – aber Vendela musste erst verschnaufen, bevor sie reden konnte, und auch Per schien am Ende seiner Kräfte zu sein.

Wenige Minuten später, als sie einander schweigend umarmten, beschloss Vendela, Per mit zum Elfenstein zu nehmen. Deshalb nickte sie zu dem Labyrinth aus Büschen und Steinen, das vor ihnen lag, und sagte:

»Komm mit. Ich möchte dir etwas zeigen.«

Sie fand den Weg durch das dichte Gestrüpp, ohne nachdenken zu müssen, und Per folgte ihr. In gleichem Tempo liefen sie nebeneinander.

Vendela wurde erst langsamer, als sie das kleine Wäldchen aus Wacholdersträuchern sah. Per hielt an und musste erst verschnaufen, er war vollkommen aus der Puste.

»Hier ist es«, sagte sie und ging voraus.

Sie betraten den dichten Kreis aus Sträuchern, in dessen Mitte der Elfenstein aufragte. Wie immer beschleunigte sie ihr Tempo, um schneller hinzukommen, und sie vergaß für einen Moment, dass sie nicht allein war. Aber Per folgte ihr und stellte sich neben den Felsen.

»Das ist ein großer Stein«, stellte er nüchtern fest.

»Ja, ein großer Stein«, wiederholte Vendela. »Bist du hier noch nie gewesen?«

Er verneinte.

»Aber du offensichtlich.«

Sie legte die Hände auf die Oberfläche und strich mit den Fingerspitzen über die Steinschälchen.

»Ja, sehr oft. Das ist ein alter, heiliger Ort. Die Menschen kommen hier seit Jahrhunderten her, um den Rest der Welt für eine Weile zu vergessen.«

Per sah sich um.

»Das scheint mir ein geeigneter Ort dafür zu sein.«

»Ein geeigneter Ort? Ich weiß nicht. Aber die Zeit vergeht hier seltsamerweise langsamer. Und man kann in Ruhe sitzen und bitten.«

»Bitten?«

Vendela nickte.

»Um Hilfe und Gesundheit bitten!«

»Du meinst die heilende Kraft Gottes?«, fragte Per.

»Ja, so etwas in der Art.«

Sie ließ sich ins Gras sinken und lehnte sich mit dem Rücken gegen den Stein. Per zögerte einen Moment, dann setzte er sich neben sie.

So saßen sie nebeneinander mit ausgestreckten Beinen und betrachteten das Naturschauspiel, wie die untergehende Sonne die Wolken dunkelrot färbte.

»Weiß dein Mann, wo du bist?«, fragte Per.

Vendela wusste nicht, wie viel sie erzählen konnte.

»Max ist gar nicht da«, begann sie. »Er hat meinen Hund mit zurück nach Stockholm genommen, um mit ihm zum Tierarzt zu gehen. Und ... wir haben uns darüber fürchterlich zerstritten. Ich habe ihm widersprochen, und das ist er von mir nicht gewöhnt. Es hat ihn wütend gemacht.«

Per schwieg und wartete ab.

»Aber er kommt bestimmt bald wieder zurück, wie ein Gummiball. Er braucht mich.«

»Inwiefern?«, fragte Per.

»Ich helfe ihm bei seinen Büchern.«

»Wie meinst du das? Willst du damit sagen, dass du ...«

»Ich sorge dafür, dass sie fertig werden.«

Per sah sie entgeistert an.

»Du schreibst seine Bücher?«

»Ja, manchmal«, seufzte sie. »Wir helfen uns gegenseitig. Aber Max ist der Meinung, dass es besser und einfacher zu handhaben ist, wenn nur er auf dem Cover steht und als alleiniger Autor in Erscheinung tritt.«

»Zumindest besser für ihn!«, stellte Per fest. »Ich glaube, das nennt man ›Torpedo‹, wenn man seinen Namen jemandem leiht, der lieber anonym bleiben will.«

»Ja, vielleicht ..., aber Max hat auch kein Problem damit, berühmt zu sein. Ich stehe nicht so gern im Rampenlicht.«

Sie hatte immer schon Schwierigkeiten gehabt, offen über ihren Mann zu sprechen, hatte immer das Gefühl, sie würde ihm in den Rücken fallen. Und dennoch fuhr sie fort:

»Max liebt es, im Mittelpunkt zu stehen, und er hat ein sehr ausgeprägtes Selbstbewusstsein. Zum Beispiel hat er in diesem Frühjahr ein Kochbuch geschrieben, obwohl er kaum Wasser kochen kann. Ich wünschte mir, ich hätte nur einen Hauch von dieser Selbstsicherheit. Ich bin eine Weile zur Therapie gegangen, und da habe ich Max kennengelernt.«

»Was, er war dein Therapeut?«

Vendela nickte.

»Ich habe mich in ihn verliebt, und wir sind ein Paar geworden. Aber da bekam er mit dem Verband der Psychotherapeuten Ärger. Ein Psychotherapeut darf seine Patientin nicht verführen, das ist unethisch. Max wurde furchtbar wütend und entschied sich dafür, den Beruf aufzugeben und stattdessen Schriftsteller zu werden. Und er kostete den Triumph aus, als seine Bücher zu Bestsellern wurden.«

»Warum hast du mit der Therapie angefangen?«, fragte Per nach einer Weile des Schweigens.

»Das weiß ich nicht mehr. Vielleicht, um eine traurige und anstrengende Kindheit verarbeiten zu können, das ist doch meistens der Grund!«

»Hattest du denn eine traurige und anstrengende Kindheit?«

»Ja, die war nicht schön«, seufzte Vendela. »Meine Mutter starb sehr früh, und mein Vater lebte in seiner Traumwelt. Ich hatte außerdem einen großen Bruder, Jan-Erik. Wir lebten zusammen in einem Haus, aber er wollte nie in Kontakt mit mir treten. Seine Tür war immer verschlossen. Ich hatte lange gedacht, im ersten Stock würde ein altes Monster wohnen.«

»Aber ihr seid euch doch eines Tages begegnet?«

»Schon, aber er hat mir eine furchtbare Angst eingejagt. Er war geistig behindert – früher hat man das ›geisteskrank‹ genannt. Und er sah schrecklich aus.«

»Schrecklich?«

»Jan-Erik war allergisch, wie ich auch, aber viel schlimmer. Ich glaube, es war eine Verbindung aus Allergien, Asthma und empfindlicher Haut. Er hatte lange, ungepflegte Nägel, mit denen er sich kratzte und die Haut einritzte, woraufhin er Ekzeme bekam.«

»Das klingt ja fürchterlich«, sagte Per voller Mitgefühl.

»Das war es auch, aber früher hat man solche Menschen nicht behandelt, man hat sie weggesperrt. Er wurde verurteilt, weil er angeblich eine Scheune angezündet hatte, und dann wollten sie ihn in eine Anstalt auf dem Festland schicken. Er wäre zusammen mit Sexualverbrechern und Psychopathen untergebracht worden. Aber das ging nicht.«

»Das ging nicht?«

»Nein, ich habe es nicht zugelassen und ihm geholfen zu fliehen.«

Da verstummte sie und erzählte nicht weiter.

Die Sonne berührte bereits die Baumwipfel an der Küste, in weniger als einer Stunde würde es ganz dunkel sein.

Per war in seinen eigenen Gedanken versunken und betrachtete die roten Wolken:

»Es gibt keine Liebe und Rücksicht in dieser Welt, nur Egoismus. Das hat er mir früh gepredigt. Aber als ich erwachsen wurde, habe ich versucht, ihm zu beweisen, dass er nicht recht hatte.«

Vendela drehte sich zu ihm.

»Von wem sprichst du?«

»Von meinem Vater.«

Vendela streckte Per ihre Hand hin, und er griff danach. Seine Hand war kalt und schmal, wie ihre.

»Und jetzt ist Jerry weg, und ich habe Angst vor dem Erbe, das er mir hinterlassen hat.«

»Was hat er denn hinterlassen?«

»Traurige Erinnerungen und einen Haufen Probleme.«

So saßen sie eine Weile, Hand in Hand. Die Sonne war untergegangen, der Himmel verdunkelte sich, und sie redeten miteinander. Als es zu kalt wurde, standen sie auf und machten sich auf den Heimweg.

In der Auffahrt zu Pers Haus blieben sie stehen.

Er öffnete den Mund, wusste aber nicht, was er sagen oder tun sollte. Und auch Vendela wusste es nicht.

»Hier wohne ich«, sagte er schließlich unbeholfen und wandte sich zum Gehen.

Sie blieb einen Moment unschlüssig stehen und überlegte, ob sie ihm folgen sollte.

Aber was würde er dann tun? Was würde sie tun? Die vielen

Möglichkeiten erstreckten sich wie eine weitverzweigte Fluss-
landschaft vor ihr.

»Schlaf gut, Per.«

Vendela machte sich auf den Nachhauseweg in ihr dunkles
Märchenschloss.

55

Per saß an seinem Küchentisch, hielt das Telefon in der Hand
und starrte aus dem Fenster. Er konnte keine unbekannten Autos auf der Küstenstraße ausmachen, und in den vergangenen
Tagen hatten ihn auch keine anonymen Anrufe belästigt. Trotzdem fiel es ihm an diesem Morgen sehr schwer, sich zu entspannen.

Eigentlich hatte er sich vorgenommen zu arbeiten, aber er
hatte keine Lust, sich noch weitere gefälschte Meinungen über
Seife auszudenken. Stattdessen beschloss er, Jerrys Angelegen-
heiten zu regeln.

Zuerst rief er bei Jerrys Bank in Kristianstad an, um herauszufinden, wie es um die Finanzen seines Vaters bestellt war. Die
entscheidende Frage war, ob Per etwas erben würde.

Aber das schien nicht der Fall zu sein. Zweiundzwanzigtau-
send Kronen lagen auf Jerrys Bankkonto. Zusätzlich gab es ein
paar Volvo-Aktien – was geradewegs zynisch war, da Jerry sich
zeit seines Lebens geweigert hatte, schwedische Autos zu fahren.
Es gab weder kostbare Kunst, teure Weine noch Luxusautos.

Alles war weg. Morner Art war eine insolvente Firma.

»Ihr Vater war zwar noch nicht mittellos, aber stand kurz davor«, erläuterte der Bankangestellte, der als Jerrys Nachlassverwalter eingesetzt war.

»Aber er hatte früher doch so viel Geld?«

»Ja, das stimmt. Die Aktiengesellschaft hatte Kapital. Aber Ihr Vater hat in den letzten Jahren einige größere Summe abgehoben. Und das Anwesen in Ryd ist im Moment eine Versicherungsangelegenheit ... Sie verfügen also im Großen und Ganzen über ein Vermögen, das die Kosten der Beerdigung decken wird.«

Dann kann ich ihm wenigstens eine ordentliche Bestattung organisieren, dachte Per.

Er hatte geahnt, dass er nicht viel von seinem Vater erben würde, zumindest nichts von Wert. Dafür hatte er ihm andere Dinge hinterlassen.

»Sagen Sie, diese Summen, die aus dem Kapital der Aktiengesellschaft genommen wurden, waren das Gehaltszahlungen an ihn selbst?«

»Nein«, erwiderte der Nachlassverwalter. Er drückte ein paar Tasten auf seinem Computer und las dann ab: »Es waren Gehaltszahlungen und zusätzliche Rentenbeiträge an einen Angestellten, einen Hans Bremer.«

Nach dem Telefonat saß Per eine Weile reglos am Tisch und dachte nach. Weshalb Hans Bremer? Warum hatte er so viel Geld bekommen? Und wo war das ganze Geld geblieben? Seine Schwester hat davon auf jeden Fall nichts gesehen.

Plötzlich fiel ihm der Zettel wieder ein, den er in Bremers Küchenschrank gefunden hatte. Der Zettel mit den vier Namen.

Die Hose hatte er schon in den Wäschekorb geworfen, aber er steckte zum Glück noch in der Tasche.

Per legte ihn vor sich auf den Tisch und konzentrierte sich auf die vier Namen INGRID, CASH, FONTENE und DANIELE, hinter denen vier Telefonnummern standen.

Ingrid war Bremers Schwester, die musste er nicht anrufen – aber die anderen drei waren ihm unbekannt. Er entschied sich, sein Glück bei der ersten Nummer hinter dem Namen »Cash« zu probieren. Es schien eine Handynummer zu sein. Oder sollte er diese ganze Sache einfach auf sich beruhen lassen?

Möglicherweise, aber die Alternative war, unentwegt an Tumore zu denken. Entschlossen griff er zum Hörer.

Dreimal klingelte es, dann ertönte eine energische Männerstimme:

»Fall.«

»Hallo«, sagte Per, »mein Name ist Per Mörner.«

»Ja, bitte?«

»Ich rufe Sie wegen Hans Bremer an, kennen Sie ihn?«

Es war einige Sekunden still in der Leitung, Per konnte Stim-
mengewirr im Hintergrund hören wie bei einer Konferenz:

»Bremer ist tot.«

»Ja, ich weiß«, antwortete Per. »Ich versuche nur, ein bisschen
mehr über ihn in Erfahrung zu bringen.«

»Warum denn?«

»Mein Vater hat jahrelang mit ihm zusammengearbeitet, und
ich möchte gerne wissen, was für ein Mensch er war. Sie kannten
ihn doch, oder?«

Erneut hörte Per ausschließlich die Hintergrundgeräusche,
bevor die Antwort kam:

»Ja.«

»Und Sie heißen Fall?«

»Ja, Thomas Fall.« Der Mann klang zurückhaltend. »Woher haben Sie meine Nummer?«

Per erzählte ihm die Geschichte mit dem Zettel in Bremers
Küchenschrank, und da schien Thomas Fall sich langsam zu entspannen.

»Er hatte ›Cash‹ neben Ihre Nummer geschrieben, warum hat
er das getan?«, fragte Per.

Fall lachte leise.

»So hat er mich manchmal genannt. Ich habe damals viel John-
ny Cash gehört, als wir uns kennenlernten. ›The man in black‹.«

»Waren Sie mit Bremer verwandt?«

»Nein, er war mein Lehrer in Fotografie in Malmö. Ich hatte
Mitte der Siebziger einen Abendkurs besucht, um mich zum
Werbefotografen ausbilden zu lassen. Und Bremer war Lehrer an
dieser Schule. Aber ein Jahr später hörte er auf – oder sagen wir
es lieber, wie es war: Er wurde gefeuert.«

»Wissen Sie auch, warum?«

Schweigen.

»Na ja, er war ein bisschen sonderbar. Zu uns Schülern war er immer korrekt und nett, aber sein Unterrichtsstil war etwas konfus. Außerdem trank er damals schon ziemlich viel.«

»Wussten Sie auch, dass er in der Pornobranche tätig war? Und in den Frühjahrs- und Sommermonaten Pornofilme gedreht hat?«

Fall schwieg.

»Doch, das wusste ich«, sagte er nach langem Zögern. »Darüber hat er selbst nie ein Wort verloren, aber ich habe das im Lauf der Zeit mitbekommen.«

»Aber Sie hatten all die Jahre Kontakt?«

»Ja, schon. Aber es war nicht mehr, als dass wir ab und zu telefoniert haben. Ich habe ihm manchmal ein paar Aufträge besorgt. Bremer war ganz schön einsam, glaube ich. Er hatte ja keine eigene Familie, nur eine Schwester.«

»Hat er Ihnen gegenüber jemals über einen Mann namens Markus Lukas gesprochen?«

»Nicht, soweit ich mich erinnere.«

Per überlegte, was er Thomas Fall noch fragen könnte, als der sagte:

»Aber er hat mir vor einiger Zeit eine Tasche gegeben ... Ich glaube, ich habe sie noch.«

»Eine Tasche von Bremer?«

»Er hat sie letztes Jahr vorbeigebracht. Er war ziemlich betrunken und bat mich, die Tasche unterstellen zu dürfen. Ich muss überlegen, wo ich sie hingelegt habe.«

»Hätten Sie Zeit, nach ihr zu suchen?«

»Natürlich. Ich vermute, sie liegt auf dem Dachboden.«

»Darf ich Sie wieder anrufen?«

»Gerne. Sie können mir ja auch Ihre Nummer geben.«

Per gab ihm seine Handynummer und den Anschluss auf Öland und dankte ihm für sein Entgegenkommen.

Dann legte er auf.

Bremer war ganz schön einsam, hatte Thomas Fall gesagt. Den Eindruck hatte Per auch.

Er streckte sich und wählte dann die dritte Nummer auf Bremers Zettel, sie gehörte zu dem orthografisch eigensinnigen Namen »Fontene«. Dieses Mal dauert es wesentlich länger, ehe jemand den Hörer abnahm, elf- oder zwölfmal ließ Per es klingeln.

»Hallo?«

Eine müde Männerstimme meldete sich, im Hintergrund hörte Per Lachsalven aus einem Fernseher dröhnen.

»Hallo, spreche ich mit Fontene?«

»Ja? Was gibt's?«

»Sehr gut!« Die Fernsehgeräusche waren so ohrenbetäubend laut, und der Mann sprach so leise, dass Per beinahe anfing zu brüllen.

»Ich habe Ihre Nummer von Hans Bremer.«

»Alles klar. Was willst du haben?«

»Was ich haben will?«, wiederholte Per und dachte blitzschnell nach. »Äh – was hast du denn da?«

»Gerade heute ist es nicht so viel«, sagte Fontene. »Ich habe circa zehn Liter schwedischen Schnaps und zwei Liter polnischen Wodka. Ist da was für dich dabei?«

Per begriff sofort – »die Fontäne« verkaufte selbst gebrannten Schnaps und billige Schmugglerware.

»Nein, danke«, antwortete er und wollte gerade den Hörer auflegen, als der Mann ihn fragte:

»Bremer hat hier noch was offen, was wird denn daraus?«

»Wie meinst du das?«, fragte Per gegen den Lärm der hysterischen Lachsalven.

»Er muss noch seine Schulden vom letzten Sommer berappen.«

»Und wie viel ist das?«

»Zwanzigtausend, übernimmst du das?«

»Nein«, sagte Per. »Und Bremer wird sich auch nicht mehr darum kümmern können.«

Er beendete das Gespräch und wählte die letzte Nummer auf dem Zettel. Daniele. Es war ebenfalls eine Handynummer, aber leider meldete sich mit dem ersten Klingelzeichen eine metallische Stimme, die mitteilte, dass die Nummer nicht mehr vergeben war.

So, das hatte er erledigt. Er blieb am Tisch sitzen und dachte über Jerrys toten Kompagnon nach.

Hans Bremer hatte ein Doppelleben geführt. Seine gesamte Energie hatte er anscheinend darauf verwendet, an den Wochenenden Sexfilme zu drehen, und danach war er jeweils zurück nach Malmö gefahren, um dort ein trauriges und hoch verschuldetes Dasein im Alkoholrausch zu fristen.

Per griff wieder nach dem Telefonhörer. Er rief das Bestattungsunternehmen an, um die Einzelheiten von Jerrys Beerdigung zu besprechen.

»Wie viele Gäste erwarten Sie denn?«, fragte der Bestattungsunternehmer. »So ungefähr?«

»Das weiß ich leider nicht, aber viele werden es nicht.«

Wenn er ehrlich war, fiel ihm niemand ein, den er zur Beerdigung einladen könnte. Jerrys Verwandte hatten mit ihm vor vielen Jahren gebrochen – aber vielleicht hatte auch er mit ihnen gebrochen, wer wusste das so genau –, und im Grunde hatte Jerry ein ebenso einsames Leben geführt wie sein Partner Hans Bremer.

Aber dann kam Per die Erkenntnis, dass auch er in einem ziemlich leeren Haus saß. Seine Familie war nicht da, und wie viele echte Freunde hatte er eigentlich? Wie viele würden zu seiner Beerdigung kommen?

Darüber wollte er jetzt lieber nicht nachdenken.

Eine Viertelstunde später saß er im Auto und verließ Stenvik, konnte sich aber einen heimlichen Blick zu Vendelas Haus hinüber nicht verkneifen. Er sah Licht in den hohen Fenstern und fragte sich, was sie wohl gerade machte. Ob Max zurückgekommen war? Aber er hielt nicht an, um sich danach zu erkundigen.

Randhult war keine Ortschaft so wie Stenvik – es bestand nur aus ein paar versprengten Höfen inmitten einer Ackerlandschaft, eine halbe Stunde südlich von Kalmar. Ulrica Ternman hatte ihm gesagt, dass sie in dem einzigen Backsteingebäude des Ortes lebte. Das war leicht zu finden. Per parkte auf dem Hofgelände.

Als er ausstieg, empfing ihn ein knatterndes Geräusch, und er entdeckte einen etwa zwölfjährigen Jungen, der auf dem Kiesweg zwischen den Gebäuden einen ferngesteuerten Jeep fahren ließ. Der Junge sah kurz auf, vertiefte sich aber sofort wieder in sein Spiel.

Per stieg die Treppenstufen hoch und klingelte. Eine Frau Mitte dreißig öffnete die Tür.

Sie war kein blondes Fotomodell. Ulrica Ternman trug kurze braune Haare, eine ausgeblichene Jeans und ein schwarzes Baumwollsweatshirt.

Per musste automatisch an die Worte seines Vaters denken, die er über Regina gesagt hatte: *Wurde ein altes Weib.* So hatte Jerry die Frauen eingeteilt, in heiße Bräute und alte Weiber.

»Hallo«, sagte Per und stellte sich vor.

Ulrica Ternman nickte.

»Kommen Sie doch rein.«

Sie ging den Flur hinunter.

»Ist das Ihr Sohn dort draußen?«

»Ja, das ist Hugo«, sagte sie. »Wir haben noch eine Tochter, sie heißt Hanna. Mein Mann Ulf ist mit ihr heute Abend beim Kinderturnen in der Stadt. Es ist besser, wenn sie nicht zu Hause sind.«

»Weiß er davon, dass Sie ...?«

Per suchte nach einem passenden Wort. Ulrica Ternman betrachtete ihn mit einem müden Blick.

»Sie meinen, dass ich schmutzige Sachen gemacht habe?«

»Nein, ich meinte ...«

»Ich habe ihm nie von diesem Modeljob erzählt«, unterbrach sie ihn. »Aber Ulf weiß, dass ich einige Dummheiten begangen habe, als ich jung war. Das hat er auch.«

Per zog sich die Jacke aus.

»Und Sie erinnern sich an meinen Vater Jerry?«

Sie nickte.

»Er war ein besonderer Typ Mann, so eine Mischung aus Teddybär und geiler Sack. Ich bin nicht richtig schlau aus ihm geworden.«

»Das ist wohl niemandem gelungen«, stimmte ihr Per zu.

Ulrica Ternman führte ihn in eine gemütliche Küche und setzte Kaffee auf.

»Und Jerry Morner ist tot?«

»Er starb vor ein paar Tagen.«

»Und Sie wollen mehr über ihn erfahren?«

»Ja, aber mich interessieren vor allem die Menschen, die mit ihm zusammengearbeitet haben. Er hatte zum Beispiel einen Partner, der hieß Hans Bremer.«

»Bremer, ja. Das war der Jüngere von beiden, der hatte alles im Griff und machte die Fotos.«

Sie verstummte und schien in ihre Gedanken versunken zu sein. Deshalb wagte Per eine weitere Frage.

»Wie sind Sie eigentlich an den Job bei meinem Vater gekommen?«

Ulrica lachte, aber ihre Augen lächelten nicht.

»Das ist einfach so passiert«, erzählte sie. »Ich habe überhaupt nicht darüber nachgedacht. Was denkt man schon mit neunzehn? Man entscheidet von einer Sekunde zur nächsten und tut die Dinge einfach ... In diesem Sommer hatte mich mein Freund wegen einer anderen verlassen, ich war wütend und traurig und wahnsinnig sauer auf ihn, das sollte so eine Art Rache sein. Ich wollte ihm danach die Zeitschrift schicken, aber das habe ich nie getan, ich habe auch gar keine Zeitschrift bekommen. Aber Geld dafür, bar auf die Hand.«

»War es viel Geld?«

»Fünfzehnhundert, glaube ich. Das war viel Geld mit neunzehn. Ich hätte dafür mindestens eine Woche lang in einem Pflegeheim arbeiten müssen.«

»Und wie haben Sie von dem Job gehört?«

»Lisa Wegner hatte eine kleine Anzeige in einer Zeitung entdeckt und Petra Blomberg und mir davon erzählt. Die suchten Fotomodelle. Es war ziemlich offensichtlich, worum es da ging – man sollte ein Nacktfoto einschicken. Wir haben ein paar Fotos voneinander gemacht und sie nach Malmö geschickt, und ein paar Wochen später hat uns ein Hans angerufen.«

»Klang er sympathisch?«

»Na ja, ging so«, sagte Ulrica Ternman, »er sprach davon, wie lustig das werden würde. Petra und ich sind dann zusammen nach Ryd ins Fotostudio gefahren. Wir haben viel gekichert im Zug dorthin, es war ein kleines Abenteuer, so als würden wir mit einem Zirkus durchbrennen – nur eben ohne großes Orchester!

Als wir in Ryd am Bahnhof ankamen, stand dort schon ein anderes Mädchen und wartete offenbar auch darauf, abgeholt zu werden. Sie war ziemlich aufreizend angezogen, mit hautenger Jeans und Top, und glotzte uns fragend an. Dann kam dieser Typ, Hans Bremer, mit dem Auto angefahren und lud uns alle ein. Als wir auf dem Rücksitz saßen, wurde mir plötzlich klar, dass es jetzt ernst wurde, und ich hörte auf zu kichern. Und als ich Petra ansah, bemerkte ich, dass auch sie total nervös war.«

Sie senkte den Blick.

»Was hat Bremer denn so gesagt?«

»Er hat die meiste Zeit mit dem anderen Mädchen auf dem Beifahrersitz gesprochen, wir konnten hören, dass sie ein alter Hase war und schon oft solche Shootings gemacht hatte. Cindy oder Lindy nannte er sie.« Ulrica Ternman lachte kraftlos. »Natürlich hieß sie nicht so, Petra und ich bekamen ja auch neue Namen in den Zeitschriften, Petra wurde zu Candy, und ich hieß Suzy.«

»Und die Männer hießen immer Markus Lukas, stimmt's?«

Ulrica Ternman nickte.

»In dieser Branche ist das meiste Fälschung ... Wir fuhren also zu diesem Haus, das praktisch mitten im Wald lag, und als Bremer von der Straße abbog, wurde mir klar, dass niemand wusste, wo wir waren. Das fühlte sich nicht gut an – und das Haus wirkte groß und dunkel. Im Erdgeschoss waren dicke Gardinen vor den

Fenstern. Es roch nach Reinigungsmittel. Ich erinnere mich noch, dass ich den Gedanken hatte, dass dies die vielen ekligen Gerüche überdecken soll, die man riechen würde, wenn man länger dort blieb.«

»Und war Jerry auch im Haus, als Sie ankamen?«

»Ja, er war auch da. Er begrüßte uns und reichte Petra und mir ein Blatt Papier, so eine Art Vertrag, den wir unterschrieben und damit bestätigten, dass wir freiwillig teilnahmen und nicht minderjährig waren.«

»Haben die Ihr Alter überprüft?«

»Nein ... Bremer fragte uns danach, als wir das erste Mal miteinander telefonierten, glaube ich, aber sie wollten weder Ausweis noch Führerschein sehen.

Ich vermute, sie wollten uns zeigen, wie es funktionierte, denn wir sollten im Studio bleiben, während Cindy oder Lindy fotografiert wurde. Bremer gab ihr Anweisungen und spornte sie an. Sie saß auf dem Bett, rekelte sich und zog sich langsam vor der Kamera aus. Ab und zu war das richtig peinlich. Gleichzeitig schüchtern und cool, als würde in ihrem Inneren ein Krieg herrschen.«

Sie senkte den Blick, dann fuhr sie fort:

»Während ich ihr zusah, wurde mir klar, dass ich niemals ein Profi werden würde und es auch nicht öfter als dieses eine Mal machen wollte. Im Gegenteil, ich wäre am liebsten sofort nach Hause gefahren. Aber ich hatte mein Shooting ja noch vor mir, es gab kein Zurück mehr. Da musste ich durch. Ich sollte auf einem Sofa fotografiert werden, es wurden grelle Scheinwerfer aufgestellt, und dann ging es los. Ich sollte mich nicht selbst berühren, nur unterschiedliche Posen einnehmen.

Es war total komisch: Ich war furchtbar aufgeregt, und für die anderen waren es ein Tag und ein Job wie jeder andere.«

»Wer gehörte denn alles zum Team?«

»Bremer hat das Licht gemacht, er leitete das Ganze und gab mir Anweisungen, was ich tun sollte. Dann waren da noch der Fotograf, so ein junger Kerl, und dieser athletische, tätowierte

Typ, mit dem ich dann verschiedene Szenen auf dem Sofa gedreht habe.«

»Was hat denn Jerry während der Aufnahmen gemacht?«

»Nicht viel.« Ulrica Ternman verzog das Gesicht. »Wahrscheinlich hat er sich ›die Hose zurechtgezogen‹ – so haben wir das früher genannt, wenn diese Ekeltypen in der Nähe der Schule herumgestrichen sind.«

Per konnte sich das bei Jerry sehr gut vorstellen.

»Dann war Petra an der Reihe. Sie sollte das Gleiche machen wie ich, allerdings mit einem anderen Typen, der aber auch Markus Lukas genannt wurde.«

»Erinnern Sie sich an ihn?«

»Er war größer und etwas älter und hatte viel mehr Muskeln«, erzählte sie. »Größer und stiller, ein bisschen gelangweilt. Man konnte ganz deutlich sehen, dass er nur einen Job machte. Mein Markus Lukas hatte wenigstens mit mir geredet, Späßchen gemacht, damit ich mich entspannte. Und er hat mir hinterher sogar seinen richtigen Namen verraten, Tobias ... Tobias Jesslin, und er kam aus Malmö.«

Per notierte sich den Namen. Ein Markus Lukas, der Tobias hieß – ein weiterer echter Name zwischen all den falschen.

»Haben Sie mit Petra noch Kontakt?«, fragte Per.

Ulrica sah ihn irritiert an.

»Kontakt?«, wiederholte sie.

»Ich meine, eine Nummer oder eine Adresse? Ich würde mich gerne mit ihr unterhalten.«

»Petra ist tot.«

Per sah sie überrascht an.

»Sie starb Anfang der Neunziger. Wir hatten uns da schon aus den Augen verloren, aber irgendjemand hat es mir erzählt.«

»Woran ist sie denn gestorben?«

»Ich glaube, sie ist krank geworden. Es ist nur ein Gerücht, aber ich glaube, sie hatte Krebs.«

Per sah in seinen Kaffeebecher, er wollte das Wort nicht hören.

»Wie traurig«, sagte er.

»Ja, und bei Madde war es genauso schrecklich. Eigentlich sogar schlimmer.«

»Madde?«

»Madeleine Frick. Sie war auch eine Klassenkameradin von mir. Sie ist nach der Schule nach Stockholm gezogen, aber nur wenige Jahre später hat sie sich vor einen Zug geworfen.«

Per sog leise die Luft ein und fragte:

»Hat sie auch für meinen Vater gearbeitet?«

Ulrica Ternman nickte.

»Ja, davon gehe ich aus. Ich habe natürlich weder Fotos noch Filme je gesehen, aber als wir uns einmal im Sommer trafen, erzählte sie, dass auch sie fotografiert und gefilmt worden war. ›Mit dem großen oder dem athletischen Typen?‹, habe ich sie nur gefragt. ›Dem großen‹, war ihre Antwort, und danach haben wir nie wieder darüber geredet.«

Per dachte nach. Von den vier Mädchen, die in Jerrys Studio gefilmt worden waren, lebten nur noch zwei.

Plötzlich wurde eine Tür aufgerissen.

»Mama?«, rief eine Jungenstimme.

»Ich komme!«

Per wollte nur eine letzte Frage stellen:

»Wie geht es Ihnen heute damit?«

»Ach, es ist okay. Getan ist getan. Wenn man in seiner Jugend Dummheiten begangen hat, bereut man sie, und wenn man keine begangen hat, bereut man es auch. Stimmt doch, oder?«

Klar, dachte Per, *wenn man es überlebt*.

Aber er sagte es nicht laut.

Während er vom Hof fuhr, dachte er an Ulrica Ternman und dann an Regina. Was machte er hier eigentlich? Versuchte er noch immer, Mädchen zu retten, die gar nicht gerettet werden wollten?

Am nächsten Rastplatz hielt er an und rief die Auskunft an.

Es gab zwei Einträge für Tobias Jesslin, der eine wohnte in Mora, der andere in Karlskrona.

Karlskrona lag näher, deshalb wählte Per diese Nummer zuerst.

Nach drei Klingelzeichen nahm eine zwitschernde Mädchenstimme den Hörer ab:

»Hallo, hier ist Emilie!«

Das brachte Per aus dem Konzept, er fragte nur rasch nach Tobias Jesslin.

»Papa ist nicht zu Hause, wollen Sie mit Mama sprechen?«

»Ja, okay.«

Es raschelte im Hörer, dann ertönte eine gestresste Frauenstimme:

»Hallo, hier ist Katarina!«

»Guten Tag, mein Name ist Per Mörner. Ich würde gern mit Tobias sprechen.«

»Er ist bei der Arbeit.«

»Wo arbeitet er denn?«

»Honolulu.«

»Wie bitte?«

»Im Restaurant Honolulu. Wer sind Sie denn?«

»Ich bin nur ein alter Kumpel. Wir haben so lange nichts mehr voneinander gehört. Tobias hat doch früher mal in Malmö gewohnt, oder?«

Die Frau zögerte einen Moment.

»Ja, er hat mal in Malmö gelebt.«

»Gut, dann ist er der Richtige. Wann kommt er denn nach Hause?«

»Seine Schicht endet gegen elf, aber Sie können ja im Honolulu anrufen.«

»Oder ich fahre einfach vorbei. Könnten Sie mir eventuell die Adresse geben?«

Er bekam sie und beendete das Gespräch. Nun überlegte er, was er tun sollte. Es war kurz vor sieben, und er würde mindestens eine Stunde brauchen, um nach Karlskrona zu fahren.

Er startete den Wagen. Per wollte Tobias Jesslin einen Besuch abstatten, jenem Mann, der früher Markus Lukas genannt worden war.

56

Vendela war den gesamten Dienstag mit der Gartengestaltung beschäftigt. Noch vor dem Mittagessen hatte sie Efeu, Buchsbäume und eine lange Reihe von Fliedersträuchern gepflanzt, die Schatten spenden sollten. Den Nachmittag verbrachte sie dann damit, Säcke mit Pflanzenerde und Platten aus Kalkstein in den Garten zu schleppen, um drei kleinere Beete anzulegen. Sie sah vor ihrem inneren Auge, wie schon im Mai die ersten grünen Blätter zu sehen sein würden, im Juni reckten sich die Stängel in die Höhe, und dann kamen schließlich die großen Blütenblätter, die sich zur Sonne drehten.

Das Telefon klingelte ein paarmal, aber sie ging nicht ran. Gegen sieben Uhr nahm sie ein heißes Bad und aß ein paar Knäckebrotscheiben zum Abendessen.

Dabei sah sie aus dem Fenster hinüber zu dem kleinsten der Häuser am Steinbruch.

Sie hatte keine Lust, joggen zu gehen. Für einen kurzen Moment erwog sie, Gerlof einen Besuch abzustatten, aber sie wollte ihn dann doch lieber nicht stören. Am liebsten wäre sie zu Per Mörner gegangen und hätte sich mit ihm für den Rest des Abends unterhalten. Aber sie sah, dass sein Auto nicht vor dem Haus stand. Also blieb sie in ihrem leeren steineren Haus sitzen und wartete darauf, dass ihr Mann und ihr Hund zurückkehrten.

Aber sie kamen nicht. Gegen zehn Uhr ging sie zu Bett.

Im Halbschlaf hörte Vendela das Brummen eines Motors, das sich näherte. Sie wurde von dem Geräusch wach, dass jemand die Eingangstür aufschloss. Als sie die Augen aufschlug, sah sie, dass es erst Viertel vor elf war.

Im Flur ging das Licht an und fiel in einem hellen Streifen über ihre Bettdecke.

»Hallo?«, rief eine Männerstimme.

Es war Max.

»Hallo ...«, antwortete sie und gähnte.

»Hallo, mein Schatz!«

Max betrat das Schlafzimmer, noch mit Daunenjacke bekleidet. Vendela hob den Kopf und sah sich suchend um.

»Wo ist Aloysius?«

»Hier«, sagte er und warf etwas auf ihr Bett. »Jetzt ist es überstanden.«

Vendela sah ihn verwirrt an.

»Was ist überstanden?«

Sie griff nach dem Gegenstand auf ihrer Bettdecke und sah ihn sich genauer an. Er war klein, schmal und sehr vertraut. Es war ein ledernes Band, ein Hundehalsband.

Und sie erkannte den Geruch. Es war das Halsband von Aloysius.

Max stand neben ihrem Bett.

»Ich habe mir gedacht, dass du es behalten willst. Als Andenken.«

»Max, was hast du getan?«

Er setzte sich auf die Bettkante.

»Ich erzähl es dir gerne, wenn du das willst. Es war alles sehr friedlich, ich war die ganze Zeit bei ihm und habe ihn festgehalten. Die Tierärzte wissen genau, was sie da tun.«

Vendela starrte ihn entgeistert, ja fassungslos an.

»Zuerst haben Sie Aloysius ein Beruhigungsmittel gegeben, von der Sorte, wie du sie auch manchmal nimmst. Dann wurde ihm eine Überdosis Betäubungsmittel ins Vorderbein gespritzt, und dann mussten wir nur noch ...«

Vendela setzte sich auf.

»Ich will das nicht hören!«

Sie schlug die Decke beiseite, sprang aus dem Bett und raste an Max vorbei in den Flur. Dort griff sie nach ihrem Mantel, sprang in ihre Stiefel und knallte die Haustür hinter sich zu.

Raus, sie wollte einfach nur raus.

Dort stand der Audi, die Tür war nicht abgeschlossen.

Sie setzte sich hinters Steuer und lehnte ihren Kopf dagegen.

Dann endlich kamen die Tränen. Tränen für Aloysius.

Zehn Jahre. Max und sie hatten ihn damals als kleinen Welpen gekauft, kurz nach ihrer Hochzeit im Herbst. Als sie den Zwinger des Züchters betreten hatten, auf der Suche nach einem vierbeinigen Freund, war Ally ihnen schwanzwedelnd entgegengekommen. Als hätte er sie auserwählt und nicht umgekehrt. Seit diesem Tag waren Vendela und Aloysius unzertrennlich gewesen.

Ein Schatten tauchte neben der Fahrertür auf.

»Vendela?«

Max klopfte gegen die Scheibe.

»Jetzt komm schon rein, Vendela ... dann können wir uns in Ruhe unterhalten!«

»*Hau ab!*«

Sie stieß die Tür auf, ballte die Hände zu Fäusten und drohte Max, der tatsächlich einen Schritt rückwärts tat. Dann holte sie die Taschenlampe aus dem Handschuhfach und stieg aus.

»Fass mich nicht an!«, schrie sie.

Er ging zwei Schritte zurück, und Vendela lief an ihm vorbei, den Kiesweg hinunter.

»Wo willst du denn hin?«

Sie antwortete ihm nicht – sie wollte so schnell wie möglich so weit es ging von ihrem Mann entfernt sein und rannte in die Dunkelheit und Kälte.

57

Der Wind fegte ihm ins Gesicht, als Per auf dem Parkplatz vor dem Restaurant Honolulu aus seinem Saab stieg. Die Luft war eiskalt an diesem Abend, als hätte es sich der Winter noch einmal überlegt und sei zurückgekehrt.

Das Restaurant lag am Wasser unmittelbar hinter dem Stadtzentrum von Karlskrona. Ganz offensichtlich handelte es sich nicht um ein Sterneetablissement. Da in dem Schild über dem Eingang die Neonlampen von zwei Buchstaben defekt waren, stand dort nur RE TAURANT HON LULU.

Er ging hinein in die Wärme und zog sich die Jacke aus. Es gab etwa dreißig Tische in dem Lokal, aber nur acht von ihnen waren besetzt. Allerdings war es Montagabend, zur Walpurgisnacht in drei Tagen würden sich hier die Gäste wahrscheinlich stapeln.

Er wählte einen etwas abseitsstehenden Tisch am Fenster und warf einen Blick in die Speisekarte. Das Angebot bestand hauptsächlich aus Pizzen und Hamburgern. Als der Kellner zu ihm kam, bestellte Per Wasser und einen Honolulu-Burger mit Käse.

Per musterte den Mann eingehend, als er mit der Bestellung in Richtung Küche verschwand. Der Kellner war dunkelhaarig, hatte einen Körperbau wie ein Fotomodell, war aber mit seinen rund fünfundzwanzig Jahren viel zu jung, um vor zehn Jahren für Jerry gearbeitet zu haben.

Als er eine Viertelstunde später das Essen brachte, fragte Per ihn:

»Kennen Sie einen Tobias Jesslin?«

Der Kellner stellte den Teller mit dem Burger auf den Tisch.

»Tobias? Sie meinen unseren Koch Tobias?«

»Den Koch, genau. Ich würde gerne mit ihm sprechen.«

Der Kellner betrachtete Per misstrauisch.

»Ist etwas mit dem Essen nicht in Ordnung?«

»Nein, es hat gar nichts mit dem Essen zu tun.«

»Tobias ist total beschäftigt im Moment.«

»Aber er hat doch bald Feierabend. Würden Sie ihm bitte diesen Zettel geben?«

Sein Gegenüber sah sehr skeptisch aus, nickte aber.

Per holte einen alten Quittungsbeleg aus seinem Portemonnaie und schrieb etwas Ähnliches auf die Rückseite wie schon im Moulin Noir.

Der Kellner nahm den Zettel an sich und verschwand wortlos. Per aß den Burger auf, der ziemlich fettig und ein bisschen zäh war. Er kaute langsam und sah dabei aus dem Fenster auf das schwarze Meer. Früher waren die alten Frachter mit Kalkstein von Öland auf ihrem Weg nach Dänemark und Norwegen dort vorbeigekommen.

Nachdem er aufgegessen hatte, schob er den Teller beiseite und behielt die Küchentür im Auge. Aber die öffnete sich lange Zeit nicht.

Der Gedanke, dass sich der Markus Lukas, nach dem er suchte, hinter dieser Tür befand, machte ihn ganz nervös. Nach zehn Minuten des Wartens war er gezwungen, sich mit etwas abzulenken. Er stand auf, stellte sich in den Windfang und rief erneut die Nummer an, die er schon am Vormittag gewählt hatte.

»Fall?«

»Ja, hier ist Per Mörner noch einmal, von Öland. Ich habe Sie heute Vormittag angerufen, es ging um Hans Bremer!«

»Ja, ich erinnere mich.«

»Ich wollte Sie nicht stören, nur nachfragen, ob Sie schon Gelegenheit hatten, nach dieser Tasche zu suchen ... also Bremers Tasche?«

»Ja, ich habe sie gefunden, sie war tatsächlich auf dem Dachboden.«

»Großartig. Haben Sie hineingesehen?«

Fall zögerte, als wäre er bei etwas ertappt worden.

»Na ja ... ich habe kurz einen Blick hineingeworfen. Da liegen nur alte Zeitschriften und eine Art Manuskript darin.«

»Meinen Sie so eine Art Tagebuch?«

»Vielleicht. Ich habe es nicht gelesen.«

»Dürfte ich mir das mal ansehen?«

»Natürlich«, Thomas Fall machte eine Pause. »Sie können die Tasche dann auch ganz behalten. Ich will die nicht haben.«

»Das wäre toll. Es ist nur im Moment schwierig für mich, sie zu holen.«

Per überlegte fieberhaft, wie er es würde bewerkstelligen können, erneut die ganze Strecke bis Malmö zu fahren. Gerade jetzt durfte er sich nicht so weit von Nilla entfernen. Aber Thomas Fall löste das Problem für ihn.

»Ich fahre zum ersten Mai nach Stockholm, ich kann doch einen Abstecher nach Öland machen und Ihnen die Tasche vorbeibringen, wenn Sie mir Ihre Adresse geben.«

Dankbar gab ihm Per die Anschrift durch und eine Wegbeschreibung, wie man am besten nach Stenvik kommt.

»Es ist das dritte Haus am Steinbruch«, erklärte er. »Das kleinste!«

Per beendete das Gespräch und ging zurück zu seinem Platz und wartete. Der Kellner hatte seinen Teller bereits abgeräumt.

Gegen halb zehn wurde endlich die Tür zur Küche aufgestoßen, und ein Mann mit einer weißen Haube auf dem Kopf und einer Kochschürze kam heraus. Er ging zielstrebig auf Pers Tisch zu und hielt den Zettel in die Luft. Sein Gesichtsausdruck war weder ärgerlich noch irritiert, nur neugierig.

»Haben Sie diesen Zettel geschrieben?«

Er hatte einen schonischen Dialekt. Per nickte und bekam gleich die nächste Frage gestellt:

»Sie sind also Jerry Morners Sohn?«

»Das stimmt. Und Sie sind Tobias Jesslin?«

»Jepp. Bevor ich Koch wurde, habe ich ab und zu für Ihren Vater gearbeitet.«

Sein Gesicht war verschwitzt, wahrscheinlich von der Hitze in der Küche. Aber sein Blick war offen und ungeniert.

»Ich weiß«, sagte Per. »Jerry hat Sie Markus Lukas genannt?«

Jesslin nickte schweigend.

»Aber damit ist schon lange Schluss«, sagte er dann. »Es wird doch kaum noch ein Porno in Schweden produziert ... Fast alle Filme kommen mittlerweile aus den USA, aus Kalifornien.«

»Haben Sie ein bisschen Zeit? Ich würde mich gerne mit Ihnen unterhalten. Ich hätte ein paar Fragen zu den Geschäften, die mein Vater da betrieben hat.«

»Klar, kommen Sie mit, wir gehen in den Aufenthaltsraum.«

Per legte Geld für den Burger auf den Tisch und folgte Jesslin.

In der Küche hing der Essensgeruch schwer in der Luft, aber der gekachelte Fußboden sah sauber aus. Tobias Jesslin führte ihn in einen kleinen Raum im hinteren Teil des Gebäudes. Darin befanden sich Spinde, eine Dusche und ein Tisch mit Stühlen. Das Fenster rahmte die Wellen ein, die sich dahinter am Strand brachen.

»Ich soll Sie von Ulrica Ternman grüßen«, sagte Per, nachdem Tobias Jesslin die Tür hinter sich zugezogen hatte.

»Von wem?«

Jesslin setzte sich und zog eine Zigarettenschachtel aus der Hosentasche.

»Eines der Mädchen, mit denen Sie gedreht haben. Sie hat mir auch Ihren Namen verraten.«

»Ach ja? Ich kann mich nicht erinnern!« Er zündete sich eine Zigarette an und blies den Rauch zur Decke. »Ich weiß ja noch nicht einmal, mit wie vielen Mädels ich insgesamt gedreht habe ... hundertundzwanzig vielleicht oder hundertundfünfzig?«

Per wusste, dass ihm das eigentlich schwer imponieren müsste, so von Mann zu Mann. Aber das tat es nicht.

»Wie war das denn?«

»Was glauben Sie?« Jesslin lächelte. »Schon merkwürdig. Als würde man an einem Fließband stehen und die Bräute kommen vorbeigefahren. Aber das ist Jahre her, ich habe schon lange nichts mehr damit zu tun.« Er zog an seiner Zigarette. »Wie geht es Ihrem Vater?«

»Nicht gut.«

»Nicht?«

»Nein, er ist tot.«

»Oh, wie ist das denn passiert?«

»Ein Autounfall.«

Per musterte ihn eingehend, aber Jesslins Erstaunen wirkte aufrichtig.

»Das ist aber bedauerlich«, sagte er. »Ich mochte Jerry, er war immer er selbst, hat sich nie für etwas geschämt.«

»Wie lange waren Sie denn bei ihm angestellt?«

»Na ja, angestellt und angestellt ... ich bin ab und zu vor die Kamera gesprungen und habe dafür Cash bekommen.«

»Haben Sie auch im Moulin Noir gearbeitet?«

Jesslin nickte.

»Dort hat Jerry mich entdeckt. Er hat mich tanzen sehen und mir gesagt, dass ich für ihn arbeiten könne. Warum nicht, habe ich geantwortet. Dann hat er mich in ein ziemlich gutes Restaurant in Malmö eingeladen, wir haben gegessen und getrunken und gequatscht. Und als der Kaffee auf dem Tisch stand, kam ein fröhliches Mädchen vorbei, küsste Jerry auf die Wange, und Jerry rief: ›Wollen wir jetzt loslegen, Kinder?‹ Erst da begriff ich, dass ich mit ebendieser jungen Dame noch am selben Nachmittag Sex haben würde.« Er lachte auf: »In dieser Branche geht es schnell zur Sache, aber man gewöhnt sich mit der Zeit daran.«

Per hörte ihm genau zu, konnte aber sein Lächeln nicht erwidern.

»Wie viele *Markus Lukas* gab es eigentlich?«

»Ach, ein paar, soweit ich weiß, vielleicht zwei oder drei? Mit dem Job kommen nicht so viele Typen klar.«

»Nicht klarkommen mit was?«

Jesslin machte eine eindeutige Geste.

»Na, Sie wissen schon: Ihn auf Kommando zum Stehen zu bringen, wenn die Kamera läuft.«

»Kannten Sie einen der anderen Typen?«

»Nur einen. Der war auch aus dem Moulin Noir und hieß Daniel.«

»Und weiter?«

»Daniel Wellman.«

»Wie schreibt der sich?«

Jesslin buchstabierte den Namen, und Per notierte ihn. Er hoffte, dass er dem Troll *Markus Lukas* immer näher kam.

»Und Sie haben viel zusammen gedreht?«

»Klar. Wir sind jedes Wochenende in dieses Filmstudio gefahren, das Jerry oben in Småland hatte.«

»Das gibt es nicht mehr«, sagte Per.

»Echt nicht?«

»Die ganze Anlage ist vor ein paar Wochen abgebrannt.«

»Wie kam das denn?«

»Brandstiftung und Mord. Jemand hatte Brandbomben mit Zeitzünder im Haus deponiert.«

Jesslin schien über etwas nachzudenken.

»Das klingt mir ganz nach Bremer, er liebte Pyrotechnik. Im Sommer haben wir manchmal draußen im Wald ein paar Szenen gedreht. In einer Lichtung, die Bremer mit einem Haufen Benzinkanistern bestückt hatte: Wir, nackt und umgeben von Feuer und Qualm! Bremer hatte immer ein paar Eimer Wasser hinter der Kamera stehen, falls sich das Feuer zu schnell ausbreiten sollte, aber ich hatte tierische Angst, mit nacktem Hintern in den Flammen zu liegen.« Er musste lachen bei dem Gedanken. »Haben Sie Bremer mal kennengelernt?«

»Nein«, antwortete Per. »Und auch er lebt nicht mehr ... er starb bei dem Brand.«

»Was?«, fragte Jesslin und zog an seiner Zigarette.

»Kamen Sie gut klar mit Bremer, mochten Sie ihn?«

»Nicht besonders.«

»Warum nicht?«

Jesslin sah aus dem Fenster, als hätten ihn gerade traurige Erinnerungen eingeholt.

»Ach, ich weiß nicht ... die Chemie zwischen uns stimmte nicht. Bremer arbeitete schnell und zügig, er war immer ziemlich hart mit den Mädchen. Wenn sie Schmerzen hatten und nicht weitermachen wollten, war ihm das vollkommen egal. Dann mussten sie ihr Gesicht abwenden, damit man die Tränen nicht sah, und es wurde weitergedreht. Den Film schnellstmöglich abzudrehen war sein oberstes Gesetz.«

»Für Sie doch auch, nehme ich an?«, fragte Per.

»Klar, mit der Zeit wurde ich genauso abgebrüht, wie Jerry und er es waren«, gab Jesslin zu. »Ich wollte den Film fertig machen und wieder nach Hause fahren. Dieser Job hat einen mit der Zeit ziemlich abstumpfen lassen.«

»Und die Mädchen, die danach gestorben sind? Wie war es mit denen?«

Jesslin sah ihn fragend an.

»Meinen Sie Jessika Björk?«

»Jessika Björk?«

»Ja, sie hat auch im Moulin Noir gearbeitet, zusammen mit mir und Daniel«, erzählte Tobias Jesslin. »Sie hat auch bei mehreren Filmen mitgemacht, nannte sich Gabrielle oder so, aber ich habe von einem gemeinsamen Kumpel gehört, dass sie vor ein paar Wochen bei einem Brand ums Leben kam. Echt schade, sie war eine richtige Frohnatur. Und auch gar nicht alt, gerade mal dreißig.«

»Bei einem Brand, sagen Sie?« Per beugte sich vor und sah Jesslin eindringlich an. »Und Gabrielle war ihr Künstlername? Könnte es auch Daniele gewesen sein?«

»Klar, Gabrielle oder Daniele.«

»Wann haben Sie die Frau das letzte Mal gesehen?«

»Oh, das ist lange her, zehn Jahre vielleicht. Wir hatten auch nicht so engen Kontakt, haben uns nur ein paarmal angerufen. Ich glaube, Jessika und Daniel Wellman hatten mehr miteinander zu tun.«

Stand also Jessika Björks Nummer auf dem Zettel aus Bremers Wohnung? Vielleicht, aber was hatte es zu bedeuten? Per war so müde und ausgelaugt, ihm fiel nichts mehr ein. Als hätte er keinerlei Lebenskraft mehr.

»Ich kannte Jessika nicht«, sagte er leise. »Aber Ulrica Ternman hatte zwei Freundinnen, die auch Filme drehten. Und die sind beide tot.« Er beugte sich vor und senkte seine Stimme.

»Ich muss unbedingt weitere Leute ausfindig machen, die mit Jerry zusammengearbeitet haben«, sagte er eindringlich. »Haben Sie die Adresse von einem der anderen Männer, die auch Markus Lukas waren?«

Jesslin drückte die Zigarette aus und schüttelte den Kopf.

»Wir waren nie dicke«, sagte er. »Der eine hieß Daniel Wellman und wohnte in Malmö, mehr weiß ich nicht.«

»Haben Sie irgendwo vielleicht ein Foto von ihm?«

»Ein Foto? In Jerrys Zeitschriften sind doch haufenweise Fotos von ihm.«

»Ja, aber keines zeigt ein Gesicht.«

Jesslin lachte und stand auf.

»Nee, stimmt, die Gesichter von uns Jungs waren auch nicht von Bedeutung. Das Aussehen der Mädchen war wichtiger.«

Per erhob sich ebenfalls. Er hatte zwar nicht viel erwartet, war aber trotzdem enttäuscht, dass er kaum weitergekommen war.

Jesslin blieb in der Tür stehen.

»Aber wenn Sie mich fragen, wer Hans Bremer in Brand gesteckt haben könnte«, sagte er, »ich vermute, es war ein Ritter.«

»Ein Ritter?«

»Ein Freund oder Ehemann, der nach vielen Jahren herausbekommen hat, dass Bremer sein Mädchen gefilmt hat. Jemand, der Ritter spielen und den guten Ruf seiner Geliebten verteidigen will.«

Per musste an die helle Stimme denken, die bei Jesslin zu Hause an den Apparat gegangen war.

»Wie sieht es denn mit Ihrem Ruf aus, Sie sind doch selbst Vater?«

»Alles in Ordnung«, erwiderte Jesslin. »Es ist immer schlimmer für die Mädchen, die mal als Modell gearbeitet haben. Sie haben mehr zu verlieren, wenn die Vergangenheit sie eines Tages einholt.«

»Finden Sie das gerecht?«

»Nein«, antwortete Jesslin aufrichtig. »Aber es sind eben Männer, die diese Branche beherrschen, sie sind die Kunden, und es ist ihr Geld, und es sind ihre Wertevorstellungen. So ist das Leben.«

Als er wieder im Auto saß, dachte Per über den guten Ruf und die unterschiedlichen Wertevorstellungen nach. Und er erinnerte sich daran, wie Jerry eine Woche vor seinem Tod mit dem Finger auf Marie Kurdin gezeigt und behauptet hatte, er kenne sie.

Per startete den Motor und machte sich auf den Nachhauseweg.

58

Vendela stand vor dem Elfenstein und spürte, wie sich das Böse über ihr zusammenbraute. Es war kurz vor Mitternacht und nur noch zwei Tage bis zur Walpurgisnacht, dem höchsten Feiertag der dunklen Mächte. Jetzt waren sie so stark wie nie.

Sie hatte ihre kleine Taschenlampe angeschaltet und sie vor sich auf den Stein gelegt, als einzige Lichtquelle in der tiefschwarzen Nacht.

Die Geister und die Dämonen, die dunklen Verwandten der Elfen, waren aus ihrem langen Winterschlaf erwacht. Sie waren den tiefsten Grotten jener Länder entstiegen, die an die Ostsee grenzen, und über das Meer geflogen. In großen Kreisen waren sie über den harten Granitstein der Blauen Jungfrau geflogen und über die Insel geschwebt und hatten alle Frühlingsvögel verjagt. Dabei sahen sie hinab auf die flache Insel unter ihnen, wo die Wellen auf die lang gezogenen Strände brandeten, und verlachten alle Kreaturen, die auf dem Boden krochen.

Hoch über der Alvar versammelten sich die Geister, um fürs kommende Jahr noch mehr Tod und Elend über die Menschen heraufzubeschwören.

Vendela schloss die Augen.

Was hatten die Menschen dem entgegenzusetzen? Nichts, außer ein paar Walpurgisnachtsfeuer. Aber die Glut erlosch irgendwann, und dann blieb einem nur, sich in seinem Haus zu verbarrikadieren und zu hoffen, dass die Fenster standhielten und die Dämonen eine andere Familie auswählten. Aber das taten sie nicht. Sie suchten sich immer die schwächsten Menschen aus, die ängstlichsten, die ihre Häuser am sorgfältigsten verriegelten und die am meisten um Frieden und Geborgenheit beteten und bettelten.

Vendela hob ihre linke Hand und hielt sie über den Steinblock.

Im Schein der Taschenlampe blinkte ihr Ehering. Max hatte ihn in Paris gekauft. Er ließ sich nur schwer vom Finger ziehen, nach zehn Jahren war er fast mit ihm verwachsen, aber am Ende gelang es ihr doch. Sie hielt den Ring in der rechten Hand in den Himmel, ehe sie ihn vorsichtig in eines der Steinschälchen legte. Sie betrachtete den Ring und wusste, dass sie ihn nie wieder berühren würde.

Macht, was ihr wollt, bat sie, *aber versprecht mir, dass er für immer aus meinem Leben verschwinden wird.*

Sie schloss die Augen.

Herzprobleme, das wäre eine Möglichkeit. Er kann einen schweren Herzinfarkt bekommen, weit entfernt von einem Arzt.

Als sie die Augen wieder öffnete und dem Felsblock den Rücken zuwandte, spürte sie, wie Hunger und Müdigkeit an ihr nagten. Blind vor Wut war sie mitten in der Nacht von zu Hause aufgebrochen. Sie musste sich am Stein abstützen und warten, bis der Schwindel nachließ. Dann nahm sie die Taschenlampe und leuchtete sich den Weg. Als sie den Kreis der Wacholdersträucher hinter sich gelassen hatte, wurden ihre Schritte größer und schneller.

Ihr ging es wieder besser. Sie konnte mit den Stiefeln zwar nicht joggen, aber schnell gehen konnte sie. Jeder Schritt tönte auf dem Boden, und der Wind rauschte in ihren Ohren.

Über ihr hörte sie das Geräusch gewaltiger Flügelschläge.

Geschickt wie ein Tier lief sie über die Alvar in Richtung Küste zurück. Keinen Grashalm, keinen Strauch berührte sie.

Kurz bevor sie den Steinbruch erreicht hatte, fing die Taschenlampe an zu flackern, und sie schaltete sie aus.

Doch da tauchte plötzlich eine andere Lichtquelle auf der Straße auf. Autoscheinwerfer. Sie glitten langsam an ihrem Haus vorbei und hielten vor dem Haus von Per Mörner. Als die Innenbeleuchtung des Wagens anging, erkannte sie, dass es tatsächlich Per war, und sie lief auf ihn zu.

Er stieg gerade mit steifen Gliedern aus dem Auto, als er hörte, wie sich jemand näherte und sich ängstlich umdrehte. Als er Vendela erkannte, entspannte er sich sofort.

»Vendela!«

Ohne darüber nachzudenken, umarmte sie ihn.

Und auf einmal war die Kälte verschwunden.

Per erwiderte die Umarmung, aber nicht mehr. Schließlich ließ Vendela ihn los und seufzte.

»Komm«, sagte sie leise.

Per holte tief Luft.

»Ich kann nicht«, flüsterte er.

Vendela nahm ihn an die Hand.

»Das macht nichts.«

Sie zog ihn zum Eingang, als würde ihr das Haus gehören und nicht ihm.

59

Per schlug die Augen auf. Es war früher Morgen, und er lag nicht allein in seinem Bett, es war kein Traum.

Doch es fühlte sich unwirklich an, Vendela Larsson neben sich liegen zu haben – seit Marika gegangen war, hatte er jede Nacht allein verbracht.

Während Vendelas Atemzüge letzte Nacht immer gleichmäßiger und ruhiger geworden waren, hatte er mit offenen Augen in die Dunkelheit gestarrt. Er hatte sich gut gefühlt und doch ängstlich auf Besuch gewartet.

Besuch von Jerry.

Die wenigen Nächte, die er früher neben einer Frau verbracht hatte, waren so verlaufen. Plötzlich hatte er den schweren Geruch von Zigarren in der Nase gehabt oder sich eingebildet, sein Vater stünde in einer dunklen Ecke des Zimmers und machte sich über seinen Sohn lustig.

Aber in dieser Nacht tauchte Jerry nicht auf.

Gegen neun Uhr morgens standen sie auf, und Per machte Frühstück. Er kochte Kaffee und steckte Brot in den Toaster. An diesem Morgen gab es eine ganze Reihe von Themen, die tabu waren. Aber sie hatten dennoch genug Gesprächsstoff. Per hatte den Eindruck, Vendela schon lange zu kennen.

Dann aber wurde es Zeit, zu Nilla ins Krankenhaus zu fahren.

»Darf ich noch ein bisschen hierbleiben?«

»Willst du nicht nach Hause gehen?«

Sie sah zu Boden.

»Ich will da nicht sein ... ich kann Max jetzt nicht begegnen.«

»Es ist doch nichts passiert«, sagte Per.

»Wir haben die Nacht zusammen verbracht«, erwiderte Vendela.

»Wir haben uns gewärmt.«

»Es spielt überhaupt keine Rolle, was wir gemacht oder nicht gemacht haben ... zumindest nicht für Max.«

»Bis bald, wir sehen uns«, sagte sie etwas später, als sie sich im Flur voneinander verabschiedeten.

»Tun wir das?«

Sie lächelte ihn verlegen an, als er die Tür hinter sich zuzog.

Per ging zu seinem Wagen und atmete tief durch.

Was war da letzte Nacht passiert? Und war das so gefährlich? Sie hatten doch eigentlich nur die ganze Zeit geredet und waren dann eingeschlafen?

Aber irgendwie war Pers Leben dadurch nur noch komplizierter geworden, und er hatte die Befürchtung, dass es auf irgendeine Weise auch Nillas Chancen beeinträchtigte, sie sogar verschlechterte.

Wenn es ihm gelänge, den richtigen Markus Lukas zu finden, würden sie sich verbessern.

Er holte sein Handy hervor und rief die Auskunft an. Eine junge Frau meldete sich.

»Ich brauche die Nummer von Daniel Wellman«, sagte Per und buchstabierte den Nachnamen.

»Welche Stadt?«

»Malmö, glaube ich.«

Es dauerte ein paar Sekunden, bis die Antwort kam:

»Es gibt keinen Eintrag unter diesem Namen.«

»Und wenn Sie in ganz Schweden suchen?«

»Nein, es gibt zwar Wellmans, aber keinen Daniel.«

Während der gesamten Fahrt nach Kalmar dachte Per ununterbrochen an Vendela.

Als er aus dem Fahrstuhl stieg, um in Nillas Abteilung zu gehen, kam ihm ein Ehepaar in seinem Alter entgegen. Sie sahen ungeheuer erschöpft und niedergeschlagen aus.

Der Mann trug einen kleinen blauen Rucksack, und Per begriff, dass es Emils Eltern sein mussten. Vermutlich hatten sie nur seine Sachen abgeholt und würden jetzt zurück in ein leeres Haus fahren.

Pers warme Gedanken an Vendela schmolzen dahin. Er wurde

langsamer, sprach Emils Eltern jedoch nicht an – er wusste nicht, was er hätte sagen sollen. Als sie an ihm vorbei zum Fahrstuhl gingen, wollte er sich am liebsten mit der Stirn gegen die Wand lehnen und die Augen schließen.

»Hallo, Nilla, wie geht es dir?«

»Schlecht.«

Zwei Tage vor ihrer Operation war Nilla elend zumute, und sie hatte miese Laune. Sie lächelte ihren Vater nicht an, als dieser sich auf ihre Bettkante setzte.

»Du kommst doch nur vorbei, weil du musst!«

»Nein ...«

»Weil man so etwas *tut*!«

»Nein«, widersprach Per. »Es gibt einen Haufen Leute, die ich nie besuche. Aber dich will ich sehen.«

»Niemand will eine Kranke sehen!«, behauptete Nilla.

»Das stimmt doch gar nicht.«

Sie schwiegen.

»Geht es dir heute nicht so gut?«, fragte er nach einer Weile.

»Ich habe mich gestern Abend zweimal übergeben.«

»Aber heute geht es dir wieder besser?«

»Ein bisschen«, sagte Nilla. »Die Krankenschwestern wecken mich viel zu früh. Alle werden um sieben Uhr geweckt, und dann passiert nichts. Frühstück und Medizin gibt es erst um halb acht.«

»Aber sieben ist doch gar nicht so früh?«, warf Per ein. »Das ist ja, wie wenn man Schule hat ... als ich ins Gymnasium ging, musste ich jeden Morgen um Viertel nach sechs aufstehen, um den Bus zu erwischen.«

Nilla schien nicht zuzuhören.

»Mamas Tante war heute Morgen zu Besuch.«

»Tante Ulla?«

»Ja, und sie sagte, dass sie für mich beten würde.«

Sie sah an Per vorbei an die Zimmerdecke.

»Ich wünsche mir, dass ihr *All apologies* von Nirvana spielt«, sagte sie. »Und zwar die Instrumentalversion.«

»Wieso spielen? Was meinst du denn damit?«

»In der Kirche«, sagte Nilla leise.

Endlich verstand er, was sie meinte, und schüttelte den Kopf.

»Wir werden überhaupt nichts spielen«, sagte er und fügte hinzu: »Weil das ... wird nicht notwendig sein.«

»Aber auf der Beerdigung«, sagte Nilla. »Da spielt ihr es bitte?«

Er nickte.

»Wenn dein Herz in achtzig Jahren auf der Tanzfläche stehen bleibt, dann verspreche ich, dass ich Nirvana auflegen werde.« Er warf einen Blick auf die Uhr: »Mama kommt gleich, wir haben noch ein Gespräch mit deinem Chirurgen. Hast du ihn schon kennengelernt?«

Nilla verschränkte die Arme vor der Brust.

»Hmm. Er ist gestern Abend vorbeigekommen. Er hat nach Rauch gerochen.«

Fünfzehn Minuten später saßen Per und Marika schweigend nebeneinander vor einem großen Schreibtisch. Auch Per registrierte einen schwachen Geruch von Zigarettenrauch.

Der Gefäßchirurg Tomas Frisch kam aus Lund und war etwa so alt wie Per. Seinen Namen nahmen sie als gutes Omen. Er hatte zwar müde Augen, sah aber braun gebrannt und eigentlich ziemlich entspannt aus. Er gab beiden die Hand:

»Das wird kein Routineeingriff, das steht fest«, sagte er. »Aber Sie können uns vertrauen. Alle sind sehr erfahren, wir sind ein gutes Team.«

Dann klappte er seinen Laptop auf und schaltete ihn ein. Er rief mehrere Bilder und Zeichnungen auf und erklärte ihnen, wie die Operation vonstatten gehen würde.

Per hörte zu und betrachtete die Aufnahmen, wusste aber nicht, was er sagen sollte. Am liebsten hätte er sein Gesicht in den Händen vergraben.

Tomas Frisch war der Pilot, der alle Insassen heil auf die Erde bringen sollte. Aber er selbst saß gar nicht im Flugzeug – wenn Nilla es nicht schaffen würde, riskierte Doktor Frisch nur seinen

Ruf und seine Ehre. In gewisser Weise, fand Per, war ein Chirurg kein Pilot, sondern eher wie Gott.

»Wir wissen, dass Sie Ihr Bestes geben werden«, sagte Marika, als der Arzt seine Ausführungen beendet hatte.

»Jeden Tag aufs Neue«, antwortete Frisch.

Er lächelte sie an und gab ihnen erneut die Hand. Als sie das Besprechungszimmer verließen, fragte sich Per, was Emils Eltern wohl zu hören bekommen hatten.

Per blieb zum Mittagessen bei Nilla, aber sie bekamen alle nur ein paar Bissen hinunter. Nachdem er sich von seiner Tochter verabschiedet hatte, begleitete Marika ihn zum Fahrstuhl, was sie bisher noch nie getan hatte. Vielleicht hatte dieses zähe, verzweifelte Warten sie einander ein wenig nähergebracht, dachte Per, obwohl sie noch einen langen Weg vor sich hatten.

»Du kommst pünktlich zur Operation?«, fragte Marika.

»Selbstverständlich.«

»Wann denn?«

»So früh, wie es sein muss.«

Marika musterte ihn.

»Du willst nicht mit dabei sein, oder?«

»Nein, wer sollte das wollen?«, fragte Per entsetzt und sah sie an. »Aber ich komme, versprochen.«

Die Fahrstuhltüren öffneten sich. Er beugte sich vor, um seine Exfrau freundschaftlich zu umarmen, und sie ließ es zu.

Sie benutzt ein neues Parfum, stellte Per fest. Marikas Körper fühlte sich müde und weich an und begann plötzlich zu zittern. Per hielt sie schweigend im Arm, bis ihre Tränen versiegten. Zwischen ihnen gab es keine Liebe mehr, aber freundschaftliche Zärtlichkeit.

Er hatte seine Arme um Marika gelegt und dachte an Vendela.

Als Per das Krankenhaus durch den Haupteingang verließ, sah er einen Jungen mit blauer Jacke und schwarzem Rucksack, der von der Bushaltestelle mit gesenktem Kopf auf ihn zukam. Auch er wirkte müde und schlecht gelaunt.

»Hallo, Jesper.« Per räusperte sich, um den Kloß im Hals loszuwerden. »Hast du schon Schulschluss?«

Jesper nickte.

»Ich wollte Nilla besuchen.«

»Schön, da freut sie sich bestimmt. Sie wird ja übermorgen operiert, wir haben vorhin mit dem Arzt gesprochen, der den Eingriff vornehmen wird. Er ist sehr kompetent!«

Jesper nickte mit zusammengepressten Lippen. Er ging ein paar Schritte weiter, hielt dann aber kurz inne und fragte:

»Hast du mit Opa weiter an der Treppe gebaut, Papa?«

»Die Treppe?«, wiederholte Per. Dann begriff er, dass Jesper ihr Bauprojekt am Steinbruch meinte. »Natürlich, die ist fast fertig.«

»Gut«, sagte Jesper. Er zögerte und fügte dann leise hinzu: »Ich habe sie übrigens kaputt gemacht.«

»Du meinst, als sie eingestürzt ist?«

Jesper sah zu Boden.

»Ich wollte alleine weiterbauen und sie fertig machen, als du Opa geholt hast. Aber dann ist alles in sich zusammengestürzt.«

»Ach so. Aber das macht doch nichts. Was für ein Riesenglück, dass du nichts abbekommen hast.« Per musste lachen: »Und ich habe gedacht, ein Troll hätte die Treppe zerstört. Die wohnen ja unten im Steinbruch, hat unser Nachbar Gerlof erzählt.«

Jesper sah ihn an, als sei er verrückt geworden.

»Das war ein Scherz!«, sagte Per und grinste. Schnell sprach er weiter, so als wäre Jerry noch am Leben. »Aber wenn du das nächste Mal nach Öland kommst, dann bauen wir sie alle zusammen fertig. Nilla muss auch mithelfen, wenn sie aus dem Krankenhaus kommt.«

Er betonte das kleine Wörtchen *wenn* und sah seinem Sohn fest in die Augen, um seine unerschütterliche Hoffnung auf ihn zu übertragen.

»Okay.«

Jesper erwiderte die Umarmung seines Vaters, ohne zu zeigen, ob er an Nillas Genesung glaubte oder nicht. Dann schob er seinen Rucksack zurecht und ging ins Krankenhaus.

Pers Handy klingelte, als er sich gerade ins Auto gesetzt hatte. In der Leitung war eine helle und freundliche Frauenstimme:

»Guten Tag, ich bin Rebecka vom Bestattungsinstitut. Wir hätten zwei Termine für die Zeremonie anzubieten.«

»Welche Zeremonie?«

»Die Beerdigung von Gerhard Mörner! Wir könnten sie entweder am Dienstag, den 12. Mai, oder am Donnerstag, den 14. Mai, durchführen, jeweils um vierzehn Uhr. Welcher Tag würden Ihnen denn besser passen?«

»Ich weiß nicht.« Per war gezwungen, sich zu konzentrieren. »Donnerstag vielleicht.«

»Sehr gut«, sagte die Frau, »dann buche ich Sie für den 14. Ich wünsche Ihnen ein wunderschönes Wochenende!«

60

Vendela hatte ihren Mann betrogen, sowohl körperlich wie auch seelisch.

Beides war gleichermaßen schlimm.

Als sie endlich Per Mörners Haus verließ und nach Hause ging, machte sie sich sofort im Garten an die Arbeit, um für Ordnung in den neuen Beeten zu sorgen. Die ganze Zeit aber dachte sie darüber nach, was eigentlich geschehen war. Was hatte sie getan? Sie hatte bei Per übernachtet, sie hatten eng umschlungen im Bett gelegen, sich berührt und sich Geheimnisse zugeflüstert.

Vendela hatte sich *exakt* so verhalten, wie Max es im Verdacht gehabt hatte.

Aber nicht sie hatte den Streit angefangen, und sie war auch nicht einfach weggefahren, *er* hatte das getan. Er hatte immer auf ihre Unterstützung zählen können, was das Bücherschreiben anbetraf wie alles andere. Jetzt hatte sie ein einziges Mal etwas Egoistisches getan, es war nicht geplant gewesen, und sie wusste nicht, wie es weitergehen würde. Aber sie fühlte sich *nicht schuldig*.

Sie konnte sich nicht daran erinnern, dass sie eingeschlafen waren, aber das musste so gewesen sein, denn sie erwachte aus einem friedlichen Dunkel am nächsten Morgen und sah in Pers Gesicht, das nur wenige Zentimeter von ihrem entfernt lag. Sofort wusste sie, wo sie war, und bereute nichts.

Es war ihr überhaupt nicht unangenehm, zum Frühstück zu bleiben. Sie hatten weitergeredet. Per hatte ihr von seiner kranken Tochter erzählt und von der Operation, die ihr Leben retten sollte. Er wusste, dass sie es schaffen würde, er war sich so sicher, und Vendela hatte zustimmend genickt. Natürlich. Natürlich würde alles gut gehen.

»Ich muss nach Kalmar«, hatte er nach dem Frühstück gesagt. »Ins Krankenhaus.«

Vendela konnte das verstehen, aber sie wollte noch nicht zu sich nach Hause.

»Darf ich noch ein bisschen hierbleiben?«

»Willst du nicht nach Hause gehen?«

Sie sah zu Boden und musste an ihren Ehering im Steinschälchen am Elfenstein denken.

»Ich will da nicht sein ... ich kann Max jetzt nicht begegnen.«

»Es ist doch nichts passiert«, sagte Per.

»Wir haben die Nacht zusammen verbracht«, erwiderte Vendela.

»Wir haben uns gewärmt.«

Aber Vendela wusste, dass es keine Rolle spielte.

Nachdem Per das Haus verlassen hatte, ging sie ins Wohnzimmer und setzte sich aufs Sofa. Am anderen Ende des Raumes stand neben dem Fernseher eine mit Schnitzereien verzierte alte

Holzkiste. Darauf waren ein höhnisch grinsender Troll, ein reitender Ritter und eine weinende Elfe zu sehen. Lange betrachtete Vendela die Darstellung.

Ab und zu stand sie auf und sah aus dem Fenster hinüber zu ihrem eigenen Haus. Gegen Mittag verließ Max das Haus, setzte sich in den Wagen und fuhr weg. Aus der weiten Entfernung konnte sie nicht ausmachen, in welcher Verfassung er war. Aber sein Herz schlug offensichtlich noch.

Doch Vendela ging nicht nach Hause, sie setzte sich auf Pers Veranda in die Frühlingssonne, den Blick aufs glatte Meer gerichtet.

Nach gut einer Stunde nahm sie Motorengeräusche wahr, die drüben, bei ihrem Haus verstummten. War Max schon zurückgekehrt? Möglicherweise, da aber der Windschutz im Weg war, konnte sie es nicht sehen, und sie hatte auch keine Lust, aufzustehen und es zu überprüfen.

Erst nachdem sie sich einen kleinen Salat zum Mittagessen zubereitet und ihn in der Küche gegessen hatte, warf sie einen Blick aus dem Fenster.

Vor ihrem Haus stand kein Wagen. Wenn Max zwischenzeitlich zurückgekommen war, hatte er das Grundstück bereits wieder verlassen.

Plötzlich klingelte das Telefon in der Küche, und Vendela zuckte zusammen. Vielleicht war es Per, aber sie traute sich nicht, an den Apparat zu gehen. Nach sechs Klingelzeichen schwieg das Telefon wieder.

Was hatte Max vor? Warum war er zurückgekommen und wieder weggefahren?

Sie war so überrascht, dass er noch am Leben war. Aber wahrscheinlich lag der Ehering noch unberührt am Elfenstein.

In diesem Augenblick wurde ihr bewusst, dass sie ihrem Mann den Tod gewünscht hatte. Letzte Nacht hatte sie am Elfenstein gestanden und die Elfen darum gebeten, ihn zu *töten*.

Es war zwei Uhr nachmittags, als sie beschloss, nach Hause zu gehen. Sie wollte mit Max sprechen oder zumindest nachsehen, was er in der Zwischenzeit getan hatte.

Kein Hundegebell empfing sie, als sie die Tür aufschloss, alles war so still. Aber Vendela bemerkte, dass es anders roch im Haus, ein betörender Blumenduft strömte ihr entgegen. Und als sie das Wohnzimmer betrat, sah sie, dass der Steinfußboden fast vollkommen mit Blumen aller Sorten bedeckt war: große rote Rosensträuße, Tulpen und weiße Lilien, Frühlingsblumen aus der Umgebung wie Leberblümchen und Sandthymian. Max schien alle Vasen hervorgeholt zu haben, die sie im Haus hatten, und auch alle Becher und Gläser. Der dunkelgraue Boden leuchtete in den Farben Rot, Gelb, Grün und Lila.

Vorsichtig ging Vendela durch den duftenden Raum. Nach ein paar Minuten begann ihre Nase zu kitzeln, dann zu laufen. Die Allergie meldete sich, und Max war schuld daran. In seiner unbeholfenen Art wollte er wegen Ally um Entschuldigung bitten, aber die Blumen bewirkten nur, dass sie sich noch schlechter fühlte als vorher, sowohl in der Nase als auch in der Seele. Das Haus kam ihr vor wie eine Friedhofskapelle, nur die kleine Holzkiste fehlte. Max, dachte Vendela, warum musst du immer alles so übertreiben?

Die Korrekturfahnen des Kochbuches lagen auf dem Küchentisch, aber sie hatte kein Interesse daran.

Sie holte ihr Notizheft aus der Schublade und griff nach einem Stift.

Für die Elfen gibt es keine Zukunft, schrieb sie. *Aber für uns auch nicht. Unser Zuhause, die Dinge, von denen wir besessen sind, Sachen, dir wir unbedingt erreichen müssen. Ich verstehe einfach nicht –*

Sie konnte nicht weiterschreiben. Die Küchenuhr tickte.

Sie dachte an Max und dann an Per. Keinen von beiden konnte oder wollte sie jetzt anrufen, aber da fiel ihr jemand anderer ein.

Es dauerte eine Weile, bis sie seine Nummer herausbekommen hatte, nach fünf oder sechs Klingelzeichen aber hob er ab und meldete sich mit fester Stimme:

»Adam Luft.«

»Hallo, hier ist Vendela.«

»Wer bitte?«

»Vendela Larsson ... ich habe damals deinen Kurs ›In Kontakt mit den Elfen‹ besucht.«

»Ach so, den, ja«, sagte Adam Luft. »Das ist aber schon eine Weile her, was?«

»Fünf Jahre«, antwortete Vendela. »Ich würde dich gerne eine Sache dazu fragen.«

»Diesen Kurs biete ich schon lange nicht mehr an«, unterbrach sie Adam Luft. »Es gab zu wenige Anmeldungen. Ich beschäftige mich jetzt mit astraler Seelenwanderung.«

»Astraler ... wie bitte?«

»Du solltest das ausprobieren, das ist wahnsinnig spannend.« Seine Stimme wurde tiefer und beschwörend. »Unser Ziel ist es, unsere Seele aus unserem Körper zu befreien, um sie durch Zeit und Raum auf Reisen zu schicken. Ich habe noch Plätze frei in einem der Sommerkurse, soll ich dich eintragen?«

»Nein, danke«, antwortete Vendela und legte auf.

Jetzt hatte sie niemanden mehr, mit dem sie hätte reden können, und sie fühlte sich viel zu unruhig, um tatenlos im Haus zu bleiben. Kurz nach sechs zog sie sich eine dicke Hose, einen Wollpullover und ihre Daunenjacke an und ging ins Badezimmer. Dort öffnete sie den Medizinschrank.

Sie trug keine Wertsachen bei sich, als sie an diesem Abend ihr Haus verließ. Und ihr Handy hatte sie auf dem Küchentisch liegen lassen.

Als sie den Kiesweg erreicht hatte, sah sie die Scheinwerfer eines Autos, das die Hauptstraße entlangfuhr. Kam Max wieder zurück?

Sie beschleunigte ihre Schritte und lief wie so oft zuvor am Steinbruch entlang und bog dahinter in die Alvar. Sie dachte unentwegt an ihren Ehering, ihr Geschenk an die Elfen war eine übereilte Tat gewesen – ein Fehler. Max den Tod zu wünschen war nicht richtig, ganz unabhängig davon, was er mit Ally gemacht hatte. Sie musste den Ring zurückholen.

Sie rannte nicht, denn sie war zu müde und zu hungrig dafür, aber sie ging mit großen Schritten nach Nordwesten, bis sie das Wacholderwäldchen sah.

Bedächtig trat sie an den Elfenstein heran und betrachtete seine Oberfläche. Sie sah ein paar vereinzelte alte Münzen dort liegen, aber sonst nichts.

Ihr Ehering war verschwunden.

Sie waren da gewesen.

Mit gesenktem Kopf stand sie vor dem Stein. Dieser Frühlingsabend war kalt, und die Dunkelheit kroch schon heran, aber Vendela hatte keine Kraft, sich zu bewegen.

VENDELA UND DIE ELFEN

Vendela rennt über die Alvar, mit der untergehenden Sonne um die Wette. Es ist alles so aussichtslos – sie muss nicht nur jemanden finden, dem sie vertraut, sondern diese Person auch noch dazu überreden, mit in das Reich der Elfen zurückzukehren und Jan-Erik nach Hause zu tragen. Wenn sie niemandem begegnet, muss sie Essen und Decken vom Hof holen, damit sie beide wenigstens in der Alvar übernachten können, wenn es ihr nicht gelingt, ihren großen Bruder zum Laufen zu bewegen.

Alles hängt davon ab, dass sie sich beeilt.

Aber das Wasser stellt sich ihr in den Weg, überall stehen kleine und große Schmelzwasserseen, in denen sich der Himmel spiegelt. Sie muss große Umwege in Kauf nehmen, mal nach links, mal nach rechts, und wenn sich die Sonne hinter dicken Wolken versteckt, fällt es ihr noch schwerer, die Orientierung nicht zu verlieren.

Sie weiß auch nicht, wie spät es ist, sie hat keine Uhr.

Das Blut pocht in ihren Ohren, sie reißt sich die Beine an den Büschen und Steinen auf, ihre undichten Stiefel sinken tief in den matschigen Boden und saugen sich voll Wasser, aber sie darf nicht langsamer werden.

Sie rennt und rennt und hält erst an, als sie eine Mauer aus großen runden Steinen erreicht hat. Die Mauer reicht ihr bis zur Brust und erstreckt sich weit in beide Richtungen. Sie kennt diese Mauer nicht – wo ist sie bloß? Der Himmel ist schwarz und sie kann die Himmelsrichtungen nicht mehr sicher zuordnen.

Sie dreht um und rennt in die entgegengesetzte Richtung weiter, aber sie findet auch nicht wieder zurück zum Elfenstein. Die Pfade zwischen den Seen sind wie in einem Labyrinth, sie ist verloren in dieser Welt aus Wasser.

Vendelas viel zu dünne Kleidung ist durchgeschwitzt, sie friert und hat Hunger. Am liebsten würde sie ihre Hand in die eines Erwachsenen schieben und sich sicher fühlen dürfen, aber da ist weit und breit niemand. Es ist ganz still. Sie geht immer weiter, manchmal sogar durch die kleinen Pfützen und Seen hindurch, wenn sie keine Lust mehr hat, außen herumzulaufen. Die meisten sind nur etwa knöcheltief und ihre Stiefel sind sowieso schon durchweicht und bis auf die Socken durchnässt.

Dann entdeckt sie eine Steinmauer in einiger Entfernung. Vorsichtig nähert sie sich, mustert die Steine und misst die Höhe. Dann ist sie überzeugt davon, dass es dieselbe Mauer von vorhin sein muss. Sie ist im Kreis gelaufen.

Vendela kann keinen Schritt weiter und lässt sich mit dem Rücken zur Mauer zu Boden sinken. Sie schließt die Augen und bleibt lange so sitzen.

Als sie sie wieder öffnet, ist sie umgeben von Schattengestalten, hellen Wesen. Eigentlich dürfte es sie gar nicht hier geben, aber Vendela kann sie ganz deutlich sehen. Sie begreift, dass es Elfen sind, die Jan-Erik vom Elfenstein geholt haben und jetzt gekommen sind, um sie zu holen.

Und Vendela möchte sehr gerne mitgenommen werden, sie streckt ihnen die Hände entgegen.

»Kommt«, flüstert sie ihnen zu.

Aber die Gestalten nähern sich nicht, im Gegenteil, sie lösen sich langsam auf und sind schließlich ganz verschwunden.

»Hallo?«

Sie hört Rufe in der Dunkelheit.

»Hallo? Haaaalllooo?«

Vendela öffnet die Augen. Sie sitzt mit dem Rücken an einer Steinmauer und friert.

»Ich bin hier!«, ruft sie.

Sie weiß nicht, ob jemand ihr Rufen gehört hat, aber die anderen Stimmen nähern sich. Raschelnde Schritte kann sie hören, dann tauchen plötzlich dunkle Schatten vor ihr auf. Vendela sieht eine Frau in einem Mantel und einen Mann mit Jacke und Hut. Sie erkennt die beiden wieder.

»Vendela, was machst du denn hier draußen? Wir haben dich überall gesucht.«

Ihre Tante Margit nimmt ihre kalten Hände und zieht sie zu sich hoch. Vendela sieht sich um, es ist schon fast ganz dunkel.

»Jetzt gehen wir schnell nach Hause und machen dir etwas Warmes zu trinken«, sagt Margit. »Und dann fahren wir nach Kalmar.«

Sie wendet sich mit Onkel Sven zum Gehen, aber Vendela kann nicht mitkommen.

»Nein!«, sagt sie. »Wir können nicht weg!«

Onkel Sven läuft weiter, aber Tante Margit bleibt stehen.

»Warum denn nicht?«

»Jan-Erik sitzt noch am Elfenstein.«

Ihre Tante sieht sie fragend an, und Vendela ist gezwungen, ihr alles zu erklären. Dass Henry in den Steinbruch gefahren ist und sie ihren Bruder mit in die Alvar genommen hat. Sie klammert sich an Tante Margits Arm und fleht sie an.

»Wir müssen ihn holen, bitte, kommt mit.«

Zögernd folgen ihr Onkel und Tante, überraschenderweise findet Vendela jetzt ohne Schwierigkeiten den Weg zum Elfenstein und führt die beiden geschickt zwischen den Silberspiegeln der Wasserpfützen hindurch. Die Dämmerung senkt sich dunkelgrau über die Alvar, als sie den Stein zwischen den Wacholdersträuchern erreichen. Aber sie kommen zu spät. Jan-Erik ist nirgendwo zu sehen, und auch die Silberkette, die Vendela in eines der Steinschälchen gelegt hat, ist verschwunden. Nur der Rollstuhl steht noch da, wo sie ihn zurückgelassen hat.

Zu dritt rufen sie seinen Namen über die Alvar, erhalten aber keine Antwort. Mittlerweile ist es stockdunkel.

»Jetzt kommt schon, lasst uns gehen«, fordert Onkel Sven sie auf. Margit nickt. Vendela spürt Panik in sich aufsteigen, hat aber keine Kraft zu protestieren.

Sie schieben den Rollstuhl zurück auf den Hof und Onkel Sven bringt ihn in den Werkzeugschuppen. Vendela hat sich in die Küche gesetzt, es ist furchtbar kalt im Haus.

Die Küchenuhr tickt laut.

Plötzlich hört sie das Stampfen schwerer Stiefel auf der Treppe.

Die Tür wird aufgerissen, und Henry tritt in den Flur. Er atmet schwer und sieht sehr erschöpft aus. Er bleibt auf der Schwelle stehen und sieht sein Kind und seine Verwandtschaft schweigend an. Niemand sagt ein Wort, aber Vendela muss etwas fragen:

»Papa ... wo ist Jan-Erik? Hast du ihn gesehen?«

»Jan-Erik?«, wiederholt Henry, als würde er sich kaum an den Namen erinnern. »Er ist weg.«

»Wohin?«, fragt Vendela. »Wohin weg?«

Lange ist es totenstill im Raum, dann ergreift Tante Margit das Wort:

»Ist er zum Bahnhof gegangen?«

Henry kann seiner Tochter nicht in die Augen sehen, er senkt den Blick zu Boden und nickt.

»Ja ... Jan-Erik hat den Zug genommen. Er wollte nach Borgholm und dann weiter aufs Festland.«

»Willst du damit sagen, dass er abgehauen ist?«, fragt Sven.

»Genau. Ich konnte ihn nicht aufhalten. Er ist ja schließlich schon siebzehn.« Henry hebt den Kopf. »Wollen wir jetzt los nach Kalmar?«

Niemand antwortet, alle denken an Henrys Reiseziel, das Gefängnis. Er geht in sein Zimmer und holt seine Tasche.

»Dann werden wir mal anfangen, hier alles so weit fertig zu machen«, sagt Tante Margit.

Vendela geht in ihr Zimmer und packt die letzten Sachen in ihre Tasche.

Plötzlich hört sie einen lauten Schrei. Er kommt von ihrer Tante.

»Es ist leer! Es ist alles weg, alles!«

Als Vendela in die Küche läuft, liegt das Schmuckkästchen ihrer Mutter auf dem Tisch, und Margit steht kreidebleich daneben. Sie hat ihre Stimme wieder gesenkt, aber man hört ihre Empörung.

»Jan-Erik hat den gesamten Schmuck seiner Mutter gestohlen«, sagt sie. »Hast du gesehen, wann er das getan hat, Vendela?«

Schweigend schüttelt sie den Kopf; ihr Vater steht neben seiner Schwester und sieht betrübt aus.

»Ich hätte es einschließen müssen.«

Mit traurigem Blick sieht er zu Vendela, die sofort den Kopf senkt und in ihr Zimmer geht, um ihre Taschen zu holen.

Sie weiß genau, dass nicht Jan-Erik die Schmuckstücke an sich genommen hat, und sie glaubt auch nicht, dass er mit dem Zug geflohen ist. Sie hat ihn im Stich gelassen, nicht andersherum.

Er hat so lange im Gras gesessen und gewartet, bis er sicher war, dass sie nicht zurückkommen würde. Erst dann ist er aufgestanden und hat sich auf den Weg gemacht. Jan-Erik ist zu den Elfen gegangen. So muss es gewesen sein. Er hat das Reich hinter dem Nebel betreten, wo die Sonne immer scheint.

Als sie etwa eine Stunde später Kalmar erreichen, halten sie vor dem beleuchteten Tor des Stadtgefängnisses. Henry nimmt seine Reisetasche.

»Vielen Dank fürs Fahren«, sagt er.

Dann schlägt er seinen Mantelkragen hoch, wirft sich die Tasche über die Schulter und lässt Vendela ohne ein Wort des Abschieds zurück. Er geht auf die Wachen am Tor zu und sieht sich kein einziges Mal um.

Die Zeit vergeht. Weil Jan-Erik nicht wie vereinbart am Bahnhof für die Weiterfahrt nach Salberga auftaucht, wird nach ihm gefahndet. Aber ein geisteskranker Jüngling auf der Flucht ist kein großer Fall. Die Polizei gibt anderen Dingen den Vorrang.

Jan-Erik wird nie gefunden, Vendelas Bruder bleibt wie vom Erdboden verschluckt.

Die Zeit vergeht, und der kleine Hof der Familie Fors findet schon im darauffolgenden Sommer neue Besitzer.

Die Zeit vergeht, aber Vendela besucht ihren Vater kein einziges Mal im Gefängnis.

Als er schließlich entlassen wird, ist er ein gebrochener Mann. Aber er zieht im Herbst wieder zurück nach Öland, lässt sich allerdings in Borgholm nieder, weil ihn da weniger Leute kennen als in seiner Heimatstadt. Henry wird Gelegenheitsarbeiter, wohnt in einem Zimmer ohne Kochnische und hangelt sich mehr recht als schlecht durchs Leben.

Zu diesem Zeitpunkt hat sich Vendela in Kalmar eingelebt und will nicht zurück nach Öland. Sie hat bei ihren Stiefeltern Margit und Sven ein ganz neues Leben angefangen. Die Kinder in ihrer Klasse haben schnell vergessen, dass sie von der Insel stammt, und aufgehört, sie mit ihrer Herkunft aufzuziehen. Ihre Stiefeltern haben keine eigenen Kinder, sie sprechen nie von Elfen und scheinen Vendela von Herzen gern zu haben.

Alles wird besser.

Sie bekommt neue Kleidung, ein rotes Fahrrad und sogar ein Grammofon.

Sie bekommt fast alles, worum sie bittet, sie muss sich nichts mehr heimlich wünschen.

Sie wächst glücklich auf, macht ihren Schulabschluss und trifft einen netten Mann, dem ein Restaurant gehört. Sie bekommen eine Tochter.

Die Erinnerungen an Öland verblassen mit den Jahren, und Vendela nimmt nur selten die Fähre hinüber auf die Insel, um ihren Vater zu besuchen. Sein Zimmer ist übersät mit leeren Schnapsflaschen, und sie haben sich nichts mehr zu erzählen. Als Henry Ende der Sechzigerjahre stirbt, fährt sie überhaupt nicht mehr nach Öland. Sie hat dort auch keine lebenden Verwandten mehr – nur ein paar kalte Grabsteine auf dem Friedhof. Aber sie hat zwei Gegenstände in ihrem Zimmer stehen, die sie an Öland erinnern: eine schöne Skulptur aus Kalkstein, die sie von ihrem Vater bekommen hat, und ein leeres Schmuckkästchen.

Erst mit vierzig, ihre Ehe mit Martin ist geschieden, und sie hat Max Larsson geheiratet, fängt Vendela an, sich mit ihrer Kindheit auf Öland zu beschäftigen, und in ihr erwacht der Wunsch, dorthin zurückzukehren.

Und die Sehnsucht, ihrem Bruder ins Reich der Elfen zu folgen.

61

Ich will keinen Schmuck mehr haben!, hatte Ella geschrieben.

Gerlof war auf den letzten Seiten der Tagebücher seiner Frau angekommen. Nur viereinhalb Seiten hatte er noch zu lesen.

Die Aufzeichnungen endeten im Frühling 1958, die letzten Zeilen waren besonders dicht beschrieben. Ellas Handschrift wirkte jetzt nachlässiger und hektischer. Gerlof zögerte einen Augenblick, ehe er sich seine Brille aufsetzte, um mit seiner Lektüre fortzufahren:

Heute ist der 21. April 1958, und ich weiß gar nicht, wo ich anfangen soll. Es sind so viele furchtbare Dinge geschehen, und Gerlof ist nicht hier. Gestern ist er nach Stockholm aufgebrochen und sollte eigentlich heute zurückkommen. Aber gestern hat er mich angerufen und mir erzählt, dass John und er im Hauptstadthafen am Kai unterhalb des Rathauses festsitzen. An der Küste im Norden herrscht Sturm, und sie können nicht ablegen. Der Sturm hat die Insel noch nicht erreicht, aber es ist sehr kalt, und ich habe schon morgens die elektrischen Heizlüfter angestellt.

Die Mädchen sind heute Nachmittag mit den Rädern losgefahren, um im Gemeindezentrum ins Kino zu gehen. Deshalb war ich wieder allein zu Hause. Stenvik wirkte wie ausgestorben.

Die Sonne hatte begonnen unterzugehen, und ich saß in der Stube und nähte etwas, als ich plötzlich ein leises Geräusch draußen auf der Veranda hörte. Kein Klopfen von einem Nachbarn, der seinen Besuch ankündigt, mehr so ein Kratzen oder Schaben an der Tür. Ich unterbrach meine Arbeit und ging an die Tür, um nachzusehen. Draußen stand niemand, aber als ich mich umsah, entdeckte ich ein Schmuckstück auf den Treppenstufen liegen.

Es war ein goldenes Herz, das an einer Silberkette hing. Ich hob es auf ... aber ich konnte mich nicht darüber freuen, denn ich wusste ja, wo es herkam. Und ich war es leid, ich wollte keine Geschenke mehr, um die ich nie gebeten hatte.

»Ich will keinen Schmuck mehr haben!«, schrie ich ins Gebüsch. »Du musst zurückkommen und ihn wieder mitnehmen.«

Ich bekam keine Antwort, aber nach einer Weile bewegte sich etwas in den Wacholdersträuchern hinter unserem Grundstück. Und dann kam mein Kerlchen zum Vorschein und stand in dem hohen Gras. Ich hätte ihn fast nicht wiedererkannt, denn sein Gesicht war so sauber, war gekämmt und sah richtig vernünftig aus. Er lächelte und kicherte, und wir starrten einander eine Weile an.

Ich hob die Kette in die Luft und wusste gar nicht, was ich sagen sollte. Ich wollte sie nicht haben. Gerade hatte ich Luft geholt, um ihm das zu sagen, da drehte sich mein Kerlchen um und verschwand zwischen den Sträuchern.

Ich hatte zum Glück meine Schuhe an und lief hinter ihm her.

Wusste er, dass ich ihm folgte? Ich rief ihm nicht hinterher, aber er schien auf mich zu warten. Er rannte nicht so schnell, und ich konnte sein helles Hemd und die rote Haut ganz gut zwischen den Büschen leuchten sehen. Er lief geschmeidig wie eine Katze über die Wege und schmiegte sich in den Schatten der Steinmauern. Ich hatte den Eindruck, dass er es gewohnt war, sich unsichtbar zu bewegen. Er rannte weiter nach Norden, das Gras war noch nicht so dicht gewachsen, und ich konnte mit seiner Geschwindigkeit mithalten.

Es dauerte, bis ich begriff, dass er zum Steinbruch lief. Was wollte er dort? Er wurde noch schneller, und plötzlich standen wir an der oberen Felskante.

Ich hörte jemanden singen und erkannte das Lied wieder. Ein Mann schmetterte aus vollem Halse:

> Der Frühling schon vor Öland steht –
> willkommen übern Kalmarsund,
> wo der gefährliche Südwind weht.

Mein Kerlchen drehte sich zu mir um. Ich hob erneut die Silberkette hoch, aber die interessierte ihn überhaupt nicht.

Er schien dem Sänger zuzuhören und rannte dann plötzlich los.

Der Steinbruch war menschenleer, nur der einsame Sänger stand oben an der Kante zum Steinbruch. Er war ein Steinhauer, der sich einen kleinen Windschutz aus Steinen gebaut hatte, die im Halbkreis angeordnet waren. Nur sein Kopf und seine Schultern waren zu sehen.

Das Kerlchen rannte direkt auf ihn zu, und da erkannte ich Henry Fors. Ich war sehr überrascht, ihn dort zu sehen, denn ich hatte von seinen großen Problemen gehört. Aber da stand er in aller Seelenruhe singend hinter seinem Windschutz und bearbeitete seine Skulpturen, als wäre nichts geschehen.

Dann ging alles so schnell. Mein Kerlchen rannte an der Felskante entlang, und als Henry ihn sah, hörte er sofort auf zu singen und schrie ihm etwas entgegen. Aber ich konnte nicht hören, was.

Das Kerlchen hob die Arme und lief noch schneller auf den Windschutz zu. Er sprang in die Mauer aus Steinen und warf sie um. Die Steine stürzten ein und rollten in alle Richtungen.

Henry schrie: »Nein!« Und dann rief er einen Namen, entweder war es »Hans-Erik« oder »Jan-Erik«. Das Kerlchen schrie auch, aber es klang eher nach einem Jubelschrei.

Ich blieb stehen, Henry hörte nicht auf zu schreien, und es fielen noch mehr Steine zu Boden.

Ich glaube, die beiden haben sich geprügelt. Und das Letzte, was geschah, war, dass einer von beiden in den Steinbruch hinunterstürzte oder gestoßen wurde. Ich wollte nicht mehr hinsehen, drehte mich um und rannte, so schnell ich konnte, nach Hause.

Was mich am meisten beschäftigte, war die Tatsache, dass Henry den Namen des Kerlchens gewusst hatte. Sie hatten sich gekannt.

Er war immer von Norden in unseren Garten gekommen, in der Richtung liegt auch Henrys Hof, kam er von dort? Henry soll einen geisteskranken Sohn haben, heißt es, der seine Scheune in Brand gesteckt hat, diese Gerüchte gingen in letzter Zeit herum.

Als ich zurück in unserem Garten war, setzte ich mich auf die Stufen der Veranda und betrachtete das Schmuckstück. Ich beweinte meine Angst und Feigheit, dass ich noch nicht einmal versucht hatte, meinem Kerlchen zu helfen.

Dann trocknete ich meine Tränen und wartete auf die Heimkehr meiner Lieben. Ich werde kein Wort über diese Geschichte verlieren. Es war Henrys Schicksal und das seines Sohnes. Ich habe genug Dummheiten begangen, indem ich die vielen Geschenke des Kerlchens angenommen und behalten habe, Schmuckstücke, die mir nicht gehören und nie gehören werden.

Damit endeten Ellas Aufzeichnungen, es waren nur noch ein paar leere Zeilen auf der letzten Seite frei. Gerlof ließ das Tagebuch sinken und schämte sich, dass er es jemals aufgeschlagen hatte.

Er saß auf dem Stuhl im Garten und versuchte sich zu erinnern, wie es gewesen war, als er einige Tage später nach Öland zurückgekehrt war, nachdem der Sturm sich wieder beruhigt hatte. Hatte er bemerkt, dass etwas geschehen war? Nein, Ella hatte nie viel darüber erzählt, was in seiner Abwesenheit passierte. Und er hatte auch nie wirklich nachgefragt, musste er zugeben. Außerdem war er damals sehr mit der nächsten Fracht nach Stockholm beschäftigt gewesen.

Ellas Kerlchen hatte sich mit Henry Fors geprügelt. Es musste sein eigener Sohn gewesen sein. Gerlof hatte ihn nie zu Gesicht bekommen, aber er hatte natürlich dieselben Gerüchte wie Ella gehört, dass Henry einen geistig behinderten Sohn gehabt hatte, dem er den Brand in seiner Scheune angelastet hatte. Zu

Unrecht? Auf jeden Fall schienen sie einen alten Konflikt an jenem Abend im Steinbruch miteinander ausgetragen zu haben. Dabei war es zu einem immensen Gefühlsausbruch gekommen, woraufhin der Junge spurlos verschwand und Henry nie wieder der Alte wurde.

Und an allem war Gerlof schuld.

62

Per saß in seinem Wohnzimmer und betrachtete den Sonnenuntergang über dem Steinbruch. Noch anderthalb Tage bis zu Nillas Operation.

Er hatte sich Spaten und Stemmeisen genommen und geplant, an der Treppe zum Steinbruch zu arbeiten, aber nicht genug Kraft gehabt, die Steinblöcke zu den oberen Stufen zu schleppen. Jesper hatte es nicht geschafft, die Treppe alleine weiterzubauen, und ihm gelang es ebenfalls nicht. Zwei Steinblöcke hatte er nach oben tragen können, aber nachdem ihm der dritte wieder hinunter in den Kies gerutscht war, hatte Per aufgegeben und war ins Haus zurückgekehrt.

Nun saß er im Wohnzimmer und war unendlich müde.

Sechsunddreißig Stunden entsprachen zweitausendeinhundertsechzig Minuten, hatte er ausgerechnet. Was sollte er nur mit dieser vielen Zeit anfangen? Joggen gehen? Er war das letzte Mal mit Vendela laufen gewesen, aber heute hatte er keine Lust.

Er schaltete den Fernseher ein, aber dort lief nur ein Kinderprogramm, und er stellte ihn schnell wieder ab.

Stille. Die Sonne sank immer tiefer, die Schatten wurden immer länger.

Plötzlich klingelte das Telefon in der Küche. Per zuckte zusammen.

Schlechte Neuigkeiten? Er war sich ganz sicher, hob aber dennoch den Hörer ab.

Eine heisere Männerstimme ertönte am Ende der Leitung.

»Per Mörner?«

»Ja?«

Er kannte die Stimme nicht, und der Anrufer stellte sich auch nicht vor.

»Nina hat mir gesagt, dass Sie mit mir reden wollen«, sagte er nur. »Ich bin der Besitzer vom Moulin Noir.«

Per erinnerte sich an den Zettel, den er der rothaarigen Frau in dem Malmöer Nachtklub gegeben hatte.

»Ja, guten Tag«, sagte er und versuchte sich zu konzentrieren. »Vielen Dank, dass Sie anrufen. Ich wollte Ihnen nur ein paar Fragen über meinen Vater stellen ... Jerry Morner.«

»Ach, Jerry, wie geht es ihm?«

Wieder musste Per erzählen, dass sein Vater ums Leben gekommen war.

»Verdammt, das ist schrecklich«, antwortete der Mann. »Ist sein Studio nicht auch noch vor Kurzem abgefackelt?«

»Doch, am Wochenende vor Ostern«, bestätigte Per. »Jerry hat mir gegenüber das Moulin Noir ein paarmal erwähnt, bevor er starb, das hat mich ein bisschen neugierig gemacht.«

Der Mann seufzte müde.

»Ein bisschen neugierig ... Sie waren doch letzte Woche hier, wie fanden Sie es denn?«

»Na ja ... ich bin ja nicht die Treppe hinuntergegangen«, sagte Per, »aber die Frau an der Kasse hat versprochen, dass einen dort unten eine Überraschung erwartet. Stimmt das denn?«

Der Mann lachte.

»Die große Überraschung ist, dass es keine Überraschung gibt. Die Geschäftsleute kommen hier spätnachts mit ihren Kreditkarten vorbei und glauben, es gäbe wilden Sex mit einem Haufen Blondinen, aber das Moulin Noir ist kein Bordell!«

»Was ist es denn?«

»Es ist ein Tanzklub. Natürlich tanzen fast nur Mädchen, und ja, sie sind nackt. Aber die Männer sitzen nur rum und sehen ihnen dabei zu. Und sehnen sich nach mehr.«

Das können Männer gut, dachte Per.

»Gehörte das Moulin Noir meinem Vater?«

»Nein.«

»Aber er hatte mit dem Klub zu tun?«

»Nein, das kann man so nicht sagen. Jerry und ich hatten ein Geschäftsabkommen, wenn man so will. Wir haben Anzeigen in seinen Zeitschriften geschaltet, und Jerry kam ab und zu vorbei, um unsere Mädchen und Jungs anzusehen. Einige von ihnen sind dann zu ihm ins Filmstudio gefahren und haben für ihn gearbeitet.«

»Männer auch?«, fragte Per verwundert. »Haben Sie auch männliche Tänzer?«

»Das hatten wir früher … So eingeölte Bodybuilder, die mit den Mädchen getanzt und Sexszenen vorgetäuscht haben. Aber heute nicht mehr. Die Gesetze sind strenger geworden, was man in Schweden auf der Bühne alles zeigen darf und was nicht. Deshalb tanzen bei uns nur noch Mädchen.«

»Aber diese Männer, die bei Ihnen getanzt haben – gab es da einen, der Daniel Wellman hieß?«

»Jepp, der hat bei uns gearbeitet.«

»Und das war derselbe, der auch in Jerrys Filmen mitgemacht hat?«

»Klar. Daniel Wellman. Er war nur etwa ein halbes Jahr bei uns, aber für Jerry hat er ein paar Jahre lang gearbeitet.«

»Allerdings unter einem anderen Namen«, sagte Per und holte einen Stift und ein Stück Papier hervor. »Markus Lukas, oder nicht?«

»Ja, genau so nannte er sich«, bestätigte der Klubbesitzer.

»Jerry hat sie umgetauft«, sagte Per. »Alle Männer wurden zu ›Markus Lukas‹.«

»Alle bekommen einen neuen Namen«, sagte der Mann in der Leitung. »Das ist zu ihrem eigenen Schutz.«

»Wissen Sie, wo ich diesen Daniel Wellman erreichen könnte?«, fragte Per. »Haben Sie eine Nummer?«

Der Mann lachte erneut trocken.

»Das wird schwierig.«

»Warum?«

»Er ist am selben Ort wie Jerry.«

Per starrte auf den Stift, der über dem Papier schwebte.

»Daniel Wellman ist *tot*? Sind Sie sicher?«

»Ja, leider ... Daniel war ziemlich kaputt und fertig, als ich ihn das letzte Mal gesehen habe. Letztes Jahr hat er mich ein paarmal angerufen und wollte Geld von mir. Aber er konnte kaum sprechen. Er war frustriert und wütend. Und er wollte jemandem die Schuld für alles geben. Er hat viel von Hans Bremer gesprochen. Bremer hat von Daniel verlangt zu schweigen.«

Schon wieder dieser Bremer, dachte Per.

»Ein Markus Lukas hat offensichtlich auch meinen Vater verfolgt«, sagte er.

»Das kann ich mir gut vorstellen ... Zum Schluss hat Daniel bestimmt alle angepumpt, die er kannte. Dann aber hörten seine Anrufe auf.«

»Woran ist er denn gestorben?«, fragte Per und erwartete, erneut das schreckliche Wort *Krebs* zu hören.

»Zuerst wusste es keiner, die Leute dachten, dass er drogenabhängig ist. Aber letztes Jahr habe ich ein Mädchen getroffen, das bei uns im Klub und bei Jerry mit ihm zusammengearbeitet hat. Sie hat mir erzählt, dass er ein paar Monate zuvor gestorben ist. Sie ist sofort zum Arzt gegangen und hat sich testen lassen, aber es gab kein Grund zur Panik.«

»Wie bitte?« Per verstand kein Wort. »Was hat sie testen lassen?«

»Ob sie sauber war.« Der Mann machte eine kurze Pause. »Ich weiß nicht, wo Daniel sich angesteckt hat, er war der Meinung, dass es bei Jerry und Bremer passiert sein musste. Er wollte sie dafür verklagen, hat er immer wieder gesagt.«

»Angesteckt?«, fragte Per.

»Er war infiziert. Das passiert schon mal in der Branche. Ihr ›Markus Lukas‹ ist an Aids gestorben.«

63

Am Morgen vor der Walpurgisnacht schlief Per bis neun Uhr, hatte aber trotzdem einen schweren Kopf, als er aufwachte. Er hörte das Ticken der Küchenuhr, sah aus dem Fenster und hatte das beklemmende Gefühl, unter einem hohen, weiten Himmel eingesperrt zu sein.

Vierundzwanzig Stunden noch.

Der Morgen auf Öland war grau und windig. Er überlegte, wie er den Tag verbringen sollte, damit er so schnell wie möglich verging. Am liebsten hätte er die Zeit vorgedreht, bis nach Nillas Operation.

Ein wichtiges Telefonat stand ihm noch bevor, er wollte Lars Marklund anrufen, und gegen zehn Uhr griff er zum Hörer.

Die Polizei hatte keine neuen Erkenntnisse über Jerrys Tod für ihn, aber wenigstens konnte Per berichten, dass es ihm gelungen war, den ominösen »Markus Lukas« alias Daniel Wellman aufzuspüren. Und er teilte Marklund mit, dass ebendieser Wellman HIV-positiv gewesen und letztes Jahr verstorben war.

Marklund schwieg einen Moment.

»Sie gehen davon aus, dass Wellman bereits infiziert war, als er die Filme gedreht hat? Und viele der Mädchen angesteckt hat?«

»Ich weiß es nicht«, antwortete Per. Vor seinem inneren Auge tauchte das Bild von einer Gruppe von Mädchen auf, die nacheinander in einen dunklen Wald hineingingen. »Aber das Risiko, dass es so war, ist ziemlich groß ... Ich habe mich vor Kurzem mit einem ehemaligen männlichen Modell unterhalten, und er hat behauptet, er hätte in Jerrys Studio mit weit über hundert Frauen zu tun gehabt. Ich vermute, Daniel Wellman hatte mit ähnlich vielen gearbeitet. Ohne jeden Schutz, die ganze Zeit.«

»Vertreter einer Risikogruppe«, seufzte Marklund. »Wir müssen versuchen, diese Frauen zu finden.«

»Ich habe ein paar Namen«, sagte Per. »Einige von ihnen leben noch, andere sind schon gestorben.«

»Wussten Ihr Vater und Bremer davon ... also, dass Wellman infiziert war, als sie mit ihm drehten?«

»Ich habe keine Ahnung, Jerry hat darüber nie ein Wort verloren.«

»Und jetzt ist es zu spät, sie das zu fragen«, stellte Marklund nüchtern fest.

Per hörte das Klappern der Tastatur.

»Ich habe hier einen Daniel Wellman in Malmö«, sagte Marklund. »Es stimmt, er ist letztes Jahr im Februar gestorben.«

Pers Blick fiel auf Bremers gelben Zettel, den er neben das Telefon gelegt hatte.

Daniele, dachte er.

»Könnten Sie für mich einen abgemeldeten Telefonanschluss überprüfen?«

»Ja, natürlich.«

Per las die Handynummer vor, die hinter Danieles Namen stand.

»Können Sie herausbekommen, wem dieser Anschluss mal gehört hat?«

Es wurde still in der Leitung.

»Das muss ich nicht überprüfen ... diese Nummer steht in unseren Akten«, sagte Marklund schließlich.

»Wem gehörte sie denn?«

»Einer Jessika Björk.«

»Das war doch die junge Frau, die bei dem Brand ums Leben kam, oder? Zusammen mit Bremer?«

»Woher wissen Sie das? Wie sind Sie an ihren Namen gekommen?«

»Ich habe einen Zettel mit ihrer Nummer bei Hans Bremer in der Wohnung gefunden«, erklärte Per. »Jessika muss auch für Jerry und ihn gearbeitet haben. Sie nannten sie Daniele.«

»Aber sie hatte schon lange nichts mehr mit den beiden zu tun«, erzählte Marklund. »Wir haben uns mit ihren Freunden unterhalten. Die sagen aus, dass Jessika Björk mit dieser Art von Modeljob schon vor sieben oder acht Jahren aufgehört hat.«

»Aber warum hatte Bremer dann ihre Nummer? Und was hatte sie zusammen mit ihm in Jerrys Studio zu suchen?«

»Genau mit diesen Fragen beschäftigen wir uns gerade«, antwortete der Kommissar. Nach einer kurzen Pause fügte er hinzu: »Haben Sie vielen Dank für Ihre Hilfe. Ich melde mich sofort, wenn es Neuigkeiten gibt, aber ab jetzt nehmen wir das hier allein in die Hand. Sie halten sich da bitte raus und genießen den Frühling auf Öland. Tun Sie das, Herr Mörner?«

»Jede Minute«, antwortete Per.

Er hatte noch dreiundzwanzig Stunden.

Per aß einen kleinen Imbiss zu Mittag und ging danach hinaus auf die Terrasse. In der fast geschlossenen Wolkendecke waren vereinzelt hellblaue Streifen zu sehen.

Er spazierte langsam an Vendelas Haus vorbei, aber der Audi stand nicht in der Auffahrt, und die Gardinen waren zugezogen. Doch vor dem anderen Neubau parkte wieder ein Auto – die Familie Kurdin war offensichtlich zurück.

Markus Lukas, Jessika, Jerry, Hans Bremer ...

Die Namen der Toten verfolgten ihn. Er machte einen langen Spaziergang den Küstenweg hinunter, bis die Asphaltstraße endete und in einen Kiesweg überging. Die einzigen Häuser, die hier standen, waren kleine gemauerte Bootshäuser oberhalb des Strandes. Das Wasser war spiegelglatt, kein Mensch weit und breit.

Was hatte Jerry gewusst?

Eigentlich wollte Per nicht über diese Frage nachdenken. Hatte sein Vater von Daniel Wellmans Krankheit gewusst, ihn aber trotzdem mit den Mädchen drehen lassen? Hatte Hans Bremer das zugelassen?

Eine Stunde war er am Wasser unterwegs, bis sein Blick wieder auf die Uhr fiel und er an Nilla denken musste.

Es war zehn nach eins. Jetzt waren es weniger als einundzwanzig Stunden.

Er drehte um und ging zurück Richtung Stenvik. Am Campingplatz sah er ein Schild, das ankündigte, dass an diesem Abend eine große Walpurgisnachtfeier am Strand mit Lagerfeuer und Gesang stattfinden sollte. Sie hatten bereits einen Haufen aus Reisig und Ästen aufgetürmt.

Als er den Steinbruch fast erreicht hatte, bog er rechts an der Hauptstraße ab und öffnete das Gartentor von Gerlof Davidssons Häuschen. Seit ihrer letzten Begegnung war nur eine Woche vergangen, aber in dieser Zeit war so viel passiert.

Gerlof war zu Hause. Er saß in seinem Gartenstuhl, eine Decke über den Knien und ein Tablett mit Essen auf dem Tisch. Daneben lag ein altes Notizheft. Der Rasen müsste gemäht werden, registrierte Per, aber er hatte im Moment keine Kraft, seine Hilfe anzubieten.

Gerlof sah auf und nickte ihm freundlich zu.

»Oh, wie schön«, begrüßte er ihn, »ich hatte mich gerade gefragt, wann Sie mal wieder vorbeischauen.«

Per setzte sich auf den Besucherstuhl.

»Ich war eine Zeit lang weg«, sagte er. »Aber für dieses Wochenende kommen offenbar alle wieder auf die Insel.«

»Ja«, sagte Gerlof. »Wissen Sie, ob es ein Walpurgisnachtsfeuer geben wird heute Abend?«

»Davon gehe ich aus«, antwortete Per. »Unten am Campingplatz stand, dass sie ein Feuer machen wollen. Ich habe den Reisighaufen am Strand schon gesehen.«

»Reisighaufen?«, wiederholte Gerlof. »Jetzt werde ich Ihnen mal erzählen, wie wir früher hier in Stenvik Walpurgisnacht gefeiert haben. Zuerst haben wir alle alten Teertonnen gesammelt, die im Winter geplatzt waren, und haben sie übereinandergestapelt. Obendrauf wurde eine neue Tonne gestellt, frisch gefüllt mit Teer ... und dann wurde das Ganze angezündet! Durch die Hitze schmolz der Teer in der obersten Tonne, lief über den Rest und fing Feuer. Ich sage Ihnen, das wurde zu einer einzigen riesigen weißen Säule, die hoch in den Himmel stieg. Die konnte man sogar noch auf dem Festland sehen, und sie hat alle bösen Kreaturen verjagt.«

»Wunderbare Zeiten«, nickte Per.

Nach einer Weile des Schweigens fragte er:

»Und, Gerlof, ist bei Ihnen alles in Ordnung?«

»Nicht wirklich, wie sieht es bei Ihnen aus?«

Per schüttelte den Kopf.

»Aber das ändert sich hoffentlich bald ... die Ärzte werden morgen früh meine Tochter wieder gesund machen.«

»Wie schön«, sagte Gerlof. »Sie meinen, sie wird morgen operiert?«

Per nickte und spürte seinen Puls im Hals pochen. Warum saß er eigentlich hier herum, warum war er nicht bei Nilla im Krankenhaus?

Weil er feige war.

»Markus Lukas ist tot«, sagte er dann.

»Wie bitte? Wer ist tot?«, fragte Gerlof.

Per begann zu erzählen, es strömte nur so aus ihm heraus. Er erzählte von Markus Lukas, der eigentlich Daniel Wellman hieß und ein Pornomodell gewesen war, das sich mit Aids infiziert hatte und Jerry und Hans Bremer am Telefon um Geld angebettelt hatte. Per hatte Jerrys Äußerungen über Markus Lukas missverstanden – er war zu keinem Zeitpunkt gefährlich gewesen, nur krank. Und jetzt war er tot.

Aber wer hatte dann die Brandbomben im Filmstudio installiert und Hans Bremer und Jessika Björk auf dem Gewissen? Wer hatte die Schlüssel von Bremer an sich genommen und war in Jerrys Wohnung eingedrungen? Und wer hatte Jerry überfahren?

Gerlof hörte ihm aufmerksam zu, aber als Per geendet hatte, hob er abwehrend die Hand.

»Ich sage am besten nichts dazu.«

»Nein, warum nicht?«

Gerlof antwortete erst nach einer ganzen Weile:

»Zeit meines Lebens habe ich mich für Rätsel und Geheimnisse interessiert ... und versucht, sie zu lösen. Aber das ist leider auch schiefgegangen.«

»Wie meinen Sie das?«, fragte Per. »Lösungen und Erklärungen können doch nicht schaden?«

Gerlof senkte seinen Blick auf Ellas Tagebuch, das auf dem Gartentisch lag.

»Ich kann Ihnen eine Geschichte über einen anderen, ebenfalls mysteriösen Brand erzählen«, hob er an. »Vor vierzig Jahren gab es ein Feuer hier in der Nähe, auf einem Hof nördlich von Stenvik. Eine Scheune brannte bis auf die Grundmauern ab, mit Kühen und allem. Ich war gerade zu Hause, als es geschah, und bin, wie alle anderen Bewohner auch, zum Ort des Geschehens gelaufen. Aber ich wurde misstrauisch, weil ich den Geruch von Petroleum bemerkt hatte. Und als ich genauer hinsah, entdeckte ich Stiefelabdrücke im Erdreich. Das Besondere daran war eine Kerbe im Abdruck der Hacke, die von einem schlecht gesetzten Nagel stammte. Ich wusste sofort, dass dieser Stiefel von Schuh-Paulsson stammte.«

»Schuh-Paulsson?«

»Das war seinerzeit ein selten schlechter Schuhmacher in unserem Ort«, sagte Gerlof. »Meine Beobachtung habe ich also der Polizei mitgeteilt, und die hat den Besitzer des Stiefels ermittelt und ihn festgenommen.«

»Und wer war es?«

»Es war der Eigner des Hofs.« Gerlof nickte in Richtung Steinbruch. »Henry Fors ... der Vater unserer Nachbarin Vendela Larsson.«

»Vendelas Vater?«

»Ganz genau. Er hat zwar seinen Sohn dafür verantwortlich gemacht, aber ich bin mir sicher, dass Henry selbst das Feuer gelegt hat. Es ist schon merkwürdig, aber Brandstifter haben oft eine enge Beziehung zur beschädigten Sache. Sie stecken fast immer Häuser in Brand, in denen sie sich auskennen.«

Per musste an Vendelas traurigen Blick denken, als sie ihm vor ein paar Wochen den Hof ihrer Kindheit gezeigt hatte. *Es war ziemlich einsam*, hatte sie gesagt.

»Aber warum bereuen Sie denn den Hinweis an die Polizei, Gerlof?«, fragte er. »Brandstifter müssen doch zur Rechenschaft gezogen werden.«

»Ja, ich weiß schon ... aber es hat eine Familie zerstört. Henry war danach ein gebrochener Mann.«

Per nickte, er wusste, was Gerlof meinte. Aber jetzt sprachen sie schon wieder über Tod und Elend, er wollte das nicht, deshalb stand er auf.

»So, ich muss jetzt los, ich fahre ins Krankenhaus.«

Das war zwar ein spontaner Einfall gewesen, aber er fühlte sich richtig an. Per würde zu Nilla fahren und den ganzen Abend bei ihr verbringen, obwohl wahrscheinlich Marika und ihr neuer Mann auch dort sein würden. Er würde keine Angst mehr haben.

»Ich werde morgen an Sie denken«, sagte Gerlof. »Und natürlich auch an Ihre Tochter.«

»Vielen Dank.«

Per verabschiedete sich, verließ Gerlofs Garten und machte sich auf den Nachhauseweg.

Christer Kurdin stand vor seinem Haus und pflanzte einen Baum ein. Er hatte ein Loch in den Boden gegraben, den Baum eingesetzt und war gerade damit beschäftigt, die Wurzeln mit Erde zu bedecken.

Als er Per bemerkte, richtete er sich auf und kam ein paar Schritte auf ihn zu.

»Ich habe gehört, was mit Ihrem Vater Gerhard passiert ist ... von seinem Tod. War es ein Autounfall?«

Per blieb stehen.

»Ja, es ist in Kalmar passiert ... Ist das ein Apfelbaum?«

»Nein, ein Pflaumenbaum.«

»Aha.«

Per wollte weiter, aber Kurdin wollte ihn noch nicht gehen lassen:

»Wollen Sie nicht einen Moment mit reinkommen?«

Nach kurzem Zögern nickte Per. Während er hinter Christer Kurdin durch den Garten lief, warf er einen heimlichen Blick auf die Uhr. Es war fünf vor drei, die Zeiger bewegten sich beständig.

»Sie sind zur Walpurgisfeier gekommen?«, fragte er, als er das Haus betrat.

»Ja«, sagte Christer Kurdin. »Wir fahren auch Sonntag wieder zurück. Das ist der letzte Kurzurlaub vor den Sommerferien.«

Sie kamen in einen schmalen Flur, der in ein großes, helles Wohnzimmer führte.

Per sah sich neugierig um. Hier gab es nicht viele Möbel oder Dekorationsgegenstände, dafür aber einen Haufen Elektronik, Telefone, Lautsprecher. Graue und schwarze Kabel wanden sich kreuz und quer über den Boden. Auf einem Tisch standen zwei große Bildschirme. Offenbar hatten die Kurdins auch mit Musik zu tun, denn unter einem der Fenster entdeckte Per einen länglichen Tisch mit Drehknöpfen und Reglern, ein Mischpult.

»Möchten Sie einen Kaffee?«

»Nein, danke.«

Vor dem Glasfenster, das zum Steinbruch zeigte, stand ein schwarzes Ledersofa, auf dem nahm Per Platz.

»Lust auf ein Bier vielleicht?«

»Oh ja, warum nicht.«

Per hatte seinen Plan, ins Krankenhaus zu fahren, nicht vergessen. Ein Bier würde schon nicht schaden.

Christer Kurdin ging in die Küche und kam mit zwei Gläsern Pils zurück.

»Zum Wohl.«

»Prost.«

Per nahm einen Schluck, stellte das Glas ab und wusste nicht so richtig, was er sagen sollte.

»Sind Sie schon lange verheiratet?«, fragte er schließlich.

»Marie und ich? Nein, noch nicht so lange. Gut zwei Jahre. Aber wir sind schon seit fünf Jahren ein Paar.«

»Und wo leben Sie? In Stockholm?«

»Nein, in Göteborg. Ich bin dort zur Uni gegangen, auf die Chalmers University of Technology. Dort ist auch mein Firmensitz ... Aber ursprünglich komme ich aus Varberg, südlich von Göteborg.«

»Und Ihre Frau?«

»Sie stammt aus Malmö.«

Sie tranken ihr Bier und versanken in Schweigen. Per nahm einen weiteren Schluck, das Bier war ziemlich stark. Der Alkohol legte sich wie eine warme Decke über seine Sorge vor dem morgigen Eingriff.

»Was halten Sie denn von Max Larsson? Unserem Nachbarn?«, fragte Per.

Christer Kurdin verzog die Mundwinkel.

»Larsson? Ich finde, das ist ein Silbenstecher.«

»Ein was, bitte?«

»Ein Silbenstecher. Das sind Typen, die immer recht bekommen müssen. Max Larsson ist der perfekte Vertreter, der hört nicht auf, bis nicht alle auf seiner Seite sind. Haben Sie seine Frau nicht gesehen, Vendela ... dieses verschüchterte, arme Wesen?«

Per erwiderte nichts darauf, sondern stellte eine Gegenfrage:

»Haben Sie seine Bücher gelesen?«

»Nein«, sagte Christer, »aber ich habe gesehen, wie viele er schon rausgehauen hat, und dann kann man sich ja ausrechnen, was für eine Sorte Ratschläge man da bekommt.«

»Schlechte Ratschläge, meinen Sie?«

»Nun ja, vereinfachte, auf jeden Fall. Man wird kein besserer Mensch, indem man Ratgeber liest. Das erfordert Lebenserfahrung ... viel *trial and error*.«

Per nickte. Da klapperte es an der Eingangstür, und Marie kam herein, das Baby trug sie in einem Tragetuch auf dem Bauch.

»Hallo?«, rief sie ins Haus. »Ist jemand zu Hause?«

Sie hatte Per noch nicht entdeckt, Christer Kurdin sprang auf und ging zu ihr.

»Hallo, mein Liebling«, begrüßte er sie. »Wir haben Besuch.«

Er schien erleichtert über ihr Erscheinen zu sein, als hätte er auf eine willkommene Unterbrechung einer anstrengenden Unterhaltung gewartet. Aber wenn er Per nicht leiden konnte, warum hatte er ihn dann hereingebeten?

»Unser Nachbar, Per Mörner, ist da.«

»Ach ja?«

Per konnte sehen, dass Marie Kurdins Lächeln erstarb, als sie seinen Namen hörte.

Christer Kurdin gab seiner Frau ein Küsschen, das sie erwiderte – Per fand, dass die beiden sich steif und verkrampft verhielten. Als würden sie ihm etwas vorspielen müssen.

»Hast du alles bekommen, mein Liebling?«

»Ich hoffe ... ich habe auch eine Wärmelampe gekauft.«

»Sehr gut.«

Per hob sein Glas und musterte die drei. Die Kurdins, eine glückliche Familie in einem luxuriösen Sommerhaus. War er vielleicht neidisch?

Marie Kurdin kam ins Wohnzimmer, nickte Per kurz zu und verschwand dann mit dem Baby in einem der angrenzenden Schlafzimmer.

Jerry hatte mit dem Finger auf Marie Kurdin gezeigt: *Haben Film gemacht*, hatte er gesagt.

Christer Kurdin hatte sich wieder hingesetzt und lächelte ihn an.

»Kannten Sie eigentlich meinen Vater?«, fragte Per.

Kurdin schüttelte den Kopf.

»Warum?«

Per sah in sein Bierglas, das er fast ausgetrunken hatte:

»Alle kannten ihn unter Jerry Morner, aber vorhin haben Sie von ihm mit seinem bürgerlichen Namen Gerhard gesprochen.«

»Habe ich das?«

Per sah ihn nachdenklich an.

»Haben Sie mich angerufen?«

Christer Kurdin antwortete nicht.

»Ich habe anonyme Anrufe bekommen«, erzählte Per. »Das fing direkt nach dem Nachbarschaftsfest an. Der Anrufer sagte nichts, sondern spielte eine Tonspur ab, die klang wie aus einem von Jerrys Filmen.«

Kurdin reagierte noch immer nicht, sondern starrte Per ein paar Sekunden lang an, dann drehte er sich um und rief über die Schulter.

»Liebling?«

»Ja?«, antwortete seine Frau.

»Könntest du bitte mal kommen?«

Sie hörten das Klackern von Schuhabsätzen.

»Was gibt es denn?«, fragte sie.

»Er weiß Bescheid«, sagte Christer Kurdin zu seiner Frau.

Sie schwieg und sah Per in die Augen.

»Haben Sie auch mit Jerry und Markus Lukas gedreht?«

Ein kurzes Kopfschütteln.

»Natürlich nicht.«

Als sie nicht weitersprach, ergriff ihr Mann das Wort.

»Ihre kleine Schwester hat es getan.«

»Sara«, sagte Marie leise. »Sie hat einen Film gedreht, da war sie gerade mal achtzehn. Sie hat später alles versucht, mit krankheitshemmenden Mitteln und so, aber vor drei Jahren ist sie gestorben. Sie hatte den Verdacht, dass sie sich beim Drehen infiziert hatte, und mir das mal erzählt. Aber sie weigerte sich, irgendjemandem sonst davon zu berichten. Sie hat sich zu sehr geschämt.«

Per nickte.

»Dann haben Sie meinen Vater angerufen, um ihn daran zu erinnern?«

»Ich habe ihn auf dem Nachbarschaftsfest wiedererkannt. Ich wusste sofort, wer er war, als er diese Zeitschrift aus der Tasche zog.«

Per konnte ihr nicht in die Augen sehen und senkte den Blick.

»Er hat auch gesagt, dass er sie kennt. Sie müssen sich sehr ähnlich gesehen haben ... Sie und Sara.«

Marie antwortete nicht.

Per sah in sein Glas. Was war nur in seinem Bier gewesen? Es sah so dunkel aus – hatte Kurdin sein Glas in der Küche präpariert?

Fuhr Christer Kurdin einen roten Ford?

Hatte er Jerry zu sich ins Auto gelockt, um ihn auf einem einsamen Weg in Kalmar auszusetzen und zu überfahren?

Per stellte das Glas vorsichtig auf den Tisch zurück und erhob sich ganz langsam. Er hatte noch so viele Fragen, aber in seinem Kopf drehte sich alles.

»Müssen Sie schon los?«, fragte Christer Kurdin.

Per nickte, in seinem Hinterkopf hörte er das Echo von stöhnenden Mädchenstimmen.

»Ganz genau ... ich muss jetzt nach Hause.«

Das Ehepaar sah ihn unverwandt an, und er fühlte sich auf einmal so lächerlich. Mittlerweile schrien die Mädchen in seinem Kopf, und auch Jerry saß dort und flüsterte ihm zu, dass er sich auf den Weg machen sollte.

Er tat einen Schritt vom Sofa weg und noch einen. Das ging überraschend gut, er konnte sich also noch bewegen. Aber er hatte das Gefühl, wieder im Studio seines Vaters zu sein, umgeben von Hitze und Qualm und dem Geruch von verbranntem menschlichem Fleisch.

Brandstifter haben oft eine enge Beziehung zur beschädigten Sache, hatte Gerlof gesagt. Dann hatte also Jerry sein eigenes Studio in Brand gesteckt? Oder Hans Bremer? Oder vielleicht – Per selbst, der verlorene Sohn?

Als Per den Flur erreicht hatte, drehte er sich um und rief ins Wohnzimmer:

»Ich glaube nicht, dass Jerry ... ich glaube nicht, dass er davon wusste. Er hat nicht gewusst, dass Markus Lukas infiziert war. Mir tut es so leid, ich wusste auch nichts davon, und jetzt sind sie alle tot ...«

Er merkte, wie wirr das alles klang, und verstummte. Christer und Marie Kurdin standen nebeneinander und sahen ihn entgeistert an. Er stammelte ein letztes Wort:

»Verzeihung.«

Er zog und zerrte an der Türklinke, endlich gelang es ihm, sie zu öffnen und das Haus zu verlassen.

64

Die Elfen kehrten nicht zum Stein zurück.

Vendela verbrachte eine kalte Nacht in der Alvar, aber sie hatte sich in mehrere Lagen aus Winterpullovern und Jacken gehüllt und so der Kälte trotzen können. Sie hatte sogar ein paar Stunden Schlaf gefunden, ausgestreckt auf dem weichen Gras, den Elfenstein als Windschutz im Rücken. Der Hunger hat in ihr genagt, aber auch den hatte sie bewältigt.

Die Sache mit Max war wesentlich schlimmer.

Die Elfen hatten ihren Ehering geholt, und jetzt war es zu spät, den Wunsch zurückzunehmen.

Wahrscheinlich war Max schon längst tot. Sie sah es vor sich, wie ein Herzinfarkt ihn niedergestreckt hatte. Wie mit einem Hammerschlag.

Pang. Und sein Herz hatte stillgestanden. Sein Körper war nach vorn auf den Tisch gekippt, und er war mit verdrehtem Kopf auf der Arbeitsplatte liegen geblieben. Es gab nichts mehr zu tun, aber Vendela wollte trotzdem nicht in das Haus mit den Beerdigungssträußen zurückkehren. Und sie wollte auch nicht ihren Mann in seinem Arbeitszimmer tot auffinden.

Die Elfen waren weg. Aber sie wartete fast trotzig Stunde um Stunde auf sie. Irgendwann im Lauf des Tages, sie hatte nicht auf die Uhr gesehen, hatte sie plötzlich ein Rascheln im Gebüsch ge-

hört, und in ein paar Metern Entfernung war ein Hase vorbeige-
hoppelt. Er hatte Vendela einige Sekunden lang angesehen und
war dann wieder verschwunden.

Ein paar Stunden später hatte sie zwei Menschen über die
Alvar spazieren sehen, eine Frau und einen Mann. Sie waren
Seite an Seite über das Gras gegangen. Sie trugen dicke rote Jacken und schwere Stiefel. Aber sie hatten nicht in ihre Richtung
gesehen.

Vielleicht war sie unsichtbar. Sie war weder hungrig noch
durstig, sie benötigte gar nichts.

Doch, eine Sache würde sie nehmen.

Sie griff in ihre Jackentasche und holte die Tablettenbox hervor.

Es waren die dänischen Tabletten, die sie ruhig und schwere-
los machten. Seit sie auf die Insel gekommen war, hatte sie erst
drei oder vier genommen, die Box war noch fast voll.

Sie nahm eine der kleinen Tabletten und hielt sie zwischen
den Fingern. Mit geschlossenen Augen legte sie sich die Pille auf
die Zunge. Sie hatte kein Wasser, konnte sie aber so herunter-
schlucken.

Eine Viertelstunde später spürte sie noch keine Wirkung und
nahm eine weitere. Und kurz darauf gleich zwei auf einmal.

Nach der vierzehnten Tablette hörte sie auf, das musste genügen, sie wollte sich ja nicht umbringen. Sie wollte sich nur
entspannen können, um in Ruhe den Elfen zu begegnen. Und sie
waren doch auf dem Weg zu ihr, sie war sich sicher, denn ein
dichter weißer Nebel hatte sich gebildet und drängte zwischen
den Büschen hindurch.

Sie drückte den Deckel auf die Tablettenbox und steckte sie
zurück in die Jackentasche.

Es war zehn vor vier. Den ganzen Tag hatte sie hier schon gesessen, bald würde es wieder Abend werden.

Vendela lehnte sich nach hinten und spürte, wie ihr Puls immer langsamer wurde.

Da erinnerte sie sich, dass Walpurgisnacht war. Die bösen

Mächte hatten die Insel fürs Erste verlassen. Aber die Elfen waren geblieben.

Der weiße Nebel begann sie zu umhüllen, er dämpfte das Sonnenlicht. Da trat eine kleine Gestalt zwischen den Büschen hervor.

Es war ein kleiner Junge, er kam über das Gras auf sie zu. Vendela wusste, wo er herkam.

Der Junge blieb vor ihr stehen und sah sie an. Vendela lächelte und streckte ihm die Hände entgegen, denn sie erkannte ihn wieder.

»Komm, Jan-Erik.«

Der Junge zögerte einen Moment, dann trat er näher.

Er stand neben dem Elfenstein und legte seine kühlen Hände auf ihre Schultern. Vendela schloss die Augen und wurde ganz ruhig.

Als sie wieder zu ihm hochsah, hatte sich vor ihr ein helles und warmes Tor geöffnet. Sie konnte keine Vögel sehen, hörte aber ihren Gesang hoch am Himmel.

Sie erhob sich und ging Hand in Hand mit Jan-Erik durch das Tor.

Sie drehte sich nicht um. Als der Nebel sich lichtete, war alles um sie herum in strahlenden Sonnenschein getaucht, und all das Graue und Irdische war verschwunden.

65

Mörner!«, rief eine Stimme, die vom Steinbruch kam.

Per drehte sich um und sah, dass Max Larsson ihn gerufen hatte. Seine Haustür stand sperrangelweit offen, und er kam über den Gartenweg auf ihn zu und hob winkend die Hand.

Per blieb stehen, obwohl er so schnell wie möglich nach Hause wollte. Er spürte stark die Wirkung des Bieres, das er bei den Kurdins getrunken hatte, und bemühte sich, nicht zu schwanken.

»Wo ist meine Frau?«, fragte Max Larsson und blieb in einigen Metern Entfernung stehen.

»Ihre Frau?«

»Ja, Vendela, haben Sie sie gesehen?«

Per schüttelte den Kopf.

»Heute nicht.«

Max Larsson interessierte ihn nicht, er hatte wichtigere Dinge zu tun. Max musterte ihn, als würde er Pers Antwort auf einer Waagschale prüfen.

»Sie haben doch was miteinander unternommen, nicht wahr?«

»Ja, das ist richtig«, antwortete Per. »Gestern haben wir uns getroffen.«

Er hatte nicht vor, Max zu erzählen, worüber sie geredet und was sie gemacht hatten. Das musste Vendela übernehmen.

Max Larsson betrachtete ihn, wirkte aber nicht mehr so selbstsicher.

»Sie muss irgendwo hingegangen sein«, sagte er und sah sich suchend um. »Ich habe mehrmals von der Stadt aus angerufen, aber sie hat nicht abgenommen. Und ihr Handy liegt auf dem Küchentisch.«

»Vielleicht ist sie einkaufen gefahren«, schlug Per vor.

»Das kann sie nicht«, sagte Larsson. »Sie hat kein Auto.«

Per wandte sich zum Gehen.

»Vielleicht ist sie einfach nur spazieren gegangen«, sagte er. »Ich werde die Augen offenhalten.«

»Ja, stimmt«, antwortete Larsson. »Ich fahre mal die Küstenstraße ab, vielleicht finde ich sie da.« Und mit einem gewissen Zweifeln in der Stimme fügte er hinzu: »Vielen Dank für die Hilfe.«

Per nickte nur und ging weiter. Auf einmal fühlte er sich vollkommen nüchtern, die Wirkung des Bieres war verflogen, und sein Verdacht, dass Christer Kurdin ihm Drogen ins Getränk gemischt hatte, erschien ihm jetzt geradezu lächerlich. Er war paranoid – das war Jerrys Schuld. Sein Vater hatte sich sein Leben lang verfolgt gefühlt, und es war ihm offensichtlich gelungen, seinen Sohn damit anzustecken.

Mit schnellen Schritten lief er zu seiner Casa Mörner und zog die Hausschlüssel aus der Tasche. Kaum hatte er sein Zuhause betreten, schaltete er überall die Lampen ein, um die Schatten zu vertreiben.

Es war Viertel nach vier. Noch achtzehn Stunden bis zu Nillas Operation.

Per holte tief Luft und setzte sich an den Küchentisch, um seine Tochter im Krankenhaus anzurufen.

»Hallo, hier ist Papa.«

»Hallo.«

Ihre Stimme klang belegt, aber ruhig. Per hörte Musik im Hintergrund. Vermutlich Nirvana.

»Wie geht es dir?«, fragte er.

»Gut.«

»Was machst du gerade?«

»Ich lese. Und warte.«

»Ich weiß. Es wird wunderbar, wenn es erst einmal vorbei ist, oder?«

»Ja.«

Sie unterhielten sich eine Weile, und er merkte, wie Nilla sich immer mehr entspannte. Das machte auch Per ruhiger. Marika war bei ihr, erfuhr er, schon den ganzen Tag.

»Ich komme heute Abend zu dir«, versprach Per.

»Wann denn?«

»Bald ... in einer Stunde oder so fahre ich los.«

»Vielleicht schlafe ich dann schon.« Nilla kicherte leise. »Die wecken mich morgen superfrüh auf ... ich muss mich mit Alkohol waschen. Den ganzen Körper desinzieren.«

Desinfizieren, wollte Per korrigieren, tat es aber nicht.

»Bis später«, verabschiedete er sich.

Er hatte aufgelegt und wollte sich gerade eine Kleinigkeit zu

essen machen, als er etwas Schwarzes über den Fußboden kriechen sah. Es war eine Schmeißfliege. Die erste des Frühlings –
zumindest die erste, die er sah. Sie schien gerade erst geschlüpft
zu sein, denn sie bewegte sich äußerst langsam und schwer-
fällig.

Per hätte sie ohne Probleme töten können, aber gerade deshalb schob er sie auf ein Stück Papier und ließ sie aus dem Küchenfenster ins Freie. Sie öffnete ihre Flügel und verschwand
ohne ein Zeichen des Dankes in Richtung Steinbruch.

Nach dem Essen blieb er eine Weile still in der Küche sitzen,
lauschte dem Ticken der Uhr und dachte an Vendela.

Wo war sie bloß?

Er hatte schon eine Idee, wo sie hingegangen sein könnte – zurück zu dem Ort ihrer Kindheit beispielsweise. Vielleicht war sie
zu dem kleinen Bauernhof gejoggt oder zu dem großen Findling
draußen in der Alvar. Vielleicht hatte Max Larsson dort schon
nach ihr gesucht, wenn er diese Orte kannte. Tat er das denn?

Per versuchte, ihn zu Hause zu erreichen, aber keiner hob ab.

Es war Viertel nach fünf. Bevor er nach Kalmar aufbrach,
könnte er doch selbst eine kurze Runde bei dem Bauernhof vorbeilaufen, solange es noch hell war. Laufen tat immer gut.

Er zog sich Laufschuhe und Jacke an und verließ das Haus. Die
Luft war kühl und herrlich frisch, er fühlte sich klar und nüchtern. Und das war er wohl auch?

Er warf einen kurzen Blick zum Haus der Larssons, der Audi
stand nicht in der Auffahrt und alle Lichter waren gelöscht.

Bei den Kurdins war Licht, aber Per wollte jetzt nicht an diese
Familie denken.

Plötzlich hörte er einen Knall in weiter Ferne, wie einen Pisto-
lenschuss. Ein paar Kinder zündeten unten am Strand Feuer-
werkskörper.

Per joggte nicht sofort los, sondern lief mit großen Schritten
die Straße nach Nordosten hinunter.

Zuerst nahm er den Weg, der von der Küste ins Landesinnere

führte, dann folgte er einem kleinen Kiesweg, und schließlich stand er vor dem Tor des kleinen Bauernhofs.

Der Rasen war noch grüner geworden und verzauberte das Anwesen in eine schwedische Sommeridylle, aber auf dem Weg zum Wohnhaus sah Per Spuren eines Fundaments. Jetzt begriff er auch, warum Vendela dort stehen geblieben war, als sie ihm den Hof gezeigt hatte. Das Rechteck waren die Überreste des abgebrannten Stalls.

Das Gras schien an der Stelle ein bisschen kürzer und gelber zu sein, oder war das nur Einbildung?

Brandstifter haben oft eine enge Beziehung zur beschädigten Sache.

Per musste an Hans Bremer denken, der offensichtlich ein Faible für Pyrotechnik gehabt und neben Jerry die beste Ortskenntnis des Filmstudios in Ryd besessen hatte. Wenn jemand genügend Zeit und Möglichkeiten gehabt hatte, die Brandbomben zu installieren, dann war es Bremer. Aber Bremers Hände waren laut Polizei auf dem Rücken gefesselt gewesen. Und er war in den Flammen umgekommen – obwohl Jerry nicht aufgehört hatte, von seinem Partner zu reden, als wäre er noch am Leben. Bremer habe ihn angerufen, hatte Jerry behauptet, und er habe auch in dem Wagen gesessen, der Jerry in Kalmar überfahren hatte.

Per hatte das nicht ernst genommen, seinen Vater als krank und verwirrt hingestellt. Aber wie sicher war es eigentlich, dass tatsächlich Hans Bremers Körper im Filmstudio verbrannt war?

Ganz sicher – da gab es eigentlich keinen Zweifel. Bremers Schwester hatte es bestätigt, und die Polizei konnte sich auch nicht irren. Sie hatten mit dem Gebissabgleich, Fingerabdrücken und DNA-Spuren die besten Möglichkeiten, es zu beweisen.

Er ging an die Haustür und klopfte an, denn die Besitzer waren offensichtlich zu Hause. Die Frau, die ihm öffnete, konnte sich an Vendela erinnern:

»Ja, natürlich, sie kam vor gut einer Woche bei uns vorbei. Sie hat als Kind auf dem Hof gelebt. Aber danach haben wir sie nicht wiedergesehen.«

Per nickte, bedankte sich und kletterte hinter dem Haus über eine moosbedeckte Steinmauer und lief dann weiter in die Alvar. Das Schmelzwasser war verdunstet und versickert, der Boden war übersät mit den widerstandsfähigen Kräutern und Blumen, die in dem harten Boden Halt fanden.

Der Frühling hatte die Insel erobert, ohne dass Per es bemerkt hatte.

Trotz des trockenen und schönen Wetters war kein Wanderer unterwegs – wahrscheinlich waren alle mit den Walpurgisfestvorbereitungen beschäftigt. Die einzigen Geräusche, die er hörte, waren das sanfte Rauschen des Windes und ein entferntes Vogelzwitschern.

Er beschleunigte sein Tempo. Er konnte niemanden nach dem Weg fragen und hoffte, dass er in die richtige Himmelsrichtung lief, die ihn zum großen Elfenstein führen würde.

66

Per nahm an, dass der Elfenstein sich irgendwo in der Mitte der schmalen Insel befand. Er war mit großen Schritten die Pfade entlanggelaufen, die durch das Gestrüpp führten, und hatte schließlich in einiger Entfernung ein kleines Wäldchen ausgemacht. Erst jetzt begann er zu joggen.

Schnell war er warm gelaufen und ein bisschen außer Atem. Weit und breit kein Steinblock zu sehen, aber als er nach Norden sah, entdeckte er eine kleine halbkreisförmige Ansammlung von Wacholdersträuchern, die ihm bekannt vorkam.

Als er näher kam, sah er auch den Steinblock durch die Äste hindurchschimmern und wusste, dass er den Ort wiedergefunden hatte, an den Vendela ihn geführt hatte.

Die Sonne hatte sich durch die Wolken geschoben und zeigte

sich im Westen als tief hängende, blassgelbe Scheibe. Die Schatten der Büsche und Sträucher wurden zu langen schwarzen Bändern, die sich über die Alvar legten. Er betrat das Wäldchen und blieb stehen.

Der Felsblock thronte in der Mitte, daneben stand eine kleine Gestalt, die nicht bis an den oberen Rand des Steines reichte.

Es war ein Junge in Jeans und blauer Jacke, der Per entgegensah und ihn anlächelte.

Per blinzelte ein paarmal, aber der Junge war keine optische Täuschung. Er stand da und hielt eine kleine Holzkiste in der Hand. Das Kind war etwa neun oder zehn Jahre alt.

»Hallo«, sagte Per.

Der Junge antwortete nicht, Per ging auf ihn zu.

»Wie heißt du?«

Auch darauf erhielt er keine Antwort.

»Was machst du hier?«

Der Junge öffnete den Mund und drehte den Kopf zur Seite.

»Ich wohne dort drüben.«

Er hob die Hand und zeigte in eine Richtung. Per konnte kein Haus sehen, aber sollte es dort Höfe geben, waren sie hinter den Bäumen versteckt.

»Bist du alleine hier?«

Der Junge tat einen Schritt von dem Steinblock weg.

»Ich habe sie auf die Seite gelegt, so macht man das doch.«

Erst da sah Per Vendela am Boden liegen.

Sie lag hinter dem Steinblock, das Gesicht in den Händen vergraben. Sie trug eine Wollmütze und eine dicke Daunenjacke – es sah aus, als würde sie sich nur ausruhen.

Per stürzte auf sie zu und beugte sich über sie.

»Vendela?«

Als er sie vorsichtig an der Schulter rüttelte, bemerkte er, dass sie nicht schlief. Sie war bewusstlos und hatte sich offenbar übergeben.

»Vendela?«

Keine Reaktion.

Der Junge stand nur wenige Schritte entfernt und beobachtete aufmerksam Pers erfolglose Versuche, sie aufzuwecken.

Per stand auf. Er hatte zwar sein Handy dabei, aber ein Krankenwagen würde diesen Ort niemals finden. Sein Blick fiel erneut auf den Jungen.

»Wir müssen Vendela helfen ... sie ist krank«, erklärte er. »Gibt es eine Straße hier in der Nähe?«

Der Junge nickte und lief los. Per bückte sich und hob Vendela hoch. Ihr Körper war leblos, aber er konnte sie gut tragen.

Sie verließen den Stein, die Sonne im Rücken. Der Junge hielt seine Holzkiste in der Hand, aber nach etwa fünfzig Metern blieb er stehen und schob sie unter die tiefen Zweige eines Wacholderstrauches.

»Das ist mein Geheimversteck!«, sagte er.

Per nickte und sah aus dem Augenwinkel auch Zeitschriften in dem Versteck, zum Glück waren es nur Comics.

»Komm, lass uns weitergehen.«

Seine Arme begannen zu schmerzen, und er lief weiter, um nicht aus dem Takt zu geraten. Der Junge holte ihn wieder ein und führte ihn durch das Labyrinth aus Sträuchern und Büschen.

Nach einigen Hundert Metern hörte Per ein vertrautes Rauschen, es waren Autos, die auf einer Straße fuhren, und da wusste er, dass sie die Landstraße erreicht hatten. Sie war viel näher, als er erwartet hatte.

Als sich die Bäume und Sträucher lichteten, sah er auch die Scheinwerfer der Autos vorbeisausen. Er stolperte mit Vendela im Arm weiter und hatte Angst, sie nicht mehr lange tragen zu können.

»Vendela?«

Sie atmete und schlug die Augen auf, schien ihn aber nicht zu erkennen. Sie murmelte nur etwas Unverständliches und sank zurück in die Bewusstlosigkeit.

Er hielt sie fester und lief die letzten Meter zur Straße. Jetzt war kein Auto mehr zu sehen, aber eine Bushaltestelle hatte er entdeckt. Dort angekommen, bettete er Vendela auf die Bank im Wartehäuschen.

Dann holte er sein Handy aus der Trainingsjacke und rief den Notarzt an, beschrieb kurz, was geschehen war und wo sie sich befanden. Als er das Gespräch beendet hatte, bemerkte er, dass Vendela und er allein waren.

Der Junge war verschwunden.

Es dauerte eine halbe Stunde, bis der Krankenwagen kam, in der Zwischenzeit versuchte Per, Vendela warm zu halten und aus ihrer Bewusstlosigkeit zu wecken. Als der Wagen endlich eintraf, hatte Vendela ihre Augen geöffnet und war auch mehrere Minuten lang wach gewesen, bis sie wieder in sich zusammensank. Sie hatte einen flachen, aber regelmäßigen Atem.

Die Rettungssanitäter kamen mit ihren Notfallkoffern angerannt, zogen Vendela die Jacke aus und maßen ihren Blutdruck. Per trat zur Seite.

»Wir nehmen sie mit nach Kalmar«, entschied einer der Sanitäter.

Jetzt war auch Vendela eine Patientin geworden, genauso wie Nilla.

»Wird sie es schaffen?«

»Ganz bestimmt. Sind Sie ihr Mann?«

»Nein ... ich bin ein Freund. Aber ich werde versuchen, ihren Mann zu erreichen.«

Zehn Minuten später brachen sie auf in Richtung Brücke und Festland. Per atmete auf.

Er nahm Vendelas Daunenjacke und machte sich auf den Nachhauseweg, den Kiesweg hinunter und dann auf den Pfad, der in die Alvar führte. Am Ende des Pfades wartete der kleine Junge auf ihn. Er hatte seine Holzkiste unter dem Strauch hervorgeholt und sich daraufgesetzt.

»Der Krankenwagen ist losgefahren. Vielen Dank für deine Hilfe«, sagte Per.

Der Junge erwiderte nichts. Die Dämmerung brach langsam herein.

»Findest du den Weg nach Hause?«

Der Junge nickte.

»Sehr gut«, sagte Per und wollte gerade gehen. »Sag mal, was ist das eigentlich für eine Holzkiste?«

Der Junge sah ihn eine Weile schweigend an, als würde er abwägen, ob er Per vertrauen konnte.

»Ich zeig es dir.«

Er stand auf und hob den Deckel der Holzkiste hoch. Die Kiste hatte keinen Boden, im Gras darunter lag eine rostige kleine Blechkiste. Der Junge hob den Deckel an und zeigte Per, was sich darin verbarg.

»Ich brauche die Holzkiste, um auf den Stein zu kommen«, erklärte er. »Da liegen fast immer neue Sachen in den Kuhlen.«

Per sah, dass die Blechkiste zur Hälfte mit Münzen und kleinen silbernen Schmuckstücken gefüllt war.

Und obendrauf lag ein funkelnder Ehering.

67

Am Abend vor der Walpurgisnacht saß Gerlof in seinem Garten, mit einer Decke über den Beinen. Er meinte, Sirenen auf der Landstraße zu hören. Krankenwagen, Feuerwehrauto oder Polizeiwagen?

Vermutlich war es ein Krankenwagen. Vielleicht hatte ein Mitbewohner im Altersheim von Marnäs einen Herzinfarkt erlitten? Er würde früher oder später davon in der Zeitung erfahren.

Er hatte sich nach dem Abendessen in seinen Gartenstuhl gesetzt und wollte noch nicht wieder ins Haus gehen. Immerhin war es Walpurgisnacht, der Höhepunkt des Frühlings, der

Abend, an dem alle schwedischen Studenten in den Straßen feierten, um den Mai zu begrüßen. Da konnte man nicht einfach im Haus sitzen bleiben.

Der Himmel verdunkelte sich mit jeder Minute mehr, und ein leichter Wind war aufgekommen und raschelte in den Baumkronen über ihm. Und die Singvögel, die in seinem Garten wohnten, verstummten, einer nach dem anderen. Wenn die Sonne unterging, würde es noch empfindlich kalt werden, vielleicht gab es sogar Frostgrade. Eigentlich kein Wetter, um draußen zu sitzen, er sollte bald ins Haus gehen und Nachrichten sehen.

Gerlof hatte sich zwar Per Mörner gegenüber geweigert, sich mit Rätseln und Geheimnissen zu beschäftigen, aber er konnte es nicht verhindern, dass seine Gedanken wanderten. Von Kindesbeinen an war er unheilbar darauf fixiert, und so saß er nun mit dem Tagebuch seiner Frau im Schoß und dachte nach über ihren Troll, ihr kleines Kerlchen, der Henry Fors' Sohn gewesen sein musste.

Aber was war aus ihm geworden? Er war laut Ellas Aufzeichnungen Richtung Steinbruch gerannt, aber was war wirklich geschehen, als er Henry an der Kante des Steinbruchs erreicht hatte?

War ein Streit ausgebrochen, der zu einem Mord führte? Oder war es ein Unfall? Wie auch immer, wenn der Junge dabei ums Leben gekommen war, musste er unter einem der Steinhaufen im Steinbruch vergraben sein.

Wenn Gerlofs Beine zehn Jahre jünger und beweglicher gewesen wären, hätte er sich sofort aufgemacht, um im Steinbruch danach zu suchen. Aber sein Körper war zu alt und zu steif, außerdem war er sich auch nicht vollkommen sicher, dass Henry den Leichnam seines Sohnes dort verscharrt hatte.

Und wo sollte er mit der Suche beginnen?

Da erkannte Gerlof plötzlich, dass er sich von der Fixierung auf seinen eigenen Tod verabschiedet hatte – seit Ostern hatte er keinen Gedanken mehr daran verschwendet. Er war mit anderen Dingen beschäftigt gewesen. Gewissermaßen hatten ihm Ellas Tagebücher dabei geholfen. Oder waren es die neuen Nachbarn und ihre Probleme, die ihn seine eigenen hatten vergessen lassen?

Er fror trotz Decke. Es war merklich kälter geworden, deshalb stand er auf.

Er hörte Motorengeräusche auf der Hauptstraße. In den letzten Wochen hatte der Verkehr auf der Straße zugenommen, und die meisten Fahrer waren viel zu schnell unterwegs für die schmale Fahrbahn – aber dieser Wagen hier schien langsam vorbeizurollen. Gerlof hörte, wie er bremste und anhielt. Allerdings wurde der Motor nicht ausgeschaltet, merkwürdig.

Gerlof erwartete einen Besucher an seiner Gartentür, aber es kam keiner.

Er wartete noch ein paar Minuten, dann nahm er seinen Stock und ging durch den Garten, um nachzusehen. Der Untergrund war ziemlich uneben, aber Gerlof hielt sich auf den Beinen.

Als er die Straße erreicht hatte, sah er den Wagen. Der Fahrer trug eine schwarze Baseballkappe und hielt etwas in der Hand.

Gerlof kannte weder Auto noch Fahrer. Ein früher Tourist? Er hielt sich am Torpfosten fest und war auch nur wenige Meter von dem Fahrzeug entfernt, aber der Fahrer schien ihn noch nicht bemerkt zu haben. Schließlich legte Gerlof die Hand als Trichter vor den Mund und rief:

»Benötigen Sie Hilfe?«

Er hatte nicht laut gerufen, aber der Mann wandte den Kopf und entdeckte ihn. Er wirkte überrascht, fast so, als hätte ihn Gerlof bei etwas ertappt.

Da sah Gerlof, dass der Mann eine Plastikflasche mit einer roten Substanz in der Hand hielt. Diese mischte er mit einer anderen Flüssigkeit aus einem Glasbehälter. An der Flasche waren Drähte befestigt.

»Haben Sie sich verfahren?«, rief Gerlof.

Der Fahrer schüttelte kurz den Kopf. Dann stellte er die Flasche auf den Beifahrersitz und legte seine linke Hand aufs Steuer. Dabei sah Gerlof etwas an seinem Handgelenk aufblitzen.

Hastig legte der Mann einen Gang ein und fuhr los.

Gerlof blieb am Tor stehen und sah dem Wagen hinterher, der Richtung Küste fuhr. Doch kurz vor der Küstenstraße wurde er langsamer und bog rechts zum Steinbruch ab.

Gerlof ließ den Torpfosten los, stützte sich auf seinen Stock und schaffte es, sich umzudrehen, ohne zu stürzen. Dann machte er sich auf den Weg zurück zu seinem Stuhl, blieb aber auf der Hälfte des Weges stehen und überlegte, was der Mann da in der Hand gehalten hatte.

Was er gerade gesehen hatte, gefiel ihm gar nicht. Es war genau genommen so bedrohlich, dass Gerlof den Eindruck hatte, dass die Luft auf einen Schlag wesentlich kälter geworden war.

Er ging weiter, nahm aber Kurs auf sein Häuschen, kämpfte sich am Geländer die Treppe hoch und schlurfte ins Wohnzimmer. Die Nummer von Ernst hatte er noch im Kopf, und er wählte sie mit zitternden Fingern.

Zwölfmal ließ er es klingeln, aber weder Per Mörner noch jemand anderer hob ab.

Gerlof legte wieder auf. Er blinzelte und versuchte, den Ernst der Lage abzuschätzen.

Er war vierundachtzig Jahre alt, gebeutelt von Rheumatismus und schwerhörig. Und die ersten Schmetterlinge des Jahres waren gelb und dunkelgrau gewesen.

Das konnte gut gehen oder schrecklich böse enden.

Gerlof wusste nicht, ob er genug Kraft hatte, aber er sah sich gezwungen, zum Steinbruch zu gehen und nachzusehen, ob Per seine Hilfe brauchte.

68

Als Per sich auf den Weg zurück zur Küste quer durch die Alvar machte, waren die Schatten noch länger als zuvor. Die Sonne hing vor ihm wie eine schwere goldene Scheibe in einem schmalen blauen Streifen zwischen den Wolken vor dem Horizont.

Er war furchtbar müde. Das Letzte, was er getan hatte, bevor er sich auf den Nachhauseweg gemacht hatte, war, Max Larsson anzurufen. Er hatte ihm erzählt, dass er Vendela bewusstlos in der Alvar gefunden hatte, sie aber aufgewacht war und sich auf dem Weg ins Krankenhaus von Kalmar befand.

Nur noch zwölf Stunden.

Das war ihm durch den Kopf geschossen, als er an dem Platz vorbeikam, wo er Vendela und den Jungen gefunden hatte, der neben ihr gewacht hatte. Dort, zwischen dem dichten Wäldchen aus Wacholdersträuchern und dem großen Felsblock in der Mitte.

Der Elfenstein.

Er beschloss, hier einen Augenblick auszuruhen. Hier hatte er vor ein paar Tagen mit Vendela gesessen, und sie hatten sich ihre Geheimnisse offenbart. Er hatte Sachen von sich und seinem Vater erzählt, die er noch niemandem je zuvor gesagt hatte. Und sie hatte ihm verraten, dass nicht Max, sondern sie die Verfasserin der meisten Bücher war.

Einen Torpedo hatte Per ihn genannt, aber jetzt wusste er, dass es der falsche Ausdruck dafür war. Torpedos nannte man in der Unterwelt Auftragskiller, aber jene Personen, die anderen ihre eigenen Namen ausliehen, die wurden Torwächter genannt.

Max hat auch keine Probleme damit, berühmt zu sein. Aber ich stehe nicht so gern im Rampenlicht, hatte Vendela gesagt.

Per blieb einige Minuten still vor dem Stein stehen und betrachtete die leeren Steinschälchen auf der Oberfläche des Felsblockes. Dann öffnete er sein Portemonnaie und legte einen Schein in eine der Kuhlen und beschwerte ihn mit ein paar Münzen.

Wunschdenken.

Er wusste genau, was gerade in ihm vorging, aber er konnte gar nicht unterdrücken, dass Nillas Gesicht vor ihm auftauchte, als er die Münzen hinlegte. Er konnte sich nicht dagegen wehren, dass in ihm Wünsche aufstiegen, als er vor dem Stein stand – er opferte Geld und bat um ein Wunder.

Da raschelte es im Gebüsch hinter ihm.

Erschrocken sah er sich um, er fühlte sich beobachtet. Und das wurde er auch. Ein rotbraunes, spitzes Gesicht starrte ihn durch den Wacholderbusch an. Zuerst dachte er, es sei ein Hund, aber dann erkannte er, dass dort ein Fuchs zwischen den Sträuchern stand. Wie versteinert stand er einige Sekunden lang und starrte ihn an, dann drehte er sich blitzschnell um und war verschwunden.

Per setzte seinen Weg fort und ließ den Stein hinter sich.

Die Sonne war fast untergegangen, als er Stenvik erreichte. Ein leichter Wind wehte vom Meer, und vom anderen Ende des Ortes hörte er Lachen und fröhliche Stimmen. Die Bewohner hatten begonnen, sich am Strand zu versammeln, um die Lagerfeuer anzuzünden und Walpurgisnacht zu feiern.

Er war viel zu müde, um mitzufeiern, außerdem wollte er auch noch ins Krankenhaus fahren. Er schloss auf und konnte Vendelas Duft erahnen, als er ihre Daunenjacke in die Garderobe hängte. Dann setzte er Wasser für eine Gemüsesuppe auf, mit der er sich stärken wollte, bevor er zu Nilla fuhr.

Der Zettel aus Hans Bremers Küche lag neben dem Telefon, und während Per Karotten hackte, warf er immer wieder einen Blick darauf, vor allem auf den letzten Namen: Daniele, ihr richtiger Name war Jessika Björk gewesen.

Jessika und Hans Bremer waren in Kontakt miteinander gewesen, obwohl sie schon seit Jahren nicht mehr für ihn arbeitete. Warum? Und warum hatte jemand die beiden ermordet?

Das Wasser kochte. Er rührte die Gemüsebouillon, Kräuter und Gemüse hinein, und als sie fertig gekocht hatte, setzte er sich an den Küchentisch und aß.

Brandstifter haben oft eine enge Beziehung zur beschädigten Sache, hatte Gerlof gesagt.

Jerry und Bremer kannten sich in Ryd besser aus als jeder andere. Aber keiner von beiden wäre in der Lage gewesen, die Brandbomben zu installieren und den Zeitzünder auszulösen. Jerry war zu alt und zu krank dafür, und Bremer hatte gefesselt im ersten Stock gelegen.

Per stellte den Suppenteller in die Spüle und sah aus dem Fenster. Die Sonne war untergegangen, aber plötzlich wurde er von einem starken Lichtkegel getroffen.

Ein dunkles Auto kam die Küstenstraße hochgefahren.

Ein Pkw, war es ein Ford?

Er griff nach dem Telefon, während er beobachtete, wie der Wagen bremste und in den Steinbruch fuhr. Mit eingeschalteten Scheinwerfern rollte er langsam den Weg hinunter und kam schließlich unten auf dem Kies zum Stehen.

Per hob den Hörer und wählte eine Nummer auf dem Festland. Eine Männerstimme meldete sich:

»Ulf.«

»Ich würde gerne mit Ulrica Ternman sprechen«, sagte Per.

»Und wer sind Sie?«

»Per Mörner.«

»Einen Augenblick bitte ...«

Es knisterte in der Leitung, gleichzeitig hörte er, wie eine Wagentür unten im Steinbruch geöffnet und zugeworfen wurde. Dann ertönte Ulrica Ternmans Stimme:

»Hallo?«

»Ja, hallo, ich bin es noch einmal, Per Mörner. Erinnern Sie sich an mich?«

Sie schwieg. Dann antwortete sie leise:

»Ich will nicht mehr mit Ihnen sprechen.«

»Ich weiß«, lenkte Per schnell ein, »ich habe auch nur eine ganz kurze Frage.«

»Und welche?«

»Ich würde gerne wissen, wie Hans Bremer ausgesehen hat?«

»Bremer? Er sah irgendwie ... ganz normal aus. Ein bisschen so wie Sie, wenn ich ehrlich bin.«

»Ach, wirklich? Aber er war viel älter als ich?«

»Nein, jünger.«

»Viel jünger?«

»Damals fand ich ihn natürlich alt, aber ich war ja auch ein Teenager. Er mag so um die dreißig gewesen sein, vielleicht.«

»Dreißig?«

Per sah, dass der Fahrer des Wagens ausstieg. Sein Gesicht war nicht zu erkennen, denn er war zu weit weg und trug eine Baseballkappe. Der Mann sah sich suchend im Steinbruch um, blickte hoch zu Pers Haus und stieg wieder ein. Er schien auf etwas zu warten.

»Wenn Hans Bremer dreißig war, als sie ihn im Studio trafen«, fuhr Per fort, »dann müsste er etwa fünfundvierzig gewesen sein, als er bei dem Brand ums Leben kam. Aber das kann nicht sein. Hans Bremer hatte eine kleine Schwester, und die war älter als ich.«

»Ach ja? Ich muss jetzt auflegen.«

»Warten Sie, Frau Ternman, ich will nur darauf hinaus, dass der Regisseur, der Sie und Ihre Freundinnen gefilmt hat, *nicht* Hans Bremer war.«

»Er hat sich uns so vorgestellt.«

»Ja«, sagte Per. »Aber wenn ich eines in letzter Zeit gelernt habe, dann die Tatsache, dass *niemand* in der Sexbranche seinen richtigen Namen verwendet. Alle versuchen, anonym zu bleiben, oder? Mein Vater hat ja auch seinen Namen von Gerhard Mörner in Jerry Morner geändert.«

Es war still am anderen Ende der Leitung, also redete Per weiter:

»Hans Bremer war nur ein ›Torwächter‹, so nennt man das. Jemand hat seinen Namen verwendet und ihm Geld dafür gegeben, dass er sich Hans Bremer nennen darf und so seinen eigenen Namen nicht schmutzig machen muss.«

»Wollen Sie damit sagen, dass ich schmutzig bin?«

»Nein, so war das doch gar nicht gemeint ...«

Aber Ulrica Ternman hatte schon aufgelegt.

Per seufzte, betrachtete nachdenklich das Telefon, entschied sich aber dagegen, erneut anzurufen.

Er warf einen letzten Blick auf das Auto im Steinbruch und verließ dann die Küche.

Auf dem Weg in den Flur sah er aus dem Augenwinkel die Axt im Schlafzimmer neben seinem Bett liegen und holte sie. Dann zog er sich die Jacke an und ging hinaus in die kalte Abendluft. Er trug die Axt in der Rechten, als er plötzlich meinte, im Schatten zischende Atemgeräusche zu hören.

Jerry?

Er drehte sich um, aber natürlich hatte er sich das nur eingebildet. Da war keine Menschenseele.

Der Wagen stand nach wie vor unten im Steinbruch, zwischen zwei Steinhaufen. Er war etwa siebzig oder achtzig Meter von der Kante entfernt. Es war ein Ford, aber wenn es das Unfallfahrzeug gewesen sein sollte, waren von dem Aufprall keine Spuren mehr zu sehen. Die Karosserie sah neu poliert aus.

Per meinte zu wissen, warum der Fahrer im Wagen sitzen blieb. Er wartete darauf, dass der Steinbruch in nachtschwarzer Dunkelheit lag.

Und nachts kriecht der Troll hervor, dachte er.

Per trat an die Felsenkante und hörte, dass der Motor abgestellt wurde. Es wurde ganz still, dann kurbelte der Fahrer die Scheibe herunter und steckte seinen Kopf aus dem Fenster.

»Hallo?«, rief er.

»Hallo!«, erwiderte Per.

»Bin ich hier richtig in Stenvik?«

Es klang tatsächlich so, als hätte er sich verfahren.

»Ja, das ist richtig!«, rief Per zurück und umklammerte die Axt noch fester.

Die Fahrertür öffnete sich erneut, und der Mann stieg aus.

»Per Mörner?«, rief er. »Sind Sie das vielleicht?«

»Ja, das bin ich. Wer sind Sie denn?«

»Thomas Fall aus Malmö!«, antwortete der Mann. Er streckte etwas Schwarzes in die Luft, das er in der Hand hielt. »Ich wollte Ihnen ja die Tasche auf dem Weg nach Stockholm vorbeibringen, die wollten Sie doch ...«

Per nickte.

»Ja, prima. Aber Sie haben sich ein bisschen verfahren!«

»Ach, wirklich? Sie sagten doch, es sei beim Steinbruch!«

»Das ist schon der richtige Gedanke, nur der falsche Weg.« Per zeigte über die Schulter aufs Haus. »Wir wohnen oberhalb vom Steinbruch, dort hinten.«

»Meinetwegen, aber hier ist sie auf jeden Fall, Bremers Tasche!«

Per deutete auf die Treppe an der Felskante und rief:

»Ich komme runter!«

Vorsichtig stieg er die wackeligen Steinplatten hinunter. Im Steinbruch war es wie immer ein paar Grad kälter.

Per ging auf das Auto zu, die Scheinwerfer blendeten ihn und verwandelten Thomas Fall in eine schwarze Gestalt mit einer Baseballkappe, die ihm entgegenkam. In der Linken eine Aktentasche, in der Rechten einen Schlüsselbund. Er rasselte nervös damit und hielt Per die Tasche entgegen.

»Hier ist sie.«

Per sah ihn an, die Axt lag fest und sicher in seiner Hand.

»Legen Sie sie dort hin.«

»Wie bitte?«

»Sie können sie ruhig auf den Boden stellen.«

Fall sah ihn neugierig an.

»Was haben Sie denn da in der Hand?«, fragte er.

»Eine Axt.«

Thomas Fall kam zwei Schritte näher, ließ aber weder Tasche noch Schlüsselbund los.

»Gehörte der Schlüsselbund auch Bremer?«, fragte Per.

Thomas Fall antwortete nicht, er war noch circa zehn oder zwölf Schritte entfernt. Per konnte sein Gesicht noch nicht erkennen. Er zeigte auf die Aktentasche:

»Ich glaube nicht, dass die Hans Bremer gehört hat, ich glaube, es ist Ihre eigene ... aber das ist wahrscheinlich ein und dasselbe. Sie *waren* ja all die Jahre Hans Bremer, richtig? Sie haben sich seinen Namen geliehen, während Sie für meinen Vater gearbeitet haben.«

Fall hörte zu, blieb aber reglos stehen.

»Ich glaube, dass Jessika Björk Ihnen auf die Schliche kam. Vermutlich hatte sie Hans Bremers Wohnort ausfindig gemacht, weil sie mit ihm über ihren Freund Daniel Wellman sprechen wollte, der sich bei den Dreharbeiten unter dem Pseudonym ›Markus Lukas‹ mit HIV infiziert hatte. Aber als ihr der echte Bremer die Tür öffnete, erkannte sie ihn nicht wieder. Dort stand ein anderer Bremer als der, mit dem sie gearbeitet hatte.«

Noch immer sagte sein Gegenüber keinen Ton.

»Der echte Bremer hat Jessika gestanden, dass er nur als sogenannter Torwächter fungiert. Jemand anderer hatte sich seinen Namen geliehen, um unerkannt in der Pornoindustrie arbeiten zu können – eben bis Markus Lukas krank wurde und Jessika Björk auftauchte und Schweigegeld kassieren wollte. Da wurde es Zeit, das Studio in Brand zu stecken, damit ›Bremer‹ verschwinden und wieder zu Thomas Fall werden konnte.«

Fall antwortete nicht sofort, sondern öffnete die Schnallen der Aktentasche. Dann sprach er mit leiser, gedämpfter Stimme:

»Das stimmt. Ich habe viele Jahre für deinen Vater gearbeitet. Und ich habe sein Konto leer geräumt, als er den Schlaganfall hatte. Aber ich hatte ein gutes Recht dazu. Er war nämlich auch mein Vater. Wir beide sind Brüder.«

Per war fassungslos, er lockerte den Griff um die Axt.

»Brüder?«

Er behielt Fall im Auge, der langsam seine Hand in die Tasche geschoben hatte.

»Na gut, Halbbrüder. Jerry hatte was mit meiner Mutter, einen Sommer lang Ende der Fünfziger, aber das genügte. Allerdings hat er mich nie erkannt, und ich habe ihm auch nie etwas erzählt, aber ich glaube, ich war der bessere Sohn von uns beiden. Er hatte keine Ahnung, wie sehr ich ihn gehasst habe.«

Per starrte Fall an und versuchte, sein Gesicht unter der Kappe zu erkennen. Ähnelten sie sich?

In diesem Augenblick kam der Angriff.

Es ging wahnsinnig schnell. Im grellen Schein der Scheinwerfer konnte Per Falls Bewegungen nicht deutlich genug sehen. Er registrierte nur, wie Fall die Tasche öffnete und etwas mit der Hand umdrehte.

Dann hörte er ein zischendes Geräusch, und gleichzeitig warf Fall Per die Aktentasche entgegen.

Die Tasche drehte sich im Kreis und spie gelbe Flammen. Per sprang nach hinten, war aber nicht schnell genug. Aus der Tasche spritzte eine Flüssigkeit, die sich auf seinen Arm legte und lichterloh brannte. Es war heiß, sehr heiß.

Sein linker Arm brannte und die Hand auch. Klare, weiße Flammen, aber obwohl er die Hitze spürte, tat es nicht weh.

Per ließ die Axt fallen und stolperte rückwärts. Da hörte er Schritte auf dem Kies und eine Autotür, die zugeschlagen wurde. Der Motor sprang an.

Die Flüssigkeit, die auf den Boden lief, teilte sich in viele rote Arme, die nach ihm griffen, aber er konnte ihnen hüpfend entkommen.

Thomas Fall drückte das Gaspedal herunter, Per versuchte verzweifelt, die Flammen, die an seinem Körper klebten, zu löschen.

Im Steinbruch gab es keine Wasserpfützen mehr – nur trockenen Stein –, deshalb warf er sich auf den Boden und rollte hin und her, um das Feuer zu ersticken. Mit der rechten Hand schaufelte er kalten Kies auf die Flammen, die über seinen Jackenärmel flackerten. Aber sie brannten weiter, fraßen sich durch den Stoff hindurch.

Dann kamen die Schmerzen.

Nicht ohnmächtig werden, beschwor er sich. Aber der Arm pochte, er spürte die Hitze und roch den Gestank; ein scharfer Geruch von verbrannter Haut. Ihm wurde schwindlig. Aber es gelang ihm, weiter Kies auf den Arm zu schaufeln, und schließlich erloschen Flammen und Glut.

Da hörte er, dass das Motorengeräusch lauter wurde, es war direkt vor ihm.

Per rappelte sich auf und wollte zur Seite springen – aber er war nicht schnell genug.

Der rechte Kotflügel traf ihn und warf ihn in die Luft, sein Gesicht knallte gegen die Windschutzscheibe, er hörte den Aufprall und das Geräusch von brechenden Knochen.

Dann schlug er mit ausgestreckten Beinen auf dem Boden auf. Seinen linken Fuß und den Rumpf traf es am schlimmsten, aber auch sein Kopf prallte hart auf, und er verlor für Sekunden das Bewusstsein.

Dann kam er wieder zu sich und rappelte sich mühsam auf die Knie. Er spürte den kalten Wind, aber auch, wie etwas Warmes über sein Gesicht lief. Es war Blut. Eine geplatzte Augenbraue oder eine gebrochene Nase.

Das Auto setzte zurück, und Per hörte, wie die Autotür zugeschlagen wurde. Dann näherten sich Schritte über den Kies. Thomas Fall kam auf ihn zu, blieb vor ihm stehen und hob etwas in die Luft. Per hob den Kopf und sah den Benzinkanister.

Die große Überraschung ist, dass es keine Überraschung gibt.

Er konnte sich nicht bewegen. Er kniete mit mehreren gebrochenen Rippen da und war von der milden Temperatur des Benzins überrascht, mit dem er übergossen wurde. Im Vergleich zu der kalten Abendluft fühlte sich die Flüssigkeit beinahe warm an, und es brannte, als sie ihm über die Haare und in die Wunden im Gesicht lief.

Der Benzinkanister über seinem Kopf gab rhythmische, gluckernde Laute von sich. Dann hörte das Gluckern auf, und der leere Kanister wurde weggeschleudert.

Per kniete inmitten einer großen Pfütze und war vollkommen durchnässt. Er war von dem harten Schlag auf den Kopf noch ganz benommen, und die Benzindämpfe machten ihn schwindelig.

Er stützte sich auf seine Arme und versuchte, sich aufzurichten. Aber er hatte Schwierigkeiten, mehr als Umrisse zu erkennen. Thomas Fall war nur ein dunkler Schatten gegen den dunkelroten Abendhimmel.

Wie ein Troll, dachte Per. Sein Halbbruder sah aus wie ein Troll.

»Walpurgisnacht!«, sagte Fall. »Heute Nacht brennen überall auf der Insel Feuer!«

Dann holte er etwas aus der Jackentasche, einen Gegenstand, der leise rasselte. Es war eine Streichholzschachtel.

Da fiel Per noch eine Sache ein, die er versuchen konnte – er konnte um Gnade bitten. Von Bruder zu Bruder.

Und auch für Nilla. Wie viele Stunden hatte er noch?

»Ich werde schweigen«, flüsterte er.

Sein Halbbruder antwortete nicht einmal. Er öffnete die Schachtel und holte ein Streichholz heraus. Dann schob er die Schachtel wieder zu, nahm das Streichholz zwischen die Finger und zündete es an.

Es knisterte leise, und dann loderte eine helle, gelbe Flamme unmittelbar vor Pers Augen auf. In der Dunkelheit des Steinbruchs war dieser Lichtschein so stark, dass alles andere dahinter verschwand.

Per schloss die Augen und wartete.

69

Wie weit war es bis zu Per Mörners Haus am Steinbruch? Siebenhundertundfünfzig Meter vielleicht oder achthundert? Gerlof erinnerte sich an das hübsche, gepflegte Schild seines Freundes Ernst mit der Aufschrift STEINKUNST, 1 KILOMETER, das er am Wegrand aufgestellt hatte. Aber ganz so weit war es nicht, das wusste er. Mit diesem Gedanken sprach Gerlof sich Mut zu, nachdem er die Strecke über die Hauptstraße unbeschadet geschafft hatte.

Ganz so weit war es nicht.

Gerlof kannte jeden Zentimeter des schmalen und unebenen Kiesweges, den er unzählige Male zurückgelegt hatte, wenn er Ernst besuchte – aber es war mittlerweile auch sechs oder sieben Jahre her, seit er diese Strecke das letzte Mal gelaufen ist. Ja, damals war er noch frisch und quasi jung gewesen – kaum älter als fünfundsiebzig oder so.

Seine schmerzenden Beine und die steife Hüfte ließen nur kleine, kurze Schritte zu, dadurch wirkte der Weg unendlich weit. Er beschrieb eine sanfte Kurve am Steinbruch entlang, und dort hinten konnte er die Auffahrt von Ernsts Haus sehen. Würde er das wirklich schaffen? Die ersten hundert Meter waren überwunden, aber sein ganzer Körper tat weh, und die Beine zitterten. Der einzige Trost war, dass er sich den Wintermantel übergezogen hatte, bevor er aufgebrochen war. Er hatte ihn bis obenhin zugeknöpft, Rücken und Schultern waren warm.

Gerlof wusste nicht genau, wie spät es war, aber die Sonne stand schon tief über dem Sund und würde bald ganz verschwunden sein. Der Wind hatte zugenommen und brannte in seinen Augen. Er blinzelte, wischte die Tränen aus den Augenwinkeln und kämpfte sich weiter.

Wenige Minuten später hatte er die Luxusvilla der Kurdins passiert. Er konnte niemanden sehen, aber in den hohen Fenstern brannte Licht. Er überlegte kurz, ob er dort klingeln sollte, biss aber dann die Zähne zusammen und arbeitete sich voran.

Noch konnte er mithilfe seines Stockes das Gleichgewicht halten, obwohl die Knie steif wurden und seine Beine nach wie vor zitterten.

Er war noch zu weit vom Steinbruch entfernt, um über die Kante schauen zu können. Stand der Wagen, den er vorhin gesehen hatte, dort unten? Er hatte die Befürchtung, dass der Fahrer den Steinbruch als Ziel gehabt hatte, um dort Per Mörner zu treffen.

Aber was hatte Gerlof eigentlich für Möglichkeiten? Er würde seinen Stock schwingen und versuchen können, dem Mann Angst einzujagen.

Er hätte wohl eher die Polizei rufen sollen, statt selbst loszulaufen. Aber mehr als eine böse Vorahnung und einen Verdacht hatte er ja auch nicht. Auf dieser Grundlage würde die Polizei wohl kaum eine Streife nach Nordöland ausrücken lassen.

Jetzt passierte er das zweite Luxussommerhaus, das der Familie Larsson, wo das Nachbarschaftsfest stattgefunden hatte. Dort waren alle Fenster dunkel.

Er blieb einen Augenblick vor Larssons Auffahrt stehen, um zu Atem zu kommen, und sehnte sich nach seinem Rollstuhl. Noch dreihundert Meter bis zu Pers Haus oder vielleicht doch eher vierhundert.

Ein Schritt nach dem anderen.

Kein Mensch weit und breit, aber Pers Saab stand in der Auffahrt. Er war also entweder zu Hause oder auf einem Spaziergang.

Eine solide Holzbank wäre jetzt genau das Richtige, aber hier war noch nicht einmal ein großer Felsblock, auf dem er sich hätte ausruhen können. Er musste weiter. Der Wind rauschte, oder hörte er noch ein anderes Geräusch – war das ein Motor im Leerlauf?

Als er nur noch zweihundert Meter von Pers Haus entfernt war, versank die Sonne im Sund. Lautlos wurde die gelbrote Scheibe vom Horizont verschluckt und hinterließ einen flammenden Himmel im Westen, der langsam verglühte und dunkler wurde.

Kaum war die Sonne verschwunden, kroch die Nacht über die Küste herein. Ein schattenreiches Grau bedeckte den Steinbruch.

Gerlof wollte sich beeilen, aber seine Kräfte verließen ihn. Nach weiteren hundert Metern war er erneut gezwungen, anzuhalten und sich kurz auf seinen Stock gestützt auszuruhen. Da hörte er ein dumpfes Donnern.

Es kam vom Steinbruch, er kämpfte sich ein paar Schritte weiter und sah eine Lichtsäule aufsteigen.

Eine neue Sonne schien im Dunkeln dort unten, gleißend und viel stärker als die natürliche, gleichzeitig rollte ein donnerndes Echo über die Felskante. Es hatte unten im Steinbruch etwas wie eine Explosion gegeben.

Er atmete die kalte Luft tief ein und lief, so schnell er konnte, auf die Felskante zu. Da hörte er, wie ein Motor beschleunigte, dann vernahm er Schreie und wenige Augenblicke später stieg ihm der scharfe Geruch von Benzin in die Nase.

70

Per blinzelte und wartete darauf, dass Thomas Fall das Streichholz warf. Er müsste es nur mit Zeigefinger und Daumen schnippen, einen Schritt zur Seite treten und könnte dann in aller Ruhe dem Schauspiel beiwohnen.

Aber Fall war offensichtlich vorsichtiger. Er beugte sich vor und hielt das Streichholz an die Benzinpfütze vor seinen Füßen.

Per sah, wie das Feuer Nahrung bekam und größer wurde – aber dann kam plötzlich ein Windstoß und blies es wieder aus. Eine kleine Glut hielt sich, doch auch sie erstarb.

Ich muss aufstehen und weglaufen, sagte sich Per. *Oder ihn angreifen und zu Boden werfen. Ich kann doch ein bisschen Judo, ich müsste eigentlich in der Lage sein, ihn umzustoßen.*

Aber er konnte sich nicht bewegen, er war zu schwer verletzt. Er hatte massive Verbrennungen am Arm, sein Körper war wie betäubt. Aber er spürte keinen Schmerz, noch nicht einmal die gebrochenen Rippen taten ihm weh.

Fall ließ sich von dem missglückten Versuch nicht irritieren, er holte ein neues Streichholz aus der Schachtel. Nein, dieses Mal nahm er gleich drei auf einmal und zündete sie an.

Das zischende Geräusch war noch lauter als zuvor. Die Flamme war dreimal heller und flackerte stärker. Der Wind würde dagegen nichts ausrichten können.

Per kniete auf dem Boden, sein Kopf pochte, und er dachte an Judo. In dieser Position hatte er oft beim Training gesessen. Auf einer weichen Matte kniend sollte er üben, sich zu entspannen und sich auf mögliche Bewegungen im Raum zu konzentrieren. Gleichförmige Bewegungen – sich nach vorn zu werfen, zur Seite zu rollen, nach hinten zu fallen.

Nach hinten. Er könnte versuchen, sich nach hinten fallen zu lassen.

Fall beugte sich hinunter, um die Streichhölzer an das Benzin zu halten. In diesem Augenblick spannte Per seinen Körper an und warf sich in einen Purzelbaum nach hinten. Er machte sich ganz rund, um so weit wie möglich von den Flammen und dem Benzin wegzukommen.

Fall hatte die Streichhölzer fallen lassen. Zuerst entzündeten sich die Dämpfe, dann fing in Sekundenschnelle das Benzin mit einem dumpfen Knall Feuer, und ein heller Lichtkegel stieg in den Himmel.

Per lag mit den Füßen in der Luft, sein Rücken war in gefährlicher Nähe zur Feuersbrunst, mit Schwung rollte er weiter, schlug mit den Beinen auf dem Boden auf und hatte das Gefühl, dass sich ein Messer in seine Rippen bohrte.

Aber er war dem Feuer entkommen. Er lag nicht in der lodernden Pfütze, und seine Kleidung war zwar benzingetränkt, brannte aber nicht.

Sehr gut, weiter so, spornte er sich an.

Sein Brustkorb schmerzte, aber er versuchte, sich aufzurappeln, stützte sich mit der rechten Hand auf und drückte sich hoch.

Hinter ihm tanzten die Flammen.

Er musste fliehen, aber wohin? Er war gefangen. Auf der einen Seite waren meterhohe Felswände, und den Weg aus dem Steinbruch heraus versperrte Fall mit seinem Wagen. In etwa vierzig oder fünfzig Metern Entfernung türmte sich ein breiter, kantiger Schatten auf. Der Schrottsteinhaufen, von dem Jesper und er sich die großen Steinblöcke für die Treppe geholt hatten. Er war etwa zwei Meter hoch, sah aus wie eine kleine Burg und wurde nicht vom Licht des Feuers erfasst – dahinter würde er sich verstecken können.

Humpelnd machte er sich auf den Weg dorthin.

Er war etwa zwanzig Meter weit gekommen, als er sich umdrehte. Thomas Fall war nicht mehr zu sehen, die Flammen loderten weniger stark, aber das Feuer glühte und schwelte noch. Der Qualm, der aufstieg und vom Wind verteilt wurde, bildete einen grauen Vorhang – und Per hörte, wie hinter diesem Vorhang ein Motor gestartet wurde. Die Scheinwerfer suchten tastend den Steinbruch ab.

Per lief, so schnell er konnte, Sekunden, bevor das Licht des Wagens ihn erfassen konnte, hatte er sich hinter den Steinhaufen geworfen.

Er klammerte sich an die trockenen Felsblöcke und duckte sich.

Die Scheinwerfer tasteten weiter, der Wagen fuhr die Ebene in Kreisen ab, um Per zu finden. Der Motor dröhnte im ersten Gang und klang wie ein knurrendes Urzeitmonster.

Per atmete vorsichtig die kühle Abendluft ein. An der Küste im Süden sah er schwache Lichtkegel und wusste zuerst nicht, woher sie stammten. Dann wurde ihm klar, dass Walpurgisnacht war und überall auf der Insel Feuer brannten. Wenn jemand das Feuer im Steinbruch gesehen haben sollte, würde er niemals Verdacht schöpfen. Per konnte nicht damit rechnen, dass ihm jemand zu Hilfe kam.

Thomas Fall drehte noch immer Kreise, sie wurden größer und größer. Früher oder später würde er Per entdecken.

Wo lag seine Axt? Die hatte er bei der Brandattacke verloren.

Per sah hinüber zu den Resten seiner Steintreppe, die zu seinem Haus und Ernsts Werkzeug führte. Es waren nicht mehr als hundert Meter. Das war zwar nicht weit, aber auf dem Weg dorthin gab es keine Möglichkeit, sich zu verstecken.

In dem Moment erfassten die Scheinwerfer ihn, und der Wagen hielt an. Der Motor heulte auf, und Per wusste, dass Fall ihn entdeckt hatte.

Mit Vollgas kam der Wagen auf den Steinhaufen zugefahren. Per klammerte sich an den Felsen fest, rutschte aber ab und stieß mit den Rippen gegen etwas Hartes. Ihn durchfuhr ein stechender Schmerz, aber er biss die Zähne zusammen.

Fall bremste in letzter Sekunde, knallte aber mit seiner Stoßstange gegen die aufeinandergetürmten Steine. Die Erschütterung brachte die Steine ins Schwanken, und donnernd lösten sie sich und stürzten zu Boden.

Das Auto setzte zurück, Per wusste, dass Fall ein zweites Mal Vollgas geben würde.

Er hatte nicht vor, darauf zu warten, sondern sprang von dem Steinhaufen weg und rannte los, quer über die Schotterdecke des Steinbruchs auf die Steintreppe zu.

Wenn er überleben wollte, war er gezwungen, seine Schmerzen im Brustkorb zu ignorieren. Er lief, so schnell er konnte, aber die Scheinwerfer hatten ihn schon wieder erfasst. Per sah, wie sein Schatten immer länger wurde und über den Boden tanzte.

Der Motor hinter ihm heulte auf.

Die Steintreppe war noch etwa fünfzig Meter entfernt, Per würde sie nicht rechtzeitig erreichen. Er bog ab und lief auf die nächstgelegene Felskante zu. Die senkrechte Wand war drei oder vier Meter hoch, er würde es nicht schaffen, dort hinaufzuklettern. Aber vielleicht bot ihm die Wand einen gewissen Schutz – Fall würde es nicht wagen, seinen Wagen mit Vollgas dagegenzufahren.

Im Licht der Scheinwerfer sah er die roten Klumpen im Gestein. Der Blutstein.

Er stellte sich mit dem Rücken zum Felsen und versuchte, zu Atem zu kommen.

Der Motor heulte noch einmal auf, aber Fall schien zu zögern. Dann fuhr er einen Bogen, platzierte den Wagen parallel zur Felswand und gab Gas.

Die Wand bot keinen Schutz mehr, und Per hatte nur eine einzige Chance: die Steintreppe.

Da hörte er plötzlich ein Rufen. Mitten im Lauf sah er nach oben.

An der Felskante stand jemand – eine große und gekrümmte Gestalt, die sich auf einen Stock stützte. Es war der alte Gerlof. Er stand am Rand des Steinbruchs und hob seinen Stock in die Luft.

Per rannte weiter. Das Auto hinter ihm wurde schneller, Per wusste nicht, wie nah es war, aber es gab ohnehin keinen anderen Fluchtweg.

Ihm blieb nur eins: um sein Leben zu rennen. Aus dem Augenwinkel sah er, dass Gerlof etwas in die Luft hob, aber er hatte keine Zeit, noch einmal hochzuschauen. Sein Herz raste, sein Körper schmerzte, er würde bald kollabieren.

Das Dröhnen hinter ihm wurde lauter, es waren nur noch zehn Meter – und als Per erkannte, dass er es nicht schaffen würde, machte er zwei große Schritte und warf sich nach links auf die Seite, rollte mehrfach um die eigene Achse und machte sich dann so klein wie möglich.

Sekunden später raste der Ford an ihm vorbei, die Reifen verpassten nur um wenige Zentimeter seine Füße.

Per schloss die Augen und hörte, wie der Wagen eine Vollbremsung machte. Der Kies knirschte, die rechte Wagenseite schabte an der Felskante entlang, und dann gab es einen lauten Knall, und ein durchdringendes Dröhnen folgte. Danach regnete es kleine Kieselsteine.

Vorsichtig sah er sich um.

Thomas Fall war mit Pers Steintreppe kollidiert. Einer der Frontscheinwerfer war zertrümmert, aber die Rücklichter brannten noch. Wie zwei rote Augen in der Dunkelheit.

Dann stürzte die Treppe in sich zusammen. Die Kalksteinblöcke, die Per aufeinandergestapelt hatte, schwankten, fielen über die Kante und zerschmetterten Motorhaube und Windschutzscheibe.

Der Boden wackelte, als die letzten Blöcke vor ihm auf dem Boden aufschlugen.

Per schloss erneut die Augen und wartete, bis alles still wurde.

Der Automotor heulte ein letztes Mal auf, spuckte und hustete und erstarb dann. Nun war es totenstill im Steinbruch.

Per holte tief Luft und öffnete die Augen. Da sah er, dass einer der Steinblöcke nur etwa einen halben Meter von seinem Bein entfernt aufgeschlagen war.

Langsam erhob er sich und blickte hinüber zu Falls Wagen.

Das Dach war eingedrückt, die Seitenfenster zersplittert. Im Inneren des Wagens bewegte sich nichts.

71

Ein steifer Wind blies ihm entgegen, als Per die Felskante erklommen hatte.

»Ich habe gesehen, dass er nicht bremsen würde«, sagte Gerlof. »Der wollte Sie überfahren, da habe ich meinen Stock geworfen.«

Per wischte sich das Blut von seiner geplatzten Augenbraue.

»Und, haben Sie ihn erwischt?«, fragte er.

»Ich habe die Windschutzscheibe getroffen, vermutlich hat ihn das durcheinandergebracht ... und dann ist er mit der Steintreppe kollidiert.«

Per nickte und sah hinunter in den Steinbruch. Die intakten Rücklichter brannten noch. Ein wilder Haufen aus Kies und Steinen bedeckte die Motorhaube und verhinderte den Blick auf den Fahrersitz.

Unten am Strand sah man das Licht der Lagerfeuer, und der Wind trug Musik und Gelächter über den Steinbruch.

Nachdem die Treppe in sich zusammengestürzt war, hatte Per

versucht, einen der Steinblöcke vom Wagen zu stoßen. Erfolglos. Er hatte zu große Schmerzen. Dann hatte er sich langsam auf den Weg gemacht, den Steinbruch über den Schotterweg zu verlassen, den auch Thomas Fall benutzt hatte, und war den Umweg an der ansteigenden Felskante entlanggegangen. Dort hatte Gerlof gestanden und auf ihn gewartet.

Mit leiser Stimme fragte er Per:

»Wie geht es Ihnen?«

Per versuchte, in seinen Körper hineinzuhorchen, und hob den verbrannten Arm:

»Ganz gut, abgesehen von dem Arm. Ich habe mir wahrscheinlich ein paar Rippen gebrochen und einige Prellungen und Schürfwunden. Und vielleicht auch eine Gehirnerschütterung. Aber sonst geht es mir gut.«

»Es hätte schlimmer kommen können.«

»Allerdings. Er hatte eine selbst gebaute Bombe, so etwas Ähnliches wie er auch im Filmstudio benutzt hat. Erst wollte er mich mit Benzin übergießen und anzünden, und als das nicht klappte, hat er versucht, mich zu überfahren.«

»Und das war dieser Hans Bremer?«, fragte Gerlof.

»Nein, das war eben nicht Bremer ... das war der Mörder von Bremer. Er heißt Fall, Thomas Fall. Er hat sich nur Bremers Namen geliehen.«

Per versuchte sich zu erinnern, was ihm Thomas Fall über seinen Beruf erzählt hatte, war er Werbefotograf? Wie auch immer, er wollte auf keinen Fall mit Pornos in Verbindung gebracht werden. Das Geld hatte er gern genommen, aber den schlechten Ruf wollte er nicht. Und am Ende, als Jerry krank wurde, Daniel Wellman starb und Bremer mehr Geld verlangte, hatte er es als seinen einzigen Ausweg angesehen, das Studio in Brand zu stecken und unterzutauchen.

»Und wann haben Sie ihn bemerkt?«, fragte Per.

»Ich habe ihn vorhin im Auto sitzen sehen«, sagte Gerlof. »Er bastelte an einer Flasche mit einer Flüssigkeit herum ... und dann waren da die Armbanduhren.«

»Armbanduhren?«

»Ja, er trug zwei Uhren am linken Handgelenk. Eine goldene und eine aus Stahl, genau wie Ihr Vater. Das fand ich merkwürdig. Deshalb wollte ich wissen, wo er hinfuhr und was er vorhatte.«

»Ich habe sein Gesicht gar nicht sehen können«, seufzte Per. »Waren wir uns ähnlich, Thomas Fall und ich?«

»Ähnlich? Wie meinen Sie das?«

»Er hat gesagt, dass wir Halbbrüder sind.«

Per wandte dem Steinbruch den Rücken zu. Er blutete, war verletzt, hatte Verbrennungen, und seine Kleidung stank nach Benzin. Jetzt war er an der Reihe, sich ins Krankenhaus einliefern zu lassen.

»Wir müssen die Polizei rufen«, sagte er. »Gehen wir ins Haus.«

Er machte sich auf den Weg, aber nach wenigen Metern bemerkte er, dass Gerlof ihm nicht folgte, sondern mit hängendem Kopf an der Felskante stand. Er sah zu Per, und seine Stimme klang merklich dünn und schwach, als er sagte:

»Ich weiß nicht, ob ich das schaffe ohne meinen Stock. Ich fühle mich so ...«

Gerlof verstummte und schwankte.

Per reagierte schnell, ihm tat zwar alles weh, aber er zögerte keine Sekunde.

Mit drei Schritten war er bei Gerlof und hatte ihn gepackt, bevor der alte Mann über die Kante stürzen konnte.

72

Alles war wie im Traum für Vendela, aber immer nur für kurze Momente. Sonst lag sie in einem Dämmerzustand ohne Bilder und Erinnerung – unterbrochen von gedämpften Stimmen und Schatten, die ihren Körper hochhoben und an den Armen zogen. Sie ließ alles mit sich geschehen und schlief und schlief.

Als sie erwachte, tastete sie nach Aloysius – dann blinzelte sie. Wo war sie?

Sie lag auf dem Rücken in einem Krankenhausbett und starrte an eine weiße Decke.

Die Wände waren gelb gestrichen, aber kahl, durch die Jalousien drangen Streifen von Sonnenlicht. Nach einer Weile begriff sie, dass sie allein im Zimmer war. Allein in einem Krankenhauszimmer an einem sonnigen Frühlingstag. Es schien mitten am Tag zu sein, sie musste lange geschlafen haben, fühlte sich aber dennoch müde.

»Hallo?«, rief sie.

Keine Antwort.

Neben ihrem Bett hing ein durchsichtiger Plastikbeutel an einem Gestell. Ein Schlauch lief aus dem Beutel, und Vendela stellte fest, dass sein Ende in eine Nadel mündete, die wiederum in ihrer linken Armbeuge steckte.

Infusion. Sie bekam eine Infusion.

Sie erinnerte sich wieder an die Tabletten. Sie erinnerte sich, dass sie ein letztes Mal zum Elfenstein gegangen war, mit Trauer und Sorge im Herzen. Und sie hatte die Tablettenbox dabeigehabt, sich gegen den Stein gelehnt und die Box geöffnet.

Sie hatte sich nur ein bisschen entspannen wollen, aber offensichtlich zu viele Tabletten genommen.

Wie furchtbar krank ich gewesen sein muss, dachte sie. *Krank und traurig ... Bin ich denn jetzt wieder gesund und froh?*

Vorsichtig setzte sie sich auf. Ihr wurde schwindelig. Sie wartete, bis der Raum sich nicht mehr drehte, und schwang dann die Beine über die Bettkante. So blieb sie erneut eine Weile sitzen, dann erst stellte sie sich hin.

Sie holte tief Luft, ihre Nase war nicht verstopft, ihre Allergie war verschwunden.

An der Wand standen ein paar Hausschuhe, und darüber hing ein roter Bademantel am Haken. Sie schlüpfte in die Schuhe und legte sich den Mantel über die Schultern. Mit dem Infusionsgestell in der Hand schlurfte sie los.

Die Tür zu ihrem Zimmer stand einen Spaltbreit offen, und sie schob sie auf.

Der Gang war menschenleer. Die Glastür mit der Aufschrift AUSGANG sah schwer zu öffnen aus. Das würde ihr nicht gelingen. Sie wandte sich in die andere Richtung.

Der lange Flur endete in einer Art Aufenthaltsraum mit Stühlen und Sofa. An der Wand hing ein Fernseher, er war eingeschaltet, aber leise gestellt. Es lief die Übertragung eines Wettkampfes, bei dem Leute durch ein Labyrinth liefen und sich gegenseitig anfeuerten.

Im Raum saß nur eine einzige Person, die fernsah. Ein kräftiger Mann in einem braunen Rollkragenpullover. Da erkannte ihn Vendela, es war Max.

Er drehte sich zu ihr um. Dann sprang er auf.

»Hallo, du bist ja ... bist du wach?«

Vendela sah ihn verwirrt an.

»Wo sind wir hier?«

»In Kalmar ... im Krankenhaus.«

Sie nickte.

Auch Max sah müde aus, aber er lebte. Vendela war sich so sicher gewesen, dass er tot war, daran konnte sie sich gut erinnern – schließlich hatte sie am Elfenstein gestanden und sich gewünscht, dass sein Herz aufhören würde zu schlagen. Sie hatte ihren Ehering dafür geopfert.

Warum ist das nicht eingetreten?

Vermutlich weil es gar keine Elfen gab, die geheime Wünsche

erfüllten. Adam Luft hatte gelogen. Aber wahrscheinlich hatte sie das die ganze Zeit geahnt.

Mit dem Infusionsgestell in der Hand stand sie fünf Meter von ihrem Ehemann entfernt. Insgesamt hatte sie nicht mehr als zehn Meter zurückgelegt, aber ihre Beine zitterten.

»Max, was ist heute für ein Tag?«

»Welcher Tag? Es ist Freitag ... der erste Mai.«

»Ist hier sonst niemand auf der Station?«, fragte Vendela. »Keine Krankenschwestern?«

»Nicht so viele. Heute ist ja Feiertag.«

Vendela erinnerte sich, dass Max diesen Feiertag nicht ausstehen konnte. Er sah gequält aus.

»Aber ich kann jemanden für dich holen«, sagte er eifrig. »Brauchst du irgendetwas?«

»Nein.«

Schweigend standen sie einander gegenüber.

»Was ist eigentlich passiert?«, fragte sie. »Ich kann mich nur erinnern, dass ich in die Alvar gegangen bin – hat mich dort jemand gefunden?«

Max nickte.

»Unser Nachbar, Per Mörner. Er hat auch den Notarzt gerufen.« Nach einer kurzen Pause fuhr er fort.

»Und kurz darauf benötigte er selbst einen Arzt. Er wurde von einem Auto überfahren. Jemand hat versucht, ihn umzubringen.«

»Per?«

Max nickte erneut.

»Er liegt auch hier im Krankenhaus. Aber ihm geht es schon besser, haben die Krankenschwestern gesagt. Und seine Tochter ist ja auch da. Sie wurde heute Morgen operiert.«

»Und wie geht es ihr?«

»Das weiß ich nicht ... das kann man nie so genau sagen. Es war eine schwere Operation, aber sie ist wohl gut verlaufen.« Max machte eine Pause und fügte hinzu: »Und wie ... wie geht es dir?«

»Gut. Ein bisschen müde bin ich, aber eigentlich geht es mir gut.«

Sie sah, dass Max ihr nicht glaubte, und warum sollte er das auch? Schließlich hatte sie genau das getan, was er immer befürchtet hatte, und sich mit Tabletten vollgepumpt.

Ja, sie ist ziemlich krank gewesen. Aber Vendela spürte, dass die Dunkelheit sich für immer verzogen hatte.

»Ich muss los«, sagte sie, drehte sich langsam um und ging.

»Willst du dich nicht setzen? Ich kann ...«

»Nein, Max, ich muss mich wieder ins Bett legen.«

Und dann ging sie. Die Tür zu ihrem Zimmer erschien ihr auf einmal ziemlich weit entfernt.

»Können wir uns unterhalten?«, fragte Max zaghaft.

»Jetzt nicht.«

»Wo ist dein Ring? Du hast keinen Ehering getragen, als du eingeliefert worden bist ...«

Vendela blieb stehen, dann sah sie über die Schulter.

»Es tut mir leid«, antwortete sie, »aber ich habe ihn weggeworfen.«

»Und warum?«

»Er war wertlos für mich.«

Mehr sagte sie nicht, sondern setzte ihren Weg fort. Sie hatte Angst, dass Max schreiend und schimpfend hinter ihr herrennen würde. Aber nichts dergleichen geschah.

Als sie ihr Zimmer erreicht hatte, drehte sie sich um und sah den Flur hinunter.

Max war noch im Aufenthaltsraum, er saß zusammengesunken in seinem Stuhl, hatte sich nach vorne gebeugt und die Hände auf die Knie gestützt.

Vendela betrachtete ihn eine Weile, dann ging sie in ihr Zimmer, legte sich aufs Bett und starrte an die Decke.

Sie glaubte nicht mehr an die Macht der Elfen. Dennoch hatten sie, auf andere Weise, ihren Wunsch erfüllt und Max das Herz gebrochen.

EPILOG

An diesem Tag war ablandiger Wind, der Blumendüfte aus der Alvar an die Küste trug.

Per war sich nicht sicher, ob es noch Frühling war oder schon der Sommer auf Öland Einzug gehalten hatte. Das nannte man wohl Frühsommer. Es war auf jeden Fall Samstag, der 23. Mai, und die Insel war grün. Im Steinbruch war es zwar nach wie vor karg und grau, aber auch dort hatten die ersten Grashalme ihren Weg zwischen den Steinen ans Licht gefunden. Und zwischen den Steinhaufen streckten sich kleine Büsche mit frischem Laub.

Per musste daran denken, wie berechenbar das Leben manchmal schien, und dann kam es doch ganz anders, als gedacht, und wurde nie wieder so, wie es einmal war.

Die Steintreppe hatte er nicht wieder errichtet, alle Spuren waren beseitigt. Nachdem Thomas Fall aus dem Autowrack geborgen und sein Wagen Anfang Mai von der Polizei abgeholt worden war, hatte Per entschieden, dass er keine Abkürzung zum Strand benötigte. Zusammen mit Jesper hatte er ein Wochenende damit verbracht, die Steinblöcke zurückzuschleppen und den Kies im Steinbruch zu verteilen.

Heute waren Jesper und John Hagman damit beschäftigt, Kies zu schaufeln und Steinblöcke hin und her zu transportieren. Aber ihr Ziel war es nicht, eine neue Treppe zu bauen.

»Da war's!« Jesper zeigte Gerlof die Stelle, an der er das Knöchelchen gefunden hatte.

Er deutete auf den großen Steinhaufen, wo Per sich versteckt hatte, als Thomas Fall ihn durch den Steinbruch gejagt hatte. Dort wurde nun gegraben.

Per stand in seinem Garten und sah ihnen zu. Er hatte ein anderes Projekt. Er hatte einen dreibeinigen Grill an der Felskante aufgebaut und begonnen, darin altes Laub und Papiere zu verbrennen. Das ging überraschend gut, trotz des verbundenen Arms.

Das Laub hatte er im Garten zusammengeharkt, die Unterlagen gehörten seinem Vater. Es waren jene Verträge, die Thomas Fall bei dem Einbruch in Jerrys Wohnung in Kristianstad gestohlen hatte – fast zweihundert Verträge hatte Fall entwendet und sie aus einem unerfindlichen Grund in seiner Wohnung aufbewahrt, statt sie zu entsorgen. Die Polizei hatte sie bei einer Hausdurchsuchung entdeckt und sich Namen und Adressen kopiert. Der Staatsanwalt hatte Per die Unterlagen zukommen lassen, da er als rechtmäßiger Erbe angesehen wurde.

Per stand vor dem Feuer und blätterte ein letztes Mal durch die Papiere. So viele gefälschte Namen.

Daniele, Cindy, Savannah, Amber, Jenna, Violet, Chrissy, Marilyn, Tammy ...

Eine lange Reihe von Traumgestalten. Daneben standen ihre wirklichen Namen und Adressen. Diese Angaben waren säuberlich aufgeführt unter dem Strich, auf dem die Modelle ihre Unterschrift geleistet hatten, dass sie den Aufnahmen freiwillig zustimmten. Als er am Abend zuvor die Dokumente durchgesehen hatte, war er auch auf einen ganz bestimmten Namen gestoßen: *Regina.*

Lange hatte er das Stück Papier betrachtet.

Reginas bürgerlicher Name war Maria Svensson. Das war kein seltener Name, und wahrscheinlich stimmten auch Telefonnummer und Adresse nicht mehr, aber ihre Personennummer war aufgeführt. Es wäre ein Leichtes, sie ausfindig zu machen.

»Woran denkst du gerade, Papa?«

Per drehte sich zu Nilla um. Sie saß in ihrem Rollstuhl auf der Veranda und hatte ihn beobachtet.

»Rate mal.«

»Ich kann nicht … mein Kopf ist ganz leer.«

»Na siehst du!«, Per lachte. »Meiner auch.«

Neben Nilla saß Gerlof. Siebzig Jahre Altersunterschied trennte die beiden, aber sie schienen sich gut zu verstehen, wie sie da in ihren Rollstühlen beisammensaßen. Sie waren noch ziemlich mitgenommen, würden sich aber bis zum Sommer erholt haben.

Nilla und Jesper hatten auch mittlerweile erfahren, dass ihr Großvater gestorben war, aber auf die Beerdigung in der vergangenen Woche war Per alleine gegangen. Als einziger Vertreter der Familie Mörner.

Jerrys Sarg war mit schönen Blumen verziert gewesen, aber in der Kapelle hatten sich nur sehr wenige Menschen versammelt. Ein paar entfernte Cousinen waren angereist, der Priester und ein Polizist waren anwesend – und eine etwa fünfundsechzigjährige Frau in Schwarz, die sich in die letzte Reihe gesetzt hatte und unmittelbar nach Ende der Zeremonie verschwand. Aber sie hatte ihren Namen ins Kondolenzbuch eingetragen, und als Per als Letzter die Kapelle verließ, warf er einen Blick hinein:

Susanne Fall stand dort.

Das war Thomas' Mutter, die von Jerry Abschied genommen hatte.

Jerry hatte nie davon erfahren, dass er Thomas Falls Vater war. Susanne hatte es ihm gegenüber offensichtlich verschwiegen, aber sie muss es ihrem Sohn gesagt haben. Thomas war offenbar im Schatten seines berühmt-berüchtigten Vaters aufgewachsen und hatte, ganz anders als Per, sich dazu entschlossen, anonym für ihn zu arbeiten. Er hatte sich die Identität seines Lehrers geliehen und bei Morner Art den Job als Kameramann und Regisseur angenommen. Und er hatte sich ausgezeichnet in der lieblosen Welt zurechtgefunden, die sein Vater tagtäglich erschaffen hatte.

Thomas war der Sohn geworden, der Per für Jerry nicht hatte sein wollen. Aber am Ende dieser Beziehung hatten Brandstiftung und Vatermord gestanden.

Jerry war beerdigt, aber seine Enkelin Nilla war auf dem Weg der Besserung und hatte ein langes Leben vor sich – Per konnte und wollte an diesem sonnigen Tag an nichts anderes denken.

»Wie geht es Ihnen denn?«, fragte Gerlof plötzlich. »Haben Sie wieder angefangen zu arbeiten?«

Er schüttelte den Kopf.

»Nein, ich bin arbeitslos.«

»Ach, wirklich? Haben Sie mit ihren Marktanalysen aufgehört?«

»Mir wurde gekündigt. Sie haben mir unterstellt, ich hätte Ergebnisse gefälscht.«

Per sah hinüber zu Vendelas Villa, er wusste, dass sie zu Hause war. Er hatte sie nicht mehr gesehen, seit sie vor einer Woche aus dem Krankenhaus entlassen worden war. Ihre Tochter war offensichtlich zu Besuch gewesen, und er hatte ein paarmal beobachtet, wie Vendela mit ihrem neuen Hund aus dem Haus kam. Einem Terrier.

Kurdins Haus war verriegelt. Per hatte sie seit dem Abend vor der Walpurgisnacht nicht mehr gesehen, aber sie würden wahrscheinlich Mittsommer wieder auf Öland verbringen.

Und Max Larsson? Sein Kochbuch sollte erst im August erscheinen, aber er rührte schon ordentlich die Werbetrommel. Per hatte ihn häufiger in Talkshows gesehen, wo er ausführlich über sein Ernährungskonzept gesprochen hatte – aber am Steinbruch hatte er sich schon lange nicht mehr gezeigt. Vendela und er hatten sich anscheinend endgültig getrennt.

John Hagman stand unten im Steinbruch, rief und winkte mit den Armen.

»Was ist denn?«, rief Per zurück. »Habt ihr Knochen gefunden?«

»Das sind Steine!«, antwortete John.

»Steine?«

»Ja, geschliffene Steine. Wollt ihr euch die mal ansehen?«

»Gerne.«

John und Jesper bückten sich über das Loch, das sie gegraben hatten, und sammelten kleinere Steine ein. Per sah, dass sie rot waren und anders aussahen als die üblichen Schrottsteine.

John legte etwa zehn von ihnen in seine Schubkarre und machte sich auf den Weg zur Felskante.

Gerlof reckte den Hals.

»Sieht ja aus wie von einer Skulptur, wie ein zerstörtes Kunstwerk.«

Per kniete sich hin und zog die Schubkarre hoch. Die Steine waren so glatt und weich wie Marmor.

»Nehmen Sie das hier«, sagte Gerlof und reichte Per seine Decke, die auf seinem Schoß gelegen hatte.

Per breitete die Steine auf der Decke aus. Einige schienen zusammenzupassen, er schob sie wie ein Puzzle hin und her, um zu erkennen, was sie darstellen sollten.

»Soll das ein Obelisk sein?«

Gerlof schüttelte den Kopf.

»Das ist eine Rakete, eine Raumfähre!«

Da erkannte auch Per, wie die Teile zusammengehörten. Ein rundlicher Körper und zwei Flügel, darüber eine etwas spitzere Nase. Alle Teile waren sorgfältig geschliffen und poliert. Er hob eines hoch und zeigte es Gerlof.

»Dann hat Henry Fors also eine Rakete gebaut? Damit hat er sich jeden Tag beschäftigt?«

»Sieht so aus.«

»Warum bloß?«

»Er hatte zum Schluss keine Arbeit mehr. Die Kunden blieben aus. Aber als er kurz vor der Fertigstellung seiner Rakete war, kam sein Sohn und hat ihm sein ganzes Werk zerstört.«

»Ach, hat er das? Woher wissen Sie das?«

»Ich habe es gelesen.«

Vorsichtig legte Per den Stein zurück auf die Decke.

»Sollen wir weitermachen?«, rief John von unten.

Gerlof winkte ab.

»Mir genügt das, John. Aber Henry Fors' Sohn liegt vermutlich irgendwo dort unten vergraben.«

»Wenn er nicht in die Alvar zu den Elfen geflohen ist«, sagte Per und musste an den Jungen denken, den er am Elfenstein getroffen hatte.

»Ja, vielleicht«, sagte Gerlof. »Lassen wir ihn in Frieden ruhen, man muss nicht alle Rätsel lösen.«

Per schloss die Augen und spürte die Wärme der Sonne, die von den Steinen reflektiert wurde.

Dann legte er die letzten Verträge in die Glut, auch Reginas. Er ging wie alle anderen in Flammen auf.

Als das Feuer langsam erstarb, hob er einen der geschliffenen Steine auf und wandte sich an Gerlof und Nilla. »Ich bringe den eben rüber zu Vendela Larsson.«

»Dann hätte ich auch noch etwas für sie«, sagte Gerlof und winkte mit einem großen weißen Umschlag, der auf seinem Schoß gelegen hatte.

Als Per ihn an sich nahm, hörte er es darin klappern und rasseln.

»Was ist das?«, fragte er.

»Das sind Schmuckstücke«, sagte Gerlof. »Sie gehören Vendela.«

Per fragte nicht weiter. Er klingelte an der Haustür, in der einen Hand den Umschlag, in der anderen den polierten Stein.

Die dicken Mauern des Hauses türmten sich vor ihm auf. Als die Klingel verstummte, ertönte lautes Hundegebell, aber niemand öffnete.

Er klingelte erneut. Dann trat er einen Schritt zurück in die Sonne.

Die Maisonne lässt die Trolle und Elfen zerplatzen wie Seifenblasen, dachte er. *Nur die Menschen bleiben für einen kurzen Augenblick zurück. Wir sind wie ein kurzes Lied unter dem Himmel, ein Lachen im Wind, das zu einem Seufzer wird. Und dann sind auch wir verschwunden.*

Da drehte sich ein Schlüssel im Schloss, und die Tür öffnete sich.

DANK DES AUTORS

Auf Öland gibt es viele Steinbrüche an der Küste. Dort gab man früher den Trollen die Schuld, wenn etwas gestohlen wurde oder kaputtging (mein Verwandter Axel Gerlofsson nannte sie *trullen*). Und in der Alvar gibt es Elfensteine aus der Bronzezeit (die Archäologen nennen sie Elfenmühlen), in deren Steinschälchen man auch heute noch den Elfen Münzen oder andere Gaben opfert. Aber die Orte, an denen sich der Steinbruch und der Elfenstein in *Blutstein* befinden, sind frei erfunden, ebenso wie alle Personen und Firmen. (Es gibt Kurse in Schweden, in denen man lernt, mit Naturwesen in Kontakt zu treten. Aber meines Wissens finden sie nicht auf Öland oder Gotland statt.)

Zwei Reportagen, die mir sehr beim Schreiben des Romans geholfen haben, waren zum einen »Flickan och skulden« (Das Mädchen und die Schuld) von Katarina Wennstam, in der es um unsere moderne Sexualmoral und die Doppelmoral geht, sowie »Porr – en bästsäljande historia« (»Porno – eine Bestsellergeschichte«) von Mattias Andersson, eine eingehende Untersuchung und Analyse der schwedischen Pornoindustrie. Für andere Fakten in *Blutstein* möchte ich Andreas Roman, Jo Clifford, Cherstin Juhlin, Per-Åke Öberg sowie meinen Verwandten Jenny Rylander, Lasse Björk und Hans, Birgitta und Henrik Gerlofsson danken. Ein großer Dank geht auch an Ævar Örn Josepsson, Gunilla Ericsson und Margareta von Geijer für inspirierende Reisen nach Island und Grez-sur-Loing in Frankreich.

Vielen Dank an alle im Verlag, die hart daran mitgearbeitet haben, dass dieses Buch fertiggestellt wurde, allen voran Katarina Ehnmark Lundquist und Åsa Selling.

Johan Theorin

Johan Theorin
Öland

*Kriminalroman. Aus dem Schwe-
dischen von Kerstin Schöps.
448 Seiten. Piper Taschenbuch*

An einem Spätsommertag verschwindet ein kleiner Junge im
dichten Nebel der Insel Öland –
und wird nie wieder gesehen.
Zwanzig Jahre später erhält seine Mutter einen Anruf von
ihrem Vater: Es gebe ein neues
Beweisstück, und er bittet sie,
nach Öland zurückzukehren
und die Suche wieder aufzu-
nehmen. Dort geht das Ge-
rücht, der unheilbringende Nils
Kant sei der Mörder. Dabei war
dieser längst unter der Erde, als
der Junge verschwand. Oder
geistert er womöglich noch immer über die weite Kalkebene
von Öland?

Johan Theorin
Nebelsturm

*Kriminalroman. Aus dem Schwe-
dischen von Kerstin Schöps.
464 Seiten. Piper Taschenbuch*

Ein dunkler, rauer Winter auf
der schwedischen Insel Öland.
Auf dem verlassenen Anwesen
Åludden, einem mystischen,
beladenen Ort, zieht die junge
Familie Westin ein. Die tragi-
sche Nachricht vom Ertrinken
der Tochter Livia scheint die
schlimmsten Befürchtungen zu
bestätigen …

»Man sollte immer vorsichtig
sein, wenn irgendwas zum
nächsten großen Ding ausgeru-
fen wird, aber bei Johan Theorin sind alle Lobeshymnen angebracht.«
Brigitte

Ausgezeichnet von der Schwedischen Krimi-Akademie als
bester Kriminalroman des Jahres und prämiert mit dem Dag-
ger Award für den besten inter-
nationalen Kriminalroman

05/2510/01/L   05/2643/01/R